中国近现代中医药期刊续编

第二辑

中国医学院第六届毕业纪念刊

王咪咪◎主编

2020年度北京市优秀古籍整理出版扶持项目

北京科学技术出版社

图书在版编目（CIP）数据

中国医学院第六届毕业纪念刊 / 王咪咪主编. -- 北京：北京科学技术出版社, 2021.7
（中国近现代中医药期刊续编. 第二辑）
ISBN 978-7-5714-1487-0

Ⅰ. ①中… Ⅱ. ①王… Ⅲ. ①中国医药学—医学期刊—汇编—中国—民国 Ⅳ. ①R2-55

中国版本图书馆CIP数据核字(2021)第049335号

策划编辑：侍　伟　段　瑶
责任编辑：侍　伟　王治华
文字编辑：白世敬　刘　佳　陶　清　孙　硕　刘雪怡　吕　艳
责任校对：贾　荣
图文制作：北京艺海正印广告有限公司
责任印制：李　茗
出 版 人：曾庆宇
出版发行：北京科学技术出版社
社　　址：北京西直门南大街16号
邮政编码：100035
电　　话：0086-10-66135495（总编室）　0086-10-66113227（发行部）
网　　址：www.bkydw.cn
印　　刷：北京捷迅佳彩印刷有限公司
开　　本：787mm × 1092mm　1/16
字　　数：279.72千字
印　　张：30.5
版　　次：2021年7月第1版
印　　次：2021年7月第1次印刷
ISBN 978 – 7 – 5714 – 1487 – 0
定　　价：680.00元

《中国近现代中医药期刊续编·第二辑》编委会名单

序

2012年上海段逸山先生的《中国近代中医药期刊汇编》（下文简称“《汇编》”）出版，这是中医界的一件大事，是研究、整理、继承、发展中医药的一项大工程，是研究近代中医药发展必不可少的历史资料。在这一工程的感召和激励下，时隔七年，我所的王咪咪研究员决定效仿段先生的体例、思路，尽可能地将《汇编》所未收载的新中国成立前的中医期刊进行搜集、整理，并将之命名为《中国近现代中医药期刊续编》（下文简称“《续编》”）进行影印出版。

《续编》所选期刊数量虽与《汇编》相似，均近50种，但总页数只及《汇编》的1/4，约25000页，其内容绝大部分为中医期刊，以及一些纪念刊、专题刊、会议刊；除此之外，还收录了《中华医学杂志》1915—1949年所发行的35卷近300期中与中医发展、学术讨论等相关的200余篇学术文章，其中包括6期《医史专刊》的全部内容。值得强调的是，《续编》将1951—1955年、1957年、1958年出版的《医史杂志》进行收载，这虽然与整理新中国成立前期刊的初衷不符，但是段先生已将1947年、1948年（1949年、1950年《医史杂志》停刊）的《医史杂志》收入《汇编》中，咪咪等编者认为把20世纪50年代这7年的《医史杂志》全部收入《续编》，将使《医史杂志》初期的各种学术成果得到更好的保存和利用。我以为这将是对段先生《汇编》的一次富有学术价值的补充与完善，对中医近现代的学术研究，对中医整理、继承、发展都是有益的。医学史的研究范围不只是中国医学史，还包括世界医学史，医学各个方面的发展史、疾病史，以及从史学角度谈医学与其关系等。《续编》中收载的文章虽有的出自西医学家，但提出来的问题，对中医发展有极大的推进作用。陈邦贤先生在

《中国医学史》的自序中有“世界医学昌明之国，莫不有医学史、疾病史、医学经验史……岂区区传记遽足以存掌故资考证乎哉！”陈先生将其所研究内容分为三大类：一为关于医学地位之历史，二为医学知识之历史，三为疾病之历史。医学史的开创性研究具有连续性，正如新中国成立初期的《医史杂志》所登载的文章，无论是陈邦贤先生对医学史料的连续性收集，还是李涛先生对医学史的断代研究，他们对医学研究的贡献都是开创性的和历史性的；范行准先生的《中国预防医学思想史》《中国古代军事医学史的初步研究》《中华医学史》等，也都是一直未曾被超越或再研究的。况且那个时期的学术研究距今已近百年，能保存下来的文献十分稀少。今天能有机会把这样一部分珍贵文献用影印的方式保存下来，将是对这一研究领域最大的贡献。同时，扩展收载1951—1958年期间的《医史杂志》，完整保留医学史学科在20世纪50年代的研究成果，可以很好地保持学术研究的连续性，故而主编的这一做法我是支持的。

以段逸山先生的《汇编》为范本，《续编》使新中国成立前的中医及相关期刊保存得更加完整，愿中医人利用这丰富的历史资料更深入地研究中医近现代的学术发展、临床进步、中西医汇通的实践、中医教育的改革等，以更好地继承、挖掘中医药伟大宝库。

李经纬 九十老人

2019年11月于中国中医科学院

前 言

《汇编》主编段逸山先生曾总结道，中医相关期刊文献凭藉时效性强、涉及内容广泛、对热门话题反映快且真实的特点，如实地记录了中医发展的每一步，记录了中医人每一次为中医生存而进行的艰难抗争，故而是中医近现代发展的真实资料，更是我们今天进行历史总结的最好见证。因此，中医药期刊不但具有历史资料的文献价值，还对当今中医药发展具有很强的借鉴意义。

本次出版的《续编》有五六十册之规模，所收集的中医药期刊范围，以段逸山先生主编的《汇编》未收载的新中国成立前50年中医相关期刊为主，以期为广大读者进一步研究和利用中医近现代期刊提供更多宝贵资料。

《续编》收载期刊的主要时间定位在1900—1949年，之所以不以1911年作为断代，是因为《绍兴医药学报》《中西医学报》等一批在社会上很有影响力的中医药期刊是1900年之后便陆续问世的，从这些期刊开始，中医的改革、发展等相关话题便已被触及并讨论。

在历史的长河中，50年时间很短，但20世纪上半叶的50年却是中医曲折发展并影响深远的50年。中国近代，随着西医东渐，中医在社会上逐步失去了主流医学的地位，并逐步在学术传承上出现了危机，以至于连中医是否能名正言顺地保存下来都变得不可预料。因此，能够反映这50年中医发展状况的期刊，就成为承载那段艰难岁月的重要载体。

据不完全统计，这批文献有1500万～2000万字，包括3万多篇涉及中医不同内容的学术文章。这50年间所发生的事件都已成为历史，但当时中医人所提出的问题、争论的焦点、未做完的课题一直在延续，也促使我们今天的中医人要不断地回头看，思考什么才是这些问题的答案！

中医到底科学不科学？中医应怎样改革才能适应社会需要并有益于中医的发展？120年前，这个问题就已经在社会上被广泛讨论，在现存的近现代中医药期刊中，这一类主题的文章有不下3000篇。

中医基础理论的学术争论还在继续，阴阳五行、五运六气、气化的理论要怎样传承？怎样体现中国古代的哲学精神？中医两千余年有文字记载的历史，应怎样继承？怎样整理？关于这些问题，这50年间涌现出不少相关文章，其中有些还是大师之作，对延续至今的这场争论具有重要的参考价值。

像章太炎这样知名的近代民主革命家，也曾对中医的发展有过重要论述，并发表了近百篇的学术文章，他又是怎样看待中医的？此类问题，在这些期刊中可以找到答案。

最初的中西医汇通、结合、引用，对今天的中西医结合有什么现实意义？中医在科学技术如此发达的现代社会中如何建立起自己完备的预防、诊断、治疗系统？这些文章可以给我们以启示。

适应社会发展的中医院校应该怎么办？教材应该是什么样的？根据我们在收集期刊时的初步统计，仅百余种的期刊中就有五十余位中医前辈所发表的二十余类、八十余种中医教材。以中医经典的教材为例，有秦伯未、时逸人、余无言等大家在不同时期从不同角度撰写的《黄帝内经》《伤寒论》《金匮要略》等教材二十余种，其学术性、实用性在今天也不失为典范。可由于当时的条件所限，只能在期刊上登载，无法正式出版，很难保存下来。看到秦伯未先生所著《内经生理学》《内经病理学》《内经解剖学》《内经诊断学》中深入浅出、引人入胜的精彩章节，联想到现在的中医学生在读了五年大学后，仍不能深知《黄帝内经》所言为何，一种使命感便油然而生，我们真心希望这批文献能尽可能地被保存下来，为当今的中医教育、中医发展尽一份力。

新中国成立前这50年也是针灸发展的一个重要阶段，在理论和实践上都有很多优秀论文值得被保存，除承淡安主办的《针灸杂志》专刊外，其他期刊上也有许多针灸方面的内容，同样是研究这一时期针灸发展状况的重要文献。

在中医的在研课题中，有些同志在做日本汉方医学与中医学的交流及互相影响的研究，这一时期的期刊中保存了不少当时中医对日本汉方医学的研究之作，而这些最原始、最有影响的重要信息载体却面临散失的危险，保护好这些文献就可以为相关研究提供强有力的学术支撑。

在这50年中，以期刊为载体，一门新的学科——中国医学史诞生了。中国医学史首次以独立的学科展现在世人面前，为研究中医、整理中医、总结中医、发展中医，把中医推向世界，再把世界的医学展现于中医人面前，做出了重大贡献。创建中国医学史学科的是一批忠实于中医的专家和一批虽出身西医却热爱中医的专家，他们潜心研究中医医史，并将其成果传播出去，对中医发展起到了举足轻重的作用。《古代中西医药之关系》《中国医学史》《中华医学史》《中国预防医学思想史》《传染病之源流》等学术成果均首载于期刊中，作为对中医学术和临床的提炼与总结，这种研究将中医推向了世界，也为中医的发展坚定了信心。史学类文章大都较长，在期刊上大多采用连载的形式发表，随着研究的深入也需旁引很多资料，为使大家对医学史初期的发展有一个更全面、连贯的认识，我们把《医史杂志》的收集延至1958年，为的是使人们可以全面了解这一学科的研究成果对中医发展的重要作用。《医史杂志》创刊于1947年，在此之前一些研究医学史的专家利用西医刊物《中华医学杂志》发表文章，从1936年起《中华医学杂志》不定期出版《医史专刊》。（《中华医学杂志》是西医刊物，我们已把相关的医学史文章及1936年后的《医史专刊》收录于《续编》之中。）这些医学史文章的学术性很强，但其中大部分只保存在期刊上，期刊一旦散失，这些宝贵的资料也将不复存在，如果我们不抢救性地加以保护，可能将永远看不到它们了。

上述的一些课题至今仍在被讨论和研究，这些文献不只是资料，更是前辈们一次次的发言。能保存到今天的期刊，不只是文物，更是一篇篇发言记录，我们应该尽最大的努力，把这批文献保存下来。这50年的中医期刊、纪念刊、专题刊、会议刊，每一本都给我们提供了一段回忆、一个见证、一种警示、一份宝贵的经验。这批1500万～2000万字的珍贵中医文献已到了迫在眉睫需要保护、研究和继承的关键时刻，它们大多距今已有百年，那时的纸张又是初期的化学纸，脆弱易老化，在百年的颠沛流离中能保留至今已属万分不易，若不做抢救性保护，就会散落于历史的尘埃中。

段逸山、王有朋等一批学术先行者们以高度的专业责任感，克服困难领衔影印出版了《汇编》，以最完整的方式保留了这批期刊的原貌，最大限度地保存了这段历史。段逸山老师所收载的48种医刊，其遴选标准为现存新中国成立前保留时间较长、发表时间较早、内容较完备的期刊，其体量是现存新中国成立前期刊的三分之二以上，但仍留有近三分之一的期刊未能收载出版。正如前面所述，每多保留一篇文献都是在保留一份历史痕迹，故对《汇编》未收载的期刊进行整理出版有着重要意义。北京科学技术出版社秉持传承、发展中医的责任感与使命感，积极组织协调本书的出版事宜。同时，在出版社的大力支持下，本书入选北京市古籍整理出版资助项目，为本书的出版提供了可靠的经费保障。这些都让我们十分感动。希望在大家的共同努力下，我们能尽最大可能保存好这批期刊文献。

近现代中医可以说是对旧中医的告别，也是更适应社会发展的新中医的开始，从形式上到实践上都发生了巨大的改变。这50年中医的起起伏伏，学术的争鸣，教育的改变，理论与临床的悄然变革，都值得现在的中医人反思回顾，而这50年的文献也因此变得更具现实研究意义。

《续编》即将付梓之际，恰逢全国、全球新冠肺炎疫情暴发，在此非常时期能如期出版实属难得；也借此机会向曾给予此课题大量帮助和指导的李经纬、余瀛鳌、郑金生等教授表示最诚挚的感谢。

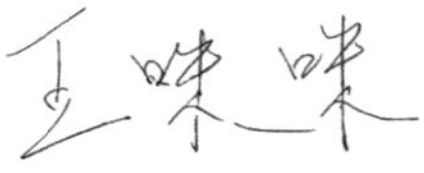

2020年2月

目　录

中国近现代中医药期刊续编·第二辑

中国医学院第六届毕业纪念刊

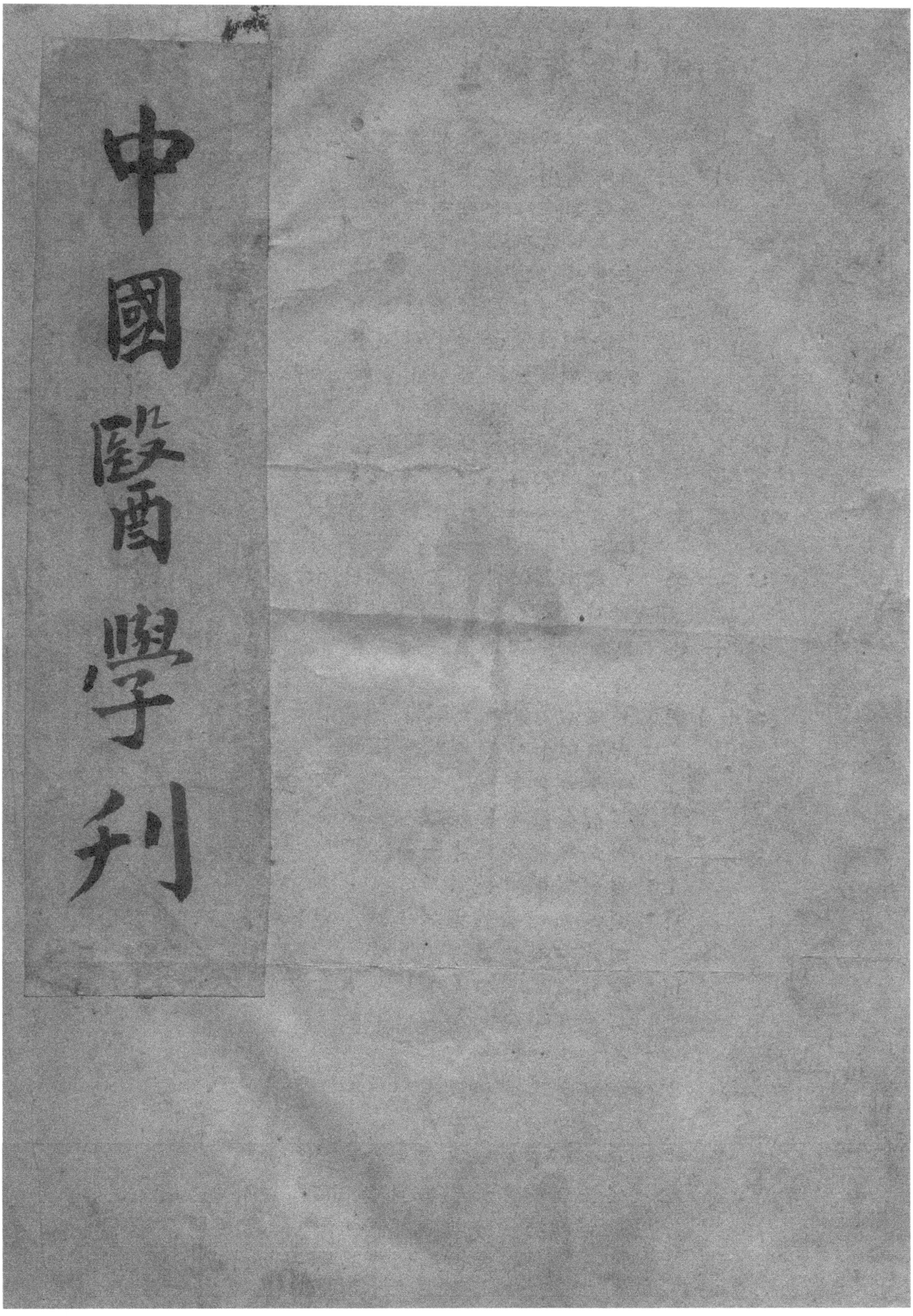
中國醫學刊

· 白 页 ·

中國醫學院第六屆畢業紀念刊目錄

序

科學救國一語。甚囂塵上。但能驅使科學者。方有救國之希望。僅知享受科學者。實足亡國而有餘。良以科學之目的。在增進生產之效率。舒適人類之生活。苟不驅使科學。以增進生產。而徒享受物質文明。在國家則入超倍增。經濟無以均衡。在個人則入不敷出。破產可立而待。我國廢科舉興學校。其原意亦無非造成力能驅使科學之人才。服務待救之邦國。決非造成享受科學之高等廢物。藉以剝蝕國力也。高等敎育——大學或獨立學院。所謂最高學府。製造科學專門人材之地也。是項專門人才之養成。正欲使其驅使科學。增進生產效率。造福邦家而已。乃觀大學各系。及各獨立學院。研究社會科學者。莫不自本國始。研究自然科學者。亦莫以發展本國天產爲目標。惟獨以全國人民資力所設立之國立醫學院。或國敎育部立案之醫學院。其研究者。完全外國之醫理。使用者。完全外國之藥物。我國之固有文化。天產物品。不與焉。設或各種科學。相率類是。則研究地理者。僅知紐約倫敦。而不知杭州漢口。研究歷史者。但知羅騷路易。而不知夏禹商湯。誠如斯。則不待帝國主義者文化侵略。民族自存性早已蕩然無遺。此一十宣言之所以斤斤於提倡中國本位文化。防微杜漸。不失爲救世晨鐘也。不佞現雖置身醫界。頗涉足於教育界亦近十年。對於最高教育行政機關。獨於醫科放棄本國固有文化天產藥物之用意。管蠡之見。殊覺難測高深。居恆未嘗不熟思之。意者我國醫學。毫無一顧之價值。非步武歐西。急起直追。不足以應生存乎。姑不論此種追隨式之文化。有如跑狗場中狗追電兔。永無出人頭地之一日。有違總理「迎頭趕上去」之遺教。即能並駕齊驅。亦徒替人作嫁。增進西藥之推銷。擴大我國之漏卮而已。更爲不佞所大惑不解者。我中華民國固有之醫藥學術既遺備具。我國國藉之西醫所唾棄。更蒙我國最高教育行政機關摒諸學系之外。以免誤人子弟。誤人生命。而英美德日之醫學專家。及其國立學府。反孜孜焉以研究醫學爲最高無上之工作。豈英美德日之醫家。亦即我國西醫之祖師。其智慧不若其徒子徒孫耶。抑有愛於我國醫學。廢其寶貴光陰。取以憑弔玩賞耶。其愚眞不可及矣。意者我國最高教育行政當局。以爲中國醫藥。猶諸蘊玉之石。須待開鑿。其理論尤爲含混。須待證明。我國科學幼稚。苦無是項人材。爲慎重民命計。爲國家體面計。必待先進各國發明應用之後。再行採擇。以昭愼重乎。姑不論我國醫藥足以維護我偉大民族生存繁殖者垂數千年。似無腮腮過慮之必要。舍已從人。尤何益乎體面。且國家費鉅額之金錢。造就如許醫學博士。其口其筆。大能痛詈故國文化。其技其術。僅能販用外國藥物。而不能有所發明。其亦可以已矣乎。當亦知所反矣。然則我國主持最高教育行政者。舉辦醫學院。曷不先自研究固有文化。容納外來新知。以免長爲牛後。是眞百思莫解者也。其眞情格勢殊。雖欲從之末由也乎。竊念中國醫藥之興衰。不特有關文化之隆替。亦且有關經濟之長消。天下興亡。匹夫有責。我儕以醫爲務之同志。丁斯阽局。甯能漠然無動。任令數千年之國粹。無量數之國藥。及身而斬乎。爰敢不揣譾陋。筦理本院教務。縱則希望承先啓後。研求既往。詔示來茲。橫則希望上補政府之不逮。下慰學子之熱忱。貢獻可獻之精神。藉盡應盡之義務。手訂教學方案。（見後）不敢泥古以鳴高。不敢趨新以駭俗。期成現代之醫學。先之以學理。繼之以經驗。期成實用之技能。數載以來。幸賴同仁之努力。同學之潛心。微效始成。薄譽陡起。此則同人等受寵若驚。深自引爲惕勵者也。本屆畢業攷驗。荷蒙中央國醫館暨各大學術團體派員監試。期望之殷。於焉可見。此則尤使全院師生。益加奮勉者也。謹序。

民國廿四年六月上海蔣文芳序於教務室

遷移啓事

本院院舍業已積極動工建築限於國曆八月底落成自九月一日起一律遷入新址上課辦公如有函電往來至希各界注意爲荷

醫乃仁術良相儔匹講舍宏開薰
陶無逸靈扁蘊奧精研善述積歲
累月績著業畢心懷康濟惠周疾
疾鉅刊留念榮向馳軼

中國醫學院第六届畢業紀念刊

孫科題

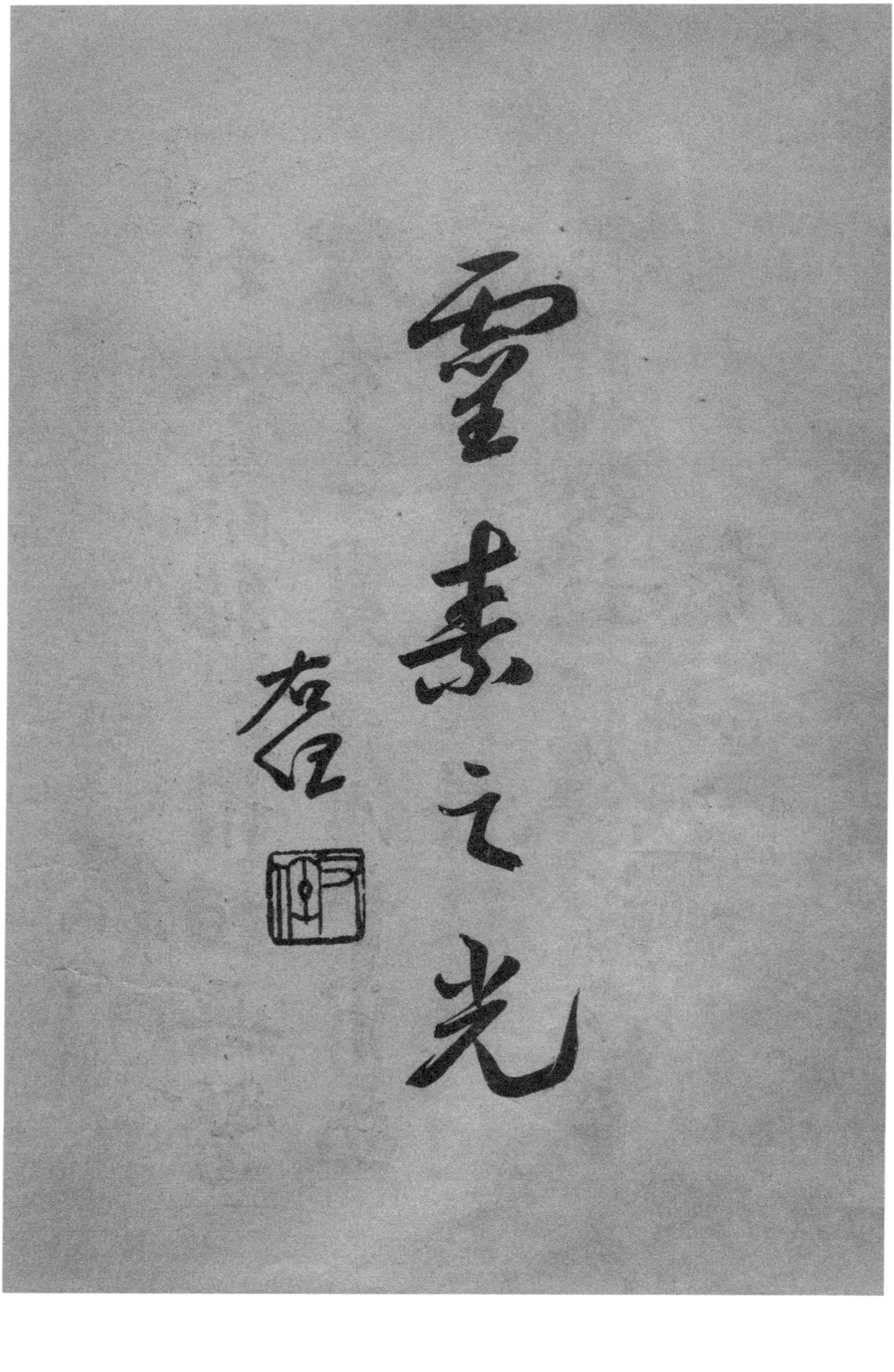
靈素之光

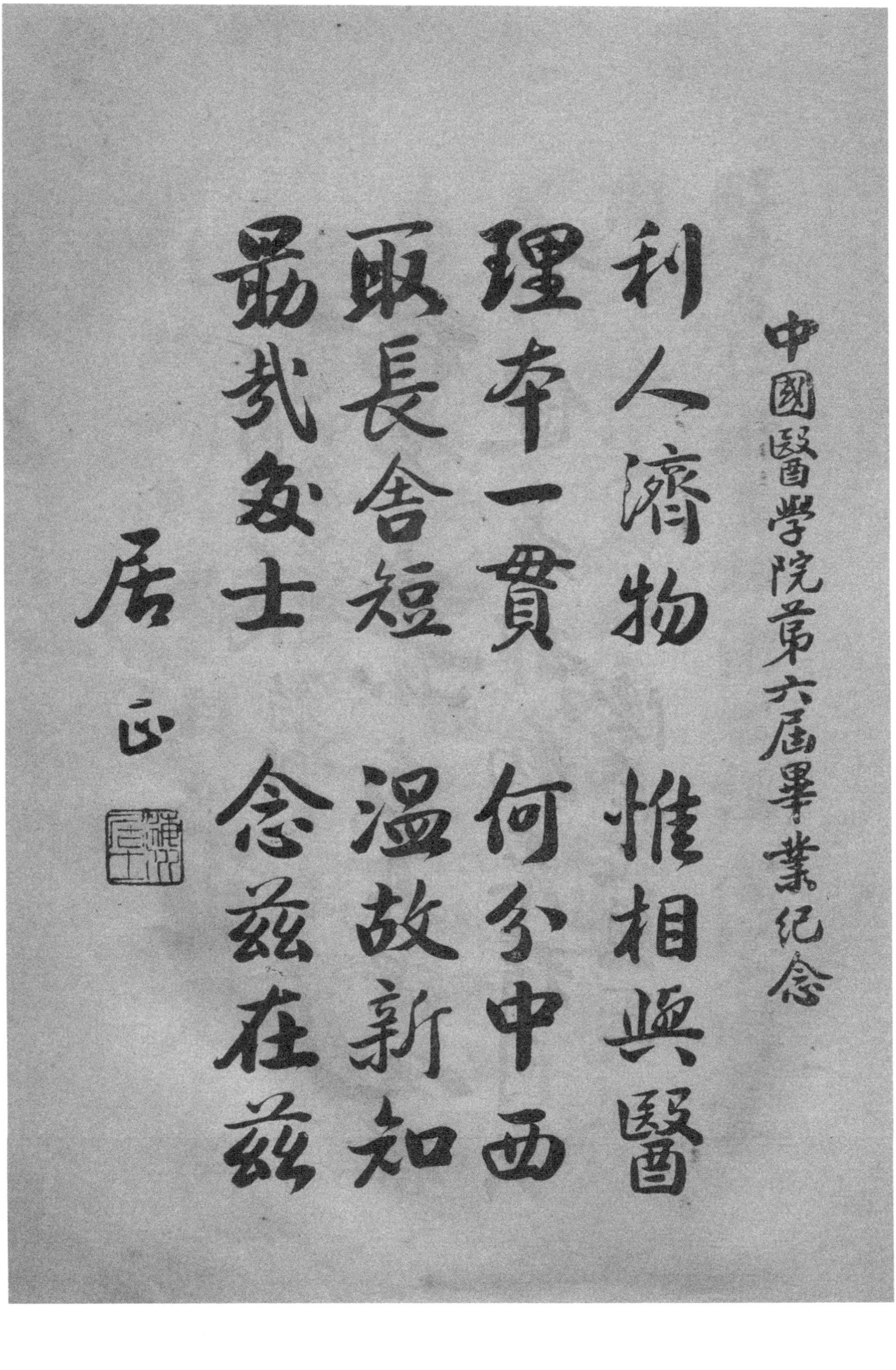
中國醫學院第六屆畢業紀念

利人濟物　惟相與醫
理本一貫　何分中西
取長舍短　溫故知新
勗哉多士　念茲在茲

居正

中國醫學院
第六屆畢業 特刊

以科學之方法為真理之探
討健身却病求精用良

陳果夫題

欲使中國醫藥學術適應現時代之需要必須以現時代之學術充實其內容以現時代之方法整理其內容然後人所能者我盡能我所能者人未必能則人必問

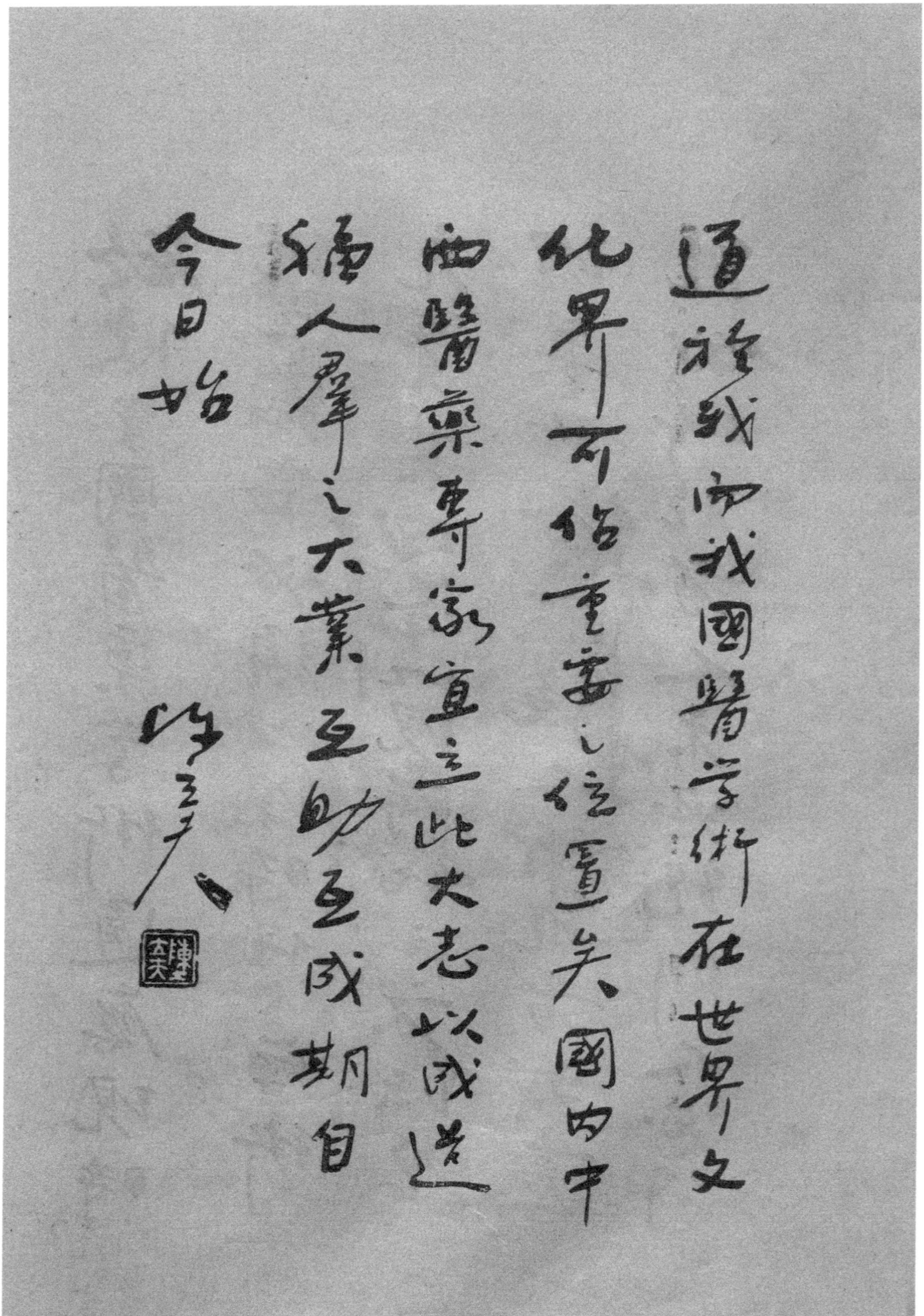

通經致而我國醫學術在世界文化界可佔重要之位置矣國內中西醫藥專家宜立此大志以成造福人群之大業互助互成期自今日始

陳立夫

陳立夫

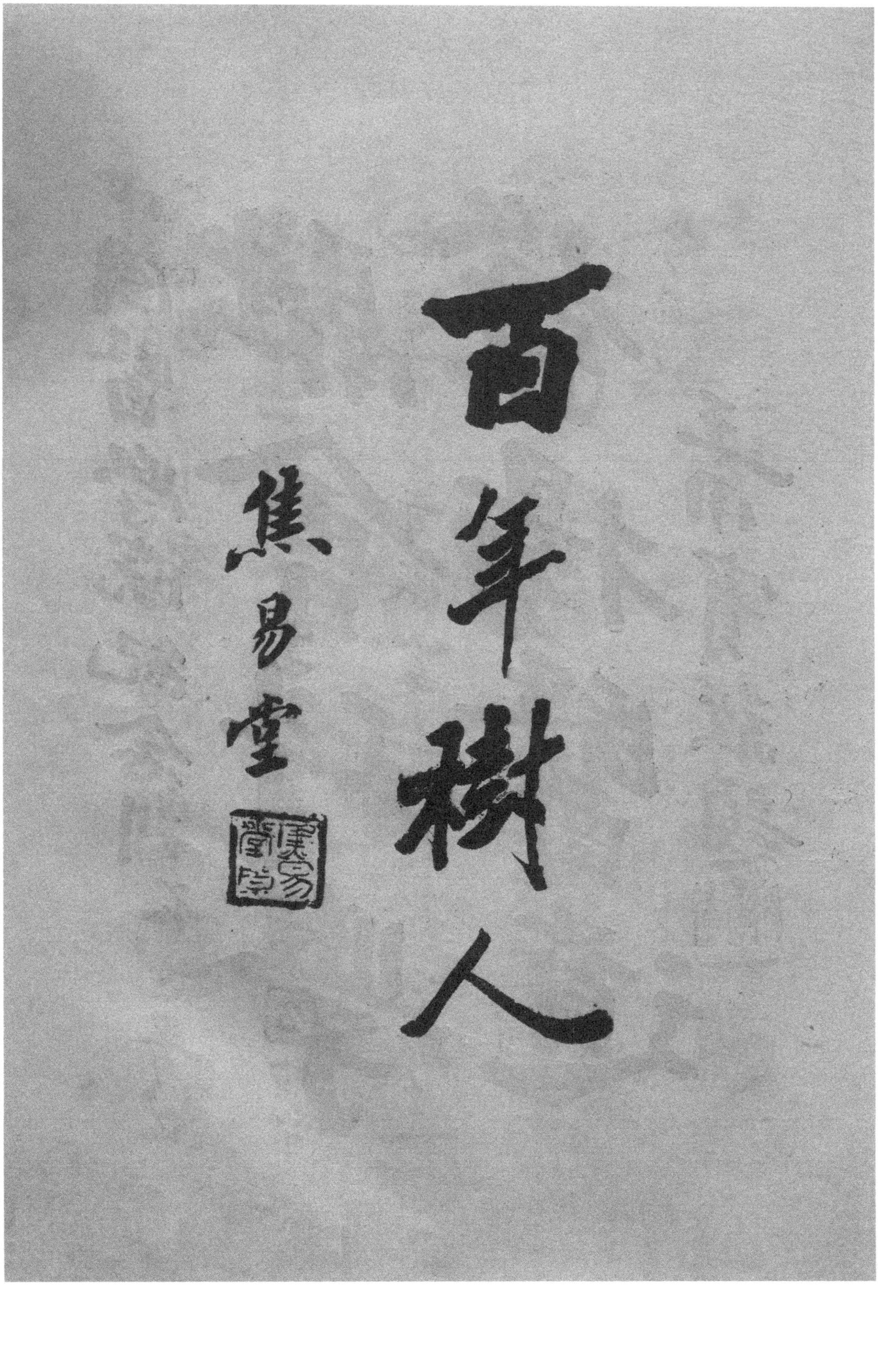
百年树人
焦易堂

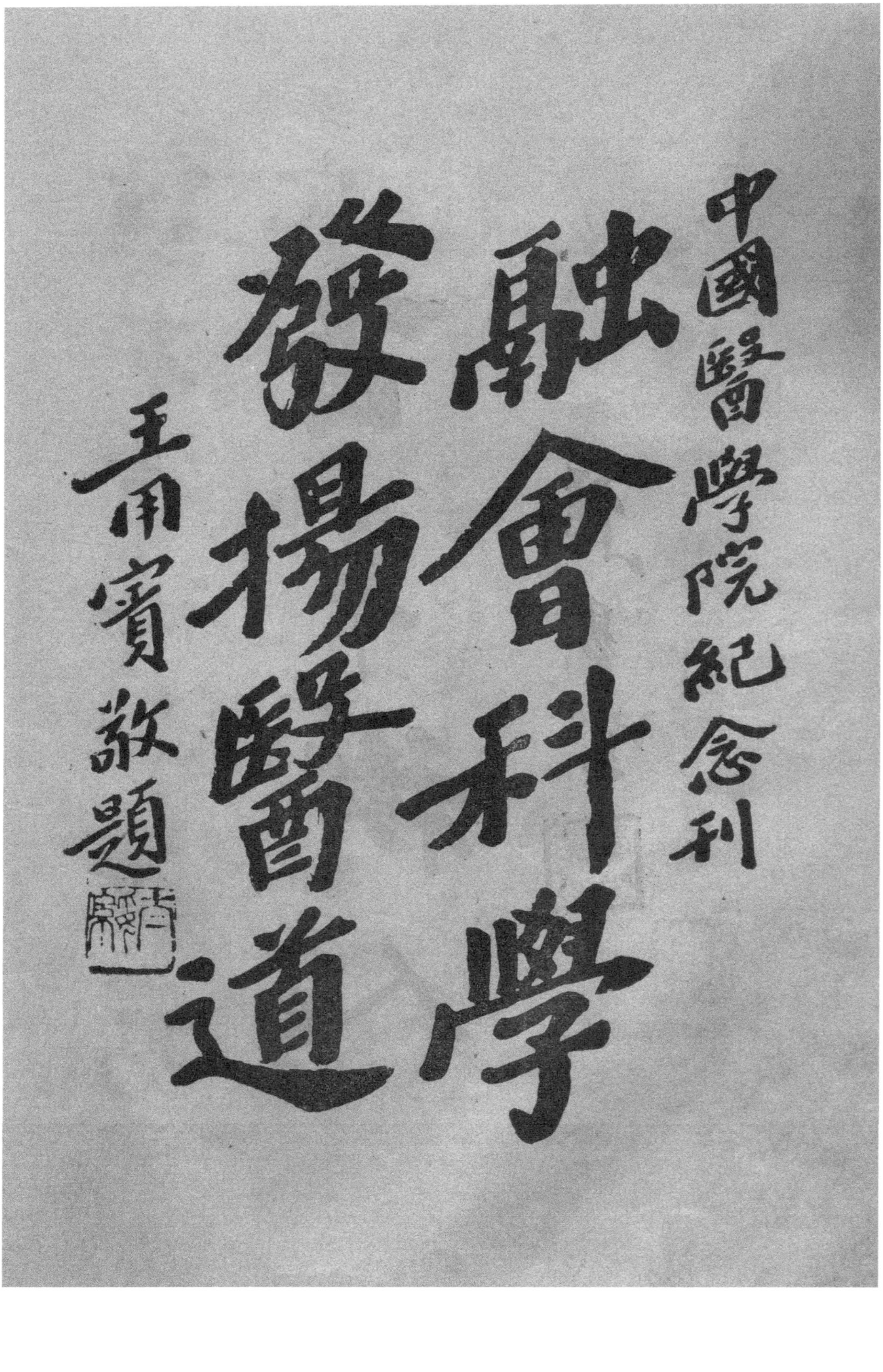
中國醫學院紀念刊
融會科學
發揚醫道
王用賓敬題

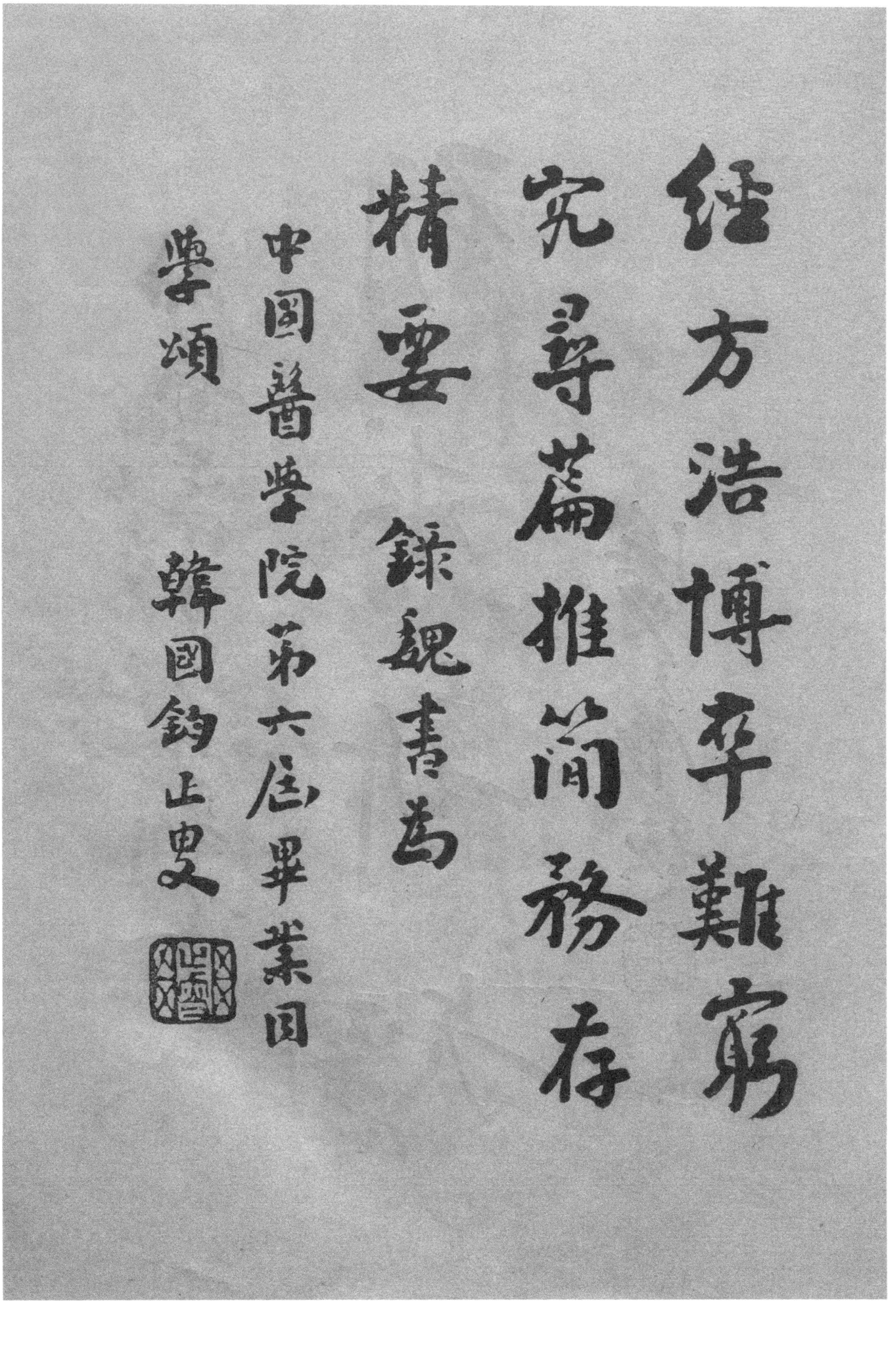

经方浩博卒難窮
究尋篇推簡務存
精要　録魏書爲
中國醫學院第六屆畢業同
學頌　韓國鈞止叟

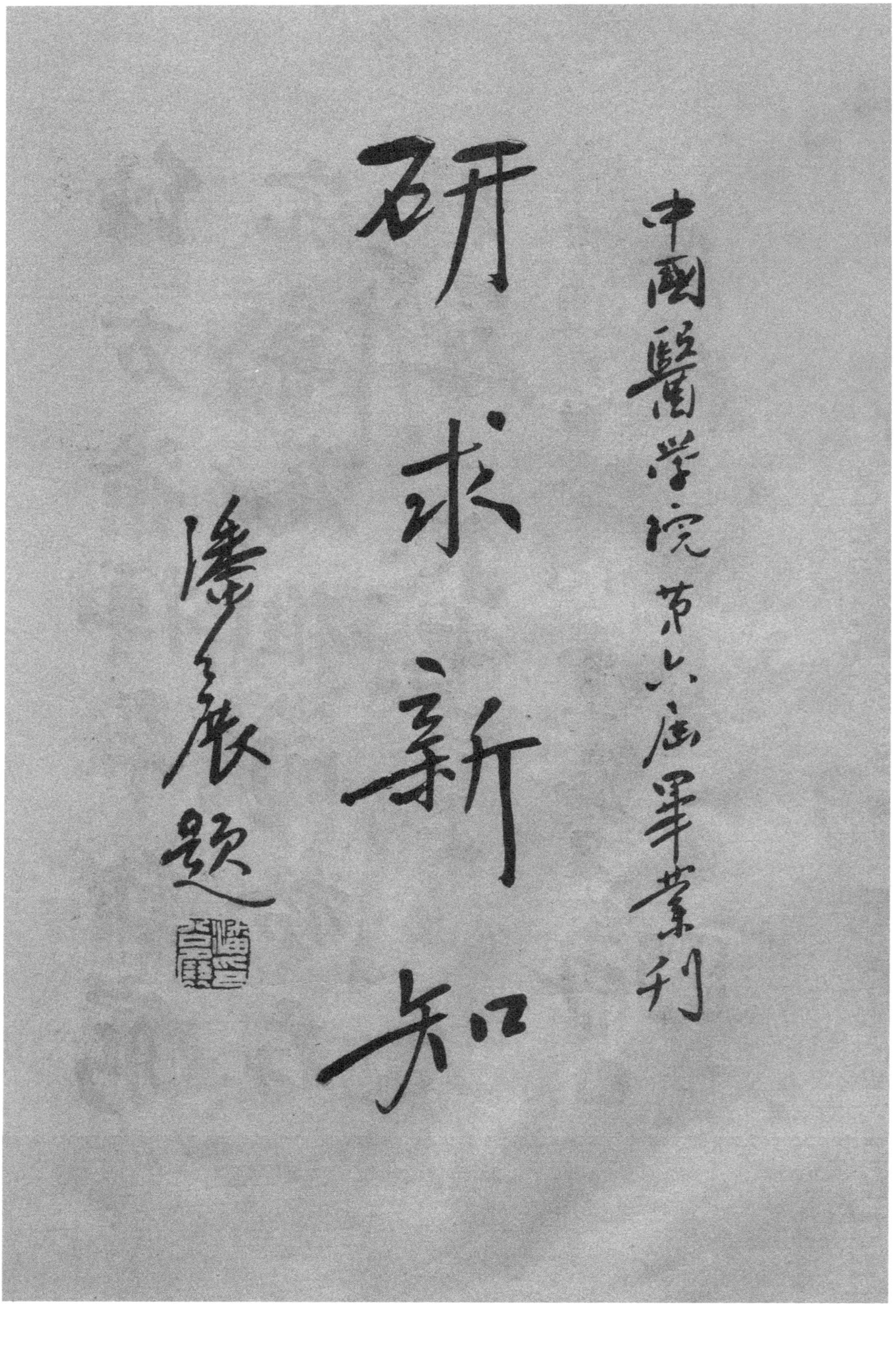
中國醫学院第六屆畢業刊
研求新知
潘公展题

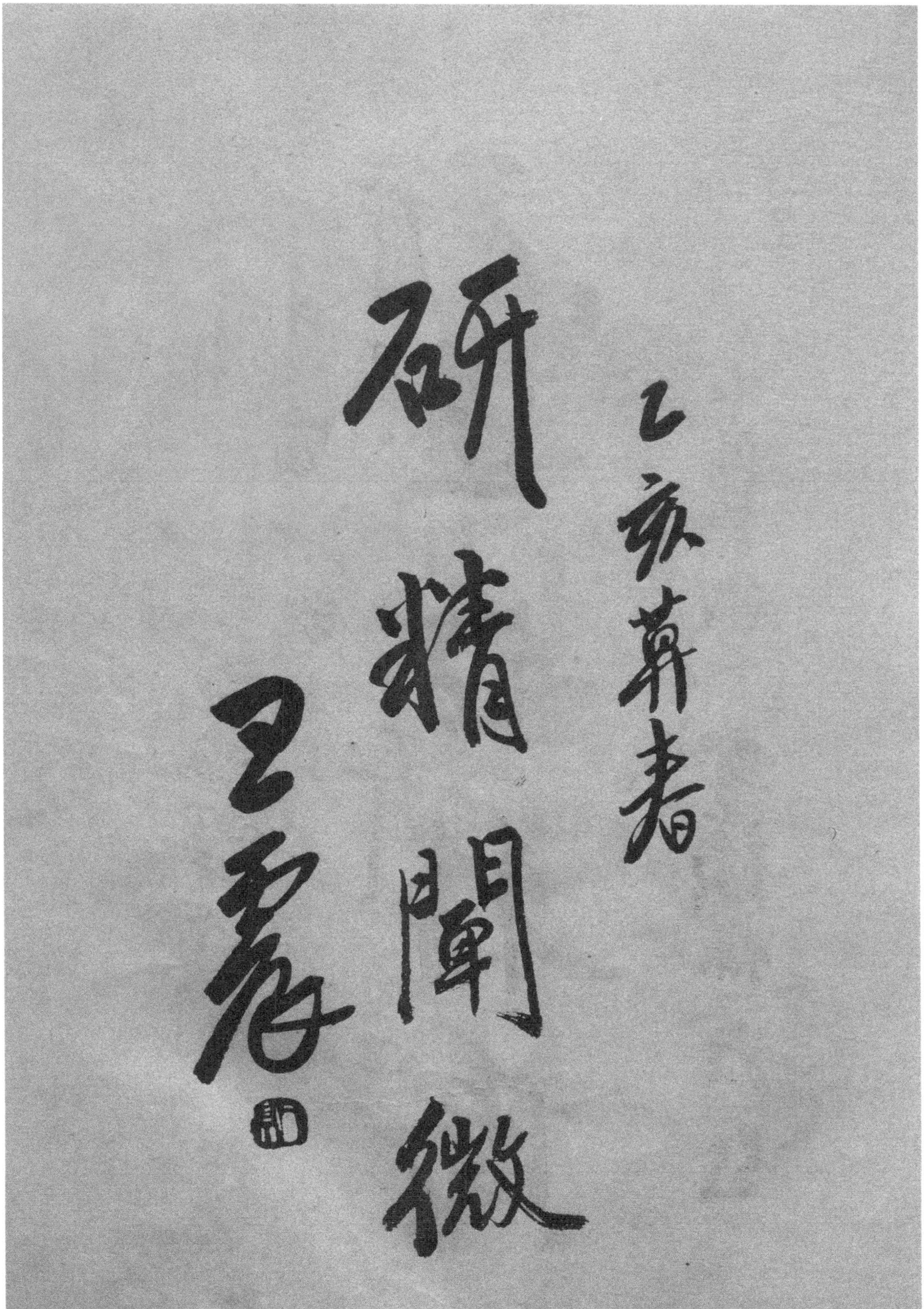
研精闡微
乙亥暮春
王雪苔

中國醫学院第六屆畢業紀念冊

造詣精深

丁福保敬題

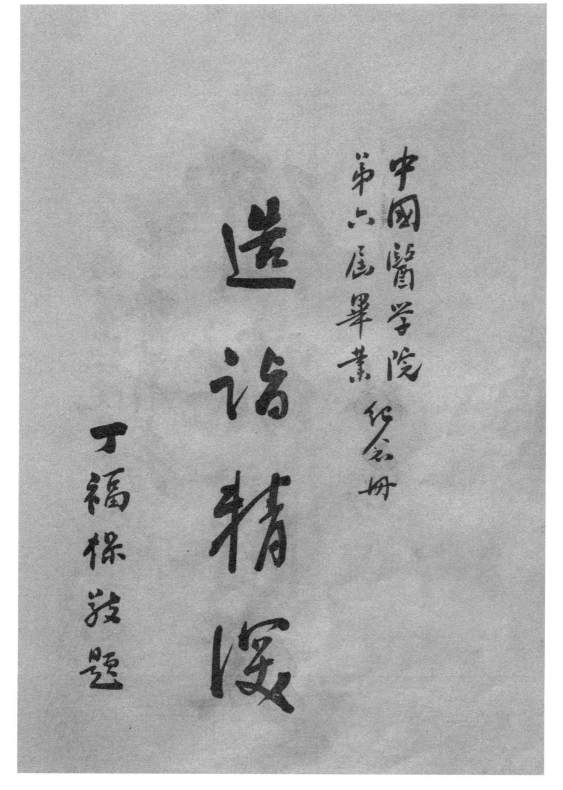

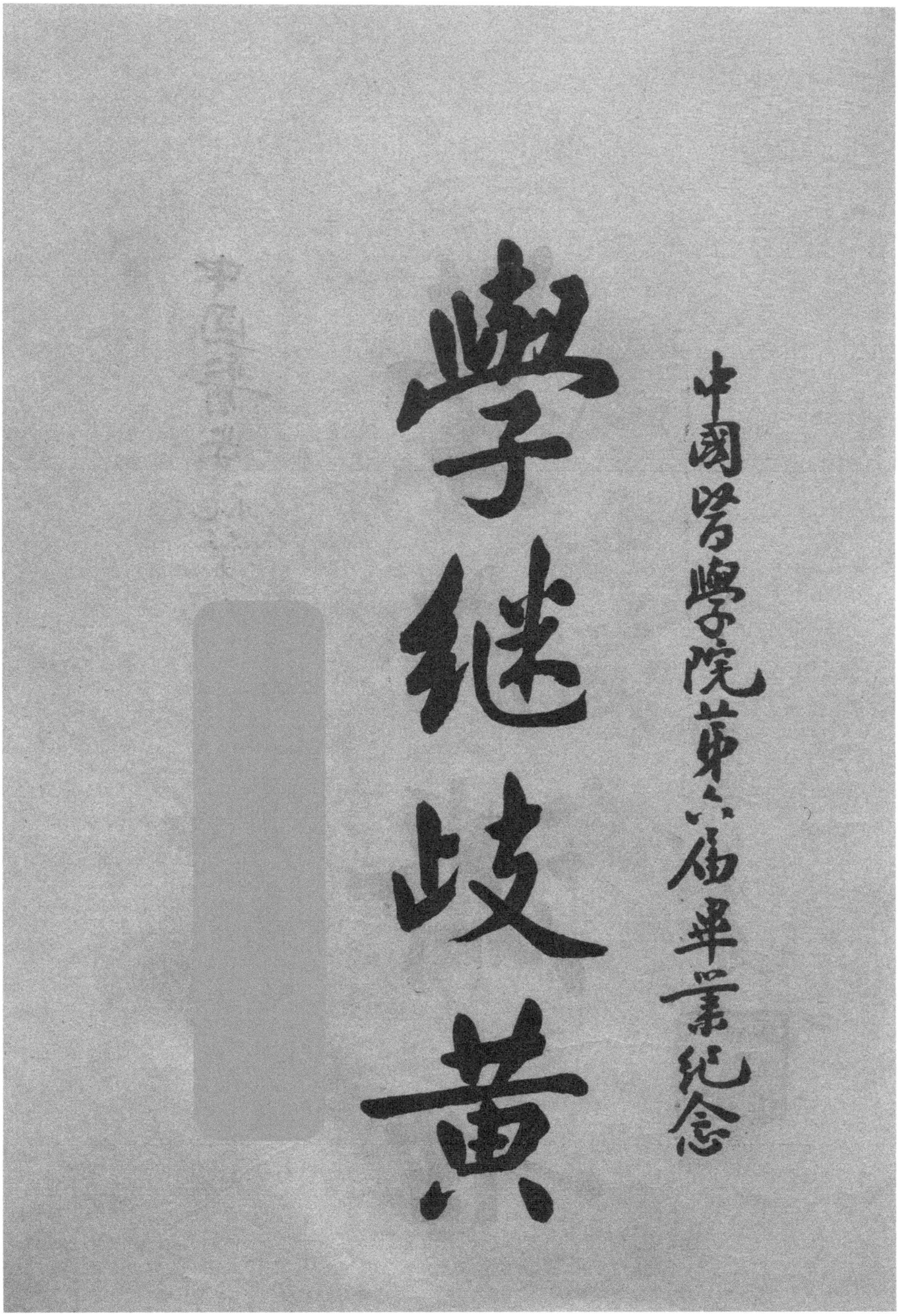
中國醫學院第六屆畢業紀念
學繼岐黃

中國醫學院第六屆畢業紀念刊

學成濟世

上海市國醫公會題

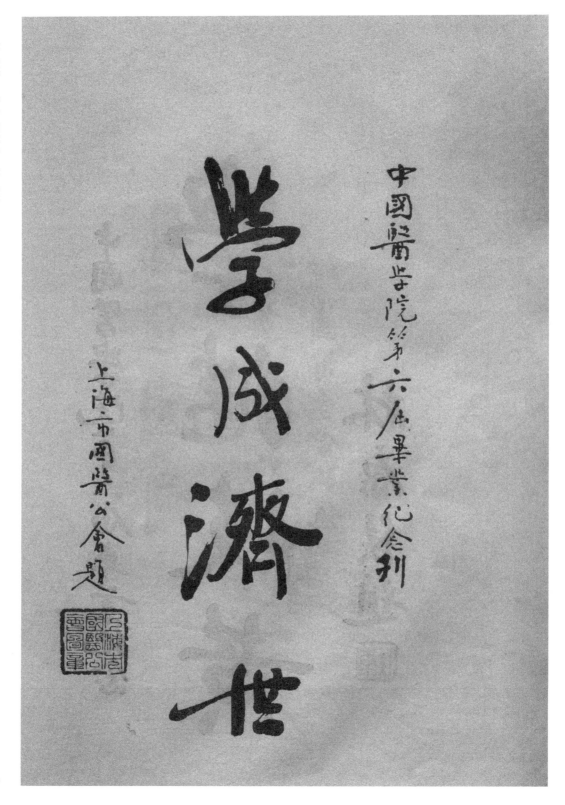

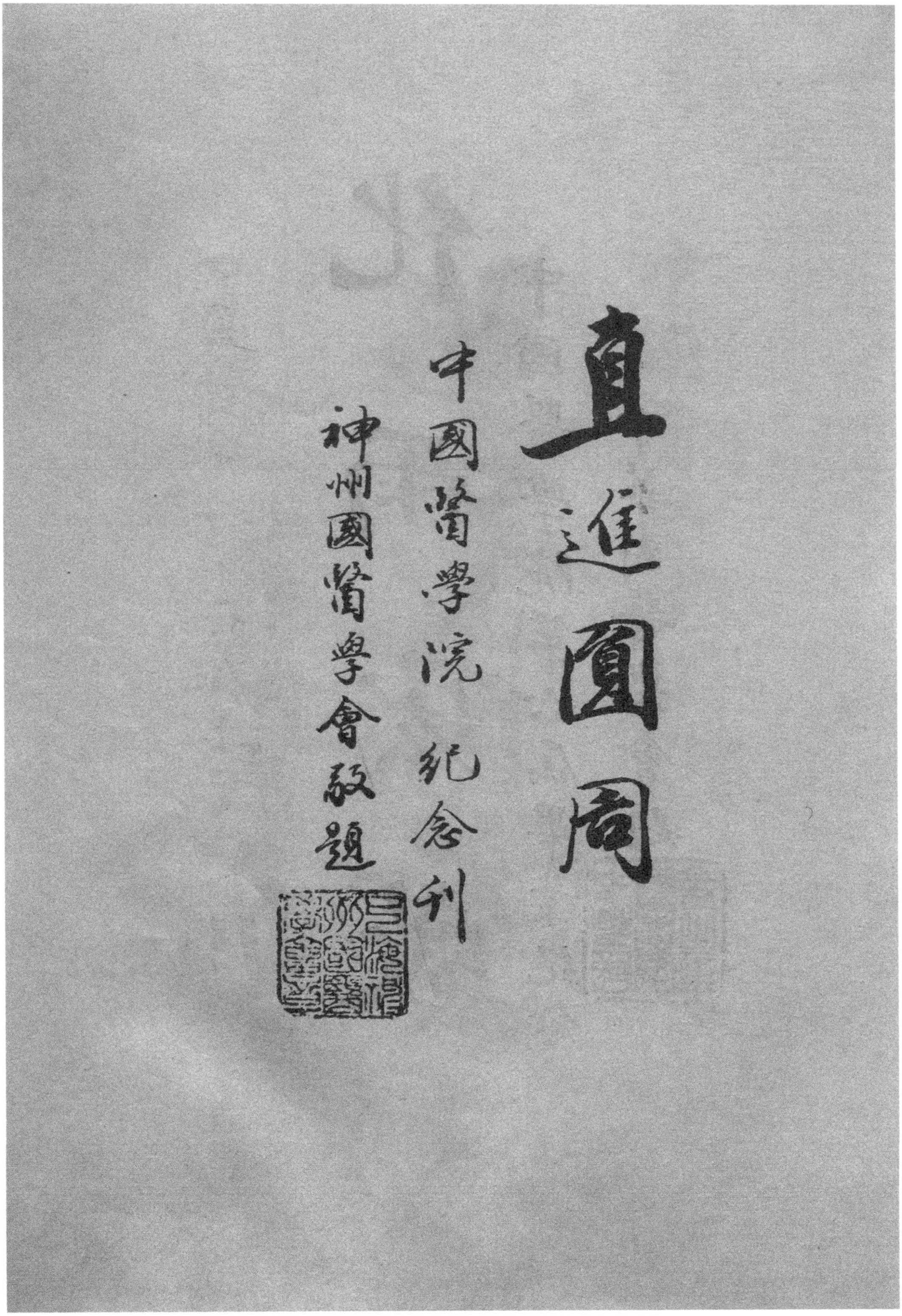

直進圓周

中國醫學院紀念刊

神州國醫學會敬題

化雨宏敷

中國醫學院第六屆畢業紀念

中華國醫學會題

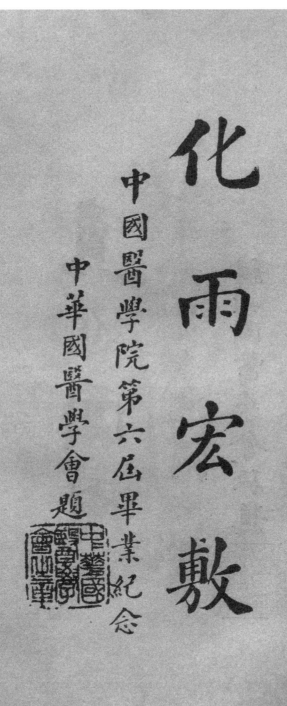

中國醫學院特刊

取深用宏

上海市國醫學會敬題

·白页·

院董

焦易堂先生

董　　院

院董

王曉籟先生

院董

董 院

院董
朱南山先生

院董
沈琢如先生

院董
郭柏良先生

院董
謝利恆先生

院董
祝味菊先生

院董
丁仲英先生

院董
徐小圃先生

院董
顧渭川先生

院董
朱子雲先生

主席院董
朱鶴皋先生

院董
秦伯未先生

院長

薛文元先生

實習教授
沈夢盧先生

講師
丁福保先生

實習教授
方公溥先生

實習教授
俞岐山先生

實習教授
丁朝宗先生

實習教授
吳伯溪先生

實習教授
沈重廉先生

實習教授
丁伯安先生

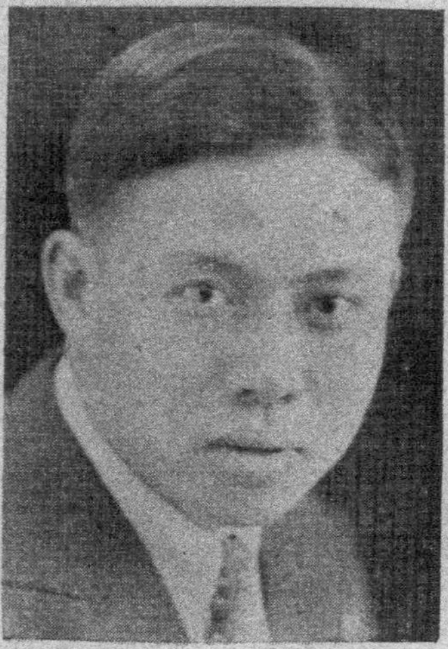

黨義教授
喻仲標先生

西醫外科教授
張劍雄先生

溫病教授
章巨膺先生

時方婦科教授
盛心如先生

實習教授
李遇春先生

實習教授
嚴蒼山先生

實習教授
趙寶夫先生

實習教授
朱小南先生

實習教授
魏承經先生

實習教授
馬濟仁先生

實習教授
陳佐庚先生

實習教授
毛志方先生

溫病教授
沈嘯谷先生

實習教授
沈宗吳先生

事務主任
黃寶忠先生

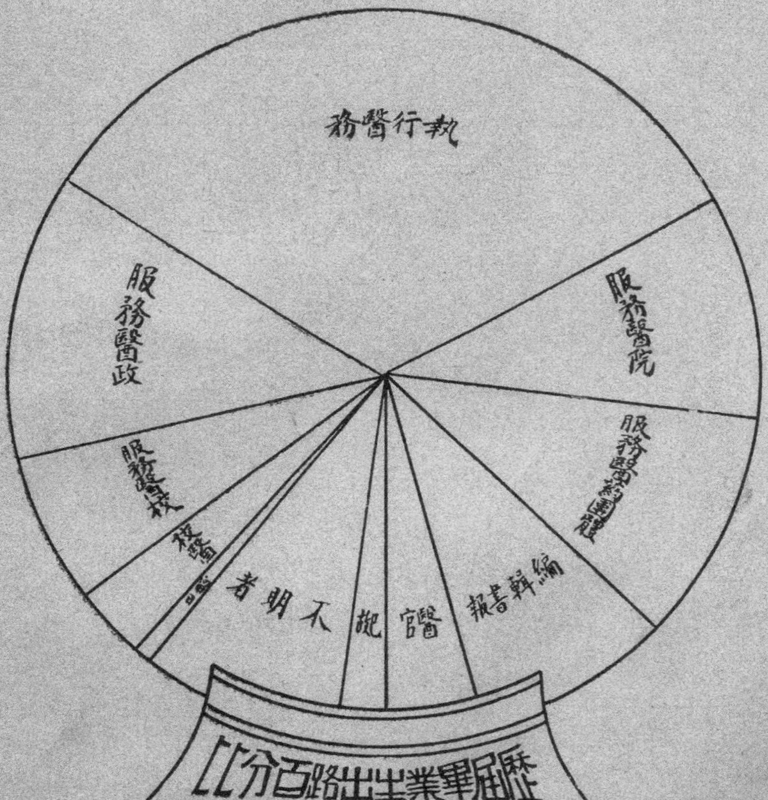
執行醫務
服務醫政
服務醫院
服務醫藥團體
服務醫校
編輯書報
醫官
不明者
歷屆畢業生出路百分比

中國醫學院教職員攝影

中央國醫館暨各學術團體代表監考中國醫學院第六屆畢業試驗留影

中國醫學院二五級全體學生攝影

中國醫學院二六甲級學生全體攝影

中國醫學院二六級學生全體攝影

中國醫學院二七甲級學生全體攝影
歡送本屆畢業同學大會

中國醫學院二七乙級學生全體攝影

中國醫學院學生自治會田徑隊參加上海新亞學院聯合運動會出發前全體攝影

教務長 蔣文芳

以下本屆畢業生照片以註册先後爲序

浙東象山王君。字樂成。醫門好學之士也。余于民國二十年。去申之中國醫學院。客地遊子。時興寂寞之感。西窗望月。叩心太息。君適與吾同室。邂逅一笑。兩通欵曲。傾談之下。許爲知己。是後相互切磋。三年如一日。除假期返鄉外。未嘗離也。君默默性成。春風其臉。閑暇之時。詩賦是樂。雅儒者也。用藥之巧。設方之命。若陳平子房之流。固非俗醫之可此。今也卒業母校。出而濟世。但見千萬病魔。望風遠竄。二豎二豎。爾其有以懼之矣。

章翼方

無錫。是京滬道上著名的風景區。秀明的湖山。的確是大自然的仙界。更加上資力的鎔鑄。現在是人世的樂園了。

周子烺雲。他生長在這大自然的樂園裏。美麗的湖山。陶冶着他翩翩的風姿。偉大的自然。修養着他幽默的個性。

早就研究醫藥了。為了有志深造。民國二十年。復入中國醫學院繼續求學。幽默的個性。卻合乎他研究的天才。蘊藏在心底的熱血。更合乎他革新醫藥的決心。光陰如電速般的過去。修業期滿。現在是畢業了。他時常把中央國醫館館長焦先生的一句話『愛人主義是國人的天職』放在嘴裏耿耿的朗誦。這是他內心的暴露。習醫的宗旨哩。

謹望他永久這樣慈航普渡。登人壽域。造福民族。作一支驅病剿疫的鐵軍，

劉一平 二四、五、一。

陳女士華年。粵之南海人也。幼失怙恃。終鮮兄弟。賴祖母撫養成立。性好學。祖母愛若掌珠。稍長肄業禪鎮。寄居姑母家。姑母固禪鎮巨賈。家人多習豪華。女士格格不入。無一相得者。課餘常閉戶獨處。勤習女紅。未嘗一刻嬉戲也。及笄。內外祖均歿。女士不甘雌伏。有志為國家社會効勞。屢服務黨政機關。民國二十年。復負笈來申。考入中國醫學院肄業。朝夕勤求古訓。參西研中。任施診所醫務。尤著成績。前途萬里。正未可量。余與女士誼屬同鄉。女士來寓臨症實習時。相知有素。故於其將畢業也。為之述其大略如此。學無止境。道在濟人。女士勉之哉。

方郭心月誌於海上並蒂蘭花館

王君德香。蘇之上海人也。世爲春申望族。代工岐黃。民二十年卒業於東吳中學。嗣奉父命。繩其祖武。以濟蒼生。於是攷入本院。研習醫理。君敏而好學。不恥下問。以致仲景之堂奧。岐黃之祕典。靡不通曉。茲者修學期滿。行將懸壺濟世。將來出其所學。普惠梓桑。造福社會。正未可量也。余與王君。誼屬同鄉。相知有素。聊作數語以誌慕。

趙本增

生性怪癖的我。向不喜歡求人作傳。蓋求人作傳。結果總逃不了獎飾的嫌疑。什麼。「好學不倦」「品性敦重」「年少英俊」「多才多藝」等等腐詞爛套。滿紙琳瑯。無非是些歌功頌德。說句不好聽的話。這未免有點吹得過火了吧。所以我不如自己提起筆來寫他幾句。倒不失眞相。馬齒徒增。我不覺又混過了四年。廢了許多光陰金錢。畢業了。試問他肚皮裏可裝些什麼。！唉空空如也。一場糊塗。到現在仍然故我。一事無成。如船頭跑馬。奈何奈何。深夜思之。愧淚交加。悟已往之不諫。知來者猶可追。我只有從今日起。努力奮鬥。去找我的新生命。開展我的新徑途。

傅濟萃

一九三五、五、一、自誌

余素不喜作譽詞。以其無味也。孔子曰。如有所譽者。其有所試矣。今者余於虞君尚仁。不能無言焉。

虞君浙之杭州人。肄業本院。數載於茲。平時與人恭而有禮。諸師友咸樂與之親。余嘗目之爲醫林君子。自謂確切。而其爲學尤篤實。以仲景爲宗。以諸家爲輔。每研究一問題。無論正反各方面書藉。必一一搜羅讀之。孜孜屹屹。終日無倦容。以是成績斐然可觀。臨證亦多經驗。將來造就。殆未可限量也。謹以數言勗之曰。

子今畢業。於中醫學已有根底。以後更宜博採新知。以期於醫界有發明。有創造焉。行矣勉之。

王潤民

胡君克仁。字復初。江蘇之無錫人也。穎悟知書。涉獵羣籍。年十八中學畢業。後考入中國醫學院。精研中西。詣窺堂奧。實習期內。在本院附設施診所臨症。獨於君案環待滿桌。從病家之信仰。可見其學之足以致用。爐火純青矣。君爲人甚謹厚。富情感。與宇交久。情篤。茲以屆卒業之期。行將勞燕分飛。故爲之傳。藉留他日之雪泥鴻爪云爾。

翁澄宇

夫學者不患不讀書。而患不解書。不讀書僅爲無知。不解書則強不知而爲知。其害寧可已者。胡生靜龕學醫有年。對於醫籍均能讀而能解。其敏悟好學勝人。而其和藹誠篤之情。彬彬有禮。時下所不能者。而靜龕優爲之。尤可喜也。靜龕不獨以醫鳴。復能詞曲。課餘一拍。聲韻飄逸。聽者神往。若非靜龕之瀟洒風懷。不易得人傾羨如此。靜龕出于世家。其令祖潤泉公。以文名在一時。靜龕眞崐山之玉也。

包天白

杭州爲山靈水秀之地。蔚爲人傑。如先哲張隱庵昆仲輩。實爲醫林宗匠。章生翼方現年二十有七。家居西子湖畔。固已早得靈秀之氣。年弱冠。有志於岐黃活人之術。始從名醫遊。繼感不足。遂改進浙江醫專。以資深造。自去春轉入本院。平居沉默寡言。性好讀書。良以學醫者本非躁率淺識之流所可爲也。茲當畢業之期。成績斐然。余深冀其發揚吾道之光。有以繼二張而樹異幟於杏苑也。良晤無多。行矣勉旃。

盛心如

馬君石銘。杭州人也。尊翁叔平先生。精于針灸。蜚聲滬杭有年。君小承庭訓。已盡得其傳。然君尤以爲未足。乃於民二十。進杭州中醫專校。越二年。又轉學本院。力求深造。於是學益精進。流光如矢。今已屆畢業之期矣。行見其出而問世。普惠桑梓。造福社會。且將我國固有之針灸術。發揚而光大之。毋讓東人獨美於前也。企予望之。

虞尚仁

石君壬水字飛泉。浙江諸暨人也。秉性溫和。接物謙謹。不染現代青年浮薄之氣。於中華民國二十年。卒業於諸暨中學校。慨然感中國醫道淪亡。歐美挾其科學之口號。侵凌無已。乃奮志於岐黃業。負笈來海上。肄業於本院。孜孜磨勵。上自內難傷寒金匱。下至明清諸大家。古本祕笈。終年探討。以科學眼光。發皇古奥。暢演新義。時予忝居一日之長。君於聽講之餘。質疑問難。多能言人所未言。問人所未問。予深信具爲好學深思之士也。夫茫茫學海。寶藏無窮。君猶不自滿。方其畢業之將離院也。必乞予一言以勗之。予應之曰。整個科學生活之過程。無非行動生困難。困難生疑問。疑問生假設。假設生試驗。試驗生斷語。斷語又生行動。則日新又新。迄於無窮。由行而知。由知而行。古聖今賢。舍此更無成功之路。願君其勉之。

朱壽明序贈。

彭君覺民。廣東大埔人也。性穎慧。寡言笑。嚴以律已。寬以待人。與余相處。親愛如手足。受教之處。更復不少。往日嘗謂余曰。我國近數百年來。醫學殊鮮進步。回顧西醫之喧賓奪主。實覺痛心。畢業後願結合同志。努力改進。不識能遂吾之志願否。噫古人云不爲良相。當作良醫。彭君於醫學之志願如斯。當不難成功於他日也。且君幼時。卽好醫學。自入本院。日新月異。朝夕不輟。忽忽四載。上如靈素之奥。下及仲景之學。彌不窮搜遠討。博覽無遺。論理之精。洞若觀火。凡經療治。應手回春。於本校施診所中。已早爲病家信仰。茲已畢業問世。行見杏林名重。爲社會廣播福音。而先我着鞭。不禁依依之感。爰輟數言。以留鴻爪。

孟祥瑞

謝瑜女士。江蘇南匯籍。淞滬息戰後。與余同時考入本院。女士爲人精明幹練。擅長交際。舉止大方。待人接物。和藹可親。故院中同學均姊事之。女士對于外科一道。尤爲特長。審症精確。手術敏捷。隣里之就診。與延請療治者。絡繹不絕。琇與女士友誼素篤。故相知獨深。際茲修業期滿。分袂在卽。謹述數言。聊以誌別。

學妹顧琇拜撰

傅君家樂。年少英俊。聰明過人。好學而誠懇。故院中師長同學頗爲器重。昔在中學肄業時。不幸運動過劇。致腰部受重創。嗣後體弱多病。遂立志攻岐黃之學。以期保身濟世。利己救人。兩得其宜。復鑒時下國醫之殘缺不振。亟欲立謀深造。以圖改進。遂于民國十九年秋。進上海國醫學院肄業。旋及一二八之役。該院停辦。是年秋。本院方在刷新醫學。登報招生。君未肯輟棄前功。乃轉入本院。繼續研究。孜孜不倦。凡古今醫籍。莫不窮精研究。以求探本尋源之旨。嘗謂醫學乃活命之術也。當以能否治病爲標準。原無中西封疆爲界。門戶爲見。而于西醫之學。尤具心得。蓋將國醫之精粹。利用科學以發揚之。然則君之用心。於斯可知矣。而對于國醫之前進。社會之信仰。亦有莫大之希望在焉。流光如矢。日月荏苒。由學業而卒業。從此別遠會稀。能無黯然。宇與君相交既契。深知君心。際此畢業在卽。分袂有日。愧無所贈。爰作數語。錄爲之傳。以留異日之雪泥鴻爪。

廣東潮陽同學弟翁澄宇敬撰。五月十九夜。

年少英才氣不羣。淵源遙接傅徵君。

滿園桃李成林日。會看醫林舉異軍。

心如五，廿。

董君曼仙。錢塘望族也。以其出自名門。故溫文端雅。好學不倦。英姿磊落。樸素無華。余識君於杭浙江中醫專校。越一載。余轉學本院。君後隨焉。君不獨精於醫也。其揮走龍蛇。綴點丹青。尤爲同輩所嘆止。與人交。懷虛若谷。肫摯無稜。聞君於畢業後。將本其所得。服務社會。其流惠羣黎。必非淺尠。而尤以婦人稚子爲甚也。今也。行將賦別。余不禁爲私誼憂。而爲君賀。更爲呻吟者慶也。

學弟張劍虹拜撰

孔保寅君。浙之虎林人也。民念一春。余入杭之浙江中醫專校。得識荆焉。明年秋。轉學滬上。君後一期而來。其爲人。資質明敏。深思寡言。其於醫。上探靈素之祕。下窮百家之奥。其爲學。古今不計。中外不分。惟科學是尚。惟眞理是依。與人處。淡然若水。無時下浮俗氣。故爲余所敬畏也。四載誼切同窗。一旦驚分南浦。能無依依惜别之感。然轉念君飽學以歸。爲桑梓盡力。不禁進而爲社會慶也。

學弟張劍虹拜撰

王子君毅。浙東慈谿人也。世執韓康業。僑於杭。民廿後。奉命習醫術。倜儻卓犖。懔然有豪氣。初。肄業於杭州中醫專校。民廿二秋。始來本院。蓋君慕乃族祖孟英氏之行。不敢以杭校諸師之教授爲足也。客歲夏。江蘇省府主席陳果夫氏。辦醫政學院於省垣。君與朱華谷朱殿諸君。亦相繼負笈入。時翔適北走舊都。每獲手書。輒豪氣凌紙上。且常以母校院况相告。是君身雖入省。心固未嘗一日去於院者。今歲春。予還海上。得復晤君於院。神色煥發。有逾平昔。其浩然激昂之氣。似方興未有艾也。性躁以急。語絮而迫切。於公私小大事。凡心之所之。無不斷然以行。苟遇阻。或半途廢。意不滯也。孟軻曰。「君子言不必信。行不必果。」君豈若人之儔歟。行放意豁。落落有大志。惜善言不善行。白璧微瑕。以爲知者傷耳。今君畢業出院。苟能更就諸大匠以琢。煥然而表彰之。則醫國醫人。當非異人任也。王子樂道。我意。當必有以勉之。

馬雲翔

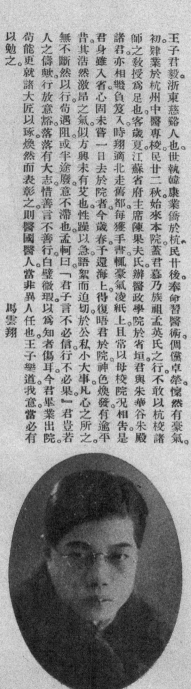

沈君琴初字瘦蝶江蘇上海人也天資聰穎秉性爽直民廿二年由中醫學院轉入本院觀其去夏在暑期臨診時對于一病一藥莫不明辨愼思其用心之深可見一斑君今畢業出而行道必當有一番驚人醫術造福于社會惟茫茫學海寶藏無窮望君更上一層爲國醫界放一曙光是所預祝

朱漢章

蔣景鴻。他有幾種使我欽佩的地方。

一不自滿。他是一個有名的世傳醫家子弟。當伊父親在世時候。已經隨診多時。當然對于醫學早有深刻的造詣。然而還一心一意的要求深進。入上海中國醫學院。臨證于名醫徐小圃先生。專攻兒科。頗有心得。平時向教師同學們。很虛心地討教。一點沒有世傳醫「自大」的氣概。

二思想活潑。我曾經一度担任光華醫藥雜誌社編輯。他確實帮我不少忙。從文字上看出他思想很清楚。富有青年作者的一副朝氣。

三有醫德的精神。他每次假期裏囘到家鄉（江陰）診病。遇到貧苦病人。不取診金。依舊是很細心的替他們醫治。有時還另贈藥。他認爲「醫術」不是騙飯吃的工具。是社會付與我們一種特定的義務。

相信他畢業後。更能發揚他這種偉大的個性。爲人羣謀福利。保持他這種進取不已的朝氣。爲醫學放光芒。

二四、五六、朱殿。

顧君伯明。江蘇南匯籍。余之至友也。勤樸忠信。爲君之天性。居恆好學篤行。愼思明辨。故其學識經驗。均爲儕輩冠。聞君卒業後。擬囘籍服務。將來造福社會。實非淺鮮。君其勉之。

傅濟羣識

杜君棨生。性誠摯好學。世以醫著。自幼隨父習岐黃之學。惟恐不足。乃入杭醫校肄業。以求深造。與諸名師遊。所學益精邃。厥後慕上海中國醫學院教授程度尤高。乃於前年春。始來本院攻習。更思登仲景之堂。入倉公之室。君既勤於學。尤善探古人之意。輒用古方。而不爲古所囿。於西醫諸書。朝夕精研。又別有心得。君於醫之一道。可謂三折肱矣。今學業已成。行將出而濟世。吾知疾痛困苦者。得君著手成春。必能立起沉疴。良醫之功。同於良相。衰弱之中國。奄奄如病夫。君能以醫人者。進而醫國。尤所馨香頌祝。故於君之將去院也。聊爲數語以誌之。

董斐園

周女士行。江蘇無錫人。天賦聰慧。性秉和藹。一二八滬戰後。余負笈本院。得與女士識。遂得互相切磋。同窗數載。向稱莫逆。其於古今方書。莫不深切研求。廣徵博採。實習期內。得心應手。婦幼二科。尤爲擅長。將來懸壺問世。造福於社會。正未可量。際此畢業期屆。握別有日。能不依依。爰誌數語。以留紀念。

張嘉卉撰

鄭君鐵民。籍粵潮。性穎悟。幼知書。年十五。志於醫。二十濟於世。嘗師潮之名醫林氏者。盡窺其奧。經汕頭市政府攷選及格醫士。聲譽頗孚。乃猶自嫌未足。刻意求深造。毅然來滬。攷入中國醫學院。獲列前茅。益潛心鑽研。廣徵博採。衷中參西。極臻妙境。實習期內。成績斐然。尤得治內外痔瘡祕訣。深爲就療者所頌揚。蓋得於心。應於手。非偶然也。君今夏卒業。懸壺問世。造福社會。正無涯量。余忝爲君友。稔其人。知其術。爰綴數言。藉爲之傳。

劉侯武撰

許君雲鵬。蘇之沭陽人。幼好學。心靈敏銳。過目成誦。於醫籍之考究尤勤。上自軒岐。下及金元明清諸家。流覽過目。瞭然於胸。其祖精醫術。名冠當時。地方人士。日來就診者。戶限爲穿。君隨祖學習。十易寒暑。而君心猶虛懷若谷。惟恐不及。遂於民二十年。負笈來申。入中國醫學院。日新月異。四載於茲。手不釋帙。未嘗中輟。凡經治療者。莫不應手回春。君素好辯。理有不解者。輒問諸同志。解有未當者。加以辯論。必至文淸理澈。順而後已。余嘗謂人曰。如許君者。可爲醫界中翹楚者矣。曾文正公云。造就人才。譬之樹然。根好株好。而後枝葉有所茂。譬之屋然。柱好樑好。而後椽瓦有所麗。許君其然歟。君與余至交也。兼之同里。今君行將畢業。回憶夜雨聯床。西窗話舊。能不感從中來。暗然魂消者乎。故略爲傳誌。聊以送別云。

愚弟劉棣敬贈

張劍虹。湘之湘潭人。先肄業於杭州浙江中醫專校。後轉入本院。爲人資質明敏。好研究。於仲景書。尤有心得。與人處。亦肫摯無圭稜。聞君於畢業後。將本其所學。服務梓桑。其流惠人羣。必非淺尠。殆可預卜云。

學弟金鍵 張克勁 仝拜撰

不解浮誇但率眞。英雄肝膽屬斯人。鴻泥萍水偏知我。始信論交亦夙因。
濟世有心同范老。不爲良相便良醫。書生莫負平生志。滿目瘡痍待護持。
十年我別長沙久。西望重湖思悄然。爲問德星曾聚否。欲銷兵氣眼猶穿。(曾滌笙相國有欲令天下銷兵氣爭說湘中聚德星之句)

二十四年夏　劍虹兄卒業於中國醫學院將返湘懸壺賦此誌別

古羅盧少懷敬撰

翁生開展字。澄宇。粵潮人。少知書。有大志。父商海上。因就讀。年弱冠。卒業中學。每感國難時艱。輒期身許。適一二八之役。乃奮然投入滬義勇軍。充救護隊。旰夕犇馳。身先儕輩。詎戰事告停。素志未竟。時悒悒寡歡。既思醫術一道。亦足以拯人。因之攷入本院。致志醫學。性敏志勤。所向無阻。實習期內。深爲余輩所歎賞。今夏生已畢其業矣。行將懸壺於世矣。斯則生之志可少酬矣。古人云。不爲良相。當爲良醫。其生之謂乎。余忝屬師賓。知生者詳。爰綴數語爲之傳。此其涯略也。

盛心如

郎中本姓翁。金鏡溯家風。南粵鍾靈秀。西歐學貫通。後生原可畏。發憤自稱雄。修業雖期滿。還須猛進功。

汪君繡雲。浙江江山人。幼敏慧。世伯訪平先生教之讀。年七歲。詩書已琅琅上口。訪平先生。耆年宿學。並旁及岐黃之術。授君以靈素諸書。咸能心領神會。年廿四。欲以經濟獨立爲一鄉女子倡。遂以所學出而應世。鄉里受其惠者，頗不乏人。閱時三年。爲求深造計。以所蓄負笈滬上。入中國醫學院。學識猛進。然性恬淡。研讀之餘。更以書畫自遣。其多才多藝。尤爲儕輩所稱道云

廿四年夏姜志純謹譔

六華女士號雪香山陰人也本院自一二八後由西門遷於現址同級女生有九人焉惟生性情孤僻儀態端重與張生嘉卉最爲相得勤懇異常對於各科課本輒強記而背誦之余嘗謂生也姓魯酷有參也魯之癖數載以還果不其然而其所造詣亦獨冠於諸女生之上是誠難能而可貴矣茲屆卒業之期爰誌數言以爲諸生告勉焉

心如

同鄉陳奎君。溫州眼科名醫明遠先生之哲嗣也。年稍長于余。初同學於歐海中學。畢業後。君卽從池仲霖先生遊。閱載餘。復入杭州中醫專門學校肄業。民二十一。余來本院。適君亦由杭轉學來茲。于是又得歡聚一堂矣。君性敏而好學。其治醫學。頗具革命之志。嘗謂余曰。方今科學昌明。一日千里之時。我中國醫藥。如仍墨守舊規。故步自封。恐難適應潮流。終歸淘汰一途。故欲振興中國醫藥。必先破除封建思想。使人人具有革命頭腦。不以中西門戶爲見。維以科學爲依歸。如是則國醫國藥。自有推行世界之日矣。故君于潛心研究固有醫藥學之外。並博覽西籍。臻中西貫通之境。將來非僅克承父志而已。于醫學革命。當更有轟烈之工作出也。君在本院附設醫院實習。每治奇難雜症。無不應手而愈。其處方之精到。人皆美之。今已修業期滿。分袂在卽。余忝列同鄉同學。故爲君傳。以作紀念。

一九三五、五、二十五。溫州薛定華撰于滬廬

陳子夢白鎮江石村人鎮地多佳山水大山龍蟠長江虹貫陳子居其間得天然之稟賦志如流水性若蒼山殆鍾山水之靈秀獨厚者也弱冠能文性沉默有遠志嘗讀范文正公不爲良相當爲良醫一語有聞鷄起舞之概知其胸中懷抱實有超越於常人焉嚴庭失蔭遂力於醫前從孟河馬師游博覽醫典苦學深思每讀妙處至悟輒拍案起躍遇有精邃必孜孜攻研其致力於學也可謂勤而深矣猶嫌未足復抱竹本虛心之念欲更深求乃入讀中國醫學院備受海上諸彥之指導玆已學成返里形見造福人羣爲萬家生佛矣陳子與震先後仝硯君是飛鵬敢望摩天之翼余羞跛鱉罔談千里之心情不自已序以述之

弟閻震中

浙江多名醫。鎮江王九皋先生。尤推重杏林。先生有子六人。次君保餘。曾從家君專研傷寒。能以術行歇浦。公遠行四。而求學於本院。屆畢業矣。公遠勤而好學。更以家學淵源。宜其論病處方。每多經驗卓越之筆。不知者疑爲老手。要亦非公遠之篤學敏思。不易臻此境地也。院有畢業紀念册之刊。索余爲小傳。余言固不足以重公遠。爰誌數言。以告不知公遠者。

包天白

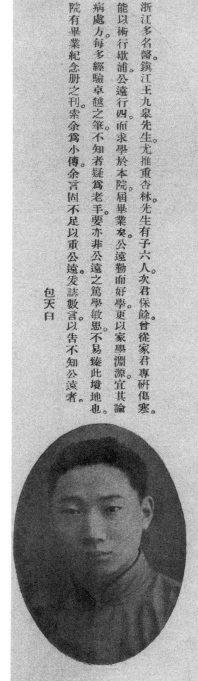

錢生椿壽。身材魁梧。望之若武夫，觀其與人談吐時。則又文質彬彬。固一不凡之書生也。性敏慧。好學問。肄業于本院。孜孜不倦。平時喜攻婦科。諸家書籍。博覽無遺。學識極爲豐富。迨臨證于本院諸婦科救授處。益加悉心研究。不稍懈怠。故能盡得眞祕。今已屆卒業之期。不久懸壺問世。行見造福社會。必無涯涘。惟余尚有言曰。醫固以救濟人爲主旨。而今中西競爭。吾界正處顛危之際。振衰扶危。發揚光大。尤屬緊要。凡在同志。允宜勠力同心。共負艱鉅。牛其領言。當知有所警惕而倍加奮免。民國二十四年五月。

盛心如于光華醫藥雜誌社總務部

顧女士琇。江蘇上海籍。民二十一年考入中國醫學院。女士性情温和。舉止端正。與卉同窗共硯。相互砥勵者垂三四年。其於內難傷寒金匱等書。檢討闡明。莫不精研窮究。曾臨診於海上婦幼科諸名家之門。心得實多。經驗獨富。察源論症。卓識過人。用藥處方。尤稱神妙。故吾校師友無不器重之。時屆畢業。分袂在卽。愧無相贈。聊誌拳拳。以爲紀念。

張嘉卉謹撰

余之與本院歷史。三年於玆。平日不自交往。知已者鮮。乃惟我海峯同學。一見如故。久處之而如一日。針芥相投。此殆有因果者在乎。君本武進籍。與予邑毗鄰。以同庚之年。作同座之誼。攻錯他山。尤爲莫逆。方其於相逢之初。視其人而慕其落落大方。與之談而愛其和藹可親。既又知其多能而不駒。勤懇而克誠。此乃予與之處久而所深悉者。果爾試診滬南。拔起沉疴不少。病人感其惠。紛贈聯匾。有盧扁復生之榮譽。聞該四近之人。咸知有小先生其人者。予以敬佩之心。雖謂之執鞭，亦所樂從焉。猶憶昔日戲以二人名字幷題。今錄之以爲餘音。大海之峯。巍巍其中。高山景仰。痕爪留鴻。

同學弟蔣景鴻敬識

沈君邦榮。產於江蘇海門。沈氏爲海邑望族。幼承庭訓。秉性誠直。起居儉樸。全無晚近紈絝習。曩日余求學于海門國學專修校。始得識荊。余入海門中興醫校。越年沈君亦負笈來校學醫。復得與沈君共晨夕。因其性與余同。共居四載如一日。未嘗稍爭齟齬。偶行舌戰。亦爲醫道而爭。爭已則和愛如恆。余之醫學獲沈君之助者殊夥。故與同學之情感。以沈君爲最隆。既而修業期滿。懸壺鄉里。就診者頗多。爲不識病症與治法者亦不少。輒馳函沈君就正。屢詳答。且獲治效。民廿二年夏。沈君亦卒業于中興醫校。語余曰。數載所得。殊屬區區。恐不足應用。擬入上海中國醫學院。再行研究。以資寸進。並再三迫余赴滬開業。藉圖研究。余見其志堅情切。遂亦毅然來滬開業。又得與沈君同寢同饋。同遊同息。同語岐黃之學。曾幾何時。屈指已屆二載。沈君之醫學益進。誠深入岐黃之室。張機之堂矣。並悉心研究西醫學術。以補中醫治療之不逮。行將卒業。滿載而歸。造福桑梓。定非淺鮮。稱之爲海門醫界明星。誰曰不宜。

一九三五、五。陸丕芳序於上海滬寓

周君文穆。浙之義烏人。富情感。重交誼。服膺信義。不築城府。蓋稟其鄉山川純厚之氣者也。居恆好究岐黃。今已卒業中國醫學院。償其素願。西人于醫。以其保障人道。持重視之。吾國亦擬良醫於良相。以君之爲人。出君之所學。行君之所志，將見社會蒙其福利。豈醫已乎哉。

弟張雲皐謹撰

姚君祖耀。字天農。浙東紹興人焉。祖諱滋軒。考諱小漁。俱以醫術聞於里。存危起廢。活人者衆。君纘祖考之緒。襲庭訓之餘。咎入杭州中醫專校肄業。民廿二秋。轉學來茲。廣從本院諸師游。蓋君抱鴻鵠之志。不以家教爲足。彙衆志以成城。集羣思而廣益。日夜孳孳。意固有所待焉。君性豪放坦蕩。曠達率眞。行事接物。無規規俗人氣。工滑稽。善戲謔。凡所色笑舉止。每令人捧腹不能仰。亦有得乎性者然也。予與君交。雖未及『三十六回圓』。不能刎頸以約。顧於君之言性天道。可得聞者。亦已衆矣。因爲之傳如此。其長材懿德。未爲予悉者。概置不道。亦所以守荀子『不傲』『不贅』戒焉。

學弟馬雲翔識二四。四。二四。

追憶起五年前的故鄉——紹興。
人們的害病不必担心。
看傷寒的胡寶書眞有本領。
看雜症的要算你父親。
近年的紹興是多麽不幸。
死了胡寶書又歿了你令尊。
全縣幾百十萬的人民。
害了病都得不到好的醫生。
如今你要回鄉懸壺——醫病。

繼續你祖上的濟世精神。
我們這病者痛苦受久了的紹興。
又將產出一位活人的救星。
去吧天農。
一分胆大二分細心。
努力奮鬥。
有志竟成。

——二四。四。二二——章叔賡

敬書於學生自治會辦公室

俞君南山。字靜三。吾浙蕭山籍。天資聰穎。性情和藹。好學深思之士也。民十八。卒業於建國中學。志于醫。因進杭州中醫專校。余得以識焉。越二載。復與余轉學本院。孜孜不倦。鑽研益深。君之治醫也。不以新舊中西爲見。維依眞理爲依歸。上自靈素。下及百家。旁至歐西。靡不潛心探索。直造其巔。於仲景論略。致力尤深。嘗語余曰。吾國醫籍。皆喜談玄理。不務實際。其中能教人憑證用藥。實事求是。不尙空論者。厥惟仲景傷寒金匱二書。吾人若將此二書讀熟之。雖不能無病不治。然已勝宗葉薛而用輕靈劑者多矣。故君在本院施診所中實習時。獨喜用經方。凡遇沉疴痼疾。一經施治。覆杯即愈。效如立竿見影。是以師友皆稱道之。今君與余均已修業期滿。行將別矣。自此天各一方。後會更不知何年何月也。爰爲君傳以誌惜別。

二四。五。二。陳奎拜撰

應子祖彭。浙之會稽人。爲基督信徒。具優美之品性。無不良之嗜好。舉止活潑。不落輕浮。言談突梯。不近惡謔。初習西法。繼攻岐黃。故其臨床治病。中西並施。對於病人。尤能體貼入微。不索重謝。雖在求學之時。就診者已不乏其人。薄酬所得。亦足以仰事俯蓄。並不以自立而自滿。孜孜矻矻。好學不倦。求之青年中。殊不多得。今屆畢業。故樂爲略誌數言。

張廉卿

沈君耀先。浙江杭縣籍。與翔友而善。公私無所間。直諒多聞。謙冲以穆。精誠幹練。明於順逆。見義勇爲。磊磊有過人之節。於公利事。尤奮身不顧訾議。當君來院之曰。正學院蠹卵蜩螳之秋。翹翹嘵嘵。風雨飄搖。汲汲於有不可終日之勢。時我各級同學。因無整箇集團。皆疾首蹙額。驚悼不知所出。獨君舍標求本，與二四級同學。發起組織全院學生自治會。以謀永久福利。而冀振國醫界過去散漫頹風於萬一。數閱月中。焦思竭慮。心勞神疲。惴惴焉惟會務不展是懼。其意亦云誠矣。顧院中上下。猶有未能識君之心。側目而疑之者。抑何世情多歎。而公道難明耶。然君終不因而稍變其守。日夜孳孳。且益堅其志。孟氏云。「天之將降大任於是人也。必先苦其心志。勞其筋骨。餓其體膚。空乏其身。行拂亂其所爲。所以動心忍性。增益其所不能。」其斯人之謂歟。雖然。社會之猜疑嫉妒。必有什伯於院之內者。今君學成出院。本其業。行其志。縱精誠幹練。明於順逆。恐亦難殺其嗒然頹喪之心。是君經緯之業。固又且待乎其後之操守也矣。翔昏且庸。無以爲其半臂之助。發聾振聵。惟企踵引領而望之耳。

學弟馬雲翔識

吾識王君槃。始於去春。頗有使人不能忘之概。因爲之傳曰。

王君江蘇灌雲人。篤志攻醫。已歷年所。昔曾肄業上海國醫學院。後轉本院。居恆孜孜忘倦。勤求博採。於中醫學既多心得。乃又博覽西醫載籍。以資攻錯。所見既廣。故其論病。往往洞見癥結。投藥亦多應手。理論與事實相應。庶無愧馬。君爲人不苟言笑。與人交極誠懇。蓋性靈中人也。

王潤民

衍封姓鄧氏。字華甫。皖之蕪湖人也。生長於滬濱。其尊翁周政商界之聞人也。家教綦嚴。自幼卽爲延師課讀，故秉性誠樸。丰儀翩翩而無時下習。年未弱冠。慨然有大志。思欲從事於匡時濟世之業。而政治黑闇又非所願。爲念醫同良相。遂决肄力於岐黃。始肄業於國醫學院。一二八後。轉入本院。精研探索。每當發問。輒有奇語驚人。而見解之超越。處方之精審。同學多爲折服。今者行將卒業。可以出而應世。以展厥抱負矣。但學無止境。現當中西競爭之際。更宜力求猛進。所謂行道不忘讀書者。生其勉旃。

盛心如

嗚……我欽敬的朋友。

他是一位復興中國醫藥的巾幗。並有終身攻究國醫的决心。同時她是提倡醫生做女子專有職業的最力者。

她自從省立南京女中高師科畢業後投入本校。我們因爲思想的一統。而做着朋友。晨曦。夕陽。樓頭。廊下。那一天沒有我們攜手暢淡的踪跡。

料不到時光是過着這樣的快。鳴友是先我而畢業了。我希望今後的鳴友。抱着過去一貫的主張。扶起受盡滄桑的國醫。發揚欣欣向榮的國粹。並且繼續努力提倡女醫的精神。替我女界闢出一條新的大路。

友。努力吧。檢討過去。把握現在。創造將來。根本建設起。迎頭趕一番。

凱旋與勝利什麼都在你的將來。

你的友士琳寫於廿四年夏

張女士嘉卉。江蘇太倉人。與余同窗數載。稱莫逆焉。性秉和藹。舉止端莊。敏而好學。洵奇材也。其所爲文。引證淵博。組織精明。將來馳騁醫林。可拭目而待。余自歎不及。今修業期滿。分袂在卽。同窗之樂。將隨流光以俱逝。每一涉思。爲之悵然。因綴數言。聊作他年回憶之鴻爪。

周行敬撰

芝英同學。江蘇南通籍。早歲從學於同邑施氏。精婦幼科。民國念貳年秋。考入本院。虛心鑽研。廣徵博採。學術益進。繼從海上名醫薛文元先生實習。經驗尤富。爲人治疾。口碑載道。蓋得于心而應于手。非偶然也。今夏女士與余同時畢業。相別在邇。能不黯然。爰綴數言。以爲紀念。

學妹行拜撰

物有所不可捉摸。人亦其然。若張子逸桐者。醫中之怪傑也。翩翩倜儻。落磊天成。或習習若谷風。忽暴戾如狂夫。人多以譎詭目之。而予獨識其用心之苦也。民國二十年。負笈來申。求醫學于靶子路畔之中國醫學院。予適遇矣。相形之下。知非俗人者也。洎乎傾談。約爲至交。切磋磨研。乃成益友。如是者三年焉。君性僻執而勇毅敢決。好談興敗之事。激昂之態。時現形色。然臨方用藥之際。則其機靈若不可測矣。今也離別有時。私心黯然。惟丈夫志存天下。安可戀戀作兒女之態也。王勃詩有云。海內存知己。天涯若比鄰。況吾志同道合。悠悠之心。豈關山之所能阻也。

王樂成

沈君俊。江蘇如皋人。性沈毅。重然諾。待人接物。恂恂然有古君子風。君先世以醫名。君尊翁名尤噪。家學淵源。有所自也。禮云。醫不三世。不服其藥。是言也。雖嘗爲世詬病。然而治病重經驗。古今中外。莫不皆然。然則君之有成。豈偶然哉。茲者君畢業於中國醫學院。他日成功。豈可限量。故樂則爲之傳以爲左劵云。

楊柯識

本學院教學方案

宗旨 本學院遵照中華民國教育宗旨。以研究中國歷代醫學技術。融化新知。養成國醫專門人材。充實人民生活。扶植社會生存。發展國民生計。延續民族生命為宗旨。

學程 一年級黨義、國文、生理、解剖、藥物、醫經、醫學常識、醫史、衛生、醫論、病理、方劑、傷寒等科。

二年級黨義、國文、藥物、醫學常識、傷寒、病理、方劑、診斷、溫病、外科、醫論、雜病等科。

三年級上午臨症實習。下午金匱、經方、外科、婦科、兒科、花柳、喉科、眼科、雜病等科。

四年級(一)臨症處方(二)教師指導(三)同級研究(四)課外閱讀

教材 整理固有醫學之精華。列為顯明之系統。運用合於現代之理論。製為完善之學說。生理、解剖、外科、急救、採用西醫學術。各科講義。均由教授自編。

實習 三年級生每日上午至名醫處醫症實習。四年級生於教師指導下於本院施診所臨症處方。在醫院內臨床實習。

二四級級史

胡靜盦

史者。所以記述過往之事。以備他日之觀摩也。是故國家不可無史。地方不可無誌。本級之級史。意猶是耳。溯吾等萍水相逢。倏已四載。切磋炎黃之古訓。琢磨長沙之方術。歡娛無似。今者畢業期屆。離亭話別。後會何期。安可不稍留雪泥鴻爪之跡。以慰異日鷄鳴風雨之思乎。由是同人爰有畢業紀念册之刊。余因追述本級之變遷。以備來日之瀏覽。因爲之史。借光一席。以付梨棗。他日一展斯卷。回憶今日同窗之樂。則雖天涯海角。恍若一堂。而外人欲驗吾儕之陳蹟者。亦得藉此以知其梗概焉。

民二十年八月。爲二四級始學之期。斯時也。院長包識生先生。以及傅教務主任。董訓育主任。皆醫學淵深。久爲國醫界所欽仰。任職以來。對於院務之進行。多方籌劃。辛苦經營。教授許半龍盛心如吳克潛包天白葉信誠景芸芳諸先生。教授課程。清晰不混。時本級同學計十有六人。年幼學淺。初登岐黃之門。茫無頭緒。經諸先生循循善誘。如迷津之遇寶筏。愚蒙漸啓。得益良多。乃未幾倭寇侵襲東省。九一八戰事爆發。同學激於義忿。加入各大學學聯會。赴京請願。並組織宣傳隊。出發演說。更有本級同學李彩華君。見義勇爲。投筆從戎。同學歡送。呼聲雷動。羣情激昂。祝志士努力殺賊。早賦凱旋。此固吾級光榮史之一頁也。嗣包董二先生。鑒於國難日亟。軍事訓練。救護學術。實爲當務之急。由是聘于宗良先生爲軍訓教官。每晨加緊訓練。並於課後。增加救護班。以備軍國之需要。繼而東北馬占山將軍。孤軍抗日。百折不回。彈盡糧絕。於是各大學發起募捐。本院亦協助勸募。故是學期幾無甯日。嗚呼。倭寇之橫暴。吾儕其可忘乎。

翌年春。時屆開學。適值一二八之役。於是延至四月一日。方得開課。爲本級第一學年第二學期。包院長因年高任重。又鬬戰後百端待理。向公會一再辭職。繼由院董會議決。聘薛文元先生爲院長。蔣文芳先生任教務之責。並由國醫公會財政科主任朱鶴皋先生爲主持主任。負本院籌劃經費之責。薛蔣朱三先生。學識廣博。德高望重。自受任以來。苦心規劃。與其利而除其弊。鑒於校舍不敷應用。乃將本院由小西門黃家闕路。遷至公共租界靶子路。斯時教授董柏庭葉信誠于宗良等。因事卸職。添聘陳存仁俞岐山沈石頑喻仲標張劍雄沈嘯谷諸先生爲教授。於暑假期中。繼續上課。蓋因本學期。受戰事影響。缺課甚多。於是利用暑假光陰。

以補所缺課程。是時插入本級者。有余性神沈俊袁秀嶽任啓生陳向榮謝瑜顧琇周行王德香等。（余亦於斯時由建國中學轉入本院忝附諸君子末幸何如之）是歲之秋。本級升爲二年級矣。朱蔣二先生訓勉有加。盛名遠播。是以復有轉入本級者計十有七人。濟濟一堂。融融穆穆。怡怡如也。

二十二年春。爲本級第二學期。又有姚天農顧文倫吳作楫陳金秀張嘉卉鄧衍豐應祖彭等轉入本級。一時同學激增。教室坐位不敷。於是另闢教室。回顧一二八前。本級同學寥寥。自北遷以來。竟驟增至數倍。不可謂非朱蔣二先生之力也。

是年秋。升爲三年級矣。斯時虞尙仁杜榮生孔保寅董晏僊馬石銘章翼方張劍虹俞南山陳奎等由杭州醫專轉入本級。而本級同學因事輟學者。爲吳君作楫路君世仁袁君秀嶽沈君玉笙吳君家珍陳君同敷卜君易安。而余君性神則攖疾逝世。未竟其志。惜哉。是學年上午赴各醫院。或教師處實習。下午照常上課。包前院長熱心教育。復來本級教授經方金匱。雖年已知命。鬚髮蒼白。而精神振作。不遜壯者。講解精徹。更多經驗之談。同時承蔣教務主任抽出時間。教授時方。指示詳明。凡遇同學疑惑之處。必再四解釋。不厭求詳。務使冰釋而後已。其教導學子之誠。可見於此。吾同學受包蔣二師之惠。誠非淺也。

二十三年秋。爲本級之第四學年。陳君學文。患痾離校。沈君伯衡因事歸里。至此全級同學計五十一人。本級期講堂功課已完。而於院立施診所臨診。由張廉卿先生指導之下。每一方出。務使妥貼無疵。故遠近來診者。絡繹不絕。可謂盛矣。然韶華荏苒。轉瞬又經一載。畢業伊邇。分手在卽。聊誌數言。以爲紀念云爾。

畢業論文

中國正骨學之片斷

虞尚仁

引言

中醫學科的陳舊理論的空泛。手術的幼稚。遍受一般塗金抹漆的醫學博士醫學士所唾棄攻擊。冷嘲熱譏。在他們的心理早已把中國古代心血結晶的經驗學說。好似歷史陳蹟一樣的置至腦後了。他們的見解。以爲古代的經驗理論。只有憑吊的遺跡。而無研求的價值。假科學以自豪。以科學爲萬能的醫學家。這種的觀念心理。不免引起我一絲沉痛的感想。

我們曉得科學是什麼。「科學就是有系統的常識。」換句說話。科學是日常普通經驗中一種偶然的發見。這是什麼理由呢。譬如英人牛頓看見蘋果落地。能悟出天地間萬物都能互相吸引——萬有引力——的道理。又如瓦特在臥病中。看見爐火煎水沸騰。冲開金屬所製的壺蓋。發明蒸氣。其實蘋果的落地。水沸的蒸氣。誰都知道的。可以說是極普通的常識。利用常識來發展推測研究。結果就成爲科學。所以常識就是科學的基本。沒有常識就談不到科學。更談不到科學的進步。常識的見解是從普通日常的經驗造成的。所以含有眞理的經驗。亦可說是科學的基本。

從以上的觀察。要發展科學。是很明顯的。應當從古代含有眞理的經驗中來闡發。推求。研究。一般自號爲科學醫的醫師們。快猛醒吧。不要醉生夢死的一味的崇拜。模仿。盲從。依賴吧！盲從。模仿。是不能發揮醫學的眞諦。崇拜。依賴。更不能使醫學巍巍獨立。我們應具一種創造性。改革性。神聖醫學的威權。切勿爲外人所操縱。舶來品的西藥。足以造成經濟侵略的壟斷。更不能使中國人民的生命。繫在殘酷的手術。猛烈的藥品中呻吟。要想挽回模仿依賴的狂瀾。要想糾正盲從繆誤的心理。祇有把中國數千年心血結晶的經驗。很忠實的介紹一下吧。捫心自問中國醫學到底有研究的價值。整理的必要沒用。現在把中國正骨學的片段。分骨折的治療法。脫臼的手術法。如滄海中的一粟。貢獻給臨床家作一個參考吧！

緒論

原始時代的野蠻民族。在大自然中生活着。因爲環境的趨勢之下。日與野蠻動物相競爭。爲自己的生命生存起見。飲食物的需要迫切。尋覓食料。捕捉野獸。爭鬥搏擊的衝突。是在意料中的。那末創傷骨折脫臼的損害。更免不掉了。所以中國傷科學歷史的悠久。是無從稽考。片段的經驗。妙巧的手術。因爲無書的記載。經過數千年的波折。差不多快要失傳湮沒了。

西洋醫學自傳入中國以來。故步自封的中國醫學。的確得到了許多的俾益和借鏡的地方。然而對於骨的損傷以及關節的損傷。在病理生理方面。說明的詳細。解剖的精析。可見西洋醫學家研究猛進的一斑。是很值得我們頌讚欽佩的。可是他們關於骨。關節損傷的治療法和整復法。與中國正骨學中的正骨手術及療法眞是相形見拙了！

他們對于骨折治療法。在最近美國醫學會骨折委員會。所出版的骨折療救法中。可以很透澈的告訴我們。石膏繃帶法。牽引法和懸吊術。是骨折惟一的治療法。雖然骨質有自然彌補的生理作用。有骨細胞自己生殖的能力。治療的目的。不過使斷骨不要互相駕疊和偏斜的弊病。使已斷的骨重行接合而已。

石膏綳帶法。牽引法和懸吊術。確是治療骨折的一種機械作用的良好方法。是幫助折骨不致發生駕疊和偏斜的弊害。可是臨床成績的統計。使用這種機械硬固的療法。往往使病者失却了自動運動的可能性。常久的繃縛牽引懸吊要發生血液循環的障礙。浮克曼氏 Volkman 的攣縮。神經的麻痺和關節硬固等等的副作用。骨折部雖然連合得正直無疵。關節屈伸不靈。肌肉的痿縮。神經的癱瘓。就不幸的接踵產生了。

醫家的天職。根本是拯救病者於痛苦患難之中。能夠減輕他的痛苦。保持他固有的動作。以免將來有不幸殘廢的發生。可以說已經盡了醫家的責任。科學昌明的國家。利用機械物理的作用。而慘害了不幸的病者。不免使我寒心戰慄的吶喊着。學說理論。不過是幫助研究醫學的門徑而已。亦是人類文化應有的進步。理想的學說。殘酷的治療。不但不能拯救病家的痛苦。反而增加了病家的悽慘悲泣。為謀病家幸福。減輕病家痛苦起見。不揣讓陋的我。現在介紹中國歷史悠久由臨床實驗結晶的正骨手術和治療。以淺顯的文字。參以新的學理與名詞。詳細的分述在下面。——因為篇幅與時間的限制。不能盡量的發揮。是覺得十分抱歉的。

(A)骨折的治療法

(1)骨折的原因：——

a 骨折的面面觀：——骨的抵抗力。和骨折有密切的關係。而骨的抵抗力。是隨年齡而變化的。我們知道在骨的成分中。一、為堅硬的石灰質。一、為柔輭的膠質。幼年人的骨質。是膠質多于石灰質。中年人是膠質和石灰質適量的混合。而老年人則石灰質多于膠質。所以中年的骨折。較老年為多。老年的骨折又較多于幼年。這是什麼緣故呢。

幼年（一——三歲。）膠質多于石灰質。彈性抵抗力較大。故不易折斷。

壯年（二〇——三〇歲。）柔輭的膠質。參以適量的石灰質。成為堅固的骨質（三分之一的膠質和三分之二的石灰質。）故不易折斷。然肌肉靱帶緊張過劇。或暴力的侵襲。就不幸的要發生折斷了。

中年（三〇——五〇歲。）柔輭的膠質及石灰質混合而成為鬆脆的骨質。（膠質少石灰質多）故易折斷。

老年（六〇——九〇歲。）石灰質增加。失却了抵抗的彈性。變為無彈力性的堅硬骨質。因而亦較易折斷。

骨折非但與年齡有密切的關係。即和身體的部分。骨的形態。個人的職業。亦有連帶的關係。例如有角度的骨。彎曲的骨。

比較直骨容易折斷。（鎖骨和肋骨等。）運動部分較不運動部分爲易折（如頭部之骨折較少於四肢。）勞働家較多于安逸人。其他以病理變化而骨抵抗力減弱至性質脆弱如骨腫瘍等而引起彈力減少的疾病骨折的原因可分爲外力和內力二種。

b外力骨折。——作用於身體外部的暴力往往傷及骨系統若骨的彈性力和堅硬力抵抗不住器械暴力使襲遂致有骨折的危險然又可分爲直達的外力及介達的外力玆繪圖說明如下

1.直達的外力——直接打擊衝突銃射轢過等而生的骨折祇限于局部如左圖。

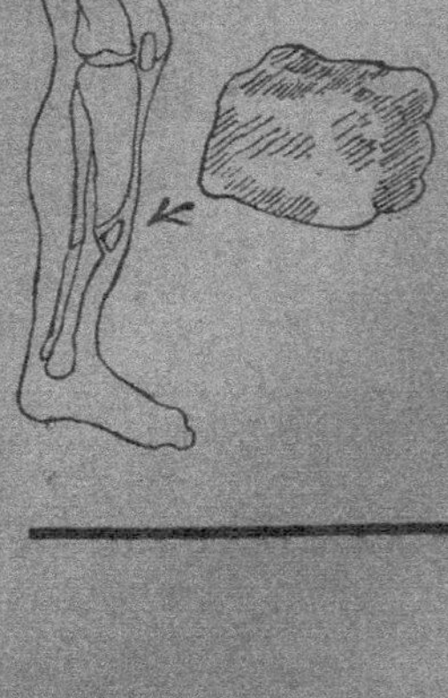

（石打擊直接使脛骨折斷並腓骨壓折圖）

2.介達的外力。——局所受衝擊的暴力而該部無甚變化而間接影響及局所以外的骨折。如傾墜之際手衝地上手掌支持身體發生鎖骨的骨折如左圖。

（間接使鎖骨折斷圖）

c內力骨折。——肌肉運動劇烈。韌帶收束緊張過烈的時候往往由內力而發生骨折這種因內力而骨折的。力強壯年人占最多數幼年及老年的發生頗不易見如人舉手猛擊之際。不能命中此時三稜肌緊張強劇可使肱骨破折。（如下圖）又如人墜落之際。手撐地上。以支持身體。而以掌側腕韌帶強烈的牽引遂起撓骨下端骨折。其他如四頭股腓腸肌緊張。（肌力或腱力）而附着部的骨片剝離或足內外踝突因韌帶不能伸展至於斷裂者臨床上處處可以發見的。

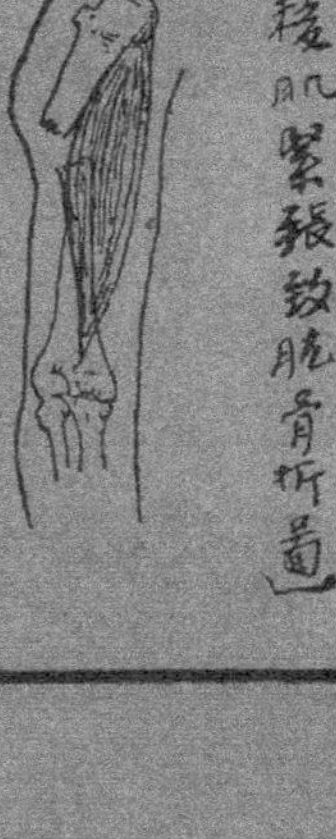

（三稜肌緊張致肱骨折圖）

(2)骨折的種類：——

中國正骨學中。因骨折的方向。形態。程度。而區別爲各種不同的名詞。如斜裂。截斷。碎斷。觸出骨斷。等。然其分類的眉目。西洋醫學較爲清淅整齊。茲列表于後：

骨折的分類表

- 完全骨折
  - 因骨折方向
    - 橫骨折
    - 斜骨折
    - 縱骨折
    - 螺旋狀骨折
  - 因皮膚程度
    - 皮下骨折：皮膚不穿破者。
    - 哆開骨折：骨折後穿破肌肉皮膚。
  - 因骨折形態
    - 單數骨折：一骨折爲二片。
    - 複數骨折：骨折有二處以上者。
    - 粉碎骨折：骨折爲無數散片。
- 不完全骨折
  - 1.骨屈折：因强屈折。而骨的凸側破裂。凹側壓陷之謂。
  - 2.骨冰裂：如陶器的損裂龜裂然。
  - 3.骨凹陷：如顱蓋骨受打擊。骨質陷沒是也。

其他有碎骨彼此嵌入者名之曰嵌入骨折。（亦名折片楔合）又如捩轉骨折。壓迫骨折。銃射骨折。等等不勝枚舉。總之。以其不同的方向。骨折的程度。形態。而區別各種種類和名詞。也不過供給臨床時作一個參攷罷了。

（3）骨質自然彌補的生理作用：——

骨的組織。是由哈衞氏管。細胞間質。及骨細胞而成。哈衞氏小管。貫通於硬骨質之中。與血管相通。開口於骨之表面。或

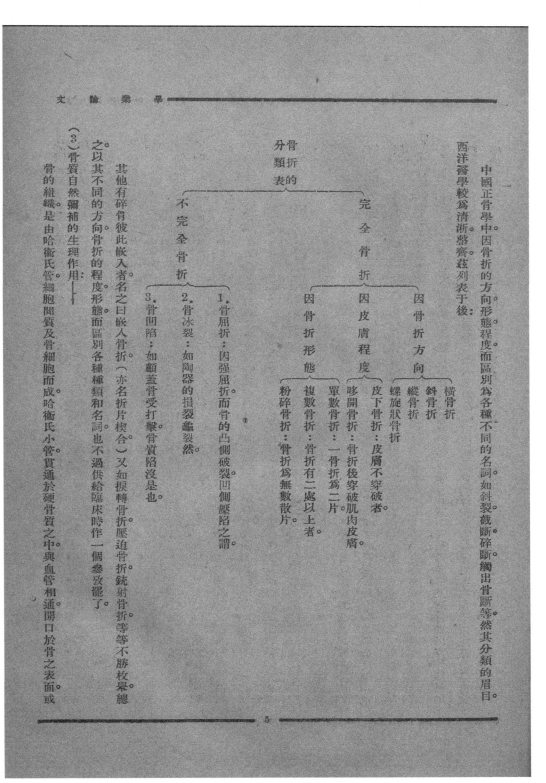

於髓腔。而骨細胞佈滿在細胞間質中。和哈衛氏小管相通連。並開口在髓腔。所以骨的生殖。營養。完全依賴哈衛氏管及骨細胞的運輸。斷骨的能夠彌補連接。亦繫于哈衛氏管及骨細胞的功用。當直接受打擊衝突。銃射。傾墜。車輪轢過。或間接外力影響。以致骨折時。多少有挫傷附近的軟組織。骨膜與骨內衣扯破的發生。小血管因受壓迫損傷而破裂。血液流出而在骨折端的周圍凝結成塊。傷處的血管充血。並有大批白血球自血管入組織。將血塊分裂毀壞。白血球一經將廢料清除以後。由淋巴血液的運輸而排泄。則骨膜和骨內衣被扯破的地方。四圍的細胞。與骨髓的細胞。即開始蕃殖。並生出一種膠性的細胞間質。和骨痂。（即接骨質。）此質將折斷的骨邊。逐漸接合。當新結締組織組成的時候。在受傷血管中的細胞。就蕃生蕃殖。組成新血管枝。而通入新組織中。以供給建築材料。細胞得到充分的營養以後。更為蕃殖而分泌多數骨痂。因礦物質的沉着。乃逐漸硬固。而變為骨組織了。平常每有過多的骨痂分泌。而成畸形的狀態。在數月或完全癒合以後。自骨膜細胞層。發生破骨細胞。Osteoklasten分泌一種能使石灰機質溶解的乳酸。骨痂漸次被吸收而畸形消滅。倘若（一）骨膜與其周圍之各組織扯破面廣大。以致多數細胞的繁殖。（二）粉碎骨折。（三）劇烈的骨炎。（四）運用骨折部分太早。因之扯破骨痂。引起額外細胞的增生。具此四種原因。往往使造骨細胞分泌骨痂亢進。則骨痂組成過多而形成畸形的狀態。臨床上應該注意的一點。

根據以上的原理。所以幼年壯年的骨折。因為生活力新陳代謝機能的旺盛。營養豐富的緣故。能夠分泌較多的膠性細胞間質。和接骨質。比較生活力新陳代謝機能衰減。營養衰弱的老年人的骨折。其癒合期較為短縮容易。就是這個理由罷了。

(4)骨折診斷：——

骨折的診斷。在臨床上確有相當的困難。完全骨折。哆開骨折等。因為有骨摩擦聲。畸形態度。及斷骨觸出皮外。種種的症候。可以依據，由觸診。聽診。視診。就能彀得到很準確的診斷。然而關於骨冰裂。骨屈折等等的不完全骨折。尤其是肌肉充盛的病者。診斷時就感覺到非常的困難了。因為這種骨折。是不能從觸診。聽診。視診可以很透澈的了解。

自從科學發達愛克司光發明以後。醫學上利用愛克司光線。有透過動物質。不能透過鑛物質的特性。應用在骨折的診斷上。確有重要的助益。可以說是診斷骨折惟一的工具。不但骨冰裂骨屈折等的診斷。有很明顯的證明。就是內外科。產婦科。皮膚科。莫不以愛克司光居爲重要的地位。

可是科學落伍。貧困交加的中國。一沒有經濟能力可以充分的設置普遍。又沒有學者的研究和發明。諾大一個版圖廣博人口衆多的中國。在全國有愛克司光設備的醫院。統計不過五十餘院。而且完全設在大都會大城市之中。窮鄉僻地的農村田舍。連影兒都招不出來。好像知道農村破產的農民。是沒有力量來享受科學幸福的一樣。這不是一椿可痛心的事嗎？爲補救這種缺陷起見。祇得着手從肉眼。感覺。經驗來幫助骨折的診斷了！

(1)局部疼痛：——骨折時。往往損傷及骨膜血管知覺神經。所以骨折的部分。壓迫他。就要發生劇烈的疼痛。而其他健全之部分。就沒有這種感覺。因爲他的痛感有固定。西醫名爲固定痛。還有一種搖動骨折。或使屈曲。雖然沒有接觸骨折部分。而疼痛每每發于骨折的地方。因間接的關係。西醫就是謂間接疼痛。此二種疼痛。爲骨折的特徵現象。

(2)皮下溢血：——骨折時。必損傷血管。或使血管破裂。血液滲溢肌肉皮膚之間。外現青色或紫色的現象。

(3)腫脹：——因爲淋巴破裂的滲漏。或血液的溢流。在骨折半小時以內。就發生這種症狀。然淋巴的滲漏。不呈什麼顏色。而血液則爲紫紅色或青色。因爲色素的關係。

(4)骨摩擦聲：——這是一種感覺。是骨折端互相摩擦所發出來的聲音。在斷骨部兩手各持一端。以反對的方向運動。就發此音。這是骨折的證據。即使肋骨折斷。亦可使患者行深呼吸證明的。因爲肋肌的伸縮。能夠使斷骨互相摩擦的緣故。

(5)骨縫：——完全骨折。或不完全骨折。必定有相互間隙的可能。要想診斷骨縫的所在。就要施行中國手術療法的摸法。手指細細按摸傷處。然而施行這種診斷法。非臨床經驗豐富。或有相當訓練的醫士不可。因爲按摸要輕柔。觸覺要靈敏。對於肌肉的解剖。構造。更要明斷了解。瘦小的患者。當然可以循骨按摸。不難診斷的。然而肌肉充盛。脂肪豐當的患者。則非排擠肌肉而施行按摸的手術不可了。

(6)運動障礙:——骨骼是支持全身的。倘若不幸而斷折。運動即起障礙。如大腿骨折斷。則寸步難行。蓋骨已斷離。就不能隨意運動的緣故。可是不完全骨折。則無此徵候。因爲還有支持的能力。

(7)發熱:——溢血中的物質。(如纖維素醱酵素)吸入血中即發熱。所謂非腐敗熱。

(8)畸形:——骨爲暴力的衝突而骨折。因外力的強弱。方向的各異。發生種種不同的轉位。如骨片轉位側方而骨的橫徑變化。局部或廣。或厚的橫轉。又如折片互相重疊。而骨之縱徑短縮的縱轉等等。因骨片轉位的異殊。外現種種各別的畸形。此亦骨折的特徵。然而如骨的營養障礙。石灰質缺乏。吸收機能增進。骨質柔輭。骨端肥厚的佝僂病和深層腫瘍的陰症。而發生的肢體畸形。因爲性質的不同。病因的各異。臨床診斷時。應極宜留意的一點。

上面幾點的症狀。對於骨折診斷。是很有價值的依據。完全骨折。必定具有這幾種現象。逃不出這個範圍的。但是輕微的不完全骨折。因爲沒有肢體畸形。運動障礙。骨摩擦聲的憑藉。比較完全骨折的診斷。感覺困難些。然而施行按摸手術。仔細輕柔的探摩骨縫的所在。並且有溢血腫脹疼痛的兆症。就不難證明了。

(5)骨折治療:——

a手術療法:——骨折治療成績的優劣。可使患者恢復原狀。也可使患者爲殘廢。千鈞一髮之際。完全繫在手術醫復的轉瞬間。因爲骨折的時候。能夠處以正直的接合。適當的綳紮。不但病者能少受些痛苦。就是骨的銜接時期。也可以容易復合。多的牽引。多的移動。是妨礙骨細胞的生殖。並且將來更有成爲畸形的危險。而病者更受着劇烈的疼痛。所以手術療法。在骨折治療中占極重要的地位。輕易的治療。隨意的處置。就是將來造成殘廢的主因。手術時。應該輕柔細心的牽引。是以病者少受痛苦爲原則。這種療法可分爲摸法。接法。肌肉提理法。按摩法。推拿法。現在簡略的說明在下:

(一)摸法:——摸法是臨床判別骨折的診斷法。完全依賴末稍知覺神經觸覺的靈敏。然而這種方法。倘若沒有受過相當訓練的醫士。往往茫茫不知所以的。要想知道他是完全骨折呢?抑是不完全骨折呢?骨折的程度怎樣?方向怎樣。

就不能有準確的診斷了。依據人體部分的發達。如肌肉神經是隨着訓練程度而變更的理由。譬如車夫的腿。鐵工的臂。運動的機會較多。該部的肌肉特別發達。又如犬的嗅覺神經特別的敏感。鷹的視神經特殊的銳利。雖然一半是天性的關係。但是人功的鍛鍊。是有相當効果的。所以末稍神經的發達。也是同樣的理由。也是由鍛鍊而成功的。利用這種診斷法。是以大拇指循骨施行。手術的輕柔運用的細心。總之能使病者少受痛苦爲前提。此法是中國正骨學中診斷骨折的妙法。

(二)肌肉提理法：——根據解剖學橫紋肌常附着骨的外面。所以又名骨骼筋。例如上肢的三角筋。起於鎖骨肩峯及肩胛棘。止於肱骨。大圓筋起於肩胛下角而止於肱骨小結節嵴。又如下肢股筋的縫匠筋。起于骼骨前上棘。止於脛骨粗隆的內側面。股薄筋。起于恥骨下肢。止於脛骨粗隆。在骨的四周緊緊的包裹着肌肉。解剖學是明顯的告訴我們。假使說骨折斷。肌肉當然有損傷屈曲緊張的可能。所以肌肉的提理法。是按照肌肉構造的生理。用拇指和食指輕重柔輭的手術。一條一條的橫紋肌。屈曲的加以校正。緊張的使爲弛緩。肌肉能夠井井有條。被包裸的骨折部。當然有極良好的影響。此法施行在接骨法以前。

(三)接骨法：——接骨就是使已斷的骨合攏在一處。復歸於舊的意義。然而這種手術法神乎奧妙的地方。眞使我這枝禿筆難以盡述。部位的不同。傷勢的輕重。手法的牽引。徐速。重按。輕壓。柔摩。輭捏。總之接骨手術法。是不能夠固定刻板的。是憑着清醒的頭腦。靈敏的智慧。隨機應變而治療的。譬如哆開骨折。斷骨觸出皮膚外面。就要詳細加以思慮觀察。究竟斷骨的形勢怎樣？觸出外面的程度如何？是可以用光滑的器械擠納進去的呢？還是割開皮膚而整復的。在這種關健上。病者的痛苦安逸。完全要看醫家的智慧聰明。和豐富的經驗了。

(四)按摩法：——按摩的解釋。按就是以手往下逼迫。摩就是徐徐的揉擦。骨折時。肌肉的按擦。幫助骨折的治癒。是很有關係的。他的目的。在解除水腫。增進血的流動。和減少痛苦。而使早日痊癒。但是施行這種手術法。應當仔細留意手勢要輕柔。適應于本法的疾患：

(一)骨折部皮下溢血而起的青腫。

(二)敷料（西醫的石膏繃帶）或綳紮太緊而起的痲木。

因爲痲木的原因就是血液循環爲緊的繃紮重的敷料壓迫而致障礙。營養神經和各組織的血液。不能輸送灌溉。末稍神經無濡養就起痲木的感覺了。所以按法以手往下逼迫使血液流暢。而痲木的感覺立卽消失皮下溢血的青腫。施行揉擦的摩法可以促進血液的吸收而腫消青除。歸納上面的說素。按摩法有三種優點：

(1)促進血液吸收可減少水腫。

(2)可以增進血液循環的暢流。

(3)可以改進肌肉的緊張力減少肌肉的萎縮。以免强直。

(五)推拏法：——推拏法的功用。是通經絡和氣血的方法。拏法就是西醫所謂的牽引法。古人對于推拏的解釋。推就是以手緩緩的推行使歸還舊處的意義。拏就是以兩手或一手捏定患處。酌其輕重緩急。以復其本位的意義。和接法是大同小異的他適應的症候：

(1)骨節間略有錯落不合縫。

(2)氣血流行不暢。

(3)病者肢體不能自動運動。幫助運動。增進血脈的流通。加快機能的恢復。

以上說明的。推拏法。按摩法。在臨床上。應該特別注意的三點。

(a)施行手術時。以不震動斷骨片爲原則。

(b)應避免致痛的動作。疼痛是損傷增加的表示。

(c)施行手術以前。加一點油。可以減少皮膚的阻力。

上面敍述的手術療法。不過是個輪廓罷了。是應用在骨折期間幾個方法而已。至于如頸脊骨折。腰脊骨折。髖骨折。肋骨折等等逐部的療法。因爲時間和篇幅的限制。不能逐條的說明。著者是感覺非常抱歉的。幸得來日方長。日後終有互相討論研究的機會。深望讀者諒察。

(6)藥物療法:——

中國醫學。素來是以藥物見長。這是世界各國所公認的。國外人士竭力注意中國藥物。在書報中能𣪍看到的。如英人伊博思氏的繙譯本草綱目。德人湯姆斯氏的蒐集中藥標本。美人威爾遜氏的赴四川峨嵋山採大黃黃連藥物。日人宮島幹之助氏的組織漢藥特委會。皆可以證明中國的藥物學。確有研究的價值。是無可諱言。在正骨學的治療中。藥物療法。對于骨折的癒合期。及豫後。結果十分的美滿。臨床實驗的成績。骨折的統計。是可以證明的。西洋醫治療骨折的缺點。沒有藥物的療法。爲最大原因。現在關於藥物療法。分麻醉劑。內服劑。和敷貼劑三種。分述於後。

a.麻醉劑:——中國麻醉劑。始于華陀。因華陀治病。不獨應用湯液。其手術療法尤精。若病發於內。如肌肉經脈骨骼之中。鍼藥所不能治療的。先服麻沸湯。使其知覺麻醉。然後施行手術療法。或摘割。或刳破。旋即縫合。敷以神膏。無不中肯。但因後人昧于解割。又因人道殘酷的心理所束縛。並且毒性的危險。以致中國的麻醉劑。由不注意。不研究中。差不多快要淘汰湮沒了。自今科學昌明。研究猛進。麻醉法也隨之精益求精。如一千八百四十六年美洲化學家 Tackson 發明依的兒Aethei。一千八百四十七年英人婦科醫。Simprom 發明哥羅仿謨 Chloroform 的全身麻醉法。現今局部半身麻醉法發明後。如奴佛卡因科卡因風行于世。應用在外科手術療法中。更爲便利。並可免除種種危險。這種功績。雖然應該頌讚的。然而亦是人類文化應有的進步。時代的趨勢所造成的。中國數千年以前。早有麻醉劑的發明。因爲處在思想頑固科學不發達環境中的關係。不能和現代一般科學家。媲美。覺得是非常遺憾的一件事。今將古人應用在骨折治療中的局部全身麻醉劑。分列在下以爲參攷:

(一)全身麻醉:——

(a)方名:——麻藥。(虞氏家方。)

（a）藥物：——蟾酥　生半夏　鬧楊花　胡椒　川烏　草烏　蓽撥

製法：——晒脆研爲細末

功用：——全身知覺神經麻痺人知昏迷任刀割拿捏不知痛苦。

用量：——五厘至一分。

禁忌：——心臟衰弱等的疾病未滿過歲的小兒皆不能應用。

解法：——若此方過服中毒可用甘草湯服之立甦。

服法：——熱酒送服。

（b）方名：——八厘寶麻藥。（虞氏家方）

藥物：——川烏　蟾酥　半夏　生南星　鬧陽花　各等分

製法：——苧葉汁拌末晒乾再研爲細末收藏。

用量：——每服八厘。

服法：——黃酒吞送。

（c）方名：——莨菪散。

藥物：——莨菪。

製法：——晒乾研爲細末。

成分：——日本理學博士長井長義之研究。莨菪中含有『河篤洛滨』Atropine。歇沃斯吉盧敏 Hyoscyamin

功用：——能麻醉中樞神經。兼用作鎮痙鎮痛藥治癲癇發狂及其他神經諸病。

用量：——一次的極量一厘三毫。一日的極量四厘。超過此量就要發生舌澀不能言而易致命的危險。

解法：——此藥若過服而中毒。可用胆礬一分七厘半。以水和服。刺激胃神經。而起及射作用。嘔吐排毒。

（二）局部麻醉：——

方名：——整骨麻藥。（虞氏家方。）

藥物：——川烏　草烏　蟾酥　胡椒　生半夏　生南星

製法：——晒脆研爲細末。以燒酒調和敷貼之。

功用：——能使局部知覺神經麻醉。任刀割。或施行正骨手術。不知痛苦。

此外如茉莉根。亦有麻醉神經的功用。因其成分用量沒有詳細了解。臨床上不敢冒昧應用。

（三）麻醉劑的藥理作用：——中國麻醉劑的藥物。如川烏。草烏。蟾酥。生南星。生半夏。閙陽花。莨菪。曼陀羅花。茉莉根等等。他的成分現代還沒有澈底的明暸。要談他的藥理作用。就感覺到十分的困難。好在學無止境。忠實的探討。眞摯的研究。雖然自己覺到非驢非馬的理論。是貽笑大方的。然而我抱着學者的態度。虛心忠誠的口吻。把中國麻醉藥所以麻醉理由的大概。一味一味的說明于後：

附子（因草烏。川烏。附子皆爲天雄的枝根。實在同爲一物。効用成分大概相彷彿）的功用在仲景方裏。有止疼痛的効能。在他的條文中。所以攷證的如下。

（一）附子湯：治身體骨節痛。

（二）桂枝附子湯：治身體疼煩不能轉側。

（三）甘草附子湯：治骨節煩疼掣痛不得屈伸。近之則痛劇。

（四）附子粳米湯：治腹中雷鳴切痛。

（五）大黄附子湯：治脇下偏痛。

（六）桂枝芍藥知母湯：治體節疼痛。

由上面的觀察。仲景用附子。大都有身疼痛的兼症。那末附子的止痛作用。有成立的可能了。但是一般人一定要這樣的懷疑着附子不是回陽救逆的強壯興奮劑嗎。興奮和麻醉。不是要矛盾嗎。在現代國產附子的成分。還沒有十分明白的時候。祇得根據東西洋所產的附子來比較比較在他們附子的成分中。是有阿科匿丁。的阿科匿丁對于末稍的知覺神經。初起有興奮作用。其後却能使他麻痺。神經麻痺就失了知覺。所以可言爲麻醉藥。國產附子有止痛的作用。恐怕亦有這種的成分吧。（引醫學革命論集）

蟾酥在新本草綱目的備攷中。日本醫藥博士石津利作氏的化學研究。知道蟾酥含有加瑪甾的毒素。他的藥物作用。能彀使心臟作用強盛。假使過量。就有誘起心臟收縮性。休止的危險。在中國醫學上蟾酥的性味。是辛溫有毒。治發背疔毒等症。外科上往往取其以毒攻毒的療法而應用。他配合蟾酥的處方如下：

（一）神效丹：治諸般惡毒。疔瘡。一切腫毒。遍身瘙痛。喉閉腫痛。

（二）雄酥散：治疔毒。消癰疽。焮腫疼痛。

（三）酥　料：治瘡瘍。疔毒。兼治癰疽大毒。麻木疼痛。

（四）牙蟲疼痛。以此藥少許點之立止。

依據上文的推測。蟾酥有極強的刺激作用。所以他的毒素。誤觸眼內和鼻中。即發腫痛的現象。並含有殺菌止痛的功用。能使心臟神經麻痺。末稍神經失其知覺的功能。

生南星的效能。是鎮痙止疼的。是神經性的藥物。在本草綱目中。我們可以證明。

(a)天南星味辛而散。故能治血氣心痛。

(b)能治痰涎心痛。

(c)有肩痛而用南星半夏的。

(d)味辛烈如灼。嚐之麻舌。

蓽撥在藥物學中。他的功能。是治頭痛。牙痛的要藥。我們由歷代關于蓽撥的處方中可以證明如：

(1)細辛散治風蛀牙疼。(新本草綱目。)

(2)溫風散治風冷齒痛。

(3)天巳寒圓治沉寒痼冷心腹疼痛。

從華撥配合的方劑中。可以知道他有止疼的功效。是屬于神經性的藥物。

曼陀羅花。是有名的麻醉藥。在新本草綱目的效能裏。有治喘息。痙攣性的咳嗽。痛風及一切神經痛的功用。從前日本外科大家華岡青洲。配製麻藥方劑曾配合曼陀羅花。醫事啓源中很詳細的紀錄着。茲摘錄如左:

『紀州華岡治乳岩。結毒。淋漏。便毒。附骨疽以及損傷。脫臼諸症。必製麻藥飲之。候其醉。割肉。刮骨。剜膜。斷筋。凡係重患篤病。一切用之。余嘗親炙其門。屢得驗其術。因錄其方:

曼陀羅花。(八分舊者佳。新者發嘔。)草烏頭二分　白芷二分　當歸二分　川芎二分』

從這段記載。曼陀羅花的麻醉性。可謂強而且烈。前人已有切實的實驗。不容我多嚕囌了。又如生半夏辛溫有毒。性燥能走能散。治頭眩頭痛咽痛的功能。驚死用半夏末取管吹入而甦醒的單方。他有麻痺神經止痛的效力。我們是可以承認的。莨菪的麻醉作用。前面已經約略的說明了。

歸納上面說明的中國麻醉藥。差不多都有止痛的作用。我們知道止痛的藥。都有麻醉性的。因為疼痛是全由神經而起的一種知覺。這個神經就叫做知覺神經。知覺神經是分佈全身各部的。如皮膚。內膜。漿液膜。骨膜。假使受了器械的化學的刺激。就感覺得痛了。這等地方。都是有知覺神經中的痛纖絲分佈在上面的。所以受了刺激。就是侵犯了神經。生起疼痛的感覺來了。那種痛纖絲。是從什麼地方發出來的呢。他的司令部。在「大腦灰色質」裏面。從這地方發出許多痛纖絲。隨着知覺神經分佈到身體各處。若把他的司令部推翻。自然不曉得疼痛了。所以止痛的藥。就有麻醉末梢神經和麻醉「中樞神經」的兩種作用。(引余氏醫述)利用草烏。川烏。蟾酥等的有毒麻醉藥。煎汁或研末內服。因為藥理的吸收作用。瀰漫在血液中。由血液的循環運輸到中樞神經。推翻司令部。就是全身知覺神經麻痺的全身麻醉。若用以上的麻醉藥敷貼于局部。由皮膚天然的吸收作用。或酒性的鑽竄。使局部的末稍神經痲痺。就是局部的痲醉了。從這段理論的觀察。中國的痲醉劑。是暗合科學的原理。不是很明顯嗎。

b 內服劑；——中國正骨學中。在骨折的治療期間．常應用內服劑。以促進治療的迅速。因腸胃有生理的吸收作用。能彀使藥的成分。傳達血液。再由血液的運輸。起種種變化。而驅病毒。病毒除。奏效當然快。現在把骨折期間常用的接骨方。丸。散。很簡略的說明如左。

（一）止痛接骨散：——乳香　末藥　三七　蘇木　地鱉蟲　劉寄奴　川續斷　五加皮　接骨草　落得打（廣氏家方。）

（二）接　骨　散：——當歸　乳香　白芍　川斷　五加皮　杜仲　虎骨　骨碎補　紫骨藤　鹿筋　破故紙（廣氏家方。）

（三）接骨八厘散：——蘇木　自然銅醋淬七次　乳香　末藥　血竭　麝香　紅花　丁香　番木鼈　爍去毛油（醫宗金鑑。）

（四）接骨紫金丹：——地鱉蟲　骨碎補　乳香　末藥　大黃　血竭　歸尾（廣氏家方。）

（五）奪命接骨丹：——歸尾　紅花　桃仁　地鱉蟲　製大黃　乳香　末藥　血竭　骨碎補　兒茶　雄黃（廣氏家方。）

（六）接　骨　丸；——西潞黨　冬白朮　白芍　炙草　茯苓　川芎　炙綿芪　當歸　熟地　肉桂　自然銅（研細末爲丸）（廣氏家方。）

此六方的功用。大同小異。都是有接骨逐瘀止痛的效能。藥物可以接骨。那末和上面所說的骨質有自然彌補的生理作用。不是要互相矛盾嗎。但是我們要了解。中國接骨的方劑。並不是眞眞有銜接斷骨的神效。不過是間接促進細胞的生殖罷了。這是什麼緣故呢。讓我來引證解釋吧。把上面接骨方劑的藥物。分析起來。歸納起來。可分爲二大類。一類是血份劑。

歸尾。川芎。當歸。紅花。桃仁。地鱉蟲。血竭。川續斷。乳香。末藥。白芍。參三七。劉寄奴。落得打。蘇木。一類是强壯劑。如破故紙。潞黨參。黃耆。熟地。白朮。肉桂。川杜仲。骨碎補。虎骨。鹿筋。等。根據中醫與科學的著者。譚次仲先生的議論說。『血份劑。乃以活血作用。爲其主要功能。活血作用者。想像有一種未明之成分。足以刺戟血液。活潑血行。促進各細胞間之物質交換作用。故可利用之爲調經。安胎。退炎。消腫。止痛。制腐。生肌。强壯劑之功能。有提壯身體各部分重要器管。增加其自然抗病機能。使疾病有自然治癒的傾向』在骨質自然彌補的生理作用中。不是說。當骨折斷的時候。多少有損傷附近的軟組織。如骨膜。骨內衣。和小血管的破裂。血液凝結在折骨的四周。要想四周的細胞與骨細胞的蕃殖。首先要將瘀血分裂毀壞排除以後。然後細胞方才有生殖的可能。血份劑既然能彀活潑血行。循環暢利。並且有促進各組織細胞間的物質交換作用。對於消滅瘀血塊。不是有很大的幫助嗎。所以我說他是有間接促進細胞的生殖力。加以强壯劑。有自然抗病的機能。換句話說。就是能彀增加白血球的抵抗力。將血塊分裂毀壞。以促進細胞的蕃殖。中國正骨學中的接骨方劑。大概是這個意義罷了。

c敷貼劑：——敷貼劑是一種藥理學所謂的皮上用法。用之於皮膚表面的。因爲皮膚表面生理上有微細的吸收力。能彀吸收藥物的有效成分。幫助病勢的轉機。促成治癒的目的。大凡藥物含有揮發性。及皮脂性的成分。他的效用。較爲敏捷。而吸收的能力也來得顯著。在骨折的藥物療法中。敷貼劑是時常應用的。臨床上不可缺少的一種輔助療法。國醫治療骨折的敷貼劑。可分爲軟膏硬膏二種。分述如左。

（一）硬膏：——硬膏是西洋醫的名詞。因爲他的稠度比較軟膏硬得多的意義。中醫是沒有硬膏這個名詞的。中醫名之爲薄貼。近代叫做膏藥。爲治療骨折惟一的療法。現在把臨床上常應用的膏藥方。摘錄在下面。

a膏名：——接骨七香膏。（虞氏家方）

藥物：——川續斷 生地 歸尾 川芎 杜仲 甘草 牙皂 萆薢 （以上的藥物切片用麻油浸） 防已 丁香 降香 血竭 安息香 肉桂 牽牛各一兩 楓香 茴香 補骨脂各五錢（以上十味晒脆

研爲細末。）

製法：——先將八味用大麻油拾斤浸透。（春季浸五日。夏季三日。秋季七日。冬季十日。）煎枯去渣。再用雲香四。兩廣丹熱天用八十兩。冬天用七十兩。熬至滴水成珠爲度。用楊柳枝攪冷。然後再將後藥細末放下攪勻。

功效：——接骨跌打損傷。腫硬瘀凝等。功效如神。

b膏方：——萬應百草膏（虞氏家方。）

藥物：——生麻黃　赤芍　生半夏　生南星　杭白芷　皂角刺　生川烏　生草烏　白芥子　風茄花　穿山甲　桂木　山稜　莪朮　生香附　羌活　獨活　全蠍　細辛　桃仁　（以上各二兩。）山柰二兩

麝香二兩　蘇合香二兩　廣木香二兩　丁香四兩　乳香四兩　末藥四兩　雲香三兩　官桂半斤

甘松五錢（以上均研細末。）

製法：——和前同法。

功效：——治一切瘋氣骨節疼痛跌仆損傷腫硬瘀結等症。

膏藥治療骨折的優點：——

（一）辛溫善竄。含有揮發皮脂成分。能增進血行。活瀦散瘀。消腫。

（二）冷時不硬不軟。無滯膩性。若外紮以繃帶。有固定斷骨部。使其不動不搖。容易接合的特點。勝過石膏繃帶的硬固。懸吊術的殘酷。

（三）遮護皮膚不致細菌侵襲。以免發炎潰爛。

（二）軟膏：——以有效成分的藥物用凡士林。豚脂。黃蠟。白蠟。調製敷貼。應注意的就是藥末應平均調勻。厚薄適當。非熟練者不可。茲列方如左：

a膏名：——傷科軟膏。（虞氏家方。）

藥物：——生草烏 四兩　南星 四兩　川柏 半斤　白石脂 半斤　防風 二兩　白芷 四兩　麝香 五錢　皂角 四兩
歸尾 四兩　赤芍 四兩　大黃 四兩　山梔 半斤

功效：——消炎。止痛。消腫。

製法：——以上藥物研爲細末拌勻。用黃凡士林。或豚脂。和以白蠟調敷。

適應症：——骨膜炎。關節炎。骨炎。以及跌打損傷。瘀凝結腫。傷筋。神經痛等症。

b 膏名：——清涼軟膏。（虞氏家方。）

藥物：——川柏粉 二兩　瓦楞子 二兩　芙蓉葉 四兩　大黃 四兩　黃連 一兩

製法：——研爲細末。用凡士林。或含有脂肪之物調勻。

功效：——涼血。退炎。止痛。消腫。防腐。

適應症：——各種炎腫。瘡癤。癰疽等症。

c 膏名：——化瘀軟膏。（虞氏家方。）

藥物：——歸尾　川芎　赤芍　白芷　降香　山奈　血竭。各等分

製法：——同上。

功效：——化瘀。止痛。消腫。防腐。

適應症：——皮下溢血。靑腫疼痛。骨折後瘀凝血結。更爲有效。

軟膏治療骨折的優點：——

（一）改良患部的血液流爽。

（二）恢復患部的生活能力。

（三）潤澤皮膚的緊張。

（四）助長其抗毒作用。（白血球增加分解凝血塊。）

（五）促進細胞的蕃殖向愈轉機的加速。

（六）能遮護皮膚預防毒菌的侵襲以免發炎潰爛。

(7)器具療法：——

骨折治療欲求豫後的良好。結果的美滿。將來不致發生不幸的殘廢。最重要的就是正骨手術。施行適當的整復歪斜的糾爲正直。高突的處以平復。使他不斜不突。不偏不橫。照這樣說。那末骨折的豫後。就有美滿的結果了嗎。不然因爲骨折後的手術療法。是一時性的。我們要曉得骨斷的癒合。非數星期不可。要想保持他長時間的安靜。要想固定他整復後的本態。就要應用器具的療法。一方面輔助手術療法的所不逮。一方面促進自然向癒的轉機。所以器具療法。是骨折療法中的一種物理。機械作用的療法。對于治愈結果的圓滿。是很有關係的。現在把中國古代器具療法的種類。分述於後：

(a)裹帘：——裹帘是古代的名詞。就是現代的綳帶療法。適應于彎曲部分。和厲害的創傷。因爲這種地方。是不適合堅硬器具的壓迫。裹帘的長短闊狹。是依病勢而規定的。綳紮的方法。西洋外科學中。有很詳細的陳述。不容我多說了。不過依據我的經驗。當骨折斷施行綳紮的時候。首先要把斷的部分加以緊紮。免得折骨的磨擦移動。以防損傷四周的軟組織。而且治癒的轉機。也比較容易些。

(b)通木：——就是現代的副木。是輔助斷骨不致偏斜駕疊的。他的製成材料。大都是用杉木皮。或者較爲鬆脆柔輭的樹皮。面積和長度。是要依據骨折的形勢而定的。

(c)厚紙：——適應于厚紙的骨折。如小兒骨折。骨冰裂的輕度骨折。或者將要癒合的時期。使病者有自動運動的可能。他的質料。要輕鬆柔輭。而有韌性的紙料。臨床上大都是用桑皮紙的。層數不等。是要根據病勢的輕重爲依斷。

(d)米袋：——用粗布作成長方形的囊袋。置以適量的米粒。不可過多。亦不可稀少。過多米袋强硬。沒有排擠的功效。反而壓迫患部。增加了病者的疼痛。過少因爲沒有重量的擠壓。有容易使斷骨移動的弊害。最好米袋與米粒成十與八五。的比例。這種方法。是適應於四肢骨折的應用。應用法。是以相等的米袋二隻。一隻填墊在下面。一隻壓迫在上面。因爲米粒有互相排擠的能力。緊緊的固定斷折部。療治骨折。往往有優良的成績。比較西醫所用的沙袋好得多。但是處置應該平勻。適合病者的肢體。而不感覺疼痛爲前提。如右圖。

（脛骨折米袋應用法圖）

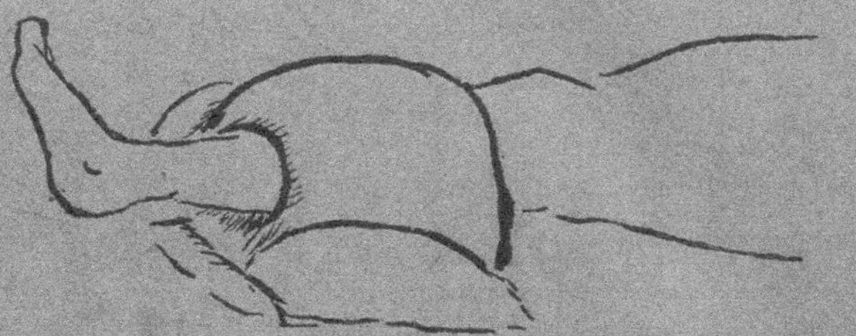

（e）竹簾：——是古代醫治骨折的一種正骨用具。照夏月涼簾的製法。資料比較要細密。光滑些。亦是應適于肢體的。例如上肢骨折。先施手術療法。復歸于舊。敷以膏藥。皮破肌肉損傷的。敷以軟膏。然後用褁帘纏綳。復以竹簾圍於布外。緊紮。使得骨縫沒有參差走動的弊病。

（f）抱膝：——抱膝應用的範圍頗狹。祇限于膝蓋骨的骨折。在古代是以竹枝編成圈。圈面積比膝蓋稍大。再用竹片四根。以蔴線緊縛圈上。作四足形。矩離相等。並將白布條。通纏於竹圈。及四足的上面。是有拘制。膝蓋骨不致移動偏斜的功能。近世有以籐編製的。較爲輕便輭靱。邊縛四根矩離相等的布條。能固定斷骨片。而病者的疼痛。亦可減少。如下圖。

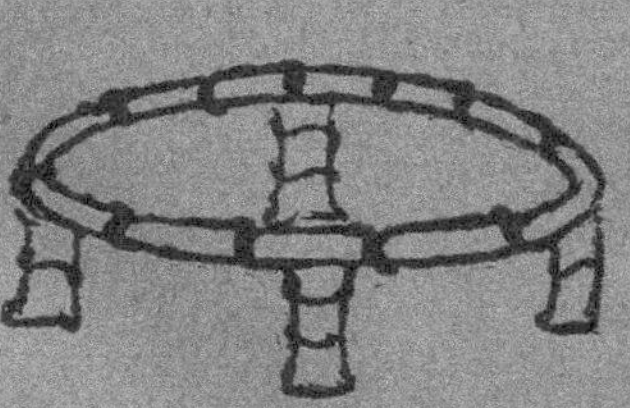

（古代抱膝圖）

（g）披肩：——用熟牛皮一塊。長五寸。寬三寸。兩頭各開二孔。用綿繩穿夾在傷處。比較木板柔滑得多。「但牛皮細薄柔輭。」爲優良的材料。

（h）振挺：——就是長尺半。周圍粗如銅錢的木棒。大凡氣血凝結疼痛腫硬的傷部。用此振挺微微的振擊傷部四周。使

〔近代托膝圈〕

得氣血流通。疼痛和腫硬。漸漸的可以消除了。

我們知道以上輔助骨折治療的器具。是一種極平常極普通的東西。使用這種療法。好像是很容易而簡單的。但是門外漢切不要藐視。輕覷。綳紮的不合法。使用得不適當。跛足。掣手的殘廢。往往造成在這個輕視的當兒。在美國醫學會骨折委員會著的骨折的療救法中這樣的說。『醫生對於夾子的使用比較夾子自身更爲重要。』從這句由經驗造成的話。就可以曉得使用器具療法。不是一件輕易的事了。

(B)脫臼的整復術。

(1)脫臼的意義:——

人體集合了許多骨片成爲全身骨骼。骨片和骨片相接而運動的地方。稱做關節。關節的構造是關節頭。關節窩。靱帶。滑液膜。等所組合而成。而關節皆有生理的運動範圍。脫臼的意義。就是關節的運動超過生理運動的範圍。而起的一種症象。因直接或間接的外力。排關節頭自關節窩脫離的意義。關節脫離以後。是不能藉自然療能。恢復自由的。和內外科有自然治癒的轉機。不可同日而語。一定要應用手術療法來整復療治。若不整復。即成殘疾。爲終身極大的遺憾痛苦。

(2)脫臼的種類:——

在臨床上脫臼的種類可別爲三大類。(一)外傷性脫臼『直接或間接外力的侵襲。或由肌肉靱帶強烈的緊張働作而發生。因爲外來的暴力破壞關節制止裝置。越生理限度而生關節分離的脫臼。關節容易脫離的原因:(a)關節腔大而靱帶薄弱。(b)關節運動甚大如肩胛關節。(c)制止裝置的強大。(d)骨接觸面過小』。(二)病性脫臼『在關節疾患的經過中。關節就有漸漸脫離的傾向。偶然遇着輕微的外力或肌肉的動作，就有脫臼的危險』。(三)先天性脫臼。『在母胎中關節因發育上受障礙。而起畸形變化。現在詳細的列表說明如下。

脫臼的種類表

- (1)外傷性
  - 因其程度
    - 完全脫臼：兩關節面全然脫離位置（絲毫不互相接觸。）
    - 不完全脫臼：兩關節面的位置雖有變動，不至完全脫離尚有接觸的餘地。
  - 因其習慣
    - 新脫臼：脫臼後，起有皮下溢血腫脹和疼痛。
    - 舊脫臼：脫臼後，沒有以上的症狀，
  - 因其狀態
    - 單純脫臼：單純皮下脫臼，無他損傷。
    - 複雜脫臼：兼有軟部哆開，骨折，和血管神經等的斷裂。
- (2)病性
  - 擴張脫臼：關節因急性熱病的發炎，炎性滲出物膨脹，關節因而弛緩，遂以輕微的外力或肌肉的動作而脫臼，又因肌肉萎縮，痲痺，脫離的。
  - 崩壞脫臼：因關節囊和關節韌帶的病變而發生骨瘍性，起崩壞脫臼。
  - 畸形脫臼：因骨質消耗，而關節體成畸形。
- (3)先天性：胎生的畸形，據沙雷凱爾之學說：因關節發育障礙的緣故。

在脫臼的種類表中。病性脫臼。和先天性脫臼。治療上是不能單單應用整復法可以恢復的。一定要從原因上着想而療治。或藥物。或手術來輔助他的治癒。尤其是先天性的脫臼。在現代的醫壇上。還沒有安全妥當辦法的發明。本文所述中國正骨手術的脫臼整復術。應用的範圍。祇限于外傷性的脫臼。依據關節的生理構造。臨診的經驗。好像庖丁解牛迎刃而解的一樣。在短時間內。病者毫不受痛苦。可以恢復他本來動作。今把骨折與脫臼的鑑定法。列表說明之。並中國正骨學對于各關節的整復法。分種類。特徵。整復術。附影詳細說明如下：

(3)脫臼與骨折的鑑定表。

脫臼	骨折
搖動關節始有疼痛	不搖動亦感疼痛按壓斷部更劇
有知覺麻痺	無知覺麻痺
患肢不能自動由他覺略能伸屈	患肢異常運動
骨無損傷	骨的連續斷碎
無骨摩擦聲	有骨摩擦聲
患肢延長或短縮頗明顯	患肢無延長或短縮之弊間或有之亦甚稀微
關節變形著明	關節變形輕微

(4)各關節的整復術。——

a. 肩骱(肩胛關節)。

肩脫臼的種類。——

(一)肱骨頭喙突下的脫臼。

(二)肱骨頭喙傾向胸肋的脫臼。

肩脫臼的特徵。——

(一)臂不能轉動呈強直性的現象。

(二)兩肩不平衡。脫臼的肩頭向下垂。

(三)手臂不能自動向外轉或上舉。常附着身體。如行動之則發劇裂疼痛。

(四)受傷一邊的手。不能搭到對面的肩頭。

（五）脫臼處前腋窩較對面的低。肱骨也更內斜。

（六）每用好的手臂托着那受傷的手肘。

（七）肩頭呈凹形。

整復術。——中國正骨手術。肩臼的整復方法非常的多。如用絹帶一條。一端繫在患者臂上。一端繫於醫者頸上。徐徐用力拔伸。而整復的手術。又如用木槓橫於病者腋下。以手攏納的整法。又如伸脚踏其腋下而整復的。這幾種手術。雖然亦能毅回復他本來的動作。和自由。不過對於病者的疼痛苦楚。受有極大的影響。醫者應當減少病者疼痛為前提。免除苦楚為原則。在施行整復術以前。醫者應注意的幾點。

（一）用按摸法。詳細診斷脫臼的形勢。並加以慎重的攷慮。

（二）有併發症。和日久的脫臼。應用麻醉法。

（三）手勢切勿急迫。態度要鎮靜。以免病者的恐怖。

（四）用熱罨法。以熱手巾復罨肩頭。可使肌肉弛緩。血行活潑。

（五）施行輕柔按摩法。以減少肌肉的緊張。

（六）診斷不要忽略。脫臼和骨折有同時存在的可能。

（七）整復時用力不可過猛。以免骨折的危險。

a. 肱骨頭啄下突的整復術。——

（一）輕納法。——先令病者坐在底橙上。譬如左肩脫臼。醫者以左手捏定病者手腕處。慢慢的輕柔的轉動為直角形。再以右手的大拇指。按在肩頭。（就是肱外側皮神經的所在。）尚餘四指。按於腋下。（肱內側皮神經的所在。）（如圖一）這樣姿勢大約要堅持至五分鐘。使得肱外側皮神經。肱內側皮神經。和鎖骨上神經。起輕度的麻痺。可以減少病者的反抗力。然後緩緩的將左手向病者身體推動。同時右手緊握肩頭。而腋下

第一圖

（輕納法步驟之一）

的四指更應按住肱骨頭。用力向上抬舉（如圖二）則此關節可以無苦痛的復原了。右肩的整復也是同樣的方法。不過方向轉變罷了。此法適應於幼穉老年或體力衰弱的人。

第二圖

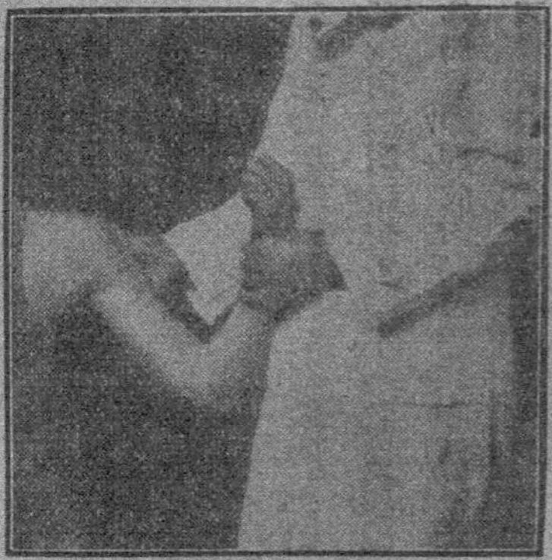

（輕納法步驟之二）

（二）壓納法：——本法用在肌肉發達體力健全的病者。輕納法不能整復的時候。應用此法有相當的把握。起始的手術。和輕納法相同。（參閱圖一）等到神經有輕度的麻痺後。醫者以左手輕徐轉動病人的手臂。使其手掌向天。然後以掌背貼於醫者胸脯。手臂屈曲即成鈍角形。此時醫者所握着病者手腕的手。移至病者肩

第一圖變化

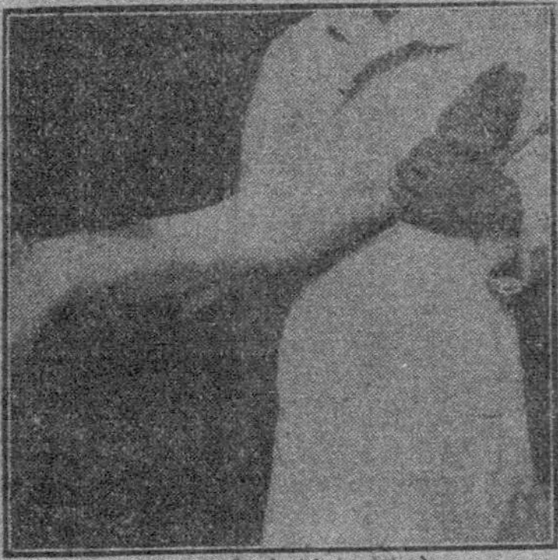

（壓納法步驟之一）

（壓納法步驟之二）

（壓納法步驟之三）

頭。以兩手前後包圍之。二大拇指按於肩的前側後側。其餘的手指按住腋下肱骨頭緣。用力向上抬舉擴納。同時醫者挺胸壓其臂背。漸近病體。由鈍角至銳角形爲度。（如圖三圖四）如此關節就可恢復本態了。

b. 傾向胸肋的整復術：——

轉納法：——肱骨頭傾向胸肋側的脫臼。是不能用以上兩法回復本態自由的。應當以轉納法整復之。現在假定右肩關節脫離。整復的姿勢。首先令病者坐於較底橙上。醫者以右手握住病者手腕背。左手用四指按住肩頭。以大拇指按住腋下。（患者手臂勿使彎曲）輕輕抬舉患臂。與肩成直線。然這時將其臂向後反轉高舉。握住腕背的手調握橈骨動脈處。（如圖五）肱骨頭因手臂後轉的緣故。可伸張肩胛下肌肉和胸肌。使關節囊破裂張開。關節頭很易的移向腋下。再以左手大拇指抵住之。用剛柔的力徐徐將右手向下。推近身體。即可回復。

第五圖

（轉納法步驟之一）

如（第五圖）

肩骱回復的特徵——

（一）關節頭回復入關節窩中。有摩擦的唧唧聲。

（二）患者手臂可以輕微自働轉側而無疼痛感覺。或略有之。

（三）肩面凹形消失。

（四）兩肩平衡。患肩下垂恢復。

b. 大腿骨骱（又名環跳骱俗名臀骱）（即股關節。）

第六圖

（轉納法步驟之二）

大腿骨脫臼的種類。——

（一）股骨頭脫於後的（臀部）爲多。

（二）股骨頭脫於前的（膀縫處）很少因該關節頭若能向前脫離。則關節窩必有碎折的可能。（此種脫臼臨床上頗不易見。）

大腿骨脫臼的特徵。——

（一）受傷腿較健腿短縮。

（二）受傷腿常彎曲側附着另一腿。

（三）受傷邊的臀部有股骨頭（大腿骨頭）突出形。

（四）不能自動轉動尤不能向外側轉動動則劇烈疼痛。

整復術：——

a. 股骨頭轉於後的整復術。——

第七圖

（旋納法）

旋納法：——本法非常簡單。先令病者臥於床上。假設右腿脫臼。整復的方法。醫者用右手托住足跟。再以左手叉住膀縫。將受傷腿輕緩提起。以其足跟附在施術的大腿膀縫處。在這個當兒施術者的左手伸直用力撐住病者膀縫。右手握緊他的足跟。徐徐牽引向自身轉旋。使股骨頭回復關節窩。（而圖七）

曲轉法：——股骨部因肌肉較別處發達充盛的緣故。旋納法不能回復的時候。進一步就要施行較有力的曲轉法了。現在假定右腿脫臼。先使患者側臥。施術者用右手捏住足跟。左手撳其臀部的骱頭。（如

第八圖

（曲轉法步驟之一）

圖八）緩緩將大腿曲轉。使膝貼近患者腹部。（如圖九。）撳其骱頭的左手。用力迭進。同時右手揑住的足跟緊緊靠着身體。徐徐的把大腿向外轉。旋以反對的方向一推其骱頭一向外轉然後再令曲轉的大腿漸漸舒直。關節就很易的恢復了。（如圖十。）

股骨頭轉於前的整復術：——因關節窩的損傷破折。沒有抵阻股骨頭的能力。是非常容易滑出的。治療這種骨折脫臼的併合症。應施以適當的綳紮。靜安的療養。等候折骨部逐漸彌補牢固。方有自由轉旋的行動希望。

大腿骨骼回復的特徵。——

（一）回復時。有骨摩擦聲。

（二）短縮的腿。恢復如常。

（三）略能轉動。疼痛消失。

（四）臀部股骨頭突出形平復。

（五）彎曲消滅有自己支持的者力。

c.下頦骱。一名頸骱又名牙車。（即下顎關節）。

下頦脫臼的種類。——

第九圖

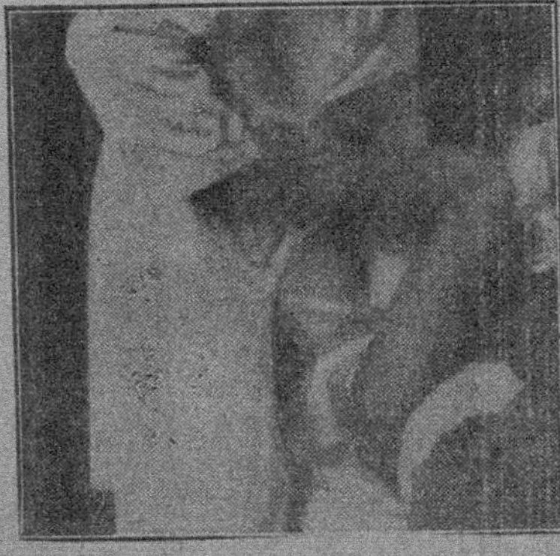

（曲轉法步驟之二）

第十圖

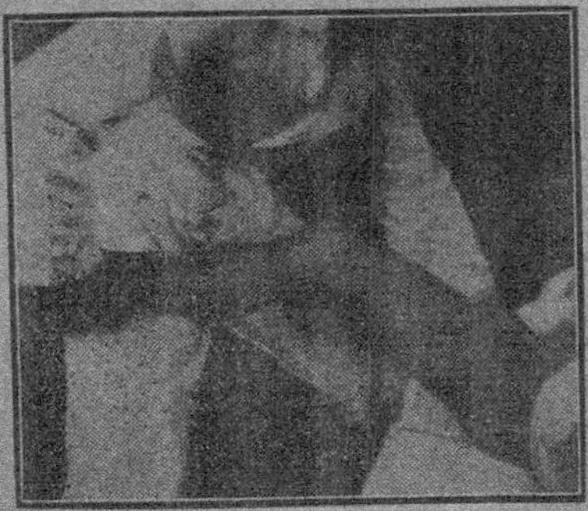

（曲轉法步驟之三）

(一)左右下顎關節完全的脫離。
(二)一面的關節脫離。

下頦脫臼的特徵。

(一)口不能閉合。
(二)言語飲食妨礙。
(三)常流唾涎。
(四)轉動滯鈍嚼咀疼痛。
(五)一面脫離口呈斜形。
(六)完全脫離下顎向下垂比上顎伸出。

整復術：——下頦骱的完全脫離或祇脫一方面整復法是一樣的。不過在施行囘復手術以前施術者應有幾點的注意：

(一)施術者的大拇指各紮以毒消清潔的棉花紗布。一方面可以防備病者的咀嚼。免掉指頭的損傷。一方面可減輕病者壓迫的疼痛。
(二)按摩嚼筋使爲弛緩。
(三)用熱罨法減輕嚼筋的緊張。活潑血液的流暢。

然後使病者靠壁低坐。頸頭端正。兩脚伸直。如此可減少其反抗能力。使其口極力張開。施術者以大拇指各抵住病者左右臼齒。餘四指各鉤住下顎骨角部。(如圖十一。)以兩大拇指漸漸平均用力捺下推進。就可恢復本態。

第十一圖

(下顎關節整復術)

下頦骱囘復後的特徵：

(一)口能閉合如舊。

（二）飲食言語恢復。

（三）可以咀嚼。不發疼痛。

（四）畸形消失。

『因爲時間的匆促。篇幅的限制。各關節的整復術。不能盡量敘述。深望讀者的諒察。』

結論

中西醫學的構成。大別可以分爲診察和治療兩大部分。診察部份。中國醫學重視在人身的整體。西洋醫學重視在人身的局部。這是很明顯的。事實上的確是如此。譬如手臂骨折。他們治療的方針。就着重在骨折的局部。對於整體的觀念。毫不着想。前面已經說過。藥物療法。有活潑血行。促進各組織細胞間的物質交換作用。有增加自然抵病機能。使疾病有自然治癒的傾向。他們對於這一層。是忽略而不重視的。因爲局部的觀念太深。所以治療起來。不是石羔綳帶。就是懸吊術。不是懸吊術。就是石羔綳帶。細胞的營養缺乏。血液循環的障礙。抵抗的薄弱。人身整個的關係。可以不問不聞。假使斷骨長久沒有銜接。或者感染了細菌以致局部潰爛的時候。毫不加思索的。就要施行他們拿手技能的截斷法了。病者的將來。終身的痛苦。可以不理會。不慮顧。一味的蠻幹。結果造成了悽慘可憐的悲劇。

事實上。生理的組織。是並不這樣簡單。局部疾病能影響及整體的變化。反轉來說。整體也要影響到局部的。他們不追究斷骨爲什麼不銜接的究竟。細菌爲什麼容易感染的緣故。覺得局部已經糟了。不可收拾。就毅然決然的施行他們專門的技能幾膝的手術。割。切。斷。截。法了。

中國醫學關於骨折的療法。就不然。他是從整體上着想。以整體爲治療的出發點。療治骨折。除適當的綳紮安全的手術以外。更用強壯藥來增加他的自然抗病機能。用血份劑來間接促進細病的蕃殖力。預先以藥物的効能。營養細胞的生活力。漸使蕃殖。強壯細胞的抗毒力。抵抗病毒。未雨綢繆。這樣斷骨常久的不銜接。細菌的容易感染。試問還能夠造成嗎。就是對於關節的疾患。他們所持的技巧。亦離不掉割切麻醉等等的方法。這種手術中有危險性。含着無可諱言的。直接開刀送命。間接因開刀而施行麻醉法斷送了一縷幽魂的人們。隨時隨地都有得聽到。在報章都有記載。這種違背自然法則違反了人生意義的療法。我們怎樣的感想呢！

中西醫藥既然整個的觀念歧異。着眼點的不同。治療方式當然大相徑庭。一注重湯藥。一注重手術。結果一般人就有中醫擅長內科西醫擅長外科的議論。可是事實告訴我們。西醫的外科手術到現在還沒有十分臻善。如（一）局部觀念太深。（二）違背自然的療能。（三）無內服藥物的輔助。（四）手術的危險性種種。都可以說這是西醫的弱點。要想免除這種弱點。一方面雖然應當努力的創造發明研究。另一方面更應在古代含有眞理的經驗中來探討。闡發模仿依賴惡習的劣根性。尤應該糾正。革除回顧有數十年歷史的中國西醫界。在醫壇上有何發明創造。這不是一件可痛心慚愧的事嗎？

西洋醫關於脫臼整復術的記載。遍搜各種外科書籍中。眞是鳳毛麟角。非常的缺乏。祇有最近的骨折療救法中。約略提及肩骱的回復法和護病學中一節下顎關節脫離的回復術。中醫關于這種的整復手術法。在古代早已很普遍的盛行了。由此我很希望一般研究醫學的學者。切不要以科學為萬能。我們要曉得在糟粕之中。是能夠找到珍寶的。（完了）

一九三五，四，廿六，作於杭州祥林傷外科醫院。

批 我國整骨術為世界醫學中獨得之祕其價值高出於針灸術之上惜乎擅此術者大都孔武不文未能盡情闡發虞生家學既有淵源更得新知識之補充宜乎探源究委演繹詳明憑其地位學力作更進一步之研究則他日我國整骨術之發揚於世界實意中事余對虞生不覺發生奢大之期望焉

蔣文芳

肺癆病概論

陳奎

肺癆乃一頑固之慢性傳染病也。蔓延之廣。傳染之易。令人不寒而慄。其初起也。每少若何顯著之證狀。便人無從注意。及其進行。則症情險惡。醫治不易。往往遷延時日。身體漸羸而死。甚至闔家相染。乃至滅門。誠社會之大害。人類之勁敵也。據西醫譯籍所載。謂歐洲人民患肺癆而死者。約占全死亡數七分之一。我國「衛生」「醫學」兩不發達。雖尚無確實之統計。然當遠在此數之上。可知也。予目擊心傷。乃草是篇。以供參考。惟學力苦淺。疏漏必多。深望同道諸君。進而教之。則幸甚矣。

肺癆病在古籍之記載

考之方書。本病除肺癆一名外。尚有虛勞。虛損。勞傷。骨蒸。傳屍癆。屍注。勞瘵。……等名。惟古人之所謂虛勞。乃非指肺癆一病而言。凡各種機能減退之慢性虛弱病。如神經衰弱。如萎黃病。如貧血。如壞血病。如腎上腺病等。均包括其中。即虛損勞傷等。亦或是或非。故欲將古籍所載者。孰爲肺癆。孰者非肺癆。一舉而分別之。實大難事。然肺癆有肺癆之特別徵候。且肺癆有傳染性。其他慢性虛弱病則無之。如此分之。亦易辨也。茲將古籍中之言肺癆者。摘述一二如下。

內經金匱二書。均載有虛勞之名。顧名思義。似乎是論肺癆病矣。然一究其實。則非肺癆病也。何以言之。肺癆乃係細菌爲之祟（詳後）有傳染性。內經金匱曾言之乎。肺癆之證候與諸慢性虛弱病似同實異。內經金匱所載之虛勞證狀。雖往往有與肺癆相似者。然係一切慢性虛弱病之通候。究非肺癆特有之證狀也。故內經金匱之虛勞。乃係一切慢性虛弱病之合稱。肺癆或許亦在其中。並非專指肺癆一病而言也。惟金匱肺痿肺癰篇所載者。多酷似肺癆。如

「……若口中辟辟燥。欬即胸中隱隱痛。脈反滑數。此爲肺癰。欬唾膿血。……」又曰。

「欬而胸滿。振寒脈數。咽乾不渴。時出濁唾腥臭。久久吐膿如米粥者。……」

之類是也。自此以降。至於唐宋。諸家對於肺癆之觀察。逐漸趨精密。其議論亦漸精確。如華元化中藏經之論傳屍云。

「咳嗽不止。或胸隔脹悶。或肢體疼重。或肌膚消瘦。……或吐膿血。」此節所述之咳嗽。胸隔脹悶。肢體疼重。肌膚消瘦。及吐

膿血等證。均係患肺癆者所習見之證狀也。又曰。

「人之血氣衰弱。臟腑羸虛。……鍾此病死之氣。染而爲疾。」

此節乃言傳尸之所由生也。考肺癆之原因。乃由人體抵抗力薄弱。受肺癆菌（結核菌）之侵入所致。（詳下原因篇）此節「血氣衰弱。臟腑羸虛」云云。卽指抵抗力薄弱而言。「鍾此病死之氣。染而爲疾。」者卽指受肺癆菌之傳染而言也。不直言肺癆菌而名爲「病死之氣」者。蓋因古時無顯微鏡以發明細菌。無以爲名。遂名爲「病死之氣」耳。中藏經所言傳尸之證狀。既與肺癆極相似。且亦知係細菌（病死之氣）爲之祟。由此可知中藏經之傳尸。確係肺癆病也。

外臺秘要引廣濟云。

「骨蒸肺氣。每至日晚。卽惡寒壯熱。顏色微赤。不能下食。日漸羸瘦。」又引蘇遊論曰。

「大都男女傳尸之候。心胸滿悶。背髆煩疼。兩目精明。四肢無力。雖知欲臥。睡常不着。脊膂急痛。膝脛酸疼。多臥少起。狀如佯病。……從日午以後。卽四體微熱。面好顏色。喜見人過。常壞忿怒。纔不稱意。卽欲嗔恚。行立脚弱。夜臥盜汗。夢與鬼交通。或見先亡。或多驚悸。有時氣急。有時咳嗽。雖思想飲食。而不能多食。死在須臾。而精神尙好。或兩肋虛脹。或時微利。鼻乾口乾。常多粘唾。有時脣赤。有時欲睡。漸就沈羸。猶如水涸。不覺其死矣。」又曰。

「傳屍之疾。本起於無端。莫問老少男女。皆有斯疾。大都此疾相尅而生。內傳毒氣。周遍五藏。漸就羸瘦。以至於死。死訖復易家親一人。故曰傳屍。亦名傳注。以其初得半臥半起。號爲殗殜。氣急咳者。名曰肺痿。骨髓中熱。稱爲骨蒸。內傳五臟。名之伏連。不解療者。乃至滅門。」

右數條所述之證狀。皆與肺癆病相同。且較之中藏經。已更爲詳細矣。又嚴用和濟生方云。

「夫瘵療一證。爲人大患。凡受此病者。傳變不一。積年染疰。甚至滅門。可勝嘆哉。大抵合而言之。曰傳尸。別而言之。曰骨蒸。殗滯。復連。屍疰。勞疰。毒疰。熱疰。冷疰。食疰。鬼疰是也。」又崔氏別錄云

「骨蒸病者。亦名傳尸。……無問少長。多染此疾。嬰孺之流。傳注，更苦。其爲狀也。髮乾而聳。或聚或分。或腹中有塊。或腦後近

下兩邊有小結。多者乃至五六。或夜臥盜汗。夢與鬼交通。雖目視分明。而四肢無力。或上氣食少。漸就沉羸。縱延時日。終於潰盡。」

崔氏所論亦肺癆病也。腦後近下兩邊小結者。卽瘰癧。卽內經金匱所謂馬刀俠癭者是也。據西醫學者之研究。謂瘰癧與肺癆同源。（同由結核菌所致）此說始於林匿克 Laennec 氏。以後學者。莫不宗之。今觀別錄所言。則瘰癧與肺癆同源之說。我國人於數千年前。早已知之矣。

右例諸節。乃係我國唐宋及唐宋以前時。關於肺癆病之記載也。雖諸家命名有異。然其所記之證候。與肺癆病無不相同。且亦均知其有傳染性。慢性虛弱病中之有傳染性者。厥惟肺癆。能之。故知各家命名雖異。其爲病則一也。此外類似之說尚多。恕不一一備引。以節篇幅。

我國醫籍自有宋以前。皆僅就經驗及觀察所得。作忠實之報告。以事實爲依歸。不侈談玄理。傷寒金匱千金外臺等書。彰彰可考也。自金元以後。則喜談玄理。不能如唐宋前之樸實無華。醫學風氣。遂爲之一變。卽就肺癆一病言之。唐宋以前已知其係一種外來之微生物爲祟。與今日之論肺癆由結核菌所致者。已若合符節。至金元以後。下及明清。論肺癆者。均不重外來之傳染。每以「陰虛火動」「陰火上炎」「腎水虧乏」「眞水枯竭」等詞。爲其病因。如醫學正傳曰。

「嗜慾無節。起居不時。七情六慾之火。時動乎中。飲食勞倦之過。屢傷乎體。漸而至於眞水枯竭。陰火上炎。而發蒸蒸之燥熱。或寒熱進退。似瘧非瘧。古方名曰蒸病」又王節齋曰。

「男子二十前後。色慾過度。損傷精血。必生陰虛火動之病。睡中盜汗。午後發熱。哈哈咳嗽。倦怠無力。飲食少進。甚則痰涎帶血。咯唾出血。或咳血。吐血。衄血。身熱。脈沉數。肌肉消瘦。此名勞瘵。最重難治……」又葛可久十藥神書曰。

「萬病無如癆證之難。蓋因人之壯年。血氣充聚。精液完足之際。不能守養。惟務酒色。豈分肌飽。日夜躭慾。無有休息。以致耗散精液。則嘔血吐痰。骨蒸煩熱。腎虛精竭。形羸頰紅。面白口乾。咽燥。小便白濁。遺精盜汗。飲食難進。氣力全無。斯因火乘金位。重則半年而斃。輕則一年而傾……」

此外之言肺癆者。指不勝屈。茲不過略引數節以為例耳。然金元以來諸家對於肺癆病之觀念。已不能越此範圍。卽間有言及惡蟲食人臟腑者。亦但言先病而後生蟲。不知先有蟲（菌）而後致病。其說與事實正相反。如醫學正傳「……熱毒鬱積之久。則生異物惡蟲食人臟腑精華。……」之類是也。雖然古人為時代所限。科學未明。無顯微鏡以發現細菌。其立說之不能完滿。乃理勢使然。吾人豈可厚非之乎。

肺癆病之原因

肺癆之原因。乃由結核菌之侵入所致。已為現代新醫所公認。且我國醫籍亦曾載之。不過古人不名之為結核菌。而名為「病死之氣」或「癆蟲」耳。然結核菌之所以能得侵入體內。須以人身之抵抗力薄弱為第一要件。結核菌之侵入乃外因也。人體抵抗力薄弱乃內因也。必內外二因互為因緣。而肺癆方克成立。若人體有健全之抵抗力。縱有結核菌侵入。亦無能作祟焉。內經云。「邪之所湊。其氣必虛。」又云「正氣存內。邪不能干。」正此之謂也。

由此觀之。肺癆病之原因。乃由下列二原則而成立之。

（一）外因。——結核菌之侵入。

（二）內因。——人體抵抗力薄弱。

（一）外因（結核菌之侵入）——茲請略述結核菌之形態。及其傳染路徑與侵入門戶如左。

1. 結核菌之形態 結核菌乃一微小之桿狀菌。為一八八二年德國學者穀霍 Koch 氏所發明。體長約五百分粍之一。闊約三千分粍之一。以千倍顯微鏡窺之。僅如短鬚。此菌之外面有脂狀或臘狀物質以包裹之。故其抵抗力頗強。無論任何藥品。均難一舉而撲滅之。卽一切殺菌消毒藥。亦難使之立死也。惟曝之于日光之下。則死亡頗速。反之若在陰暗室中。雖經年竟尚有生存者。又本菌在體外時。僅能保其生命。不能繁殖。及其既侵入體內。乃發育生長。繁殖其子子孫孫。以與人體死戰焉。

2. 結核菌之傳染路徑及其侵入門戶。肺癆病人之痰。及其他排泄物中。均有結核菌之存在。尤以患者之痰為最。乃肺癆傳染之主要來源也。當肺癆病人咳嗽噴嚏或談話時所散播之痰沫。亦有多數結核菌包含其中。此含有結核菌之痰沫。一經乾燥。發卽隨塵埃飛揚空中。如吾人一旦吸入此等含有結核菌痰沫之塵埃。卽被傳染。至結核菌侵入人體之門戶。則甚多端。如吸入含有結核菌之塵埃或痰沫。及誤食附有結核菌之食物。此結核菌之自口鼻侵入者也。又粘膜爲防禦病原菌侵入之利器。苟此粘膜有損傷時。無論在咽喉。在口腔。在眼。在鼻。在生殖器……。本菌均有侵入之可能。卽破損之皮膚亦然。此結核菌之自粘膜或皮膚侵入者也。此外如與患者接吻。性交。同衾。握手等。直接與結核菌相接觸者。其有傳染之危險。更無論矣。

（二）內因（抵抗力薄弱）——抵抗力所以薄弱之原因頗多。然大別之。可分爲先天性及後天性二種。屬於先天性者。如父母結婚時。已至衰老。或當病弱。致所生之子女亦無健全之身體。既無健全之身體。則抵抗力亦隨之減弱矣。又父母在未結婚時。如已罹肺癆病。則結婚後所生之子女。亦具有此病之素質。易於感染肺癆病。此乃於屬先天性者。屬於後天性者。如營養不良。勞慾過度。起居不時。使精力陷於尩弱。及大病之後。元氣未復。與婦人產後等。均能使抵抗力減弱。既無健全之抵抗力。如一旦癆菌來侵。則猶入無人之境。可以縱所欲爲矣。

此外如體質。年齡。性別等。與肺癆之傳染亦頗有關係。如肢頸細長。身體羸瘦。胸廓扁狹……之癆瘵質。及中年（十六歲至三十五歲）與女性等。均較易於發生肺癆病。是其例也。

肺癆病之症狀

本病之症狀頗複雜。現爲便於診療計。將其所現症狀中之輕劇先後較爲有次序者。分爲初中末三期。細述如左。

（一）初期症狀。

1. 並無任何原因。食慾亦與常人無異。而身體則日見羸瘦。
2. 不因外感風寒。而日晡微熱。（約在攝氏三十七度四五分）持久不退。
3. 不因外感而發微咳。或短咳。不易治愈。
4. 時吐稠粘黃色之痰。或於所咯痰中間有血絲數條。
5. 不任勞苦。稍經運動或作事。卽覺疲乏弗堪。甚且氣喘心悸。

6.食慾不振或食後卽覺胸腹脹悶。（此時醫者每有誤診爲胃病者。）

7.易罹感冒。

初期肺癆除上述各證狀外。或兼有脈數。盜汗。胸中鬱痛。肩凝。失眠。等症。惟上述各症候。不必悉具。如見有一二種或數種。卽爲有初期肺癆之嫌疑。宜速行調治。庶可除大難於未然。因此時體力未壞。病勢尚緩。較易於治愈故也。然多數患者每因在初期時不感任何痛苦。以爲係尋常小恙而忽視之。迨至病勢日進。險症畢露。始震駭求醫。然醫治已難見速效矣。

（二）中期症狀。此時發熱。咳嗽。等證較初期益見增劇。且更有循環神經疾患。

1.全身貧血面色蒼白。在婦女或至月經閉止。

2.兩腮發赤。口唇鮮紅。

3.咯血。（按肺癆咯血初中末三期皆可有之。）

4.夜間盜汗。（此症初期亦或有之。）

5.夜寐不安。心煩口燥。易發惱怒。

6.鎖骨上下窩陷沒。（內經所謂「肩髓內消」卽此證也。）

7.頭暈心悸。

8.體重顯然減輕。

（三）末期症狀。險惡之徵兆畢現。肺癆至此。已不可爲矣。本病至末期。每壞及消化器。消化器受壞。則不能充分消化食物。與吸收食物之精華。於是而營養之來源絕矣。人體既不能得充分之營養。則體力日衰。癆菌益可厲行無碍。故肺癆若見消化器敗壞之症象。多屬不救。古所謂上損及中。過脾不治者。此也。茲略舉肺癆末期症候中之顯著者數種如下。

1.起頑固難治之下痢。糞中或混有血液。此乃因病人嚥下含有結核菌之唾液。而併發腸結核症也。當其初起時。僅於每日排一二次之軟便。便時腹部作痛。及歷時稍久。則下痢之次數漸增。腹痛亦漸加劇。食慾因此大減。

2.食後泛嘔。或竟至嘔吐。此亦消化器敗壞之徵兆也。

3.聲音破散。終至嘶啞。喉頭感覺異常。嚥下食物時。卽覺疼痛。夜間醒時。尤覺乾燥難堪。此乃肺癆末期之喉結核症也。

4.體熱更甚。(每至三十九度以上。)且稽留不退。

5.飲食乏味。體瘦如柴。

6.皮膚乾燥憔悴。面色㿠白。

7.脈弦而大。

以上所述。皆係肺癆過程中之顯著證狀。且均可由國醫之西診法而得者。惟測熱必須用體溫計。因其較前此之以手摸者爲可靠。且非體溫計不能確知其熱度之消長也。

肺癆病之治療法

本病在初起時因無顯著之症狀。故患者每不之介意。迨至證象已顯。(中期末期)始周章狼狽。震駭求醫。而醫治已不易見效矣。然患者苟抱有治愈之决心。與有完備之療法。則亦不難將此頑梗之病魔而征服之也。完備之療法謂何。卽藥物療法與自然療法(衛生營養療法)二者並施而已。觀夫世人之中患肺癆者。惟知乞靈於藥名。而置自然療法於不顧。每至喪生。是可慨也。

(一)藥物療法——本病無特效方。歷代諸家大多以金匱虛勞篇之小建中湯爲主。然試用之。每不能覩效。且反有增惡之危。湯本皇漢醫學曾詳言之矣。其言曰「小建中湯之不適於肺結核。其故何也。答曰。此方之主藥爲膠飴。其性太溫。有助長炎症之弊。臣藥芍藥。富於收斂性。有抑遏皮膚肺腎之排泄機能。……一面助長炎症。一面阻止結核毒素之排泄。是以反增惡也。」觀此肺癆病之不能用建中劑。已彰彰明矣。此外如肘後獺肝散。(獺肝一具炙乾末之水服方寸七日三服)謂治肺癆有效。然關於此藥之治驗記載。不得多覯。最近有謂藥物中之含有鈣質者。(如鱉甲牡蠣。蛤蜊粉。昆布。海藻等。)治肺癆有特效。古方中含有此類藥物者雖甚多。奈予臨症苦少。未曾試用。不能知其確有效否。惟非肺癆病之特效藥。則可斷言也。

本病既無特效方。則所謂藥物療法者。不過就所現之症候而加以治療。以減少病人之苦惱。及體力之消耗。使人身自然療能易於發揮而促疾病之治愈耳。（國醫治病之原理。亦卽在于是。）乃助自然療能（正氣）以袪病。非能直接作用於結核菌而撲滅之也。肺癆病所現諸證候中之最著者。厥爲發熱。咯血。咳嗽。盜汗。及食慾不振等諸種。玆請略述其治法如下。

發熱。肺癆發熱。乃病勢進行之表徵。與一切外感病之發熱不同。外感發熱。乃由抵抗風寒而起。肺癆發熱。則因菌毒素蘊積於血中所致。故病勢愈劇。其熱亦愈高。病勢漸退。其熱亦漸降。外感發熱可投以麻桂桑菊柴胡石膏等解熱劑而愈。至肺癆發熱。則異于是。一切解熱藥。不可濫投。解熱藥中之能促心臟之衰弱者。尤須嚴禁。且亦無投解熱劑之必要。如發熱不甚。僅須身神安靜。多給新鮮空氣。其熱卽退。如發高熱時。則除令安靜外。宜投以補虛除熱法。方如鱉甲地黃湯。秦艽鱉甲湯之類是也。

1. 鱉甲地黃湯（濟生方）柴胡　當歸　麥門冬　鱉甲　石斛　白朮　茯苓　熟地黃　秦艽　官桂　人參　甘草

右㕮咀。每服一兩。生姜五片。烏梅一個。水二鍾。煎至一鐘。溫服。

2. 秦艽鱉甲湯（拔萃方）地骨皮　柴胡　鱉甲　秦艽　知母　當歸

右剉。每服一兩。水二鐘。烏梅一個。青蒿數莖。煎至一鐘。去滓通口服。

咯血。肺癆咯血。乃由肺臟結核病灶部之血管。因咳嗽或運動而破裂所致。患者宜力自鎮靜。勿輾轉反側。勿作深大之用力呼吸。至藥物如十灰散。柏葉湯。四生湯之類。可隨選用之。甚則可投以花蕊石散止之。

1. 十灰散（葛可久方）大薊　小薊　荷葉　柏葉　茅根　茜根　大黃　山梔　牡丹皮　棕櫚皮

右各燒灰存性。研極細。用紙包碗蓋於地上一夕。出火毒。用時先將白藕搗絞汁。或蘿蔔汁。磨京墨半碗。調服五錢。食後下。

2. 柏葉湯（仲景方）柏葉　乾姜　艾葉

右三味。水五升。取馬通汁一升。合煑。取一升。分溫再服。

如病輕者。用此立止。

3. 四生湯（良方）生荷葉　生艾葉　生柏葉　生地黃

右研爛丸。如鷄子大。每服一丸。水三鐘。煎至一鐘。濾過溫服。」

4.花蕊石散（葛可久方）花蕊石（火煅存性研如粉）

右童子小便一鐘。煎温調末三錢。甚者五錢。食後服下。如男子用酒一半。女用醋一半。與小便一處和藥服。使瘀血化爲黄水。

咳嗽。咳嗽乃因氣管中積有痰沫之故。因痰沫過多。足以阻梗氣道。且每爲細菌繁殖之材料。故必須排除之。此咳嗽即體功排除痰沫的一種生理作用也。故輕症咳嗽不可強止之。且亦應存留其一定程度。以爲排痰之用。大抵咳嗽之輕劇。乃隨咯痰之難易而消長。咯痰容易。則咳嗽減輕。咯痰困難。則咳嗽增劇。此乃吾人臨床上所習見者。然咳嗽過劇時。肺部因受其振動。往往使病灶擴大。且易引起嘔吐不眠等證。殊屬危險。必須投以鎮咳劑。使之減輕。所謂鎮咳劑者。亦不過一種排痰劑耳。茲略選數方如下。以便採用。

1.臘煎散（楊氏方）杏仁　貝母　百合　人參　麥門冬　阿膠　白茯苓　乾山藥　甘草

各爲末。將杏仁別研拌勻。每服二錢。水一盞。入黄臘皂角子大。同煎七分。食後服。

2.保和湯（葛可久方）知母　貝母　天門冬　款冬花　麥門冬　天花粉　薏苡仁　杏仁　五味　粉草　馬兜鈴

紫菀　百合　桔梗　阿膠　當歸　生地　紫蘇　薄荷

各以水煎。生姜三片。入飴糖一匙。入藥內服之。每日三服。食後進。

3.款冬花散（和劑方）杏仁　麻黄　欵冬花　貝母　知母　甘草　桑葉　半夏　阿膠

各㕮咀。每服二錢。水二盞。姜三片。煎食前温服。

4.貝母散（御藥院方）貝母　桑白皮　五味子　炙甘草　知母　欵冬花　杏仁

各每服一兩。水一盞半。生姜三片。煎至八分。去滓温服。

盜汗。肺癆盜汗。乃因菌毒素之作用。或安靜與營養等之不足而起。盜汗過多。每使衣被濕透。於睡眠殊有妨碍。故必須設法治愈之。治之之法。除令患者行安靜營養療法外。方如麥煎散。當歸六黄湯。黄芪六一湯。參芪湯等。隨證選擇用之。均能有效也。

1. 麥煎散（和劑方）知母　地骨皮　麻黃根　杏仁　滑石　白茯苓　石膏　人參　葶藶　赤芍藥　甘草

各爲末每服一錢浮麥煎湯調服。

2. 當歸六黃湯（聖惠方）當歸　生地黃　熟地黃　黃柏　黃芩　黃連　黃芪

各剉。每服一兩。水二鐘。煎至一鐘。去滓臨臥通口服。

3. 黃芪六一湯　黃芪　甘草

右各用蜜炙十數次出火毒。每服一兩。水煎服。

4. 參芪湯（祕方）人參　甘草　白扁豆　炒乾葛　茯苓　陳皮　白朮　黃芪　山藥　半夏麯

右㕮咀。每服一兩。水二鐘。煎至一鐘。去滓溫服。

食慾不振。肺癆如見食慾不振時宜速行調治不可忽視。蓋食慾不振。則不能多食滋養物品。大有碍於也營養。食慾不振之原因頗多。除直接由於結核菌毒素之作用外。又有因多食而致者。有因過服服涼而致者。有因食積而致者。有因便祕而致者。宜各究其原因而治之。此時患者除勵行營養空氣安靜等療法外。因於多食者節其飲食。因於過服寒涼者溫運之。如八味理中丸。養胃湯之類是也。因於食積者消其食。麯蘗枳朮丸。大安丸之類是也。因於便祕者•調其便。丹溪潤麻丸之類是也。又有病者以本病之危險而恐怖。乃至食慾不振者亦有之（所謂神經性消化不良）此則醫治之權。操諸病者之手。宜勉力安慰之。使病人拋棄一切無謂之恐怖。庶乎有濟。非服藥物所能爲功矣。

1. 八味理中丸（百一選方）麥蘗　神麯　白茯苓　川姜　砂仁　人參　白朮　甘草

右爲末煉蜜丸。每兩分作十丸。空心用一丸。姜湯嚼下。或加半夏麯一兩亦可。

2. 養胃湯　藿香　白朮　厚樸　半夏　茯苓　炙甘草　陳皮　人參　草果　附子

右㕮咀。每服四錢。水一盞半。姜五片。棗一枚。烏梅半個。煎溫服。

3. 麯蘗枳朮丸　神麯　麥蘗麵　白朮　枳實

右爲細末。荷葉燒飯丸如梧子大每服五十丸。温水下。

4. 大安丸（丹溪方）山査 神粬 半夏 茯苓 陳皮 白朮 連翹 蘿蔔子

右爲細末粥糊丸服。

5. 潤麻丸 生地 麻子仁 當歸 桃仁 枳殼

右爲末煉蜜丸如梧子大每服五十丸。空心白湯下。

（二）自然療法（衞生營養療法）——人體對於一切疾病。本有自然抗病機能。使疾病有自然治愈的傾向。卽所謂自然療能。亦卽我國醫所謂正氣者是。醫之治病。貴在能利用此自然療能。彼草根樹皮。乃所以輔助自然療能之不逮。非能直接作用於病毒而消滅之於無形也。肺癆既不能專持藥物。則所望者。惟自然療法耳。自然療法云者。卽使患者勵行下述各種。增强其自然抗病機能。以征服病菌之謂也。自然療法頗多。茲舉其犖犖大者數種如下。

1. 營養。所謂營養療法者。卽使病人多食富於滋養之食品。以增强身體。使其自然抗病機能亢進之謂也。食品中之富於滋養者。指不勝屈。然大別之。可分爲脂肪蛋白質及碳水化合物等三類。富於脂肪質者。如動植物之油是也。富於蛋白質者。如禽獸魚鱉之肉是也。富於碳水化合物者。如五穀蔬菜之類是也。此三者必交換或混合取食之。庶足維持體力。但攝取食物時。不可漫無限制。須以病人之消化力及嗜好爲準。則如消化力薄弱者。不可驟與多量之食品。以壞其胃。宜以營養價大而質量少且易於消化者與之。又食品之選擇及烹飪法。亦須隨病人之嗜好而時時變換之。如彼物爲病人所不喜者。勿强與之。如爲病人所喜者。亦不可使其多食或久食。必如是。則患者食慾庶可永保健全。不致生厭惡之心矣。

2. 空氣。自然界之新鮮空氣。能使血液清潔。身心爽適。食慾旺盛。在肺癆治療上。乃一至要之藥物。較之滋養食品。爲尤可貴焉。觀夫我國人之患肺癆者。每以爲居室非暖不可。因而密閉窗牖。幽居陰室之中。不敢出戶外一步。以爲是養生之無上妙法。是仍大謬。因室內空氣之不潔。遠過於室外。苟病人將此不潔之空氣吸入肺中。結核瘡面受其刺激。足使病勢增劇。故此等陋習。急宜改除。俾能多得新鮮空氣。多得新鮮空氣之法維何。卽多作戶外生活是也。清朗温暖之時。則逍遙郊外。或散步園中。（惟不可受暴風）臥室窗牖宜常開放。帳用疏紗。被勿蒙頭。常居於新鮮之空氣中。久行弗怠。則於肺癆治療上。必能大收效果也。

3.安靜除上述營養空氣二療法外。安靜療法亦在所必須。安靜療法之所以能有益于肺癆病者。蓋因安靜能減少體力之消耗。使體功與病魔作戰之實力。因以加厚。使結核部早結疤痕。速就治愈。不特此也。肺癆若不守安靜。則有病變之肺部。時受振動。不得平穩。以致病灶因振動而擴大。病既擴大。則由病所產生之毒素。隨血液之循環而四散。使發熱盜汗咳嗽等證加劇。故肺癆患者。宜力求安靜。不可勞動。尤以肺部為最宜注意。勿高聲長談。勿輾轉反側。使肺部不受振盪。庶於治療上能收事半功倍之效。又深呼吸亦大不宜於本病。須戒除之。世有持一知半解之見。以為力行深呼吸。可多得新鮮空氣。卒至因深呼吸而咳血者有之。是蓋不明深呼吸有害於肺癆之故也。夫肺病以安靜為要。前既言之。今反以深呼吸以鼓動其肺。適與安靜之義相反。病灶部因受其伸展牽引之作用。則血管破裂而出血矣。此理甚明。而世人不知。用贅數言。幸注意焉。

身體安靜之外。精神之安靜。亦極緊要。勿以本病之危險而生恐怖心。勿憂鬱沉悶。以耗損精神。勿妄想。勿急怒。宜力自達觀。屏棄一切無謂之煩腦。是為至要。否則肉體雖安靜。而精神固無時不在勞動。如是而欲其疾之速愈。能乎不能。

肺癆病之預防法

本病之危險及傳染之易。與夫醫治之棘手。既如上述。然則吾人苟欲免此危險。惟有預先防禦之一法。是則預防法尚矣。內經云。「夫病已成而後藥之。亂已成而後治之。譬猶渴而穿井。鬬而鑄錐。不亦晚乎」金匱云「上工治未病」語云「當未雨而綢繆。毋臨渴而掘井」蓋亦即示人以預防之意也。

肺癆病之原因。乃由癆菌之侵入。與人體抵抗力調弱所致。前既屢言之矣。然則預防之道。當亦不外下列二原則。

（一）撲滅病原菌。

（二）增強抵抗力。

上述二種。一屬消極的。一屬積極的。消極的即撲滅病原菌是也。積極的即增強抵抗力是也。必二者並行。不可缺一。然後方無傳染之慮。茲請將二法之梗概。略述如下。

(一)撲滅病原菌——肺癆病人之排泄物及用具。爲癆菌附着之要器。所謂撲滅病菌法者。卽就排泄物及用具。加以嚴密之消毒與處置而已。

1.痰。本病患者之痰。爲肺癆傳染之一大來源。據罕蘭耳氏實驗所得。謂每次咯出之痰中。約含肺癆菌在三億以上。則痰之危險可知。故肺癆病人之痰。須吐入痰盂內。加以消毒。如不得已時。則盛以軟紙或手巾而燒毁或煑沸之。談話或咳嗽時。亦宜以手帕掩口。以免痰沫之散播。

2.用具。患者之用具。均不免有肺癆菌附着。宜時加消毒。杯筷之類。須以沸水冲洗之。書籍信扎及襯衣等。如係價値不貴或無用者。不妨燒棄之。

3.病室。日光爲殺菌之無上利器。如置菌癆於日光中。不過三四小時。卽死滅殆盡。故病室窗牖。宜常行開放。俾日光能得充分射入。而呈其殺菌作用。又病人用具如書籍被褥箱篋等。消毒困難。而又不忍焚棄者。均可利用此法以殺滅之。

(二)增強抵抗邊——增强抵抗力。乃防禦肺癆之最良武器。因肺癆病人。無處無之。既有病人。必有病菌。際此生活競爭之世界上。如欲絕對不與癆菌相接觸。實屬不可能之事。且日常吾人所交際者。亦不免有輕度之肺癆病人在。此等人外觀雖似無病。其實亦有傳染之可能。故最安全最可靠之預防法。卽爲增強自身之抵抗力。既有强盛之抵抗力。則癆菌縱或進入體內。亦不致發炎矣。然欲有強盛之抵抗力•須先有健全之身體。苟無健全之身體。而欲其有強盛之抵抗力。則猶求千金於乞丐。其不可得也無待蓍龜矣。強身之道頗多。衛生學中已言之綦詳。茲再略舉如左。

1.平時宜多得新鮮空氣。

2.時行適當之運動。

3.身體營養應使其佳良。

4.勿使身體過勞。

5.勿恣意縱慾。

6。一切肺臟病患。最易誘發肺癆。宜速行調治。不可忽視。

上述各預防法。皆明白暢曉。簡便易行。若能執此數端而力行之。則癆菌雖厲。亦自無隙可乘以施其淫威矣。

批　肺癆爲人類之大敵是篇說理既極簡明方法亦見完備壽世之作也（蔣文芳）

癆病概論

翁澄宇

總論

素問云。上古之人。其知道者（按即知衞生之道）法於陰陽。和於術數（按即衞生之法）飲食有節。起居有常。不妄作勞。（按言衞生之要。妄於作勞。則病生矣。）故能形與神俱。而盡結其天年。度百歲乃去。今時之人不然也。以酒爲漿（按先勞傷於脾胃。酒濕薰蒸。痰火沖肺。而肺勞亦從此而生矣。）以妄爲常（事無紀律。妄於作勞。而各種之勞病以生）醉以入房。以欲竭其精（按即腎勞之原）以耗散其眞。（按漸至神經衰弱）不知持滿。（按貪心妄想則貧血之由也。）不時御神。務快其心。（按縱情於酒色嗜慾。勞心勞力。而精神氣血俱竭。勞病已成。莫能救治矣。）逆於生樂（按逆於生命之樂。是舍生就死自趨死路也。）起居無節。故半百而衰也。內經一書。學者皆認爲周末醫者之託名而作。所述人之不知保養。妄於作勞。距今已二千餘年。更何況於今之世界。物質文明。富於引誘。機械奸詐。窮極思慮。勞病之徒。染者之夥。奚足怪哉。當此國際風雲日趨亟迫。凡有血氣之倫。能不滋懼。按內經黃帝問五勞七傷於高陽負。負曰。一曰陰衰。二曰精淸。三曰精少。四曰陰消。五曰囊下濕。六曰腰脊苦痛。七曰膝厥痛冷不欲行。骨熱。遠視淚出。口乾。腹中鳴。時有熱。小便淋瀝。莖中痛。或精自出。有病如此。所謂七傷。一曰志勞。（即腎勞）二曰思勞。（即肺勞）三曰心勞。四曰憂勞。（即脾勞）五曰疲勞。（肝者疲極之本即肝勞。）因勞而致虛。致損。故越人即名曰虛損。因勞而致虛。故仲師直捷稱之曰虛勞。後人推其原因於七傷。因傷而有勞於五藏。故曰五勞。勞傷之甚。身體瘦極。則爲六極。由是有五勞七傷六極之稱。因勞之疾不可爲。即於勞字加疒簡稱曰癆。此癆病之來源。應當明瞭者也。

病因

吾華以二百餘年之束縛。由積弱以成勞。是以民族之羸瘠。可爲世界各國之冠。斯以先天遺傳性者爲第一病因、體質衰弱。既預有其伏因。則外來傳染。一遇即合。斯傳染爲第二因。六氣感染。抵抗薄弱。馴至氣血有損。此因外感爲第三因。七情不節。飲食勞倦。漸至精氣有衰。則以內傷爲第四因。醫書有五勞七傷六極之說。蓋以七傷爲初期。六極爲末期。至於勞瘵傳屍之說。見證雖分五臟。皆統歸於肺。在西醫書中。則列於特殊傳染疳肺結核之下。及其變遷。則有消化系統結核病。肝結核病。腦及脊髓之結核病。尿生殖器結核病。乳腺結核病。血循環系統結核病。則仍與中醫勞分五臟之旨相符也。至於言痛之來歷。以結核菌爲傳染者。則以家族患結核病癆瘵之習慣。受寒之非常沉重者。致身體虛弱之特別緣由。如憂慮傷感斲傷及慢性病皆是。皆可認爲結核病之來歷。則與中醫所述之病因亦無異也。至傳屍辨虫之法。或腹中有塊。或腦後兩邊有小結核。則於結核之說。古今中外若合符節。或用乳香薰手背以帛覆手心。良久手下出毛長寸許。白黃者可治紅者稍難。青黑者死。若薰手無毛。非癆虫證也。又或用安息香燒烟吸之不嗽者非傳尸。烟入即嗽眞傳尸也。斯診斷之精確實較西醫爲勝。至於言癆虫之形。或似蜣螂。或似紅絲馬尾。或似蝦蟆蝟鼠。或似麴麵。或有頭無足。或有足無頭。則與西醫從顯微鏡下所檢獲之各種細菌模型。恐亦無以稍異。醫學正傳云。在肝爲毛虫。飲人筋膜。在心爲羽虫。食人血脈。在脾爲倮虫。食人肌肉。在肺爲介虫。食人膚膏。在腎爲鱗虫。食人骨髓。言虫之爲害。可謂確切。撰虫之名稱。實太附會。應在屏除之例。若醫鑑所云。癆瘵既久。其氣必傷。傷則不能運化精微。痰瘀稽留。而變幻生虫。此乃各種細菌產生之由。彼爲西醫者。烏足以知之。

證狀

難經有上損下損之分。後人有五勞七傷六極之別。惟證狀不詳。茲即從聖濟總錄所述爲綱。以淸眉目。並雜採內經金匱千金及近今所述者。匯錄於後。庶對于治療。才面較有頭緒也。

(一)肺癆

前驅期

形寒飲冷則傷肺。肺傷則少氣欬嗽鼻鳴。(至如久臥傷氣。悲哀太過。喜樂無極。及夜行則喘出於腎。淫氣病肺。前爲初起之主因也。)

(內經)胸中煩熱。嗌乾。右胠滿。皮膚痛。寒熱。欬嗽唾血。血泄鼽衄。嚏嘔。溺色變。甚則瘡瘍胕腫。肩背臂臑及缺盆中痛。心痛。肺䐜腹大滿。膨脹而喘欬。

(千金)凡肺病之狀。必喘欬逆氣。肩息背痛。汗出。肺脈微急。爲寒熱怠惰。欬血引腰背胸。苦鼻息不通。

中期

令人短氣面浮。不聞香臭。

（內經）病在肺下。晡慧。日中甚。夜靜。　氣虛則肩背痛。少氣不足以息。溺色變。

勞風法在肺下。而羅謙甫補述風勞之證。爲骨蒸。午後壯熱。欬嗽。肌瘦。頰赤。盜汗。脈來細數。

（金匱）男子脈虛沉弦。無定熱。短氣裏急。小便不利。色白。時目瞑。兼衄。少腹滿。此爲勞使之然。而篇中肺痿肺癰諸條。爲肺勞中末二期必有之證狀也。

（千金）肺氣不及。則令人喘呼。少氣而欬。上氣見血。下聞病音。　肺氣傷。其人勞倦則欬。唾血。其脈細緊浮數。皆吐血。此皆躁擾嗔怒。欬逆傷肺。氣壅所致也。　肺病。虛則少氣不能報息。耳聾喧乾。　肺氣不足。心腹支滿。欬嗽喘逆。上氣。唾膿血。胸背痛。手足煩熱。惕然自驚。皮毛起慄。或哭或歌或怒。乾嘔必煩。耳中聞風聲。面色白。

（直指）肺痿骨蒸。或寒熱。虛勞欬嗽。聲嗄不出。體虛自汗。四肢倦怠。

末期

令人內虛。五臟不足。邪氣多。正氣少。不言欲。（氣極）

（金匱）脈沉小遲名脫氣。其人疾行則喘喝。手足逆寒。腹滿。甚則溏泄。食不消化也。（按此同於越人上損之三損證也）

（千金）肺病身當有熱。欬嗽短氣。唾出濃血。其脈當短濇。今反浮大。其色當白而反赤。爲大逆。十死不治。　氣弗營則皮毛焦。津液去。皮節傷。爪枯毛折。凡氣極者。主肺也。肺應氣。　與肺合。以秋遇病爲皮痺。皮痺不已。復威於邪。內舍於肺。則寒溫之氣客於六腑也。若肺有病。則先發氣上衝胸。常欲自恚。　若其人本來諸聲雄烈。忽爾不亮。御氣用力。方得出言。而及於常人呼共諸。直視不應。雖未病。勢當不久。（按卽急性肺勞及末期將死前之形證）

（彙內補）若虫蝕肺系。咯血。吐痰。喉嗆。聲啞。思食無厭。皮枯毛落。

（內經）眞肺脈至。大而虛。如以毛羽中人膚。色白不澤。肺死臟。浮之虛。按之弱。如葱葉。下無根者。死。

（西說）分爲三種。（一）急性經炎性結核病。病起驟突。兼寒戰。寒戰後體溫速外脊骨作痛。欬嗽。痰初似粘液。繼則變爲鐵銹色。有時內含結核菌。呼吸困難。或甚劇烈。或至窒息。致命之期。最早者六日。或十十三日。大多數病。其較緩延至三閱月之久。（按此卽中醫俗傳所謂百日勞者是也）前述初期內經所述之證狀。卽爲急性肺炎之流行病。又歲火太過條下。民病瘧。少氣欬喘。血嗌。血泄注上。嗌燥耳聾。中熱。肩背熱。身熱骨痛。而爲浸淫。及譫妄狂越。欬喘息鳴。下甚。溢泄不止。太淵絕者不治等語。皆可互相對照也。而千金翼方炙甘草湯下有云。虛勞不足。不出百日危急者。十一日死。此其所言非急性之肺勞乎（二）爲慢性潰瘍性肺結核病。其證如欬嗽氣哮。咯血。而外午後熱度增離。或似類瘧。汗出。消化不良。貧血。神經衰弱。頸腋腺結核等現象。此卽中醫肺癆末期兼肺癰者也。（三）爲纖維肺結核病。欬嗽陣作。痰屬膿性而甚臭惡。或屢發咯血。失音咽痛。肝脾腸等之臟樣變。以及心房衰弱。或全身水腫。此卽越人上損之旨也。

（二）心癆

前驅期

憂愁思慮傷心。心傷則苦驚喜忘。夜不能寐。（至如久視傷血。及有所驚恐。喘出於肺。淫氣傷心。驚而奪精。汗出於心。皆心勞初起之主因也。）

（內經）神傷則恐懼自失。破䐃脫肉。（下一句則指末期。）

（千金）心傷其人勞倦。頭面赤而下重。心中痛徹背。自煩。凡心病之狀。胸內痛。脅支滿。兩脅下痛。膺背肩甲間痛。發熱。當臍跳手。其脉弦。此爲心臟傷所致也。

中期

令人忽忽喜忘。大便苦難。時或溏泄。口中生瘡。（循環系既起障礙。馴至消化器官亦受病。）

（內經）病在心。日中慧。夜半甚。平旦靜。 心中憺憺大動。面赤目黃。煩心心痛。掌中熱。

（金匱）心氣虛者。見人卽畏。合目欲眠。夢遠行而精出。 男子面色薄。主渴及亡血。卒喘悸。脉浮者。裏虛也。

（千金）心病虛則胸腹內脅下與腰背引而痛。

心氣不足。善悲愁恚怒。衄血煩悶。五心熱。或獨諸不覺。咽喉痛。舌本强。冷汗出。善忘。恐。走不定。

心脉沉之小而緊。浮之不喘。苦心下聚氣而痛。不下。喜咽唾。時手足熱。煩滿。時忘不樂。喜太息。得得憂思。

末期

令人無顏色。眉髮隨落。忽忽喜忘。

（千金）心病煩悶少氣。大熱。熱上盪心。嘔欬吐逆。狂諸汗出如珠。身熱厥冷。其脉當浮。今反沉濡而滑。其色當赤而反黑。爲大逆。十死不治。 凡脈極者主心也。心虛應脈。脈與心合。心有病從脉起。以夏遇病爲脈痺。脉痺不已。復感於耶。內舍於心。則飲食不爲肌膚。欬脫血。色白不澤。（卽白血球增多）其脈空虛。口唇見赤。凡脉氣衰。血焦髮墮。 若其人本來心性和雍。而忽躁急反常。或言語未竟便住。以手剔脚爪。此人必死。禍雖未及。名曰行尸。（急性傳染病或末期將死之形證）

（內經）心死臟。浮之實如豆麻擊手。按之益躁疾者死。眞心脈至。堅而搏。如循薏苡子。累累然。色黑不澤。

（西說）血管受結核菌所侵略。則結核菌遂入血循環。而心臟機能發生障碍。動脈之緊張力常低。毛細管之抵抗力亦減。赤血球低減。白血球大增。動脈或靜脉硬化。故本病之發端。爲心動部速。搏動不正。初爲發作性。因身體過勞。精神興奮。暴飲暴食。而發病。勢漸進則成持續性。雖絕對安靜。謹愼衞生。亦發現。故患者多兼甚重之萎黃病。每覺心悸亢進。虛弱增加。或心臟部緊厭及痛疼之感。呼吸迫促。午後略發熱。而婦人則月經停止。

（三）脾癆

前驅期

太飽傷脾。脾傷則善噫。欲臥。面黃。（至如久坐傷肉。飲食勞倦。憂愁不解。及有所墮恐。喘出於肝。淫氣害脾。飲食飽甚。汗出於胃。體搖勞苦。汗出于脾。皆爲脾勞初起之主因也。）

（內經）意動則悶亂。四肢不擧。

（千金）凡脾病之狀。必身重善飢。足痿不收。行善瘛。脚下痛。

中期

令人舌本苦直不能嚥唾。

（內經）病在脾日晡慧。日出甚。上晡靜。 有所勞倦。形氣衰少。穀氣不盛。上焦不行。下脘不通。而胃氣熱。熱氣薰胸中。故內熱。

（扁鵲）脾有病。則色萎黃。虛則多癖。善吞注利。

（金匱）虛勞裏急悸衄。腹中痛。夢失精。四肢痠痛。手足煩熱。咽乾口燥。小建中湯主之。 虛勞裏急諸不足。黃者建中湯主之。

（千金）脾虛則腹中滿。腸鳴飧泄食不化。 苦少氣不利。腹滿身重。四肢不舉。 脾脈沉之而濡浮之而虛。苦腹脹滿。煩滿胃中有熱。不嗜食。食不化。大便難。四肢苦痺。時不仁。得之房內。月事不來。事而頻併。 脾氣弱。病下利白腸垢。大便堅。不能更衣。汗出不止。名曰脾氣弱。或五液注下。青黃赤白黑。 病苦胃中如空狀。少氣不足以息。四肢逆寒。泄注不已。 腹脹善噫。食則欲嘔。泄澼溏下。口乾。四肢重。好怒。不欲聞人聲。

末期

令人羸瘦無潤澤。食飲不爲肌膚。

（千金）臟腑傷痾。隨時受癘。（傳染病）陽氣外泄。陰氣內伏。若腑虛則陰邪所加。頭重頸直。皮肉強痺。若臟實則陽疫所傷。蘊而結核。起於喉頸之側。（與現代之所稱結核完全相同。）布毒於皮膚分內之中。上散入髮際。下貫顳顬。（西醫醫書腮部之生結核。大抵隨鄰處結病之蔓延而起。或以爲從頸腺之傳染。）隱隱而熱。不相斷離。（此即蒸熱之現象）

凡肉極者。主脾也。脾應肉。肉與脾合。若脾則肉變色。至陰遇病爲肌痺。肌痺不已。復感於邪。內舍於脾。體痒淫淫。如鼠走。其人身上津液脫。理腠開。汗大泄。鼻端色黃。 太陰氣絕。則脈不營其肌肉。口唇者。肌肉之本也。脈不營則肌肉濡。肌肉濡則人中滿。人中滿則唇反。唇反氣盡則肉先死。 脾病。其色黃。體青。失溲。直視。唇反張。爪甲青。飲食吐逆。體重節痛。四肢不舉。其脈當浮大而緩。今反弦急。其色當黃。而反青。爲大逆。十死不治。 若其人本來少於嗔怒。而忽反常。嗔怒無度。而鼻笑不答。不盈旬日。禍必至矣。

（內經）真脾脈至弱而乍數乍踈。色青黄不澤。 脾死臟浮之大緩。按之中如覆杯。潔潔狀如搖者死。

（西說）初起之病爲出血。或腸系膜腺增大。漸至肌肉消瘦。見結核。徵顯大便祕結。或不規則之腹瀉。及發熱。婦人則由輸卵管延至。小兒則由腸系膜腺而起。

（四）肝癆

前驅期

大怒氣逆則傷肝。肝傷則少血目暗。（至如久傷筋。悲哀動中。及疾走恐懼。汗出於肝。皆肝癆初起之主因也。）

（內經）病腰痛不可以俯仰。丈夫㿗疝。婦人小腹墜。甚則嗌乾。面塵脫色。胸滿嘔逆。洞泄。狐疝。遺溺。閉癃。

（千金）凡肝病之狀。必兩脅下痛。引少腹。 令人陰縮而攣。筋急。脅肋骨舉。 肝脈沉之而急。浮之亦然。若脅痛。有氣支滿。引少腹痛。時小便難。苦目眩。頭痛。要背痛。足爲寒。時癃。女人月事不來。時無時有。得之少年有所墮墜。 肝傷其人脫肉。又臥口欲得張。時時手足淸。目瞑。瞳人痛。此爲肝臟傷所致也。

中期

令人面目乾。口苦。精神不守。恐懼不能獨臥。目視不明。

（內經）病在肝。平旦慧。下晡甚。夜半靜。

（金匱）馬刀俠癭。皆爲勞得之。 虛勞虛煩不得眠者。酸棗仁湯主之。

（千金）肝氣不足。兩脅下滿。筋急不得太息。四肢厥冷。發搶心腹痛。目不明了。婦人心痛。乳癰。膝熱。消渴。爪甲枯。口面靑。 肝病虛則䀮䀮無所見。耳無所聞。善恐如人將捕之。

末期

令人數轉筋。十指甲皆痛。苦倦不能久立。

（千金）凡筋極者。主肝也。肝虛應筋。筋與肝合。肝有病從筋生。以春遇病爲筋痹。筋痹不已。復感於邪。內舍於肝。則陽氣入於內。陰氣出於外。若陰氣外出。出則虛。虛則善悲。色青蒼白。見於目下。筋虛極則筋不能轉。十指爪皆痛。數轉筋。或交接過度。或病未平復。交接傷氣。內筋絕。舌卷唇青。引卵縮。脇脉急。腹中絞痛。或便欲絕。不能飲食。肝病胸脅脇脹。善恚怒叫呼。身體有熱。而復惡寒。四肢不舉。面白身體凊。（凊卽冷也）其脉當弦長而急。今反短濇。其色當青。而反白。爲大逆。十死不治。若其人本來少於悲恚。忽爾嗔怒。出言反常。乍寬乍急。言未竟。以手向眼。如有所畏。若不卽病。禍必至矣。

（內經）眞肝脉至。內外急。如循刀刃。責責然如新張弓弦。色青白不澤。肝死藏浮之弱。按之中如索不來。或曲如蛇行者死。

（西說）凡急性全身性粟粒結核。每累及肝。有時所生之結核甚微細。至慢性結核之累及肝。致生粟粒結核者。亦復不少。若單獨性結核。肝內生大結核塊。有時兼肝周圍炎。或結核性腹膜炎。小兒則或兼結核性淋巴腺炎。乳腺結核。生於女子爲多。而腋腺相伴受累者佔三分之二。此病屬慢性。纏綿數月。或數年之久。（按西醫之說。以生理局部所現之證狀而言。與中醫所述之脅下滿急痛。引少腹（卽膜炎）相類。至乳腺結核而腋腺相伴受累。則與中醫之乳癧勞相同。中醫從六經全部之經絡以立言。故前及性神經器官女子胞宮等病狀也。

（五）腎勞

前驅期

强力入房。久坐濕地。傷腎。腎傷則短氣。腰脚痛。厥逆下冷。（此爲人事及外感之所傷。）恐懼不節。傷志。志傷則恍惚不樂。（此爲神經系受病而致衰弱）（至如久立傷骨。盛怒不止。及渡水跟仆。喘出於腎。與骨持重遠行。汗出於腎。皆爲腎勞初起之主因也。）

（千金）病先發於腎。小腹腰脊痛。脛痠。腎病之狀。必腹大。脛腫痛。喘欬身重。寢汗出。憎風。在腎則骨痛陰痹。陰痹者。按之而不得。腹脹腰痛。大便難。肩背頭項強痛。時眩。苦手足骨腫厥。而陰不興。腰背小腹腫。得之浴水中。身未乾而合房內。及勞倦得之。苦足下熱。兩髀裏急。精氣竭少。勞倦所致。

中期

令人背難以俯仰。小便黃赤。時有餘瀝。莖內痛。陰濕囊生瘡。小腹滿急。（本由性慾過度。漸至精脂枯竭。腎盂炎睪丸炎膀胱炎等病相繼而作。故西醫書中均屬之于尿生殖器及腎結核病之下。

（內經）病在腎。夜半慧。四季甚。下晡靜。

（金匱）男子脈浮弱而濇。爲無子。精氣清冷。　勞之爲病。其脈浮大。手足煩。春夏劇。秋冬差。陰寒精自出。痠削不能行。　夫失精家。少腹弦急。陰頭寒。目眩髮脫。脈極虛寒遲爲清穀亡血。脈得諸芤動微緊。男子失精。女子夢交。　脈弦而大。弦則爲減。大則爲芤。減則爲虛。虛寒相搏。此名爲革。婦人則半產漏下。男子則亡血失精。　虛勞腰痛。少腹拘急。小便不利者。八味腎氣丸主之。

（千金）腎病虛。卽胸中痛。大腹小腹痛。清厥意不樂。腎病其色黑。其氣虛弱。吸吸少氣。兩耳苦聾。腰痛。時時失精。飲風減少。膝以下清。其脈沉滑而遲。此爲可治。宜服內補散建中湯腎氣丸地黃煎。

末期

令人痠削。齒苦痛。手足煩痘。不可以立。不能行動。（骨格）久令人少氣。吸吸然。內虛。四臟氣不足。毛髮落。悲傷喜忘。（精竭）

（千金）凡精竭者。通主五臟六腑之病候也。若五臟六腑衰。則形體皆極。眼視而無明。齒焦而髮落。身體重。耳聾。行步不正。一腎病手足逆冷。面赤目黃。小便不禁。骨節煩痛。小腹結痛。氣衝於心。其脈當沉細而滑。今反浮大。其色當黑而反黃。爲大逆。十死不治。　若其人本來不吃。忽然寒吃。而好恚怒。反於常性。此腎已傷。雖未發覺。已是病候。見人未言而前開口笑。還閉口不聲。舉手柵腹。

（內經）眞腎脈至。搏而絕。如以指彈石辟辟然也。黃黑不澤。　腎死臟。浮之堅。按之亂如轉丸。益下入尺中者死。

（西說）小兒多爲屬於先天遺傳性。（按中醫凡小孩體質虛。亦爲先天不足。此語中西如一。）若由本身結核性病灶而傳染則先從結核病由肺與淋巴腺等處損害區而入血脈。然後至副睪（精冠腺）或睪丸或列腺（膀胱腺）而生結核。（按此卽越人上損先損於肺而傳之於腎。）益有由本身腹膜及由性交而傳染者。尿生殖器一受侵襲。病勢蔓延甚速。　其證狀初起爲腎盂炎。小便頻數。恆增重。則兩腎皆受患。顯不規則之定熱。消瘦虛弱等證狀。腦及脊髓之結核病。亦以小兒爲多。其證

中国近现代中医药期刊续编·第二辑

狀與腦膜脊髓炎或瘤大致相同。其餘則屬於繼發性者爲多。

統論

以上演繹。五癆分列。附以西說。似乎過于繁複。祥加觀察。西說似較中說爲準確。蓋西說以生理而言。則祇及乎局部。中說以病狀爲主。每累及手全體。一則着眼於實質。一則着眼於氣化。此中西學理不能融洽之點。在其始也偏於單純。及其終也更多繁複。是以中醫之立場。以六經分配於臟腑。由六經以捲其網。雖繁而實簡。西醫對于三期之分。以從解剖所得之結果。而對於臨床上亦不甚符合。則從證狀之輕爲斷。方始於臨床診察。始有把握。故以七傷爲初期。失治則入於中期。勞而至于極。則入於末期。末期則在可療與不可療之間。此實辨證之要。不得以其繁瑣。而武斷其爲散漫無意也。

治療

微者人之所玩忽。當其微而加以施治。必不至於病。又何況於成癆。此上工治未病之旨也。凡由傳染而來者。無不始於肺。蓋由口鼻而吸受也。六淫之氣。上則先犯於肺。六氣之邪。無不令人作欬。所謂風雨寒暑傷形。傷風不醒便成癆也。下則無不先侵於腎。寒濕每自下襲。熱病亦多傷腎陰也。此越人辨損。自上損下。則以肺爲先。自下損上。則以腎爲先。不論夫上損下損。傳於脾胃則不治。斯則從肺脾腎三經爲主要。如內傷則各從其五臟之所合以受病。此治癆所以必五臟分治也。越人治法。損其肺者益其氣。損其必者調其營衛。損其心者。調其飲食。適其寒溫。損其脾者。緩其中。損其腎者益其精。對於五臟之病。又可扼其要矣。再從陽虛陰虛分爲二大類。所謂陽虛生外寒。陰虛生內熱。凡骨蒸而內熱。脈沉弦細數者。皆陰虛之類也。凡惡寒氣弱。脈虛軟浮大者。皆陽虛之類也。綺石子謂陰虛之證統於肺。陽虛之證通於脾。孫眞人則云補脾不如補腎。許學士則謂補腎不如補脾。雖各有見解。蓋腎爲先天之本。脾爲後天之源。肺爲諸臟華蓋。理本一貫。而腎臟又爲陰陽之根。茲將三期應用諸方舉列於下。

（初期）　傳染病之辨虫法　見於病因　如係勞虫先進外台方　獺肝　鼈甲　野狸頭　紫苑　漢防已　蜀漆　麥冬　甘草

風雨寒暑傷形乃統述外感之初起宜人參敗毒散　人參　甘草　茯苓　川芎　羌活　獨活　柴胡　前胡　枳殼　桔梗

形寒飲冷傷肺小青龍湯加減治之 麻黃 桂枝 乾姜 細辛 五味 白芍 茯苓 甘草 蘇子 杏仁 橘紅

風熱傷肺者宜清肺飲 杏仁 貝母 苓苓 桔梗 甘草 橘紅 五味 加桑葉 薄荷

暑風傷肺者宜竹葉石膏湯 竹葉 石膏 麥冬 人參 甘艸 粳米 半夏 加香薷 薄荷 萱皮之類肺陰傷而無邪

熱 者生脈散 人參 五味 麥冬

濕邪侵肺者宜麻杏苡甘合二陳湯 麻黃 杏仁 苡仁 陳皮 茯苓 半夏 甘草

秋燥傷肺者宜清燥救肺湯 冬桑葉 石膏 甘草 杏仁 人參（改用洋參或鮮沙參） 麥冬 麻仁 阿膠 枇杷葉

餘如大鬱者宜桔梗湯 桔梗 梔子 黃芩 前胡 貝母 知母 香附 薄荷 至如寒色水及火包寒者並可仿此例加

減如欬嗽見紅者加涼血止血之品先治其標如 側柏 茜草 生地 節根之類煎用十灰散止之 大薊 小薊 荷葉

側柏 茅根 茜根 山梔 大黃 丹皮皮 棕灰

憂愁思憂傷心者宜婦脾湯 白朮 黃耆 茯神 人參 遠志 木香 甘草 龍眼肉 麥仁 當歸

飲食勞倦傷脾者宜補中益氣湯 人參 白朮 當歸 甘草 陳皮 升麻 柴胡 黃耆

鬱怒傷肝者宜逍遙散 當歸 芍藥 白朮 甘草 茯苓 柴胡 薄荷

強力入房傷腎者宜辨其體質之陰陽宜知柏八味與桂附柏八味分治之 知母 黃柏 熟地 萸肉 淮山 茯苓 澤瀉 丹皮（陽虛去知母易肉桂 附子） 若久坐濕地以致腰脚作痛偏于寒濕者宜腎著陽 甘草 干姜 茯苓 白朮或獨活寄生湯 獨活 桑寄生 熟地 人參 牛膝 杜仲 秦艽 白芍 當歸 細辛 防風 甘草偏于濕熱者宜清熱滲濕湯 黃柏 川連 甘草 茯苓 澤瀉 蒼白朮

（中期） 辨其確係勞虫傳染者宜先服里虎丹 牛黃 阿魏 木香 雷丸 鷄內金 使君子肉麵糊爲丸

肺勞應用諸方

保和湯 知母 貝母 天冬 麥冬 款冬 花粉 苡仁 杏仁 五味 甘草 兜鈴 紫苑 百合 桔梗 阿膠 當

歸 地黃 紫蘇 薄荷 百部 附加減法血盛加 蒲黃炭 茜根 藕節 大小薊 茅花 當歸 痰盛加一 南星
半夏陳皮 枳殼實 喘盛加 桑皮 陳皮 蘿菔子 葶藶 蘇子 熱甚加 山梔 黃連 黃芩 黃柏 連喬
大黃 風甚加 荊芥 防風 菊花 細辛 煎附 全蝎 寒甚加 人參 桂枝 芍藥 蠟片

補肺阿膠散 阿膠 牛蒡 杏仁 兜鈴 甘草 糯米 一方加 人參 茯苓

劫勞散 當歸 芍藥 地黃 人參 黃芪 甘草 阿膠 半夏

人參蛤蚧散 人參 蛤蚧 杏仁 甘草 知母 茯苓 桑皮

溫肺湯 人參 甘草 半夏 肉桂 橘紅 乾薑 木香

清肺湯 知母 貝母 天如麥冬 黃芩 橘紅 甘草 桑皮

紫菀散 人參 桔梗 茯苓 阿膠 紫菀 甘草 知各貝母 五味子 治肺痿初起及咳血等證

安肺桔梗湯 杏仁 貝母 桔梗 歸耆 二母 桑皮 防已 百合 苡仁 地骨皮 葶藶 五味 甘草 用於肺癰
初起最爲相宜

拯陰理勞湯 歸身 白芍 麥冬 五味 人參 生地 丹皮 苡仁 橘紅 蓮子 陰虛之證統於肺漸見皮寒骨熱急
投此方

麥門冬湯 麥冬 人參 甘草 半夏 大棗

瓊玉膏 地黃 人參 茯苓 白蜜 臞仙加琥珀 沉香

補中寧嗽湯 白朮 茯苓 半夏 乾葛 陳皮 山查 人參 砂仁 甘草 此爲培土生金法

人參養衛湯 人參 白朮 黃芪 五味子 陳皮 甘草 此爲肺脾合治法

圓參飲子 人參 紫菀 阿膠 百合 細辛 款冬 杏仁 天冬 半夏 五味 桑葉 甘草此亦肺脾合治法

金水六君煎 熟地 當歸 茯苓 半夏 陳皮 此爲肺腎同治法或參麥或味或味阿膠秋石

安肺湯　人參　茯苓　白朮　甘草　當歸　白芍　川芎　麥冬　五味　桑葉　阿膠　此亦肺脾合治法

百合固金湯　生地　百合　麥冬　芍藥　當歸　貝母　甘草　桔梗

心勞應用諸方

炙甘草湯　炙甘草　地黃　人參　阿膠　麻仁（或棗仁）　桂枝　麥冬　生姜

人參養榮湯　人參　白芍　黃芪　桂心　當歸　白朮　甘草　地黃　茯苓　遠志　五味　陳皮

柏子養心湯　黃芪　當歸　茯神　川芎　半夏　柏子仁　棗仁　遠志　五味　人參　桂心　甘草

天王補心丹　當歸　地黃　黃麥冬　棗仁　柏子仁　人參　丹參　元參　茯苓　桔梗　五味　辰砂

大五補丸　天麥冬　人參　熟地　益智　枸杞　茯苓　菖蒲　遠志　地骨皮

桂枝龍牡湯　桂枝　芍藥　甘草　龍骨　牡蠣　姜棗

二加龍骨湯　白薇　附子　芍藥　甘草　龍骨　牡蠣　姜棗

茯苓補心湯　茯苓　桂心　甘草　紫石英　人參　麥冬　大棗　赤小豆

洋參麥冬湯　洋參　麥冬　當歸　生地　白芍　丹參　石解　犀角　甘草

祕旨安神丸　人參　棗仁　茯神　半夏　當歸　白芍　橘紅　五味　甘草

脾勞應用諸方

黃芪建中湯　黃芪　桂枝　白芍　甘草　姜棗　飴糖

十四味建中湯　人參　黃耆　桂心　附子　甘草　白朮　當歸　白芍　川芎　地黃　茯苓　半夏　麥冬　淡從容　姜棗

參苓白朮散　人參　茯苓　白朮　甘草　山藥　苡仁　蓮肉　砂仁　陳皮　桔梗

小甘露飲　石斛　生地　黃芩　山梔　茵陳　升麻　甘草

調中益氣湯　黃芪　人參　甘草　當歸　白朮　白芍　五味子　升麻　柴胡　陳皮

聖惠鱉甲散　鱉甲　芍藥　當歸　茯苓　白朮　黃芪　人參　甘草　木香　柴胡

壽脾煎　白朮　山藥　當歸　人參　甘草　棗仁　遠志　炮姜　蓮肉

肝勞應用諸方

清骨散　銀柴胡　胡黃連　秦艽　鱉甲　青蒿　地骨皮　知母　甘草

酸棗仁湯　棗仁　甘草　知母　茯苓　川芎

千金補肝湯　山萸肉　甘草　桂心　桃仁　柏子仁　細辛　茯苓　防風　大棗

柴胡四物湯　柴胡　當歸　川芎　白芍　熟地　人參　黃芪　甘草　半夏

聖濟柴胡鱉甲湯　柴胡　鱉甲　茯苓　黃芩　知母　桑皮　甘草

益氣養榮湯　人參　茯苓　陳皮　貝母　黃芪　地黃　白芍　當歸　川芎　香附　甘草　桔梗　白朮

歸芍六君湯　六君加當歸　白芍

加味逍遙散　逍遙散加丹皮　山梔

滑氏補肝散　地黃　白朮　棗仁　獨活　當歸　川芎　黃芪　五味　山藥　山萸肉　木瓜

腎勞應用諸方

六味丸　八味丸見前

左歸飲　熟地　山藥　枸杞　甘草　茯苓　萸肉

右左飲　熟地　山藥　枸杞　山萸肉　甘草　杜仲　肉桂　附子

左歸丸　熟地　山藥　枸杞　萸肉　牛膝　兔絲　鹿角膠　龜版膠

右歸丸　熟地　山藥　枸杞　萸肉　鹿角膠　兔絲　杜仲　當歸　肉桂　附子

黑地黃丸 蒼朮 地黃 五味子 干姜

楊氏還少丹 熟地 山藥 牛膝 甘杞 萸肉 茯苓 杜仲 遠志 五味 楮實 小茴香 肉蓯蓉 菖蒲

三才封髓丹 天冬 熟地 人參 黃柏 砂仁 甘草

補天丸 紫河車 黃柏 龜板 杜仲 牛膝 陳皮

大補陰丸 黃柏 知母 熟地 龜板 豬脊髓

妙香散 山藥 人參 黃芪 遠志 茯苓神 桔梗 甘草 木香 射香 辰砂

金鎖固精丸 潼蒺藜 黃實 蓮肉 蓮鬚 龍骨 牡蠣

虎潛丸 黃柏 知母 熟地 虎骨 龜版 瑣陽 當歸 牛膝 白芍 陳皮 羊肉

金剛丸 萆薢 杜仲 茯苓 兔絲子

煨腎丸 牛膝 萆薢 杜仲 防風 從容 桂心 故紙 葫蘆巴 兔絲子 豬腎

鹿角膠丸 鹿角霜 熱地 人參 當歸 牛膝 茯苓 兔絲子 白朮 杜仲 虎骨 龜版

生地黃湯 生地 牛膝 丹皮 黑山梔 丹參 人參 麥冬 白芍 玉金 三七 荷葉

祕精丸 白朮 山藥 茯苓神 蓮肉 蓮皮 貢實 牡蠣 黃柏 車前

末期應用諸方

秦艽扶羸湯 紫胡 秦艽 人參 當歸 鱉甲 地骨皮 半夏 甘草 紫苑

黃芪鱉甲散 黃芪 鱉甲 天冬 秦艽 紫胡 地骨皮 茯苓 桑皮 紫苑 半夏 芍藥 生地 知母 甘草

秦艽鱉甲散 秦艽 知母 當歸 紫胡 地骨 烏梅 青蒿 鱉甲

月華丸 天麥冬 生熟地 山藥 百部 沙著 川貝 阿膠 茯苓 獺肝 三七

團魚丸 川貝母 知母 前胡 紫胡 杏仁 團魚

犀角桔梗湯　黃芪　石斛　天麥　百合　山藥　犀角　桔梗　通草　黃芩　杏仁　秦艽　肺痿主方

肺癰神湯　桔梗　銀花　黃芪　白皮　苡仁　貝母　甘草節　陳皮　葶藶　生姜

太平丸　天麥冬　生熟地　杏仁　桔梗　當歸　款冬　阿膠　蒲黃　薄荷　京墨　射香　蜜丸

通聲煎　杏仁　五味　木通　菖蒲　人參　桂心　款冬　細辛　竹茹　眞酥　姜汁白蜜　棗肉

噙化丸　玉露霜　柿霜　貝母　百合　茯苓　海石　秋石　甘草　薄荷　硼砂　蜜丸

千金竹葉湯　竹葉　麥冬　小麥　生地　生姜　石羔　麻黃　甘草　大棗（治氣極者偏於熱者）

千金黃芪湯　黃芪　人參　白朮　肉桂　附子姜棗　治氣極者偏於寒者

千金麥門冬湯　麥冬　生地　桔梗　桑皮　半夏　紫菀　竹茹　麻黃　甘草　五味子　生姜

聖濟朱蕉湯　雄雀　人參　斤棗　赤苓　紫石英　小麥　赤小豆　甘草　丹參　遠志　紫菀　治心勞

千金地黃煎　生地汁　生麥冬　赤蜜　蓴心　遠志　人參　白朮　茯苓　芍藥　熟地　甘草　石羔　玉竹

橘皮煎　陳皮　甘草　當歸　萆薢　從容　吳萸　厚朴　肉桂　巴戟　石斛　附子　牛七　鹿茸　杜仲　兎絲　干姜

石南散　石南　山藥　芍藥　天雄　桃花　菊花　黃芪　眞珠　萸肉　石羔　升麻　玉竹

大黃蟅虫丸　大黃　黃芩　甘草　桃仁　杏仁　芍藥　地黃　干漆　水蛭　蠐螬　䗪虫　𧓍

補血養陰丸　當歸　芍藥　丹皮　地黃　麥冬　五味　牛膝　杷子　青蒿　必甲　川斷　茯苓　益母膏丸　血枯經閉

清離滋坎丸六味丸加　天麥冬　生地　當歸　芍當　黃枯　白朮　甘草　吐血加山藥　蓮子　欬加枇杷汁　貝母

括蔞　痰加橘紅　熱加骨皮　嗽加五味　怔忡加遠志　棗仁　遺精加龍骨　牡蠣　咽瘡加甘草　疾喘加蘇子　久欬加阿膠　五味　紫菀　麥冬（治相思成勞）

麥煎散　赤苓　當歸　白朮　地黃　柴胡　鱉甲　小麥　石羔　常山　干漆　大黃　治先天性之童子癆

河車丸　河車　人中白　秋石味　五子　人參　阿膠　人乳　骨皮　鱉甲　銀柴胡　百部　青蒿　童便　陳酒　熬膏爲丸

鹿胎丸　鹿胎膏　熟地　山藥　兎絲　杞子　首烏　人參　石斛　巴戟　黃芪　治房勞

調營養胃湯　人參　黃芪　白朮　茯苓　山藥　當歸　芍藥　生熟　麥冬　五味　山萸肉　遠志　鴨血

龜鹿二仙膠　龜板膠　鹿角膠　人參　杞子

千金竹葉黃芩湯　竹葉　生地　麥冬　黃芩　茯苓　芍藥　大黃　甘草　生姜

補天大造丸　紫河車　鹿茸　虎脛骨　龜版　生地　山藥　澤瀉　從蓉　茯苓　丹皮　萸肉　天麥冬　杞子　五味　骨脂　歸身　兎絲　牛膝　杜仲

結論

以上所選諸方。獨詳於治肺者。以肺司口鼻。最易傳染。諸癆之中。更以肺癆爲最多。其次爲脾與腎。則以現今淫靡之世。腎精虛極。亦復不少。肺腎兩傷損及於主。味苟能善調胃不使有損。癆病雖兇頑。誠不足爲懼。亦猶越人之旨也。或曰古來醫藉。對於虛損勞瘵傳尸。大抵分列三類。今子混而一之。毋乃過於穿鑿乎。曰癆之成病也。傳染者半。非傳染者亦半。故於治療之首。即首列辨虫與殺虫之方。即在西籍。亦有眞性結核與非結核之辨。其由於傳染者。從傳染以爲治。其由於勞傷。即詳辨其傷於何臟者以爲治。即末期應用之方。未拾不可用於中期。中期之方。亦未拾不可用於末期。固亦可分而不可分也。此篇之作。雖爲搜集工夫。頗少發明。然能尋余所集。詳辨證狀。分折陰陽。對證投方。則亦思過半矣。且古今醫籍。治療之專著甚少。現當國際風雲緊迫之時。欲謀復與民族。自當以撲滅癆病爲最要工作。而治療方法。竊恐世界任何國家。未必如國之精詳細密。則斯篇之作。於復興民族方面。或亦不無小補乎。但傯促搜集。未能加以充全攷慮。疎虞詿誤。在所不免。他日服務於社會。或當重加編纂。並另刊革行之本。以冀普救蒼生。斯則作者之微意耳。

批　歸納頗見詳備　蔣文芳

傷寒主方易知錄

孔保寅

緒言

禮記有說。「規矩誠設。不可欺以方圓。」這兩句話。就是說。凡是做無論什麽事。都要有一定的「規矩。」沒有「規矩。」那裏能得到「方圓。」所以「方圓」是「規矩」的成功者。而「規矩」斷不可以欺「方圓。」我們在醫的人。尤其要比別人更加的注意。因爲「規矩」好像就是我們的識病。「方圓」就是我們的治法。那末「規矩」從那裏去找呢。不難的說一句。當然第一點要先了解生理的構造。第二點要明瞭病理的起因。有了以上的兩點。而後才談到治療。但是治療的方法。在我們中國有經驗的結晶品。惟有仲景先生的傷寒論了。這一部聖經。自漢迄今。足有二千餘年的歷史。還是根深蒂固地掌着醫療的權威。爲醫家所必讀者。歷代以來。諸家的註釋。紛紛無緒。沒有一個具體的主見。公說公有理。婆說婆有理。眞所謂莫衷一是。更使讀者的頭腦。愈撥愈昏。於是乎異口相同的說出「傷寒論是一部難讀的醫書。」我敢大膽的說一句。這部聖經。是不十分的難讀。能夠懂了仲景先生的「規矩。」自然而然也竟爲造成仲景先生的「方圓。」不過孟子有句說。「能使人規矩。不能使人巧」可是這一個「巧」字。各憑自己的天資去理會罷了。假使把傷寒論這部書歸納起來。可以說祇有十六張主方。能夠有相當的認識。有澈底的了解。其餘的變法。一概可以觸類旁通。至於治病施方。亦決不致闖入歧途。而亡麋羊哩。現在且把仲聖的十六張主方。用有程序有系統的方法。來把他株理一下吧。

第一方　桂枝湯

（方名）　桂枝湯

（藥品）　桂枝　三兩去皮　芍藥　三兩　甘艸　三兩炙　生薑　三兩切　大棗　十二枚擘

（原文）　太陽中風，是放溫機能初起受障礙時所起的抵抗現象，爲一切感冒病的初期脈

在膺膝的爲表病，在膀胱的爲裏病，而本條僅就表證爲主。陽浮而陰弱，陽浮就是人迎脈浮，陰弱就是寸

口脈強，是因爲體溫昇騰，脈充血的緣故。陽浮者熱自發　因爲生溫機能亢進，血壓增高，末稍神經受刺激，便反射到司溫中樞，所以表層體溫昇騰，因此而發熱了。陰弱者汗自出　因爲淺層動脈與肌膚汗腺的神經弛緩，所以汗腺中便分泌排泄「一種汗液出來。嗇嗇惡寒　嗇嗇是慳吝怯退的貌象，因爲放溫機能亢進，與體外的空氣不能調和，所以發生惡寒的感覺。淅淅惡風　淅淅是猝然凜冽的貌象，因爲威冒了風邪，皮膚的毛囊筋一起收縮，所以毛髮直立起來。翕翕發熱　翕翕是輕附淺合的貌象，因爲水氣蒸騰而發熱，但與傷寒的放溫機能閉止的嘆熱所不同。鼻鳴　因爲體溫昇騰，鼻粘膜起了發炎，所以呼吸，時受了障礙而佔聲。乾嘔者　因爲胃中缺乏養料，無物可吐，又因體溫昇騰，刺激嘔吐神經所起的上逆現象。桂枝湯主之。

（適應症）　治氣逆上衝。發熱頭痛。汗出惡風。直腹筋攣急等爲主症。

（藥解）　本方爲傷寒論中的第一方。是調和營衛的主劑。考桂枝含有揮發油。其氣芳香。能刺激神經。及攝斂淺層動脈的神經弛緩。並能補助心臟等的作用。猶治上衝證最有奇效。芍藥內含安息香酸。能刺激痙攣的神經中樞。收歛血管降低血壓。並助組織的吸收。甘草能緩解組織間的急迫。生薑有健胃的能力。並且能降水毒的上逆。大棗富有糖質。作芍藥以舒攣急。由上面五藥的效用上看來。造溫機能亢進當然可以平了。

（備攷）　桂枝湯煮服法宜注意的有三點。（一）「用微火煮」。恐傷藥力。（二）「歠熱稀粥」。使胃部機能充分。能增加其抵抗作用。（三）「偏身微似有汗不可令如水流漓者」恐大汗後傷其津液而反障礙其調節的機能。

第二方　麻黃湯

（方名）　麻黃湯

（藥品）　麻黃　三兩去節　桂枝　二兩去皮　甘草　一兩炙　杏仁　七十個去炙皮

（原文）　太陽病　是放溫機能初起受障礙時所時的抵抗現象。頭痛發熱　因爲頭部是神經中樞所在，全身的末稍神經因受刺激，反射中樞神經，故感覺強痛，並致放溫機能亢進，表層體溫昇騰，所以發熱。身疼腰痛，骨節疼痛　因爲蒸發機能閉止，神經受老廢物的蓄積後，而起了刺激。惡風無汗而喘者　惡風是因爲擴張神經弛緩，今復感冒風邪，而起一種毛髮直立的感覺，因爲放溫機能失職，所以汗腺中無汗液排泄出來，又因皮膚蒸發機能閉止，肺部呼吸時須增加吸養放炭的工作，所以有作喘的現象。麻黃湯主之。

（適應症）感冒流行性感冒。氣管支炎。喘息。痲疹。腸窒扶斯。其他熱性的病初期等為主症。

（藥解）考痲黃經化學實驗後。內含阿非特林。為定喘息的聖藥。若須發汗。宜與桂枝同用。因為桂枝有一種芳香性的揮發油。能使中樞神經受刺激。收縮末稍血管。增加皮膚散溫力量。補助汗液的排泄作用。所以汗液始能蒸發出來。倘痲黃冷飲。或與石膏同用。則不能發汗。而為利小便劑了。由此可知單獨痲黃一味。無發汗的能力甚明。其痲黃湯之所以能發汗的緣故。全在於桂枝的力量了。再作杏仁的定喘降氣。甘草的緩其急迫。痲黃湯的發汗定喘功用益大矣。

第三方　柴胡湯

（方名）大柴胡湯　小柴胡湯

（藥品）大柴胡湯——大黃二兩　枳實四枚炙　柴胡半斤　黃芩三兩　芍藥三兩　半夏半升洗　生姜五兩切　大棗十二枚擘

小柴胡湯——柴胡半斤　黃芩三兩　人參三兩　甘艸三兩炙　半夏半斤洗　生姜三兩切　大棗十二枚擘

（原文）太陽病，過經十餘日，反二三下之，後四五日，柴胡證仍在者，先與小柴胡。太陽病已過經十餘日，是病毒已入少陽，當用柴胡湯去和解，今醫反用瀉藥屢下，假使被下後其抵抗機能不因此而變改，柴胡湯的證候仍在，可先與小柴胡湯去和解半表半裏。嘔不止，心下急，鬱鬱微煩者，為未能也，與大柴胡湯，下之則愈。用小柴胡湯後，嘔吐仍不止，而更加心下急，鬱鬱微煩，是因為中焦機能受障礙太甚的緣故，可故用大柴胡湯，來和表行裏，下之則愈。

傷寒五六日中風，往來寒熱，傷寒或中風已經過了五六日，調節機能常盛常衰，血管收縮神經和擴張神經互相興奮，因此發熱溫度時高時低，但在發熱時不見惡寒，惡寒時不見發熱。胸脅苦滿因為抵抗不足，排泄機能衰減，胸脅被水各津液壅遏，淋巴系流行亦受障礙，默默不欲飲食因為淋巴受水各津液的壅遏後，胃腸消化吸收機能，亦同受障礙所以沉默不欲飲食。心煩喜嘔，心煩是指精神上的煩悶，喜嘔是屢屢欲嘔象。或胸中煩而不嘔，或渴，或腹中痛，或脇下痞鞕，或心下悸，小便不利，或不嘔，身有微熱，或咳者，或胸中煩而不嘔以下的症狀不定，或有或無，都是小柴胡湯主治的症狀。小柴胡湯主之。

（適應症）大栗胡湯的適應症大抵同小柴胡湯。不可下的除去大黃。其他如脚氣。瘰腫。瘰癧。癰。肛門周圍炎。痔疾等爲重症。小柴胡湯的適應症主治瘧疾。產褥熱。其他的熱性病。頸腺結核。中耳炎。百日咳。氣管支炎。肺結核。肋膜炎。胃疾患。黃疸等爲主症。

（藥解）大柴胡湯以大黃枳實爲主藥。柴胡芍藥爲副藥。因爲抵抗不及。熱鬱於裹。已將腑實。故用大黃的刺激腸胃神經。枳實的健胃消積。裏實可下。柴胡能刺激腺體。促進分泌。對於液體上有推陳致新的功能。主治胸脇苦滿的聖藥。芍藥黃芩大棗舒其拘急。半夏生姜止其嘔逆。所以大柴胡湯爲表裏兩解法。小柴胡湯以柴胡爲主藥。黃芩人參半夏爲重要的副藥。因爲抵抗不及。淋巴壅滯。病毒相持在半表半裏間。所以用柴胡來主治胸脅苦滿。黃芩主治膈膜附近的發炎。人參恢復胃機能的衰弱。半夏主治嘔逆。甘草調和諸藥。生薑健胃降逆。大棗舒緩精經的攣急。

（備攷）大小柴胡湯的兼別。

方名	胸脇苦滿	心下	右直腹筋攣急	發熱	舌苔	嘔吐	大便	側胸痛	腹痛	盜汗	上衝	脈	渴
大柴胡湯	有	鞭	有而少	有而少	黃苔	無	便閉	有	有	無	無	實而有力	有而少
小柴胡湯	度少	少痞滿	無	有	白苔	有	不定	有	有	不定	無	浮細	不定

第四方　芍藥甘草湯

（方名）芍藥甘草湯

（藥品）芍藥　四兩　甘草　四兩炙

（原文）傷寒脈浮，自汗出，小便數，心煩，微惡寒，脚攣急，反與桂枝湯，欲攻其表，此誤也，得之便厥，咽中乾，煩躁吐逆者，作甘草乾薑湯與之，以後其陽，若厥愈足温者，更作芍藥甘草湯與之，其脚卽伸，服甘草乾姜湯後，厥愈足温，但是兩脚仍舊不能伸縮，他的原故，因爲陰液尙未復原，所以改用酸甘化陰的芍藥甘草湯，陰囘脚，當然可以伸縮了，若胃氣不和，譫語者，少與調胃承氣湯，若重發汗，復加燒針者，四逆湯主之。

（適應症）腳攣不伸小兒啼哭不止及直腹筋攣急等爲主症。

（藥解）芍藥能和血除痺甘草能益氣緩急爲弛緩神經的要藥。

第五方　五苓散

（方名）五苓散

（藥品）豬苓十八銖去皮　澤瀉一兩六銖　茯苓十八銖　桂枝半兩去皮　白朮十八銖

（原文）太陽病發汗後，大汗出，胃中乾，煩躁不得眠，欲得飲水者，少少與飲之，令胃氣和則愈。太陽病投發汗劑後，大汗出，汗液消費太多，胃中津液減少急須吸收外來的液體來救濟，所以胃中乾，胃氣不和，當然要煩躁不得睡眠了，宜用少量的水飲下，使胃中津液和潤便愈，若脈浮，小便不利，微熱消渴者，五苓散主之。因爲腎臟機能受了障礙，用五苓散後，使津液和汗出小便利，因此腎臟的機能便可恢復了。

（適應症）腎臟炎尿崩症糖尿病虎列拉等爲主症。

（藥解）方中的豬苓澤瀉茯苓都是利小便藥能恢復腎臟機能。白朮是健脾燥濕藥。能排除胃臟的積水。其實就是催促腸胃及全身各組織的吸收力桂枝是芳香性神藥。能擴張肌表的小血管。又能下降衝逆。使服藥不吐。若與表症未解。桂枝又可兼治。

（備攷）五苓散與豬苓散的分別。

方名	膀胱水道之出血	膀胱水道痛	尿利	浮腫	發熱	睡眠	渴	脈
五苓散	無	無	不利或頻數	全身	發熱汗自出	無異常	有	浮
豬苓散	有	有	不利或淋瀝	局部	發熱汗不出	不服	有	浮

第六方　桂枝甘草湯

（方名）桂枝甘草湯

（藥品）桂枝 四兩去皮　甘草 二兩炙

（原文）發熱過多，其人叉手自冒心，心下悸欲得按者，桂枝甘草湯主之。因爲發汗太多，血液衰少，心房大張大縮，來維持血壓，所以病人自覺心悸亢進，雖自叉手想鎮制心臟的跳動，可是仍舊不能鎮靜，因此須用他人的手來按摩心上，

（適應症）心悸。惡寒。衝逆。及四肢微冷等爲主症。

（藥解）本方以桂枝爲主藥。因爲中陽被傷。心藏已虛所以用桂枝甘草來收縮淺層血管。使血壓不致低落。心悸自然停止了。

第七方　眞武湯

（方名）眞武湯

（藥品）茯苓 三兩　芍藥 三兩　白朮 二兩　生姜 三兩切　附子 一枚灼去皮破八片

（原文）少陰病，二三日不已，三四五日，腹痛小便不利，四肢沉重，疼痛自下利者，此爲有水氣，其人或咳，或小便利，或下利，或嘔者，眞武湯主之。因爲陽氣微而不能宣化水氣，所以分泌失調，水液停留，都是水氣爲病，宜眞武湯主之。

（適應症）腰痛。腹痛。惡寒。下剎。小便不利。支體痿軟。或痲痺。及產後下利腸鳴腹痛等爲主症。

（藥解）本方以茯苓白朮爲主藥。附子爲重要的副藥。茯苓白朮有理脾制水的功用。附子爲興奮强壯藥。能興奮全身細胞的生活力。振起機能的衰弱。救濟體溫的低落。芍藥能維護血液。生姜能溫煖胃氣。不但心力可告旺盛。就是血行亦可恢復。鬱滯的水氣。如雲消霧失了。

第八方　白虎湯

（方名）白虎湯

（藥品）知母六兩　石羔一斤碎　甘草二兩炙　粳米六合

（原文）傷寒脈浮緊脈浮是表浮，脈滑是裏熱，就是血液流通圓滑的意思。此表有熱，裏有寒，此表有熱裏有寒的寒熱二字，恐係互誤，假使眞有裏寒，那斷沒有用石羔的可能性了。

（適應症）痲疹。瘧。腸窒扶斯。其他的熱性病。日射病。頭痛。眼目痛。齒痛。齒手發生困難症。咽喉痛。狂症。及熱性下痢等爲主症。

（藥解）本方以知母石羔爲主藥。甘草粳米爲副藥。知母性味苦潤。主治煩熱。石羔據西說。他的成分爲鈣屬化合物。係石灰質。因與硫酸合化。所以化學名硫酸鈣。他的功用頗廣。有減退大腦皮質興奮性的作用。有減退神經末稍部橫紋筋興奮性的作用。有減退腸蠕動機能。抑止一般粘膜分泌的作用。對於心臟。能強盛其收縮力。對於血液。有增進其凝固力。更能強盛一般組織的活動以增高其抵抗力。所以石羔的藥效。不是一定用在實性的傷寒熱病有特殊的功效。而用於虛性的骨蒸肺癆上亦有奇功。他的原因。是因爲石羔中含有鈣質甚多。而鈣質爲治肺癆病的特效藥。白

（備攷）虎湯與大青龍湯的異別。

方名	異		別
白虎湯	脉大身大熱汗出（散温機能亢盛）	煩渴欲飲水	無表症
大青龍湯	脉浮發熱無汗（散温機能衰減）	煩渴	表未解

第九方　梔子豉湯

（方名）梔子豉湯

（藥品）梔子十四個擘　香豉四合綿裹

（原文）發汗吐下後，虛煩不得眠，若劇者，必反覆顛倒，心中懊憹，梔子豉湯主之。因爲發汗及吐下後，表裏津液大傷，熱留胸中，腦部及心臟部充血，陽證機能亢盛的餘波，所以虛煩不得眠，及心中懊憹。若少氣者，梔子甘草豉湯主之，若嘔者，梔子生姜豉湯主之。

（適應症）一切虛煩虛熱。咽燥口苦。腹痛煩躁不得眠。未渴而小便不利等爲主症。

（藥解）本方以梔子爲主藥。梔子能治上部充血功用略同黃連。又能利小便。因此亦可治發黃。香豉兼有退熱解毒的功用。

第十方　瀉心湯

（方名）瀉心湯

（藥品）大黃 三兩　黃連 一兩　黃芩 一兩

（原文）心氣不足，吐血衄血，瀉心湯主之。心氣不足，即是神經過敏，心臟張縮强盛，所以血壓昇騰，血管發生充血及炎性機能，吐血衄血由此而起。

（適應症）如腦出血。半身不遂。顏面神經痲痺。衄血肺結核胃出血。胃潰瘍。痔出血。眼疾。耳疾。鼻疾。口腔舌及咽喉之疾。與發狂等。大傷後大熱煩躁嘔吐下利及船車眩暈等爲主要。

（藥解）黃連黃芩治心氣不足。是有抑制心臟過度張縮的功用。並且可平血管部充血。大黃能亢進腸蠕動。使上部充血症誘導下行而愈。

第十一方　青龍湯

（方名）大青龍湯　小青龍湯

（藥品）大青龍湯——麻黃 六兩去節　桂枝 二兩去皮　甘草 二兩炙　杏仁 四十枚去皮尖　生姜 三兩切　大棗 十枚擘　石羔 如鷄子大碎

小青龍湯——麻黃 三兩去節　桂枝 三兩去皮　芍藥 三兩　甘草 三兩炙　五味子 半升　乾姜 三兩　細辛 三兩　半夏 半升洗

（原文）太陽中風，脈浮緊，發熱惡寒，身疼痛，不出汗而煩躁者，大青龍湯主之。因爲司溫中樞興奮，放溫機能閉止，風寒兩感同時並見，所以熱甚於內，煩躁不寧，煩是病人自覺心胸煩熱，躁是因爲內煩，故躁擾見於外，煩躁大都由於裏熱，裏熱由於造溫機能亢盛，造溫機能亢盛於內，散溫機能衰減於外，其熱尤高，其痛尤重，若脈微弱，汗出惡風者，不可服之，服之則厥逆，筋惕肉惕，此爲逆也。此文與前文的病因，適成相反，不是散溫亢盛，造溫衰減爲病，所以宜大青龍湯，輕的宜桂枝加附子湯重的宜附子湯，若誤服大青龍湯，故起厥逆筋惕肉瞤等逆症。

傷寒表不解，心下有水氣，傷寒經解表而表不解，中焦有水液停蓄，而聚結心下，乾嘔發熱而咳因爲小腸與總淋巴管有水液蓄積，胃氣壅遏，因此上逆作嘔，肺被壓迫，所以氣逆作咳。或渴因爲水津不能四佈，涎腺分泌減少，所以口渴。或利因爲水液流於大腸的緣故。或噎胃氣上逆作噎或小便不利因爲水津不佈，腎臟分泌減少。或喘者喘的原故，因爲水津不佈，放溫機能閉止，肺部受蓄水的障礙，所以呼吸促迫而現喘象。小青龍湯主之。

（適應症）大青龍湯的適應症爲治喘及咳嗽。渴欲飲水。上衝。或身痛惡風寒及不汗出而煩躁等爲主症。小青龍湯的適應症主治流行性感冒。氣管支炎。喘息。痲疹。及百日咳等爲主症。

（藥解）大青龍湯的主藥爲痲黃桂枝石羔。痲黃桂枝同用。能放散體溫。石羔制止造溫機能亢盛。佐以杏仁甘草。潤肺化痰。生津。緩中。生姜鼓動淋巴液的流行。大棗有補助白血球的能力。使風寒兩解於小。鬱熱清消於裏。小青龍湯用痲黃宜蜜炙。有開肺化痰的功用。合桂枝的降逆肺氣上衝。芍藥緩解肌腹的攣急。半夏細辛五味鎮咳止嘔。乾姜溫中。甘草調和諸藥。使風寒兩解於中。寒飲溫化於中。實爲治急性支氣管炎的良方。

第十二方　四逆湯

（方脈）四逆湯

（藥品）甘草二兩　乾姜一兩半　附子一枚生用去皮破八片

（原文）傷寒脈浮，自汗出，小便數，心煩，微惡寒，脚攣急，反與桂枝湯，欲攻其表，此誤也，得之便厥，咽中乾，煩噪吐逆者，作甘草乾姜湯與之，以復其陽，若厥愈足溫者，更作芍藥甘草湯與之，其脚卽伸，若胃氣不和，譫語者，少與調胃承氣湯，若重發汗，復加燒針者，四逆湯主之。因爲誤服桂枝湯後，因此重發汗，而亡其陽，復加燒針，又竭其陰，陰陽俱虛，所以宜四逆湯爲治。

（適應症）脈沈體痛。脈微欲絕。下利清穀。肢厥惡寒等爲主症。

（藥解）本方以附子爲主藥。能振起細胞的生活力。恢復體溫。乾姜溫其腸胃。甘草緩其急迫。假使附子生用。那溫中囘陽的力量更大了。

第十三方　理中湯

（方名）理中湯

（藥品）人參三兩　乾姜三兩　甘草炙三兩　白朮三兩

（原文）霍亂頭痛發熱，身疼痛，熱多欲飲水者，五苓散主之，寒多不用水者，理中湯主之。霍亂可分熱多寒多兩種治法，熱多的，因爲胃臟虛而有熱，所以有吐利而欲飲水，宜用五苓散，有導濕清熱滋乾的功用，假使寒多的，胃臟虛而有寒，亦有吐利而不欲飲水，當宜理中湯溫胃燥濕補虛爲法。

（適應症）上吐下利。腹痛。肢清厥冷等爲主症。

（藥解）人參能治胃機能的衰弱症。乾姜能治腸寒腹痛症。白朮甘草能使腸內有吸收的作用。

第十四方　陷胸湯

（方名）大陷胸湯　小陷胸湯

（藥品）大陷胸湯——大黃去皮六兩　芒硝一升　甘遂一錢七

小陷胸湯——黃連四兩　半夏洗半升　栝樓實大者一枚

（原文）太陽病，脈浮而動數，浮則爲風，數則爲熱，動則爲痛，數則爲虛，頭痛發熱，微盜汗出，而反惡寒者，表未解也，醫反下之，動數變遲，膈內拒痛，胃中空虛，客氣動膈，短氣躁煩，心中懊憹，陽氣內陷，心下因鞕，則爲結胸，大陷胸湯主之。因爲太陽表證未解，仍舊應當從蒸發機能以放散其鬱閉的表熱，而庸醫即用下劑，因此正氣不能抵抗，表熱內陷，淋巴壅滯，所以心下因此而鞕滿，而爲結胸。若不結胸，但頭汗出，餘處無汗，劑頸而還，小便不利，身必發黃也。因爲表熱內滯不爲結胸陷，而熱邪散漫，邪氣不能從汗腺外出亦不能從尿道下泄，因此發黃。

小結胸病，正在心下，按之則痛，脈浮滑者，小陷胸湯主之。此症較結胸症爲輕，所以藥量亦輕。

（適應症）心臟神經痛。腳氣衝心。急性肺水腫等爲主症。

（藥解）大陷胸湯以大黃爲主藥同芒硝甘遂直攻熱積的水液。小陷胸湯以黃連爲主藥黃連有清熱消炎的功用。半夏有和胃止嘔的功用。括樓實有滌除粘液的功用。所以此方爲治胃炎的多粘液症要方。

第十五方　抵當湯

（方名）抵當湯

（藥品）水蛭三十個熬　蝱虫三十個熬去翅足　桃仁二十個去皮尖　大黃三兩酒浸

（原文）太陽病，六七日表證仍在，脈微而沉，反不結胸，其人發狂者，以熱在下焦，少腹當鞕滿，小便自利者，下血乃愈，所以然者，以太陽隨經瘀熱在裏故也，抵當湯主之。其人下焦本有積血，適病傷寒，因此熱邪襲於瘀血，穢氣上衝心房，發狂由此而起，因爲分泌官能無病，所以小便自利，今用抵當湯下其蓄滯的瘀血則愈。

（適應症）腹滿不能飲食。內有乾血。肌膚甲錯。兩目黯黑等爲主症。

（藥解）水蛭性味鹹平有逐惡血瘀血的功用。蝱虫味苦微寒亦有逐瘀破血的作用。再佐桃仁的推陳致新。大黃的蕩滌邪熱。因此逐破瘀血的功用更大。

第十六方　承氣湯

（方名）大承氣湯　小承氣湯　調胃承氣湯

（藥品）大承氣湯——大黃四兩洗　厚朴半斤炙去皮　枳實五枚炙　芒硝三合

小承氣湯——大黃四兩 厚朴三兩炙去皮 枳實三枚大者炙

調胃承氣湯——大黃四兩清酒洗 甘草二兩實 芒硝半斤

（原文）

陽明病因爲抵抗有餘，胃腸充實的緣故。豚遲豚波一息不及四至，是內藏神經衰弱的緣故，雖汗出不患惡寒者，其身必重，短氣腹滿而喘，有潮熱者，此外欲解，可攻裏也，手足濈然而汗出者，此大便已鞕也，大承氣湯主之。潮熱並且有汗的原故，因爲病毒蓄積於裏，刺激造溫中樞，所以造溫機能亢進，消化器內有病毒和宿食相阻，因此熱度不易放散，日晡潮熱由此而起，因爲汗出太過，腸胃中的津液缺乏，便現手足濈然汗出，可知大便已鞕，宜大承氣湯下之，若汗多，微發熱惡寒者，外未解也，其熱不潮，未可與承氣湯。因爲表邪尚未解盡，爲大承氣湯所當禁忌的。若腹大滿不通者，可與小承氣湯，微和胃氣，勿令大泄下。本症較前症爲輕，擬小承氣湯微下，若用大承氣湯大下，以傷末病的大腸。若胃氣不和，譫語者，少典調胃承氣湯。因爲胃熱薰蒸，刺激造溫中樞，因此胃熱從胃細經而上灼於腦部，所以發熱譫語，但是該病較大小承氣症更輕。

（適應症） 腸窒扶斯。赤痢。脚氣。胃腸病等爲主症。

（藥解） 大承氣湯以厚朴爲主藥。所以他的分量倍於大黃。大黃中含揮發性芳香成分。阿篤拉克吉連以及同樣的結晶體。其功用能刺激興奮腸胃神經。因此腸胃可以恢復能力。枳實有健胃消積的功用。所以能治胸滿腹痛。芒硝中主要的成分爲硫酸納含有水結晶體。係鹽類下劑。能保持小腸內容物的液狀形態。直到直腸糞卽變成溏薄。再加大黃係植物性下劑。他的作用能刺激腸粘膜。使腸蠕動亢進。且能制止結腸首端的逆蠕動。所以腸內的容物運行可以迅速。並且將其中的水分輸入於腸胃中。因此食積病毒可以一掃而盡。小承氣湯的主藥爲大黃。使腸胃經大黃的刺激後。津液能還入於腸胃中。積極因此可下。小承氣湯去芒硝的緣故。是恐怕芒硝的軟化能力太過。下利不止。反增病勢。調胃承氣湯的目的。是使胃壁柔軟。胃神經不致過於興奮。所以芒硝爲主藥。使胃壁的鬱血流行。化硬爲軟。化燥爲潤。便可恢復其蠕動能力。再加大黃的清涼瀉下。甘草的和緩其性。因此熱邪不能遠留於胃中。但其藥量較大小承氣爲輕。

（備攷）三承氣湯的比較表。

方名	症象	下
大承氣湯	發熱，昏沈，胸腹滿痛，拒按，舌乾，黑而齒燥，呃逆，身如烟煤，脈沈滑，或沈實，或沈疾有力。	急下
小承氣湯	協熱下利，譫狂痞鞕，煩躁多言，善忘。	當下
調胃承氣湯	大便閉多日，潮熱，古苔淡黃，齒燥津乾，小便黃赤。	緩下

結論

「伊尹創製湯液仲景集其大成。」已經在醫學史上成爲兩句成語了。凡我醫界的同志們。均所共知而我現在並不是袒護仲景的話來講幾句伊尹雖是創製湯液。但其方藥及治病的原理却是蒙祕不啓。後來到了東漢的仲景先生。下了一番刻苦的工夫。以病理來貫串配治的原理。逐條分析。然後才得到一個有系統的醫學。這一番整理的工作。在形式上看來。創製湯液的衔頭固是伊尹而實際上的成功者。確算是仲景。我現在把他歸仲納起來。傷寒論中祇有十六大法。上面已經把他講過了。我們如果能夠將十六法有透澈的了解。不畢誇大誑的說一句。全部傷寒經方可以一目瞭然。何憂之有。更不敢在青天白日之下。謊謬糊說。不過我自進醫界以來。祇有度了四年的學生生活。一無心得。又無貢獻。且將仲聖的學說引言作一回歸納的工夫。可是缺憾的地方。誠爲不少。但願有志整理傷寒古學的同志們。仍布片刻的留地來糾正我。矧今中西對敵。新陳代謝的時候。不論任何學術。必應社會實際的需要。始能成立中國醫學。傷寒註釋眞所謂是汗牛充棟。紛論無章。定須共同發揮仲景的慈光。進展未聞的學術。拯救庶民的痛苦。作一個韋護尊者的降魔。復我本原健康的生活。

批　選擇扼要。體例嚴謹。是善讀傷寒者　蔣文芳

寒熱病之一貫錄

陳夢白

(一)緒言

寒熱病之範圍。浩如烟海。既廣且大。舉凡疾病之種種。皆爲寒熱之可能性。若一一看之。博旁採搜。雖纍千萬言。亦不能盡。而人云亦云。終不能脫其窠臼。亦又將成何體統。而光陰之犧牲甚巨。豈非自討苦吃。矧又喪失其研究能力。吾國醫之不能猛進。其積弊亦多坐于此。還有一種最大的原因。就是故步自封。迷死在五行生尅裏面。試問這五行生尅的空論。與實禮治療。有何關係。他雖是用來解說疾病的理由。但是他對于症候的解釋。多是牽強附會。用來以自眩其神祕。每每捉襟見肘。自知亦難以圓通其說。乃不得不運用利筆。乘其迷人之五行。遠引八卦中之坎中滿。離中虛。自復而乾。自垢而坤。五行中之風木水火。肺金戊土等等。來彌補其縫。只說得天花亂墜。頑石點頭。手之舞之。足之蹈之。演之者。亦幾疑置身衆香國中。目迷五色。還故持鎮靜。以見其學識高深。議論淵博。玄理奧妙。非淺學者所能窺測。不惜貽誤後學。以自欺欺人。倘一旦明鏡高懸。魑魅遁形之時。地下三靈之說。果信。其亦當啞然失笑。以悟其非歟。雖然。古人之遺書。皆竭其畢生之精力。以貫注之。其精彩煥發處。實指不勝屈。國醫之賴以不墜者。亦端在于此。何故後世多醜詆之。互相辯駁。而漫罵之。其惟一之原因。則在古人。大沒其五行生尅之病理。以湊合疾病。以後代之相因。不許人稍越雷池一步。故雖有疑之者。亦不肯努力。以驅除此障礙物。而每多模稜兩可。囁嚅其詞。因之無用空談。遂軍不可破。乃愈演愈廣。後之學子爭相趨之。而此障礙物。因愈深固。致使數千年來之醫學。漸趨衰弱。而眞有驚人之治療術。亦因之污而不彰。將奄奄以待斃。惜哉。觀夫西國之醫學。在數百年來。其研究之努力。創造之興盛。在之皆是。令人欣佩。舉凡生理。病理。解剖。細菌。衞生。以及器械之一切設備。誠有長足之進步。風馳電掣。一日千里。令人望塵莫及。而彼之求知之慾。亦永無止境。仍然不遺餘力。猶竭其平生智力。奮鬥于研究室中。所謂鞠躬盡瘁。死而後已。其前仆後繼。勇往直前之大無畏精神。直不知其何時或已。回顧吾國之醫學。昌盛于秦漢。分岐于北宋。而漢代至今世。亦已二千餘年。漢後以來之醫學歷史。不可謂不久矣。以與三百餘年後始昌盛之歲月相比。則悠哉悠哉。架被數倍之上。豈非老者之與孩童乎。設吾國自漢晉以後。不引空談。而以五行生尅之說爲可恥。一律屏除之。而跟踪實際。另闢坦途。從而研究之。廣大之。務求其眞理之所在。以推演進行。使醫者。皆趨于實地之門。則時轉世易。何至會使醫學不斷于君子。而龍蟠夙逸之士。亦皆願登岐黃之堂。不欲爲相矣。而吾醫界中之英賢豪傑。必各竭其智慧。發其結晶。以互相切磋。愈究愈精。瓦釜勢必墮地。而何能齊鳴。舍粕取英。長短立顯。其非者。久已棄于千年之前。可不待至今日。吾知其必有不可知之醫學出現。而誇耀于全球。何至于二千年後之今日。仍然晦暗不明。而被碧臉兒及習其術者所詬病哉。此豈非古人之死守成法。不肯打破積習。而跳出五行外圈。以求眞理貫徹之罪乎。雖然。談古人事之得失易。處古人之境遇難。時代有變遷。觀光有不同。使負處古人之境。能知後世之醫學。有西籍以參考。而補充吾之不足。用科學方法。以整理吾之謬誤否。吾知君雖寐中。亦所不能料也。其非者。棄之可矣。其誤者。正之可矣。亦何罪及古人。緣古人之精神。多寄于治療之上。而其談病理。不過以五行生尅。副其說耳。故各家著作之精華。皆寄於方劑之上。而其糟粕。則堆積于五行之中。觀夫古人之處方。未有不如響斯應。效如桴鼓。而民間之單方。尤有驚人之功效。即如五行中之論肝木尅土。肝性條達。不抑則揚等等疾患。若據此用藥。每皆奏效。而古人所謂之肝病。多指西籍之神經作用。是則糟粕之中。又有其精英在矣。此皆有事實可於之證明。非虛造也。夫舍短取去。借助他山之石。以互相砥礪。從而沈浸濃郁。含英咀華。雖是焚膏繼晷。兀兀窮年。尤未必能發古人之奧竅。開古人之寶藏。奈何世之蒙蒙者。舍其精華。而獨取其糟粕。且咀之曰。美味在斯。美味果在斯乎。嘗有其人。舍其佳肴美酒。而獨大嚼其臭汚之物。曰美味其在斯矣。美味果在斯乎。是誠不可以理喻。而目之者。亦必將引看矣談。故學者之流覽書籍。必須頭腦清析。明以辨其正誤。切不能大嚼其糟粕而曰。美味在斯矣。倘吾人之頭腦。竟如此冬烘。皂白不分。死煞向下。無論其研究何種事業。都不能望其成功。而況高深之醫學。今既已知古人之精英所在。即應從此入門。不再徘徊歧途。而單刀直入。由此銳進。從而登堂入室。直探其寶庫。于是取之不盡。用之不竭。而創造之精神。乃可現之於事實。彼西醫者。但知攻吾所棄。而不能採吾所長。吾則棄其瑕而提其英。則珠聯合璧。相映生輝。則此後之進步。豈不尤勝于彼乎。歷觀古代聖賢明哲。以及近世名流。其留存之書籍。靈樞素問難經雜病傷寒等。其爲最者。其餘諸家。雖各有偏見。要皆發揮其一家之言。亦即是其心血之結晶處也。觀其識見之卓越。認證之精確。每令人仰望高風。竊焉神往。今先將古今之論寒熱者略言一二千後但夢讀書無多。智識孤陋。掛一漏萬。知所不免。而疵誤之處。幸就正于明達諸公。

(二)寒熱病之利害

(甲)發熱對于人身之利害

發熱之對于人身果有益乎。其益何在。抑有害乎。害又何在。西醫因迷信細菌。謂傳染病之發熱。若溫度在四十度或四十一度。即能制正細菌之發育與繁殖。而使疾病易于治愈。其論發熱之害。則曰發熱過久。體內之蛋白質被分解過多。遂漸趨于死亡。茲先引其原說于後。

(一)在昔劉培氏等謂熱性病之危險。在于體溫昇騰。而其致死之原因。即歸于體溫之過度。例如熱性病所發之實質臟器(肝腎及心臟)之溷濁性腫脹。及脂肪變性(筋肉亦然)皆熱作用云。然由今觀之。此種變化之原因。在病原菌與毒素之作用。未必在體溫之昇騰。但發熱過久。身體之蛋白質分解過多。則不免受巨大之危害。是可懼耳。藍氏謂人體每日喪失蛋白質量。當體重之〇，七%。希民謂高等動物由營養不給。至失體重之四十%。則必至于死亡。故發熱(雖在中等之熱)滿八週者。權必有生命之憂無疑。

(二)傳染病之發熱。頗為一種自然療能。蓋病原菌在三十七八度最易發育。如在其以上之溫度(即四十度四十一度等)則細菌不能保其生命。故傳染病之發熱。宛如昇高體溫。抑止細菌之發育繁殖。俾疾病易于治愈也。除此發熱作用外。如白血球增多。與細胞自然反應。亦與療病有至要之關係。蓋白血球分泌多量之亞列聖規。溶解細菌。且由細胞組織對於細菌毒侵襲。起一種自然反應。產生抗菌素。抗毒素。止滅細菌之毒力。而依華芝氏言。此種防禦物之形成。唯熱足以從進之。以是知熱之有利于傳染病者大也。

觀以上所述。則知發熱之有害於人身者。以熱能喪失過量之蛋白質。而至于危及生命。則可知發熱過久。而亡津液者。多死。其論發熱之利益。不過因能引起一種自然反應。而產生一種抗毒素及抗菌素。以撲滅細菌。此所謂自然療能。誠于疾患有莫大之幫助。吾國之患病者。於初起時。每不求醫。雖發熱不解。臥床不起。其體質強壯者。每于三五日間。竟霍然而愈。其體弱者。每致貽誤病機。而至不救。則自然療能之消弭疾患。亦未可一概而論。故發熱雖能產生抗毒素。而正滅細菌之毒力。要其樞杻。仍在正氣之強弱耳。

（乙）惡寒對于人身之利害

惡寒之于人身。可謂僅有害而無利足言。無論其物傳染病。非傳染病。苟人身惡寒不解。或局部惡寒。一有害冷之感覺。而無發熱之現象。則其危險。尤甚于發熱之爲患。仲景曰。病有發熱惡寒也。發于陽也。無熱惡寒者。發于陰也。夫發于陰者。爲機能之衰減。而正氣不能抵抗疾患。其病多死。茲摘錄數條于后。

內經曰。陽氣者。若天與日。失其所則折壽而不彰。

此段言陽氣消失。而至于死亡。

素問瘧論曰。三陽俱虛。則陰氣盛。陰盛則骨寒而痛。寒生于內。故中外皆寒。

此段言內陽不足。而寒冷影響於外。

諸病上下。所出水液。澄徹清冷。腹滿急痛。有利清白。食已不飢。吐利腥穢。

靈樞曰胃中寒則腹張。腸中寒則腹鳴飧泄。

此皆言腸胃之寒冷也。

傷寒論曰少陰病得之一二日口中和其背惡寒者又曰惡寒脉做而復利

此皆所謂陽氣不充而惡寒也。

統觀以上數條。則知陰寒之危及生命則百無一益。非如外界之寒冷空氣。適宜于健康者之鍛練。而病寒人當之。必不堪受其摧折也。

（三）寒熱病之歸納

古人不明解剖。其言病理。多逞臆說。謬誤之處。極待整理。今之所極欲闡明者。亦在于此。今世諸賢。于此多有所發明。其著者。爲惲鐵樵。陸淵雷。祝味菊。時逸人等。此外尚有吾所不知者。亦甚衆。其論寒熱之理。皆精明透徹。闡發中西之所長。歸納新知。以趨于科學之途。而實事求是。不尚虛談。此所為可貴也。今歸納其說。約得數點如下。

神經的刺激與奮或麻痺

凡七情病之喜。怒。憂。傷。悲。恐。驚。等之刺激神經。而引起變態者。如中風之痙攣。癲癇。肝陽。臟躁。不寐。顛狂。等等。皆可歸納之。至西籍之種種神經病理學。可參考原書。

細菌毒素之刺激

細菌學在西籍研究獨精。厥其侵入人體。以營其發育繁殖。產生毒素。而致種種之疾病者。如破傷風。霍亂。赤痢。傷寒。瘧疾。鼠疫。結核。白喉。梅毒。流行性感冒等。皆屬之。

外界氣候的刺激

自然界之氣候。關係于人生。至為密切。舉凡一切之生活。皆不可脫離須臾。欲知密切之關係。必須先曉自然界之氣候的原理。同氣候與六氣之關係。氣候與生理之關係。及六氣何以致人于病。凡此種種。近賢已先言之。而古人研究六氣之於疾病。可謂獨詳。惜其詞多奧妙。不能明白曉知於後學耳。故外界之風。寒。暑。濕。燥。火。皆足以影響人體之健康。而引起疾患者。如感冒。日射病。濕溫。秋燥。等等。最屬之。

生放溫之亢進或衰弱

人體之溫度。能保持其平均。而常在三十七度者。全賴神經中樞內溫調節中樞。使觀溫之發生與放散。時時調劑適度。不使或有偏倚。如因運動而體溫增加。或因外界奪去溫度太甚。或因體內發生體溫過多。暫時的刺激。而使體溫昇降。但不久即能復為平溫。可以無害。而不足謂為疾病。倘若體溫調節機能被障礙。或因心臟衰弱。或因體溫放散過多。或因生溫亢進。或因散溫不足。以致體溫之產生與放散不相平均。而生放溫乃呈亢進或衰弱者。如麻黃湯證。大青龍證。白虎湯證。真武湯證。四逆湯證。皆可歸納之。

假性的亢進或衰弱

假性的亢進或衰弱。如厥陰篇之厥甚熱甚。四逆湯之煩躁不安。虛勞等。皆可屬之。

(四)寒熱病之症狀與治療之歸納

吾國醫之經營方劑而精神寄之。固有人皆知。方今之社會流行一種口吻。曰中醫長于內科。誠可當之無愧。蓋自仲景着傷寒雜病。後而治法乃大白於天下。雖古今之名賢。亦不能越其範圍。至唐時孫思邈之千金方。王燾之外臺祕要出。而方劑之學愈亦大明。降至北宋以及金元。而醫學遂分歧途。陰陽五行之說。乃盛極一時。各具其一家之言。而分裂之。又各秉一家之言。以相咀唔。而自固其地位。裂傷寒之一部而分居之。以成其一家之學說。要皆各道其心法。而發揮其長。未可以迷信玄學之點汚。不採良方。因寸朽而棄良才也。其所論述。都有獨到之見。而能登人深思者。如景岳之主扶湯。非發仲景之三陰病乎。東垣之重脾胃勞倦。非補充仲景之諸瀉心湯與勞復篇太陰篇乎。劉河間之主火旺。豈非發仲景之三陽病乎。朱丹溪之主陰虛。豈非發仲景之虛勞病乎。吳又可。張子和。之主攻擊。豈非補充仲景之吐下二法乎。葉天士之主甘寒養陰。非育以陰退熱歟。余師愚之解毒。非苦寒直折而皆能發仲景之勞傷篇湯明篇以及陰陽毒乎。惲。祁。陸。時。之生放溫物質與勢力及細菌毒素等之學說。豈非補充諸家之病理。闡發古人之精要乎。(尚有其他諸家。不及一一備言。今從略。)故此數家者。分之則俱傷。合之則皆美。而未可或偏也。便先得其流一之觀念。而後整理之。以爲一歸納之法。玆將寒熱病之症狀以及治法分列于後。

外界的刺激

卽空氣之變化。足以影響健康而致病患者。皆謂之外界的刺激。(其非空細之刺激在不概例。其病變甚廣。玆不能引證姑從闕。

放溫亢進

桂枝湯證曰太陽之爲病。脈浮頭項強痛而惡寒。又曰頭痛發熱汗出惡風者。桂枝湯主之。(桂枝湯) 太陽病項皆強几几。汗出惡風者。桂枝加葛根湯主之。(桂枝加葛根湯) 太陽病下之後。脈促胸滿者。桂枝去芍藥湯主之。(桂枝去芍藥湯) 傷寒汗出而渴者。五苓散主之。(五苓散) 食己汗出。又身常暮盜汗出者。此勞氣也。又曰諸病責家但利其小便。假令脈浮者。當以汗解。桂枝加黃芪湯主之。(桂枝加黃芪湯) 太陽病下之。微喘者。表未解也。桂枝加厚朴杏子湯主之。(桂枝加厚樸杏子湯）風濕。脉浮身重。汗出惡風者。防已黃芪湯主之。（防已黃芪湯） 新感襲啼。咳嗽。微寒。灼熱。自汗不解者。辛涼解表法。（辛涼解表法）

放濕衰弱

太陽病。頭痛發熱。身疼腰痛。骨節疼痛。惡風無汗而喘者。麻黃湯主之。（麻黃湯） 濕家身疼痛。煩疼。可與麻黃加朮湯。發其汗熱宜。（麻黃加朮湯） 病者一身盡疼。發熱日晡所劇者。此名風濕。此病傷于汗出當風。或久傷取冷所致也。可與麻黃杏人薏苡甘草湯。（麻杏苡甘湯） 太陽病。得之八九日。如瘧狀。發熱惡寒。熱多寒少。其人不嘔。圊便欲自可。一日二三度發……面色反有熱色者。未欲解也。以不能將小汗出。其身必痒。宜桂枝麻黃各半湯。（桂麻各半湯） 服桂枝湯。大汗出。脉洪大者。與桂枝湯如前法。若形如瘧。日再發者。汗出必解。宜桂枝二麻黃一湯。（桂二麻一湯） 太陽病。須背強幾幾。無汗惡風者。葛根湯主之。（葛根湯） 傷寒表不解。心下有水氣。乾嘔。發熱而咳。或渴。或利。或噎。或小便不利。少腹滿。或喘者。小青龍湯主之。（小青龍湯）

感冒四時不正之氣。傷風。傷寒。風濕等病。九味羌活湯。（九味羌活湯） 外感風寒。發熱無汗。與海龍神朮散。（海龍神朮散）

感冒風寒。頭痛發熱。或熱內傷。胸悶。咳逆。與香薷散。（香薷散） 太陽陽明少陽合病。頭目眼眶痛。鼻乾不得眠。寒熱無汗。脉象微洪。或兼弦。可與柴葛解肌湯。（柴葛解肌湯） 頭微痛。惡寒無汗。脉弦。咳嗽。稀痰。鼻塞。噎塞。與杏蘇散。（杏蘇散） 夏月飲食不調。內傷生冷。外傷暑風。寒熱交作。霍亂吐瀉。及伏暑煩悶等。與六和湯。（六和湯） 暑來寒遏。皮膚蒸熱。頭痛肢倦。或煩渴。或吐瀉。（香薷飲） 傷風。寒疫。用蘇羌飲。可代麻黃十神之用。（蘇羌飲） 溫氣在表。頭痛重。或腰脊重痛。或一身有痛。微熱。昏倦。與羌活勝濕湯。 感冒頭痛無汗。十神湯。

生溫亢進

傷寒病。若吐若下後。……熱結在裏。表裏俱熱。時時惡風。大渴。舌上乾燥而煩。欲飲水數升者。白虎加人參湯主之。 汗出而喘。無大熱者。可與麻杏甘石湯。少陰病。自利清水。色純青。心下必痛。口乾燥者。急下之。宜大承氣湯。 上焦熱而煩。不能睡臥。中黃散。消中。能食而瘦。口舌乾枯。自汗。大便結燥。小便頻數。以生津甘露飲與之。 三焦燥熱。咽喉腫閉。便閉。溲溺赤。用三黃丸。

生溫低弱

下利脈微者。與白通湯。中暑泄瀉。多汗。脈弱。與漿水散。中暑內挾生冷飲食。腹痛瀉利。與冷香飲子。 虛寒滑泄不止。木香散。 元陽虛脫。危在傾刻者。四味回陽飲。 脾腎虛寒滑脫之甚。或泄痢不能正。或氣虛下陷。二陰血脫不能禁者。四維散。

生溫亢進同放衰弱

太陽中風。脈浮緊。發熱惡寒。身疼痛。不汗出而煩躁者。大青龍湯主之。 吐後。渴欲飲水而貪飲者。文蛤湯主之。 太陽病。發熱惡寒。熱多寒少。脈微弱者。此無陽也。不可發汗。宜桂枝二越婢一湯。 中風無汗。身熱不惡寒。白虎續命湯主之。 表裏實熱者。防風通聖散主之。

生溫衰弱同放溫亢

太陽病。發汗。遂漏無止。其人惡風。小便難。四肢微急。難以屈伸者。桂枝加附子湯主之。 太陽病。發汗。汗出不解。其人仍發熱。心下悸。頭眩。身瞤動。振振欲擗地者。眞武湯主之。 既吐且利。小便復利。而小汗出。下利清谷。內寒外熱。脈微欲絕者。四逆湯主之。 吐已下斷。汗出而厥。四肢拘急不解。脈微欲絕者。通脈四逆湯加猪胆汁主之。元陽虛弱。虛風自汗者。耆附湯。 中暑泄瀉。多汗。脈弱者。漿水散。

生放溫同時亢進

白虎湯證。 承氣湯證。 麻黃杏仁甘草石羔湯證。

生放溫同時衰弱

少陰病。始得之。反發熱惡寒。脈沈者。麻黃附子細辛湯。 少陰病。身體痛。骨節痛。脈沈者。附子湯主之。

假性的虛性的亢進

少陰病。下利淸谷。裏寒外熱。手足厥逆。脈微欲絕。身反不惡寒。其人面色赤。或腹痛。或乾嘔。或利止脈不出者。通脈四逆湯主之。

傷寒脈遲。六七日。而反與黃芩湯。徹其熱。脈遲熱寒。今與黃芩湯。復除其熱。應冷。當不能飲。今反能食。此革除中。必死。 又曰。少陰病。吐利。手足厥冷。煩躁欲死者。吳茱萸湯主之。 少陰病。下利。咽痛。胸悶。心煩者。猪膚湯主之。 少陰病。得之二三日以上。心中煩不得臥。黃連阿膠湯主之。 發汗吐下後。虛煩不得眠。若劇者。必反覆顛倒。心中懊憹。梔子豉湯主之。傷寒二三日。心中悸而煩者。小建中湯主之。 陽虛發熱。久患虛勞。虛中有熱。或肌表之熱。補中益氣湯主之。 陽虛躁渴。面赤。載陽。欲生臥泥水中。脉來無力欲絕者。回陽返本湯。

神經的刺激興奮或麻痺

傷寒。脉浮。醫以火迫刦之。亡陽必驚狂。起臥不安者。桂枝去芍藥加蜀漆龍骨牡蠣救逆湯主之。 火邪下之。因燒針煩躁者。桂枝甘草龍骨牡蠣湯主之。 婦人。咽中如有炙臠。半夏厚朴湯主之。 中風。痰迷心竅。語言蹇。清心神解語湯。 中風。手臂不仁。口眼喎僻。附子散。 顛妄初病。神氣未衰者。半夏茯神散。身能不能自轉側。自收持。口不能言。冒昧不知痛處。或拘急不得轉側。與續命湯。 惡風毒。細脚弱無力。四肢頑痺。獨活湯。

菌毒素的刺激

仲景之三承氣湯。 白虎湯。 桃仁承氣湯。 李東垣之普濟消毒飲。 肢痿。咽痛。斑疹。身黃。頤腫。溺赤。便閉。與甘露消毒丹。 表裏俱熱。狂躁煩心。吐血。發斑。不眠。口乾咽燥。清瘟敗毒飲。 熱邪傳裏。血熱不散。熱氣乘于皮膚而爲斑。與消斑清代湯。 丹毒。與化斑解毒湯。 熱傷血分。溺血。吐血。瘀血。痲疹。以及喉痧重症。痧透咽爛。火灼液虧者。與犀角地黃湯。 斑疹丹毒。積毒發于肌表。頭面生瘡。與犀角消毒散。

批 擷取固有精華參加現代學理有融會貫通之妙 蔣文芳

宋元明清之傷寒著家錄

王君毅

引言

吾華醫學。發明最早。研究最深。學理經驗。兩俱充足。于上古則有黃帝岐伯。于周則有醫緩盧扁。尤以漢之張仲景。以其宗族素多。向餘二百。建安紀年以來。猶未十稔。其死亡者。三分有二。傷寒者。十居其七。感往昔之淪喪。傷橫夭之莫救。乃勤求古訓。博採衆方。著傷寒論一書。以鍼灸刺法已亡。而是書以治外感之疾。其理則岐黃越人之理。其法則因岐黃越人之鍼刺而推闡變通之。立六經以治傷寒。從六氣也。製湯丸以療感傷。守五味也。撰用素問九卷。八十一難。陰陽大論。胎臚藥錄。并平脈辨證。凡脈法八十三章。六經經證以用入府傳臟之裏證。誤行汗吐下之壞病。三百六十八章。外感之類證汗吐下宜忌八十六章。共五百七十三章。合百十三方。不但于軒岐之學。多所啓發。而其理精密。方法詳備。誠足濟世傳後。然後之學者。如宋元明清各家所發揮者。有拘而誤會者。則方藥雜亂。辨證不明。或摭擢殘剩。剽襲舊說。毫無意義。反爲所亂。竟有論麻黃湯桂枝湯。可用于北方冬目。不需施之於南方三時。若此矯枉過正。執偏見之謬論。或執傳經爲熱。直中爲寒之說。而傷寒之義亡矣。然亦有悟而融會者。則剖晰詳明。論斷確實。如於六經施治原則。於太陽病。分正治權變斡旋救逆之法。於陽明分正治明辨及雜治諸法。於少陽則分正治權變及刺法。於太陰分經病臟病及經臟俱病。於少陰首列脈證。次舉清溫生死之法及病禁。於厥陰從脈證之外。分列厥熱進退生死微甚清溫諸法。病禁簡誤及差後諸病。若綱若領。具有條理。且立寒傷營。風傷衛。風寒兩傷營衛爲三綱。別陰盛陽虛。陽盛陰虛。及陰陽俱虛三例。分表邪。裏邪。兼表裏邪三則。究陽黃歸之汗溫。太過。陰黃咎之過下亡津之義。明桂枝下咽。陽盛乃斃。承氣入胃。陰盛乃亡之律。尋求端緒。排比成編。一一推仲景之意爲之闡發。更解其脈法。詳其經絡。考其常變。辨其宜忌。或據內難千金外臺等書。以補傷寒未及之義。有釋義佳良者。指在定體分形。斷證則若同而異者明之。似是而非者辨之。論煩躁有陰陽之別。讝語鄭聲有虛實之分。四逆與厥。衡淺深之度。或別六經兼諸證之現象。或定六法五治之方式。不惜盡畢生之精力與時間。而發仲景所未發。明仲景之所未明者殊衆。惜佚者多。如醫典所載。恐亦什一之數耳。苟不整理之。則千百年後。焉知不同淪於烏有之鄉耶。故特錄之。待有志之士。淵博之家。揭其短長。定其良莠。若去若留。綜合而發揚光大之。使之具體的整齊明白。則不獨後之學者蒙其利。即傳之萬代。亦不至散失矣。然則傷寒之著家衆多。未能盡錄。不無非完璧之嫌。而隅一可以反三。抛磚足以引玉。則此篇之作。藉引同志之注意。聊供賢者之參考。諸君以爲然乎不然。

傷寒微旨。。宋韓祗和撰。宋史藝文志不載。陳振孫錄解題有其名。而不具作者名氏。但據序題元祐丙寅。知其爲哲宗時人而已。今永樂大典各卷。此書散見頗多。每條悉標韓祗和之名。而元載良九靈山房集。亦稱自後漢張機著傷寒論。晉王叔和。宋龐安常朱肱許叔微韓祗和王寶之流。皆互相闡發。其間祗和姓名。與永樂大典相合。是祗和實北宋名家。以傷寒專門者。特宋史方枝傳。不載其履貫。遂不可考耳。書凡十五篇。間附方論。頗能推闡變通。其可下篇。不立湯液。惟以早下爲大戒。蓋爲氣質羸弱者言。然當與脉證相參。知其邪入陽明與否。以分汗下。不宜矯枉過正。竟廢古方。至如辨脉篇。據傷寒例。以攻楊氏之謬誤。可汗篇。則俱能師張氏而神明其意矣。又如汗下温之法。分按時候辰刻。而參之脉理病情。乃因仲景正傷寒之法。而通於春夏傷寒。更通之於冬月傷寒。亦頗能察微知著。又如以陰黄陽黄之因。則於金匱發陽發陰之論。研晰精微。不特傷寒之黄。切中竅要。即雜病之黄。亦可以例推矣。其書向惟王好古陰證略例中間引其文。原本久佚。清定四庫全書時。從大典採綴。以原目釐爲上下兩卷。

傷寒類書活人總括。。宋楊士瀛撰。七卷。今本附仁齋直指後。然據直指自序。其成書尚在直指前。卷首標題。亦稱朱崇正附遺。然核其全編。每條皆文義相屬。絕無所謂附遺者。惟卷一活人證治賦後。有司天在泉圖。五運六氣圖。傷寒脉法指掌圖。目錄中註一附字耳。或因此一卷有附遺。而牽連題及七卷。或因直指有遺。而牽連題及此書。均未可定。

傷寒總病論。。宋龐安時撰。六卷。附音訓一卷。修治藥法一卷。雖有發明。然其用藥頗錯雜。即如聖散子方。亦載入焉。

傷寒百證歌。。宋許叔微撰。蘉傷寒論中證候。爲百種。各爲一歌。音節諧和可誦。每句之下。復有註釋。

傷寒發微論。。宋許叔微撰。。二卷。共二十二篇。文雖簡短。而所論頗切要。

傷寒論註解。。宋劉元賓撰。

傷寒論脉訣。。宋楊介撰。

傷寒指微。宋錢一撰。

傷寒論集註。元成無己撰。十卷。附明理論三卷。論方一卷。以王叔和定本而加以註釋。在傷寒論諸註中爲最古。其推挹甚至。張孝忠祓亦稱無己此二集。自北而南。先以紹興庚戌得傷寒論註十卷於醫士王光定家。後守荊門。又於襄陽訪得明理論四卷。因爲刊版於柳山。則在當時已深重其書矣。

傷寒標本心法類萃。元劉完素撰。二卷。上卷分別表裏。辨其緩急。下卷則載所用方。其中傳染一條。稱雙解散。益元散。皆爲神方。二方卽完素所製。不應自譽若此。疑亦後人所僞註。

傷寒直格方。元劉完素撰。三卷。大旨出入於原病式。而於傷寒證治。議論較詳。前序一篇。不知何人所撰。馬宗素傷寒醫鑒。引平城翟多宵行遇燈之語。與此序正相合。殆卽翟公所撰歟。醫鑒又云完素著六經傳受直格一部。計一萬七千零九字。又於宣明論中。集緊切藥方六十道。分六門。亦名直格。此書有方有論。不分門類。不能確定爲何種。卷首又題爲臨川葛雍編。蓋後經竄亂。未必完素之舊。考完素原病式序。稱集傷寒雜病脉證方論之文。目曰醫方精要宣明論。分檢查明論中。已有傷寒二卷。則完素治傷寒法。已在宣明論中。不別爲書。此書乃傷寒標本心法類萃。恐皆出於後人之依託也。

傷寒心鏡。元張從正撰。一卷。舊本題鎮陽常德編。考李濂醫史曰。儒門事親十四卷。子和手創之。麻知己潤色之。常仲明又摭其遺爲治法心要。子和卽從正之字。知己爲麻革之字。仲明字義與德相符。其卽德歟。書凡七篇。首論完素反解散。用子和增減之法。餘皆兩家之緒論。

傷寒醫鑒。元馬崇素撰。載河間六書中。皆採劉完素之說。以駁朱肱南陽活人書。故每條之論。皆先朱後劉。大旨熱病皆傷寒。而喜寒涼忌溫熱。然活人書往往用麻桂於夏月發洩之時。所以貽誤。若冬月眞正傷寒。則非此不足以散陰邪。豈可主涼者。未免矯枉過正。各執一偏之見。

傷寒纂類。元李慶嗣撰。

傷寒歌括。元王翼撰。

傷寒生意草。。元熊景先撰。

傷寒大易覽。。元華如菴撰。

傷寒辨惑論。。元王好古撰。

傷寒蘊要全書。。元吳綬撰。

傷寒論條辨。。明方有執撰。五卷。刻於萬歷壬辰。前有己丑自序一篇。又有辛卯後序一篇。又有癸巳所作引一篇。乃刻成時所加也。大旨以傷寒雜病初編次於王叔和。已有改移。及成無己作註。又多竄亂。醫者或以爲不全之書。置而不習。或沿襲二家之誤。彌失其眞。乃竭二十餘年之力。爲之考訂。故名曰條辨。削去原本傷寒例。而以本草鈔一卷。或向一卷。附綴於末。有執既沒。其版散佚。喻昌採綴其說。參以己意。作傷寒尚論篇。盛行於世。而有執之書遂微。淸康熙甲寅。順天林起龍得有執原木。乃重爲評點刊版。併以尚論篇附刊於末。以證明其事焉。

傷寒六書。。明陶華著。即傷寒瑣言。傷寒藥截江網。傷寒明理續論。傷寒家秘的本。傷寒殺車搥法。雖間有發明，然方藥雜亂。頗爲後人所訾議。

傷寒全生集。。明陶華著。。四卷。此書爲華晚年所作。以教其子弟者。

傷寒補天石。。明戈維城撰。。二卷。統論外感諸病。所包甚廣。條理亦頗明晰。

傷寒指掌。。明皇甫中撰。十四卷。於諸議論。獨推陶華。然華六書。至今爲人詬病。則此書抑可知也。

傷寒治例。。明劉純撰。一卷。其體例與雜病治例相同。不標六經。亦不分表裏。但以現五十九種爲綱。而每證推其病源與治法。亦成化己亥蕭謙所刻也。

傷寒金鎞鈔。。明盧之頤撰。見格世驗道古集所作之頤小傳。

傷寒襄。。明程宏賓撰。

傷寒要約。。明史寶撰。

傷寒纂例。明。徐彪撰。

傷寒會通。明。沈貞撰。

傷寒祕用。明。彭浩撰。

傷寒要格。明。史寶撰。

傷寒選錄。明。汪機撰。

傷寒準繩。明。王肯堂撰。

傷寒要訣。明。霍應兆撰。

傷寒備覽。明。吳中秀撰。

傷寒正宗。明。吳嗣昌撰。

傷寒彙言。明。倪誅龍撰。

傷寒五治。明。石玉涵撰。

傷寒括要。明。李中梓撰。

傷寒立法考。明。王履撰。

傷寒捷法歌。明。申相撰。

傷寒家祕心法。明。姚能撰。

傷寒指掌詳解。明。邢正捷撰。

傷寒懸解。清。黃元御撰。十五卷。是書大旨謂自晉王叔和混熱病於傷寒。後來坊本雜出。且編次亦多失序。故特詳考解辨之。凡舊文之僞亂者。悉爲更定。末載取正叔和序例一卷。以糾其失。其持論甚高。然果復張機之舊否。亦別無佐證也。

傷寒說意。清。黃元御撰。十一卷。元御既作傷寒懸解。謂論文簡奧。非讀者所能遽曉。復著此書。

傷寒類方。。清徐洄溪撰。。世傳傷寒論。乃王叔和蒐集成書。非仲景所編次。成無己始作註。又次己意移其篇章。自後醫家屢有刊定。迄於有明。終無定論。洄溪謂非仲景依經立方之書。乃救誤之書。當時隨證立方。本無定序。於削除陰陽六經名目。但使方以類從。證隨方定。使人可以按證以求方。而不必隨經以求證。雖於古人著書本意。未必果符。而於聚訟紛紜之中。亦芟除葛藤之一術也。其中如大青龍湯下註云。脉浮緩。身不疼。但重乍有輕時。無少陰證在。此湯主之。洄溪以為病情甚輕。不應投以麻黃桂枝石膏。此條必有舛誤。又甘草茯苓湯下註云。傷寒汗出而渴者。五苓散主之。不渴者。湯此主之。洄溪以為此汗出者。乃發汗後汗出不止。非傷寒自汗。其辨證發明。亦多精確。凡分十二類。計方一百十有有三。末附六經法脉。又論正證之外。有別證變證。附以刺法。皆有原委可尋。自謂七年之中。五易稿始成云。

傷寒約編。。清徐徊溪。寒洄溪既傷撰復類方。使人按證而求方。復著此書。以為貫穿傷寒論淺註。。清陳念祖撰。。六卷。是書主張隱菴令韶兩家之說。於原文無移易。惟以平脉辨脉傷寒例諸可與不可與者。為叔和所補而删之。又將二家之說。雙行書之。襯入白文中。其註則底一格書之。兼採諸家之說。頗淺近易解。然體例究欠大雅。

傷寒醫訣串解。。清陳念祖撰。。六卷。念祖有傷寒論淺注。淺注隨解釋。此書則綜合全書立論。乃其晚年之作也。缺一卷未成。其從子道孝為補足之。

傷寒論本旨。。清章楠撰。。九卷。編次略宗方有執。亦以三法為提綱。而以各經之病繼之。又謂仲景所論。止於冬傷於寒及不藏精為温病兩證。其外感風邪為温病者。未嘗論及。乃取顧景文温證論治註釋之。以為治病感温傳之法。又謂暑邪由火溼合化。客於膜原肺胃之間。流傳三焦而歸脾胃。治法不獨異於傷寒。亦與温病迥別。葉氏亦未嘗論及。乃取俗所傳溼熱條辨。稱謂薛己所撰者。註釋之。以治暑病之法。然温證論治之旨。固未必盡合於落氏。溼熱條辨。尤未必出薛氏手也。

傷寒大白。。清秦之楨撰。。四卷。其書中每以河北長沙與江浙對舉。一若長沙亦在北方。在殊欠精深。

傷寒舌鑑。。清張登撰。。一卷。備列觀舌之法。分白胎黃胎黑胎灰色紅色紫色黴醬色八種。末附妊娠傷寒舌。為圖一百二十。各有總論。接古經於證候之外。兼及辨色聆音。而未嘗以舌觀病。舌白胎滑之說。始見於傷寒論。其傳亦古。然其法亦不詳。亦未嘗言及種種之別。金鏡錄推至三十六圖。未爲賅備。觀舌心法。衍至三百十十圖。又病繁蕪。發以己所閱歷。參證於二書之間。削繁正舛。以成是編。較之脉候審微。尤易考驗。固診傷寒者。所宜取也。

傷寒論貫珠集。淸尤怡撰。八卷。其論證治。具有條理。集名貫珠。蓋亦取千條萬緒一線相承之意也。

傷寒辨證廣註。淸汪琥撰。十四卷。曰辨證者。就仲景之書。加以考辨。凡傷寒書。則集之也。曰廣者。謂其方論。及古今傷寒之書。皆採附焉。曰註者。謂註其正文。不分仲景後賢。其方論皆爲之考釋也。此書採摭極廣。獨到之見亦多。

傷寒分經。淸吳儀洛撰。爲其醫述之第五種。取喩嘉言所撰尙論篇。重爲訂正。凡太陽經三篇。陽明經三篇。太陰經一篇。少陰經二篇。厥陰經一篇。春溫三篇。夏熱一篇。脉法二篇。諸方一篇。補卒論一篇。杖燥一篇。共十九篇。

傷寒論淺註補正。淸唐宗海撰。七卷。就陳念祖書。加以補正。其中或引西學之說。或駁之。

傷寒補例。淸周學海撰。二卷。學海謂傷寒見證。變化無端。非仲景六經主證所能概括。後人拘執。凡不在仲景文內者。概不敢求之於傷寒。實有非是。條例所見。以成此書。曰補例者。謂補王叔和傷寒例。非敢補仲景也。

傷寒論條辨。淸程應旄撰。其辨傷寒論五篇。王叔和序例貶僞一篇。別爲一卷。共十六卷。此書攻叔和最力。然語多支蔓。論者譏爲醫家因魔道焉。

傷寒論條辨續註。淸鄭重光撰。十二卷。明萬歷中方有執作傷寒論條辨。後喩昌之之作尙論篇。張璐因之作寒纘論。程嘉倩因之作後條辨。亙有發明。亦各有出入。然諸書出而方氏之書遂微。重光爲有執之里人。因取條辨原本。刪其支詞。複旁參喩昌等三家之說。以己意附益之。名續註。卷首仍題有執之名。明不忘所本也。

傷寒論註。淸柯琴撰。六卷。又論翼兩卷。琴謂王叔和編次仲景。分傷寒雜書爲二編。然病寒論中雜病之留而未去者尙多。不此之詳。遂以雜病混傷寒。致妄治之失。其實仲景六經。爲百病法。非專爲傷寒一科也。其註以證名彙集諸論。以類相從。亦多心得。

傷寒論綱。計淸沈氏尊生書之一。十六卷。以傷寒論原文爲綱。循經拆疑。下附以諸家之論爲目。

傷寒辨證。淸陳堯道撰。書成於康熙戊午。嘉靖十一年。劉鏡甫始爲刻。

傷寒六經定法。清舒詔撰。在藏修堂叢書中。

傷寒論直解。清張錫鉤撰六卷。

傷寒心法要訣。清醫宗金鑑之一。

傷寒緒論。清張璐撰。

傷寒折衷。清林瀾撰。十二卷。類證八卷。

傷寒尋源。清呂震名撰。

複言

綜上所錄宋七家。元十家。明二十三家。清二十三家。其他尙有日人之作者。如伊藤大助之傷寒論張義。丹波元簡之傷寒廣要。傷寒論述義。傷寒輯義。洋田世賞之傷寒論選註。中西惟忠之傷寒論辨正。山田正診之傷寒攷。傷寒論集成。正版大亮之傷寒脉證式。早川宗安之傷寒論述義等。或輯義完賅。或攷釋詳明。或選集之神。或發揮深邃。或尙論卓越。不若吾國之蹈千家註杜。五百家註輯之籐蔓瓜葛。註疏每泥拘一己當時之環境。結果遂成甲人之傷寒論。乙人之尙論。若完全爲乙人之主觀直覺。結果遂成乙人之傷寒論。甚至有治文學之目光。去咬文嚼字。望文生訓。以至鑄成大錯。而近世治斯學者。唱整理者。已數年於茲。而觀其成績。不過互相抄襲。以成扞格之邪說而已。究其癥結。在于未將對象認清。核心握住所致。當收集之採綴之。以覓得一概念。再比較之。褒貶之。或糾正其所發揮。或覆其註解。則禹鼎在目。洞然豁然。是非謬妄。可以立斷。魑魅魍魎無從施其技矣。

批　考據宏博論斷尤見平允　蔣文芳

胎產總論

董曼仙

婦女因生理之不同。故負有胎產之專職。蓋吾人既行夫婦之大道。必有生育之可能。而其間作種子者。精與卵也。絪緼而成爲胎。交而能孕。孕而能產。產而能長。此乃天地自然之造化。本無疾病之可言。然則何以有交或不孕。孕或不長。或臨盆難產。此何故耶。則當隸之於疾病爲患。生理畸形。保養不法。有爲人事所成。有爲天時所致。其因多端。非數言可能盡述者。且胎產之事。爲婦人所難免者。順者尙有痛苦之可畏。逆者誠有生命之可危。非若經濟之可比。更與個人宗祧之繼繩。國家人民之興亡。皆有莫大之關係。曼仙有鑒於此。用特將古今女科醫籍中之關於胎產者。採其精萃。附以已意。並參西說。成胎產總論一篇。以供檢討。惟學識苦淺。謬誤不逮之處。在所不免。幸祈高明能予以教之。

胎

婦人胎產。固爲天然常事。然而有因某種之關係。而致不孕者。亦頗不乏人。古書雖有求子立方。愚見以爲未必盡妥。當知不孕之故。其因非一。豈可以一方統治百病耶。今將胎之一節。分述於左。

受胎之原理

吾人欲知受胎之原理。當知造成胎兒之原素。原素者何。舊說陽精陰血。百脈齊到。未免過於神秘。使學者視之茫然。不若西說精卵相合而成。爲有意耳。而二者何以相合而成胎。此則須明其性狀矣。蓋精虫爲肉眼所不能見之蝌蚪狀微細小虫。附着於精液之中。具有頭體尾三部。善能運動。以繁殖新生命之用。而卵子於顯微鏡下所能見之球形卵細胞。混雜於分泌內。中含有卵黃。卵黃內有小芽胞。小芽胞中更有細小之第斑。卵子有引攝精虫之功能。使其接近和穿入。而起受精之作用。當卵子成熟而入輸卵管時。小芽胞分裂。出於卵黃之外。名之女性前核。此時男女交合。與精虫相遇。精虫之頭體。能向卵黃內鑽入。留尾於外。此時之尾。失其運動。而漸次消失。而進入之頭體。各男性前核。受精之卵子。再由輸卵管顫毛運動。而送入子宮內。漸次發育。兩核總合爲一。後更分裂。於是形成胎兒身體之諸部。此受胎之大概也。至於受胎時期。大都於經後二三日之內。當此之時。成熟之卵子。隨月經而排出於輸卵管內。其生活僅能二三日之久。過久則失其生活力。頹萎而不能受精矣。設或經前而受胎者。何也。緣精虫之生活力。較卵子爲長。在女子生殖器中。有三週之久可活。遇下期月經之卵子而成胎。然此頗少。因有時子宮內分泌呈酸性。則此時之精虫。不能生活而死亡。此言與中說。經後二三日至五六日內。相交能孕。頗爲吻合。

不受孕之原因

行夫婦之道。老在求嗣耳。而往往見有久室不孕。患伯道之憂者。何也。究其所因。殊甚複雜。斷不能獨歸罪婦人之身。而男子亦占大半之過失也。舉而述之。可分爲二。不外生理上與病理上之變更而已。夫女子月經不調。固爲一大原因。然其他尚屬繁多。如因子宮歪斜而不能受精者。有因子宮冷而不能攝精者。有因脾胃寒而帶脈無力者。有因帶脈急而腰臍不利者。有因肝氣鬱而心境不舒者。有因腎水衰而子宮燥涸者。有因體肥而子宮縮入難以受精者。有因症瘕之疾而不能受精者。有因膀胱氣不化而水濕滲入胎胞者。有因氣虛血衰而不能攝精虫。此皆屬於婦人之病也。至於男子則有因精寒而子宮不納者。有因氣衰而因易洩者。有因精薄而不能成胎者。有因痰多而精不純者。有因火盛而過於持久。男精未施：女興已寢。再如素犯手淫及遺精白濁。或陰莖短小。包皮不脫。類此者。皆隸於男子之病耳。此外更有燕爾新婚。伉儷情篤。置本體於不顧。終年累月。徒事色慾。致傷元氣。或偶而胚胎初結。仍不爲禁。無異花蕚初萌。竟從而蹂躪。旋孕旋墮。似同不孕。或有娶妻多載。久而不孕。於是討小納妾。終亦不得。第不知求子愈急。其精愈泄愈薄。欲其一男半子。誠實難矣。如是當歸色慾不節所致。非病也。或有平素嗜冷生物。煙酒之類。病能致其不孕。然而補救之法。不外乎有病者去其病。生理畸形者施法糾其正。從慾者節其慾。古人有云。求病貴養鍵血。誠哉斯言。

受胎之診斷與非孕之辨別

治病之要。貴在診斷。診斷不祥。施藥無方。尤爲婦人受孕之初。斷其爲病爲胎。關鍵重大。否則以胎作病。以病作胎。豈非貼禍非淺。不獨於婦人有危險。而於胎兒不墮。終有莫大之出入也。蓋婦人妊娠之後。不特月經因此而停閉。卽身體各部及生活狀態。同時均隨之而異。故於診斷之法。可分爲六。記之以作參攷。一爲「問診。」大凡婦人受孕之後。非獨月經停止。且兼有惡心嘔吐。從酸之現象。劇則幾乎點水難下。身體之冷熱。時時消常。喜食酸物。易於發怒。神老不寧。心悸亢進。疲倦志眠。或兼頭痛。均宜詳細問明。

次爲「視診」其乳房爲預備哺乳之用。漸次膨大。孔頭堅硬。美麗之淡紅色。一變而爲赤黑之栗殼色。凸向外方圈內有小斑或小瘡。孔腺充實。壓之有水樣之分泌液流出。其腹部有褐色或帶白色之細腺狀斑點。腹部之膨脹度逐漸增大。而向前方隆起。少腹臍下白臍近陰毛際稍帶黑色。臍窩次第陷沒。臍突出。大小陰唇呈浮腫狀。陰道之白色分泌物增多。陰道內之粘液膜。薔薇鮮紅色。漸亦變爲蒼黃色或褐色。生殖器改常。子宮之容積增加。腟亦漸大。子宮口隨懷孕月增而收縮。亦部與顏面或呈浮腫。至於「脈診」古說不一。大都以滑而冲和。毫無病象者。較爲準確。其他「聽診」施於腹。水各能於一分鐘內能聽出有一百二十至至。一百六十至之胎兒心音。則可斷其爲胎。然其非懷孕於五月以上者。不可再各「觸診」懷孕四月後。腹部觸之微動。此外「藥診」爲中醫所獨長。施之非常靈驗且無危險。大可爲診斷上得一幫助。祇須以川芎一味爲末。濃煎艾葉湯。調服一匙。於數小時內。腹中覺微動者。胎也。或以宅美去皮。與甘草各一錢。黃連五分。共爲細末。溫酒調下。能吐者胎。不吐者非胎耳。以上所述懷孕特徵。大體可謂盡矣。然病有癥瘕之類。頗似妊娠。爲醫者不可不知。切勿徒施安胎之品。以致養癰爲患。不揣簡陋。再申述之以作鑑別。蓋女子行經之時。各多食生冷之品。或天凍之候。下部衣薄受寒。以致子宮受寒冷之刺戟。溫度失常。粘膜於是凝固。不能神經。凝積漸大。因此腹部亦隨之而大。頗似妊娠。其此一也。或由憂鬱。肝脾受傷。此則脾失健運。肝失條達。機能阻滯。影響於月經不行。腹部脹大如孕。此其三也。或由月經適來。而犯房事。子宮受其刺戟。排泄機能阻礙。而留滯於子宮腟內。子宮擴大。形似懷胎。此其二也。或因子宮血腫而粘膜肥厚凝固。不能破粘膜而出。日積月纍。子宮擴張。腹亦漸大。此其四也。再如子宮生瘤。其發生時子宮漸大。亦類有孕。此其五也。其實均非有孕。不可一見經停腹大。未有受孕之特徵者。切勿妄斷爲孕。否則豈不僨事哉。

胎教

胎教之說。世都未諳。妊娠能遵而行之。不特無產難之虞。且生子鮮虞毒胎夭之患。誠爲殤嗣要旨。姑以大概陳之。婦人經後四十餘日不轉。當防其胎。即證房事。慎起居。薄滋味。養性情。刻刻存心。如執至寶。舉趾必徐。行立勿仰。坐不實其前陰。臥不久偏一側。不得耽坐嗜臥。勿使氣血凝滯。有爲第一要義。然則雖不可負重作勞。而須時時小役四體。便使經絡流動。腹腰漸粗。飲食不可過飽。茶湯更須節省。大熱大涼。總非所宜。犬羊鱉蟹一切有毒之物。宜乎切禁。即椒姜常用之品。亦須少嚐。其他魚肉醇酒麵麥之類。雖不能屏絕勿食。亦不可恣啖。當知歸精於胎。致母臨蓐難產。而子在胞中。稟質肥脆。襁褓必多羸弱。即在夏令沐浴。須避熱湯。冬時寤寐。勿近爐炭。其最甚者。尤爲不節交合。淫火盡歸其子。以釀痘疹疥癩之毒。然須妊娠秉性安靜。不假強爲。方臻實際。苦強制以達其性。則鬱火彌熾。此與恣情無禁者。雖截然兩途。而毒歸胎息則一。嘗見切於求子者。得胎即分處房幃。而子仍沒於痘。豈非強制其火之明驗乎。蓋人之志欲匪一。苟未能超出尋常。能曲體母情。適其自然。未有不使子氣安和者也？此即所謂胎教是耳。然胎教原非一端。如懷子受驚。子多胎驚。懷子抱鬱。子多結核流注。懷子恐懼。子多癲癎。懷子常起貪妄之念。子多貪吝。懷子常挾憤怒之心。子多暴狠。懷子嘗造綺語詭行。子多詐僞。非但懷子之後。當檢身心。而輕交感。愼毋恣肆。以遺胎息之患。且胎前亦宜謹愼。如世間之怪胎異疾者。莫不因此而成也。故婦人妊娠之後。不重胎教。非獨有關孕婦個人之康健。且一舉一動。一事一物。莫不能影響於胎兒之品性與疾病。況宗祧重務。安得視爲兒戲哉。

胎前症治

婦人於妊娠之時。其身體各部。必起種種之變化。爲生理上應有之現象。如嘔吐。從嗞。神疲嗜臥。食慾不振。爲輕微之神精障礙與消化障礙。勿薄亦能自愈。不可謂之疾病。然有一定之界限。若其障礙有礙妊婦與胎兒之健康。且有危及生命者。則當求醫服藥。不可疎忽。今將胎前症治分述於下。

「惡阻」 爲子宮發生變化。刺戟胃部。而致嘔吐泛噁。胸悶食少。劇則嘔吐不休。幾乎點水難下。因爲虛弱。漸至困頓異常。神疲乏力。輕者不藥可愈。重者當以千金半夏茯苓湯主之。再佐以陳皮。蘇梗。白芍。當歸。白朮。竹茹。左金丸。金石斛之類。隨症參加可也。

「子懸」 胎氣不和。上攻心腹。脹滿閉塞。氣絕欲死。急宜童便灌之。次以紫蘇飲加鈎藤。茯苓。薑汁之類。將產昏眩。亦宜紫蘇飲。

「子煩」 中脘鬱熱。上乘於心。氣鬱不舒。嘔吐涎沫。惡聞食氣。煩躁不安。胎動不寧。治以千金竹葉湯加減。重者加犀角。

「子淋」 由於膀胱濕熱。腎藏分泌失職。或因胎氣壓迫。致肺脾氣窒。胎壓膀胱。難以射於尿道。治以導赤散加冬葵子。茯苓。黃芩。車前子之類。

「子嗽」 外因由於感冒風寒。內因由於胎氣上道。衝激肺部所致。咳嗽頻頻。胎動不安。甚則喝不得臥。間或流產。感冒者蘇葉。

荆芥。宜能之類。內傷者、桑白皮川貝黃芩麥冬之屬。久而不愈者。佐以六味丸。

「子癇」 由於痰熱上攻。犯於心腦。以致神經迷蒙。不省人事。手足攣縮。言語蹇濇。或卒倒不語。當用羚羊角。羌活。防風。膽星。琥珀。鈎藤。竹瀝。茯神。棗仁之類。

「子氣滿腫」 皆屬於濕。爲脾肺氣虛不運。三焦水道不利。腎失分泌之職。輕者四肢浮腫。行步艱難。重者遍體頭面俱腫。氣促喘悶。不思飲食。或狀如水晶。治以補中益氣湯加減。再參用木瓜天仙藤香附蘇葉薑皮烏藥之屬。喝滿甚者。必兼理其肺。以蘇葉易蘇子。加川朴花。

「胎漏」 無故下血。爲氣血兩虛。或兼有熱。或兼有寒。而下鮮紅血。且腹痛者。爲房事所致。治宜補氣養血。參芎耆歸之類。佐以升麻柴胡之屬。偏熱或因房事者。加川柏黃芩。虛寒者。加艾葉阿膠。然有腹不痛而下紫黑瘀塊者。爲在胎前排泄未盡。停留於子宮之內。不藥能止。無須醫治。

「胎阻」 症見腹痛。其痛如在腰腹與少腹之間者。爲經絡牽掣。或胞血受寒。或停水尿難。或糟粕擠於大腸。或因胎動不安。若在胃部。傷於食也。治當重用當歸。白芍。加腹皮青皮之類。腰痛加桑寄生杜仲。尿難加升麻柴胡。虛寒加膠艾。糟粕停滯加檳榔瓜蔞。傷食加枳殼山楂。胎動加白朮。

「胎動不安」 或有腹痛。多由脾胃素弱。不能管束其胎。氣血衰。不能滋養其胎。治以仲景當歸白朮二方爲主。因於熱者。佐以黃芩。因於寒者。佐以蜀椒。

「胎萎不長或死腹中」 大都因有漏紅所致。或因體虛而成。或因氣鬱。痰濁裹住胎衣之故。或因房事過動所害。治當下之爲宜。方用平胃散加玄明粉。以去死胎。

「跌仆傷胎」 妊娠跌仆。凝血作痛。當辨死生。以黑糖熬枯。入紅酒童便調服。細嚼連皮胡桃肉過口。死者當下。生者其痛即止。如餘傷未盡。痛未止。四烏湯加延胡索木香。傷去而胎氣未安。紫蘇飲加童便砂仁。胎重者。香殼散加熟地當歸以護胎。勢劇者下瘀血湯加當歸酒煎以去血。血去而胎自安。如腹中重墜。按之冰冷。此胎氣正傷。急用香桂散加酒大黃生附子下之。若口中覺穢氣。急用平胃散加芒硝逐之。

至於激經。若體氣素壯。而無他病相兼者。爲氣血有餘。俗名垢胎。無須治療。數月後卽能自止。至於傷寒溫病雜症瘧瘍癧痢中風之類。不可拘泥安胎之說。有病則病當之。病去而胎自安。無庸因循顧忌。否則。反致正氣延虛。兩顧爲難矣。然而破氣動血之品。利水行竅之類。於二三月之間。胎氣未固。宜乎少用。但出於當用之時。用亦不妨。且於懷孕七月以後。如常用順氣之品。反能使胎氣流動。臨盆易產。胎前治法。大抵如是。

產

月足而產。爲生理上自然之作用。雖有痛苦之可畏。斷無危險之可慮。但常聞有難產之發現。何也。大旨爲胎前之所傷。臨產之失愼。於是反平產而爲難產。此亦不可不知。茲將產前產後正產難產。訴述於后。

正產之預兆及非正產之辨別

月暈而風。礎潤而雨。爲氣候之先兆。孕婦臨產。何獨不然。亦具有種種之先兆。顯露於外。然則正產之先兆爲何。其最顯者。腹部下垂。小溲瀕數。肛門迸急。腰腹作痛。漸次加緊。陣陣相因。規則整然。當其忍無可忍之際。卽胎兒漸出產門之時。其他中指跳躍。皆爲正產之先兆也。然有懷孕八九月之間。忽然腹痛。狀如臨盆。而又不產之試月。或有腹痛胎動。似將正產。但雖痛雖動。而胎不下。其腰有痛有不痛。而痛亦不甚。非若正產之腰腹作痛陣陣加緊之弄胎。均非正產。不可妄於用力。致生不測。爲孕婦者。不可不知耳。

臨產之忍痛

臨產腰腹作痛。在所不免。而且愈痛愈急。確有令人難忍之苦。當知腹痛之時。爲子宮壓迫胎兒出產門之際。須宜安靜從容竭力忍耐。切忌驚惶紛擾。致成胎破漿涸。胎兒不能乘勢而下。變生危險。試觀私生者。大都得能安全胎下。頗少難產之見。何耶。莫不爲能忍痛之故耳。故產婦忍痛。爲臨產之要務。

產婆之選擇

臨盆生產。痛苦非凡。更屬危險萬分。稍一不愼。非但產者痛苦倍增。且能使母子生命存亡於片刻之間。言之可懼。觀乎我國歷來。

臨產之時。嘗聞有胞衣掐破。因此漿涸而胎難下。或因用力過猛而數難產。或有受累太過而呈虛脫。指不勝數。緣其所因。莫不爲土收生者所造成之罪孽耳。以生命重大之責任。托付於無學識無經驗之土婆手中。焉有不闖禍者也。實爲可嘆。而今自採取西法以來。且爲產婆者。均具有相當之學識與經驗。於是不幸之事。亦頗少見。蓋夫臨產安危。事關重大。非得有經驗有穩識之穩婆不可。庶不致棄生命如敝屣矣。

難產症治

難產之舉。半由產母之不能忍痛。半由穩婆之不練達。轉輾反側。擠腹撳腰。用力過猛。遂致胎兒不順。如手先下之橫產。俗名討鹽生。足先下之倒產。俗名坐蓮花生。或臀部先下之以臀生。或臍帶伴住。兒頭露頂。久久不下之礙產。俗名背色包。或兒頭偏抵產戶。面不下之偏產。均須令產母仰臥。並令練達之穩婆。施以手術。輕輕送上。聽其自然。再助以藥餌。則產自順矣。然而有初生之婦。因生理反常。如骨盆狹小。陰道畸形。子宮口狹。陰道狹小。產道障礙。交骨不開。則非醫生施以手術不爲功也。吾國醫之佛手散。可謂交骨不開之聖藥。施之無不絕效。爲產家不得不知。以作急救之用。其或有因氣血兩虛。臨產虛脫。可以獨參湯煎服。以接其力。而催生之劑。當推丹溪達生散爲最妥。或保產無憂散。如氣血虛者。以蔡松汀難產神效方。於達月之時。預服四五劑。或臨產之時。連服一二劑。均可免却難產之患。

產後調攝與禁忌

新產之後。其體必虛。調攝之法。首當靜養爲要。嚴避悲哀驚恐忿怒之感。且補以富有營養之品。以助體內氣血之不足。而食化不易消化與生冷之類。須宜慎之。蓋吾人食物入腹。全賴血以消化。產後血虛。且少行動。每易引起消化不良之症。或致經停惡阻。次爲行動。當適其宜。不可操作過度。往往因辛勞過常。而致終身痛苦不堪。尤爲娩後行房。更當禁忌。蓋婦人產後。其生殖器必受無數之新創。交感而易破裂。重則出血。其血愈虧。而爲貧血。況妊娠至分娩之時。其子宮膣腔部。極度擴張。產後漸次縮小。非經七週之久。不得復原。此時驟與刺戟。妨害收縮之力。不免子宮因此而後屈。或致轉位等症。或腰曲不直。或乳汁全無。或致終身病弱。慘無人道。爲人夫者。萬不可圖一時之快。害妻子於終身。當刻刻以此爲戒耳。

產後症治

產後之病。大抵爲惡露未淨。體虛所致。其他莫不與平時相同。其治法。有瘀者去其瘀。虛者補其虛。然古書所載。繁雜不一。使學者視之毫無頭緒。今將產後之特症。分而述之。以清眉目。

「血暈」 出血過多。元氣大損。惡露乘虛上攻。眼花頭暈。面色蒼白。心下痞滿。四肢逆冷。神昏口噤。痰涎壅塞。或噁心嘔吐。脈象細弱。急用童便主之。若下血多而暈者。芎歸湯入參澤蘭童便。兼補而散之。痰合二陳加烏梅姜汁。并用鐵秤鎚燒赤。以醋沃之。或燒漆器亂髮。以烟薰之。或因虛火載血上行而暈。用鹿茸灰爲細末。好酒灌下。一呷即醒。行血極快。產後昏暈嘔逆。不能飲食。此胃虛挾痰所致。以抵聖散去赤芍。加炮姜茯苓。愼不可用黃歸白芍膩膈之品。

「發痙」 因去血過多。元氣虧極。汗出傷陰。或爲外邪相搏。或由陰火內動所致。證見牙關緊急。腰背反張。四肢逆搐。兩目連劄。治以滋榮活絡湯。有痰加竹瀝半夏。有汗加炮姜。汗多加附子。有食加山查砂仁神曲麥芽。而兩手摸空者不治。

「腹痛」 惡露不下者。以牛膝大黃各四錢。丹皮當歸各三錢。芍藥二錢。桂心一錢。蒲黃二錢。共爲細末。生地黃汁調酒服方寸匙。每日二服。以惡露下行爲度。或瘀血作痛。當以行血破瘀之品。如山查炭五靈脂香附蒲黃元胡索杜牛膝炒荊芥穗各等分。清水杯半煎八分冲米酒一匙。溫服最有效驗。更有腹痛。如臨盆。每日數發。或間日數發。痛不可忍者。方用朱色血竭一錢。明沒藥一錢。共研細末。開水冲服。連藥服下。三四帖後立能見效。如前次產後。有是痰者。臨盆前。先服一帖。可免復發。

「蓐勞」 因於產後失調。延成蓐勞。俗謂產勞是也。症見虛羸喘乏。寒熱如瘧。百節煩疼。頭痛自汗。肢體倦怠。欬嗽痰逆。腹中絞刺。當扶正氣爲主。六君子加當歸。若脾肺氣虛。咳嗽口乾。異功散加麥冬五味。氣虛頭暈。補中益氣倍用歸耆。肝經血虛。肢體作痛。四物加參苓朮桂。肝腎虛弱。自汗盜汗。往來寒熱。六味丸加五味。脾虛血弱。腹痛月經不調。歸脾湯倍木香。血虛有熱。增損柴胡湯。骨蒸勞熱。嗽痰有紅。異功散去朮加山藥丹皮五味阿膠童便。熱而無痰乾咳。逍遙散用蜜煎姜橘蜜蒸白朮。或經久蓐勞不愈。元神不復。月事不調。先與千金當歸芍藥湯。後與烏雞骨丸調補。大抵此證多由脾胃虛弱所致。當補脾胃。其病自愈。今再錄一通治之方。以作備用。施之無不見效。貧者無資醫藥。亦可得以一救。祇須以龍眼肉十二枚。紅棗十二枚。白冰糖一兩。用河水煎取濃汁。

和入生雞子一枚。打爛温服。每日清晨服之。服一百二十日。無不全愈。

「汗出」　產後營陰虛虧。肝陽升旺。疎泄陰液爲汗。延久不治。變爲痙病。治當麻黃根湯。虛脫多汗手足冷加黑姜附子。渴甚加麥冬五味。肥人多汗加竹瀝姜汁。惡風寒加防風桂枝。血塊不落加熟地。晚服八味地黃丸。

「浮腫」　腫脹腹大筋青。小便不利。必食生冷傷滯瘀血。理中湯加木香肉桂蓬朮。嗽者忌用炮姜木香。或身腫腹大如鼓。四七湯加木香。面腫下不腫者。屬風宜散。紫蘇飲加木通。下腫上不腫者。屬温宜利小便。紫蘇飲加木通。四肢與頭面腫甚。氣食也。紫蘇飲加消導藥。有血兼破血藥。腹腫喘滿。夜甚於晝。四烏湯加蓬朮。若足忽腫者。乃濕熱注病。恐成脚氣。當歸拈病湯。若紅腫而燥。恐生腫毒。則以膚熱與不熱爲辨。

「泄瀉」　產後泄瀉。原因很多。皆爲中氣虛寒。傳化失職之故。總似理中湯爲主。食加枳實山查。水加桂心茯苓。虛加桂附倍參。寒加桂附倍姜。久瀉腎虛加桂心熟附。瘀結不行加炮姜山查歸身。若見完穀不化。色白如糜。此脾胃大虛。元氣虛脫之侯。十有九死。惟猛進温補之劑。庶可挽回也。

「陰痛」　產後起居太早。產門感風作痛。衣被難近身體。宜用祛風定痛湯。

「遺尿」　氣血太虛。不能約束。宜八珍湯加升麻柴胡。甚者加熟附子一片。

「口渴兼小便不利」　產後煩躁。咽乾兼小便不利。由失血汗多所致。治當助脾益肺。升舉氣血。不可誤認口渴爲火。而用黃連梔子川柏以降之。且勿認小便不利。爲水治而用五苓散以通之。宜以生津止渴益水飲。

「氣短似促」　因血脫勞甚。氣無所恃。呼吸止息。違其常度。勿認爲痰火所爲。而用散氣化痰之品。當以大補血爲主。如有塊不可用參芪朮，無塊方可用。治以補氣養榮湯。如手足冷加熟附子一錢。汗多加麻根一錢。浮麥一小撮。渴加麥冬一錢五味子十粒。大便不通肉蓯蓉一錢。麻仁一撮。傷麵飯加炒神麯一錢。炒麥芽一錢。傷肉食加山查砂仁各五分。

「大便不通」　由於血虛液少。當以四物加鮮首烏潤之。不可誤用苦寒導滯。若多日不解。躁悶異常。不得已用人參當歸枳殼煎服。亦權宜之術。至治產後日久。病外感熱結。有實邪燥屎者。急用承氣大柴胡下之。不當拘泥此例。

「陰戶碎破」 由於產時艱難。穩婆動用手術。不慎而致。及至產後。輕則紅腫疼痛。甚則腐爛流脂。苦楚莫名。而有一簡易療法。以蚌殼煅灰。研極細末。和入冰片少許。用菜油及麻油調搽。能奏效。

其他不論其爲傷寒。爲温病。爲瘧痢。爲內傷。爲外感。總以適應病症。而無所顧忌。實者攻之。虛者補之。瘀者破之。然則產後雖血臓爲多。而治法仍當以去瘀爲先。瘀不去。則新血何由而生。不可拘泥於古人之說。醫者當宜權變爲要。庶不致有誤耳。

小產之原因與預防

蓋胎兒在母腹之時。全賴母體之氣以攝之。血以養之。終待瓜熟蒂落。月足而下。爲自然之理。然常聞有懷孕數月。而致小產者何也。緣其故。莫不爲房事所傷。跌仆所損。或爲六淫所襲。或因七情所感。氣血衝亂。致胎流不長。或死腹中。更有因脾胃虛弱。生化之源不健。氣血於是而少。胎失其養。於是半途流產。防治之法。首重胎教。務須保養適其宜。飲食得其常。寒暖慎其度。房事節其慾。使氣血流動自不亂。或因脾胃虛弱。氣血虧損。速當補其脾胃。生其氣血。而胎自安。或於受胎之初。急服養胎之劑。於是始可免遭小產之流弊矣。

綜觀以上所述。關於胎產之事。可謂大體已具。惟作者限於學識。迫於時間。謬誤不達之處。定屬不勝繁多。且加以修改不及。草草成此以了文卷。幸讀者諸君諒之。並附原方於后。以作參攷。

千金半夏茯苓湯 半夏 茯苓 春砂 甘草 烏梅

紫蘇飲 當歸 白芍 川芎 紫蘇 陳皮 腹皮 人參 甘草 生姜 葱白

千金竹葉湯 竹葉 知母 小麥 石膏 茯苓 黃芩 麥門冬 人參 生姜 括蔞根 半夏 甘草

補中益氣湯 黃芪 人參 白朮 甘草 當歸 陳皮 升麻 紫胡 姜棗

白朮散 白朮 川芎 蜀椒 牡蠣

當歸散 當歸 黃芩 芍藥 川芎 白朮

平胃散 蒼朮 厚朴 陳皮 甘草 生姜

下瘀血湯 大黃 桃仁 蟅蟲

滋榮活絡湯 川芎 當歸 熟地 人參 黃芪 茯神 天麻 炙草 陳皮 防風 荊芥穗 羌活 黃連

麻黃根湯 人參 當歸 白朮 黃芪 粉草 麻黃根 牡蠣 浮麥

祛風定痛湯 川芎 當歸 獨活 防風 肉桂 荊芥 茯苓 地黃 棗

生津止渴益水飲 人參 當歸 生地 黃芪 葛根 麥冬 升麻 甘草 茯苓 北五味

補氣養榮湯 川芎 當歸 炙草 黑姜 人參 桃仁 棗 熟地 陳皮 白朮

大柴胡湯 柴胡 黃芩 半夏 生姜 大棗 芍藥 枳實 大黃

大承氣湯 大黃 芒硝 枳實 厚朴

六味丸 山茱萸肉 山藥 牡丹皮 茯苓 澤瀉 熟地

理中湯 白朮 人參 乾姜 甘草

六君子湯 人參 白朮 茯苓 甘草 半夏 陳皮

四物湯 當歸 芍藥 川芎 熟地

異功散 人參 白朮 茯苓 甘草 陳皮

逍遙散 當歸 白芍 茯苓 柴胡 甘草 白朮 薄荷 姜

增損柴胡湯 柴胡 半夏 人參 甘草 生姜 大棗 川芎 芍藥 陳皮

歸脾湯 人參 黃芪 白朮 茯苓 當歸 龍眼肉 遠志 棗仁 木香 甘草 姜 棗

八珍湯 四物合四君

抵聖散 人參 半夏 赤芍 澤蘭葉 橘皮 甘草 姜汁冲

導赤散 生地黃 木通 竹葉 甘草梢

二陳湯　半夏　陳皮　茯苓　甘草　姜

芎歸湯　川芎　當歸

當歸拈痛湯　茵陳　羌活　防風　升麻　葛根　蒼朮　白朮　甘草　黃芩　知母　當歸　豬苓　澤瀉

保產無憂散　當歸　貝母　黃芪　白芍　菟絲子　厚朴　艾葉　荊芥穗　枳殼　川芎　羌活　甘草

丹溪達生散　當歸　白朮　白芍　蘇葉　腹皮　陳皮　甘草　人參　枳殼　砂仁

難產神效方　黃芪　杜仲　兔絲　枸杞　當歸　白芍　龜板　牛膝

當歸芍藥湯（千金）　歸身　芍藥　人參　乾地黃　桂心　甘草　生姜　大棗

佛手散　當歸　川芎　有加龜板餘炭

香附散　肉桂　麝香

香殼散　香附　枳殼　青皮　烏藥　赤芍　蓬朮　歸尾　紅花　炙草

四烏湯　四物湯加烏藥　香附　甘草

批　言簡而賅　文芳

痢疾症治綱要

許雲鵬

導言

痢疾一症。古今之名稱不同。在靈素謂之腸澼。又曰滯下。難經曰大瘕泄。至漢張仲景傷寒論。始謂之下痢。而唐宋以降。又有滯下便膿血之稱。今則通稱之曰痢疾。故痢疾二字。在漢唐以前諸家書中多未之見也。先賢孫思邈千金方分痢爲四種。曰冷痢。曰熱痢。曰蠱痢。曰疳痢。其實痢疾之起。原因甚多。症候萬狀。豈可以四種概之。或以其原因而命名。或隨其症候而命名。故厥後方書又有外感痢。內傷痢。三陰痢。三陽痢。赤白痢。五色痢。魚腦痢。括腸痢。痧毒痢。休息痢。噤口痢。風痢。氣痢。疫痢。瘧痢。在婦人更有胎前痢。產後痢。在小兒更有疳痢。驚痢。疹後痢。痘後痢。等等名稱。然縱有千端。而其原因則莫出于內傷與外感。其症候則莫逃乎虛實寒熱。其病灶則莫離乎腸胃。其治法則不外乎溫涼攻補。夫寒者溫之。熱者清之。虛者補之。實者瀉之。然物極必反。理之常也。故往往有大實症而現虛象。補之則斃。大虛症而見實象。瀉之必亡。陽症似乎陰。溫之則死。陰症似乎陽。清之致喪。夫疑似之外。更有兼症。夾症。以及先實而後虛。先虛而後實者。若非明達之士。精心詳察。欲其藥不妄投。覆杯病除。得乎。故治症之法。驟觀之似易。實至難。鵬不敏。學識淺陋。塊無心得而有所貢獻。茲僅將所知者。條分之于下。但疵錯之處。自知不免。尚希明達諸公。有以敎之。則幸甚矣。

病因

劉宗厚云。滯下之症。由腸胃日受飲食之積。留滯于內。濕蒸熱瘀。鬱結日深。伏而不作。相火司令。或兼調理失宜。或感酷暑之毒。至秋陽始收。火氣下降。兼發蓄積。而滯下之症作矣。張景岳云。痢疾之症。多發於夏秋之交。古法相傳。皆謂炎暑大行。相火司令。酷暑之毒。蓄積而爲痢。吳本立云。凡痢初起。有因暑濕而得者。有喜食生冷瓜菓。或坐涼亭水閣。或露坐當風。皆虛者得之。靈樞論疾診尺篇云。春傷于風。夏生飧泄腸澼。素問大陰陽明論云。犯賊風虛邪。陽受之。飲食不節。起居不時。陰受之。陽受之則入六腑。陰受之。則入五臟。入六腑則身熱不時臥。上爲喘呼。入五臟則塡滿閉塞。下爲飧泄。久爲腸澼。東垣云。飲食一傷。起居不時。損其胃氣。則上升清陽氣反。下降而爲飧泄。久則大陰傷少陰。而爲腸澼病。醫宗金鑑痢疾總括云。痢疾暑濕生冷成。傷氣爲白傷紅血。程芝田云。

痢疾未有不因停積而成。但積有寒。有熱。熱者因受濕熱而成。寒者。因受生冷而成。議論紛紛。各有所說。然所說雖異。而其旨則同也。蓋綜觀以上諸說而歸納之。則痢疾之原因。僅可分爲內傷與外感二大綱。所謂內病者。卽飲食不節。過食生冷之類。以病生于內故云也。因傷所謂外感者。卽起居不時。爲六淫所侵之類。以病自外來故也。此我國醫學古來論痢之概況也。近世西醫之學說。則將痢疾之原因。分爲神經性刺戟。腸之器質的疾患。腸內容之異常。腸吸收之機能減失。腸分泌之異腸亢進。及急性細菌與慢性變形虫之爲患等等。茲引其原說于左。以備參攷云耳。

(一)神經性刺戟　有因皮膚感寒涼。或精神感動而痢者。此謂之神經性下痢。健康之人亦或患之。要以歇斯的里症。神經衰弱症之人患者爲多。其原因所在。蓋反射的刺戟。或神經中樞之刺戟。而腸之運動神經中迷走神經交感神經興奮故也。又脊髓癆等所起之發作性下痢。乃由于腸神經或神經中樞之刺戟而起。而在神經性下痢。不惟由于腸運動之亢進。又同時因神經刺戟。腸液之分泌。大爲亢盛。益增加腸內容之液分。形成稀薄之流便。無可疑也。又在大常。往往其非膜多量分泌粘液。形成膜樣物與糞便共排泄于外。所謂粘膜性疝痛之疾患。卽屬于此。實大腸之分泌神經病也。此疾患多發于神經性婦人。每有併起高度之疼痛。遂發眞正之腸疝痛者。

(二)腸之器質的疾患　腸內有炎症及潰瘍等時。對于其粘膜之感受性亢盛。故其蠕動機頗強。且于一方腸之吸收力減失。愈足矣發起下痢也。

(三)腸內容之異常　未十分軟化分碎之食物。腐敗性物質。腸內之醱酵腐敗性產物。腸寄生虫等。皆能刺腸部。亢進其運動。而發起下痢者也。

(四)腸吸收機能之減失　亞爾加里性及痲屆涅矢亞鹽類。皆妨礙腸內吸收水分之作用。故使大便稀薄。然無亢盛腸運動之性。又溢內絨毛血管。起澱粉樣變性者。溢之吸收機能大爲減弱。久之遂至下痢焉。

(五)腸分泌之異常亢進　腸有疾患。其粘膜漏出多潤之液分。腸內容物至爲稀薄。遂致下痢。而此液分漏出之原因。凡有二種。其一。因腸粘膜之炎症而滲出漿液。其二。卽腸粘膜之里培爾孟氏腺分泌亢進是也。

（六）急性細菌與慢性變形虫之爲患　凡西醫籍中所見之所謂急性細菌性赤痢。卽前者之爲患也。所謂慢性變形虫性赤痢者。卽後者之爲患也。然此種細菌與變形虫之所以能發生痢疾者。實以細菌之毒素與變形虫之外漿。有破壞腸粘膜與組織之特性也。其侵入人體之途徑。或食腐敗之物。或飲不潔之水。或呼吸穢濁之空氣。皆足爲其媒介也。

觀乎以上中西學說。則判若兩途。誰是誰非。縱使學者無從而宗之。在西醫必說中醫之學說不合科學化。爲無稽之談。在中醫亦必不以彼說爲然。而自是其說也。以愚論之。均不可固執已見。互相詆謗。中西之說。俱不可廢。二者實有會通之可能也。蓋病狀之顯。均由臟氣不循常軌。故痢疾原因。西說六條中前五條均爲生理上及臟器之管能失其常態。至其所以失其常態者。乃卽吾中醫之所謂起居不時。露坐當風。飲食不節。過吞生冷使然也。至彼云有由及細菌及變形虫爲患者。乃于顯微鏡下檢查所得。此說固無推敲餘地。然凡人體莫不有自然之抗毒力。強壯之人。雖有細菌侵入。而其體內之抗毒素。隨卽起而殺滅之。不能爲患者。又必待中醫所謂飲食不節。過吞生冷。戕傷腸胃清陽之氣。致失生理之常態。抗毒之能力減退。然後菌毒侵之。始能肆行其虐矣。若是觀之。則中說方可謂爲痢疾之主因。而西說則僅可爲痢疾之副因。而不得謂爲主因也。換言之。則中說又可爲西說之因。而西說又可爲中說之果。夫因果相連。故吾云中西二說有會通之可能也。

症狀

大便失其常度。日或五七行。或十餘行。甚則數十行。其最劇者。竟有日夜無度。其顏色異常。或赤或白。或赤白相雜。或如爛魚腸。欲便腹痛。裏急後重。數至圊而不能便。此爲通常之症狀。若所下如黑豆汁。或如爛肉汁。或如屋漏水。或爲膿血水。或純爲鮮血。此痢症之重者。若同時而見形身疼痛。惡寒發熱。嘔吐等其他症狀。則謂之兼症。治法亦當隨其而顧及之。

診斷

李士材曰。痢之爲病。多本脾腎。脾司倉廩。土爲萬物之母。腎主蟄藏。水爲萬物之元。二藏皆根本之地。投治少差。冤沉幽冥。究其疵誤。皆寒熱未明。虛實不辨也。卽在前賢。頗有偏辟。如局方復庵。例行辛熱。河間丹溪。專用苦寒。何其熱而不圓。相去天壤耶。夫痢起于夏秋。濕蒸熱鬱。本于天也。因熱求涼。過吞生冷。由于人也。氣壯而傷于天者。鬱熱居多。氣傷而傷于人者。陰寒爲甚。濕土寄旺于四時。或從于火。則陽土有餘而濕熱爲病。經所謂墩阜是也。或從于水。則濕土不足而寒溫爲病。經所謂卑監是也。言熱遺寒。言寒遺熱。豈非立言之過乎。至于赤爲熱。白爲寒。亦非確論。果爾赤白相兼者。豈能寒熱同病乎。必以見病與色脈辨之。而後寒熱不淆也。須知寒者必虛。熱者必實。更以虛實細詳之。而寒熱愈明矣。脹滿惡食。急痛拒按者實也。煩渴引飲。喜冷畏熱者熱也。脈弦而實者實也。脈數有力者熱也。胸悶噯腐。脈實苔垢者實也。下痢鮮血。小便熱赤者熱也。能食不渴。腹痛喜按者虛也。腹中雷鳴。喜熱畏寒者寒也。脈大無力者虛也。脈遲而沉者寒也。情色淡白。脈形微弱者虛也。痢下稀白。小溲清長者寒也。初起而色充者實也。久痢而色萎者虛也。新虛暴注如水。口渴脈數者實熱也。久痢靈滑不禁。脈無力者靈寒也。下痢腹痛。脹滿裏急後重。口渴引飲。小便赤濇。此濕熱積滯也。白痢而滑。手足逆冷。頻見汚衣者虛寒也。夫痢疾之原因不一。症候殊多。難以盡述。前所言者。其大畧也。要在臨症之時。四診合參。細心審察。方可不致誤人也。

疑似症辨

疑似之症者。卽似實而非實。似虛而非虛。似寒而實熱。似熱而實寒之症也。如口渴爲實熱似矣。而不知凡係瀉痢。必亡津液。而液亡于下。則津涸于上。安得不渴。當以喜熱喜冷分虛實也。以腹痛爲實熱似矣。而不知痢出腸臟。腸胃必傷。膿血剝膚。安得不痛。當以痛之緩急。按之可否。腹之脹與不脹。脈之有力無力分虛實也。以小便之黃而短少爲實熱似矣。而不知水從痢去。溲必不長。液之亡。陰溺因色變。當以便之熱與不熱。液之涸與不涸。色之澤與不澤分虛實也。裏急後重爲實熱似矣。而不知氣陷則倉廩不藏。陰亡則門戶不閉。當以病之新久。質之強弱。脈之盛衰分虛實也。疑似之症甚多。殊難枚舉。尚希賢者一隅三反。神而明之可耳。以上諸症。設遇庸工而不精心審察。草率從事。則鮮有不爲其所忽矣。夫寒熱亂投。攻補異治。豈非抱薪救火。雪上加霜。焉有不僨事者乎。

生死色症

夫診斷及疑似。已于前面概言之矣。又有生死脈症。不可不知也。蓋何證得生。何證必死。何者難醫。何者易愈。若能瞭然于胸。則對于診治上。實有一大幫助焉。內經云。腸澼便血。身熱則死。寒則生。（腸澼腸胃受傷，不當更有表熱，有表熱，則內外俱困，陽無所依，故云身熱則死，寒則生也。）腸澼下白沫。脈沉，則生。脈浮則死。下白沫爲氣不守，反見浮脈，中宮無主，安得不死。腸澼下血。脈懸絕則死。浮大則生。腸澼之屬。身不熱。脈不懸絕。滑大者生。弦濇者死。以臟期之。懸絕，弦濇，皆氣血殆盡之脈，故主死，滑大爲邪熱可攻之象，故主生。脾脈外鼓沉爲腸澼。久自已。肝脈小緩爲腸澼。易治。脈澼外鼓沉，言氣口脈盛，按之有力，雖久可治，肝脈小緩，謂人迎脈乘而小大，無客邪乘脾之候，故易治也。腎脈搏沉爲腸澼。下血。溫身熱者死。心肝澼亦下血。二臟同病者可治。其脈沉濇爲腸澼。其身熱者死。熱見七日者死。腎脈搏沉，乏陽和之氣，且見溫脫身熱，謂眞陰下脫致死，心肝澼亦下血，即外鼓沉小緩脈症，川脾爲心子，故二藏同病者可治，若見脈小沉濇，爲營衛內傷，加以血溫身熱，不出七日必死也，腎移熱于脾。傳爲虛。腸澼死。乃土衰不能制永，後天水脾俱敗也，故死。陰陽虛。腸腎死。陰虛，則血溫身熱，陽虛，則肢冷不食。泄而死脫。血脈實難治。下脫而見脈實，脈症相反，純屬邪氣用事，故難治也。又金匱云。下痢脈沉弦者下重。脈大者爲未止。脈微弱數者爲欲自止。雖發熱不死。沉主裏，弦主急，故見脈沉弦者，則知其裏急下重，脈大者爲邪盛，又爲病進，故見是脈爲未止，微弱者，正衰而邪亦衰弱也，數者陽之象也，故脈微弱而兼數者，故知陽氣將復而痢而不止也，下痢以發熱爲逆證，而既得微弱中見數之脈，則爲邪去正復，故知發熱必自已，而不死。下痢手足厥冷。無脈者。灸之不溫。若脈不還。反微喘者死。少陰負趺陽者不死。手足厥冷者，陽陷下，不能行于手足也，無脈者，陽陷下不能充于經脈也，灸之起下陷之陽，手足當溫，而竟不溫，手足雖不溫，而猶望其脈還爲吉兆，若脈亦不還，反加微喘者，是下焦之生氣不能歸元，而反上脫也，必死，所以然者脈之元，始于少陰，生于趺陽，少陰趺陽，爲脈生始之根，少陰脈不至，則趺陽脈不出，故少陰在下，趺陽在上，故必少陰，上合而負于趺陽者，戊癸相合，脈氣有根，其症爲順脈。下痢有微熱而渴。脈數者。令自愈。大熱而渴，則偏于陽，無熱不渴，則偏于陰，皆未能即愈，若有微熱而渴，則知其陰陽和也，脈弱者，未則知其邪氣去也，見此脈症，故主自愈。下痢脈數有微熱汗出。令自愈。設脈緊爲未解。下利脈數爲熱者也，若身無大熱，祗有微熱，汗出，其熱亦隨汗而衰矣，故不須治而自愈，設脈緊者，爲邪未衰也，故爲未解，下痢脈數而渴者。令自愈。設不差。必圊膿血。以有熱故也。下利以見陽爲吉，若脈數而渴者，是陽能勝陰，故當自愈，設不差而又見脈數而渴，則必圊膿血，蓋脈數口渴，爲內熱之徵，熱則動其血故也。夫內經以腸膿身熱則死。寒則而金匱則云下痢脈微弱數者。雖發熱不死。下利有微熱而渴。脈弱者令自愈。下利脈數者。有微熱汗出。令自愈。一云身熱則死。一云有微熱自愈。同爲明論。何其相反。若是耶。蓋二說有新久寒熱之分也。內經所言。必係熱利而久者。金匱所言。必係寒利而暴者。緣暴病有陽則生。無陽則死。故虛寒下。利手足厥冷。反發熱者。其人中臟眞陽未漓。或得溫補藥後眞陽隨返。皆是善徵。此但收拾其陽協和其陰。若慮其發熱。反如法法。行清解之藥。鮮有不殺人者矣。

治法

治痢之法。其要當分標本先後。虛實寒熱。得其要。則萬無一失。失其要。則死生反掌。吳本立云。治痢不分標本先後。概用苦寒。醫之誤也。所謂標本先後者。以腸胃論。大腸爲標。胃爲本。以經脈論。手陽明爲標。少陽相火爲本。故胃受濕熱。水穀從少陽之大化。變汚濁而傳入大腸。不治少陽。但治陽明。無益也。少陽生發之氣。傳入土中。因而下陷。不先以辛涼舉之。徑以苦寒奪之。痢無止期矣。又云治痢不審病情虛實。徒執常法。自恃專門。醫之過也。所謂實者。邪氣之虛實。者也。正氣之虛也。七實三虛。攻邪爲急。七虛三實。扶正爲本。十分實邪。即爲壯火食氣。無正可扶。急去其邪。以留其正。十分虛邪。即爲淹淹一息。無實可攻。急補其正。聽邪自去。否則邪未去而正已脫矣。準繩云。治痢從腸胃。世人所守之法也。要不可。不求其初感之邪與初受之經。蓋病在腸胃•是其標也。所感之邪與所受之經。是其本也。內經之冰本。各有所宜。施有先後。痢症傳變之法。與傷寒表裏無異。何可不求之乎。至若腸胃自感而病。亦當以邪正分。或正氣先虛。或因邪而致虛。即以先者爲本。後者爲標。與夫積滯亦如之。舊積停食結痰所生者。當下之。新積不宜下。其故何歟。蓋腸胃之熟腐水穀。轉輸糟粕者。皆營衛灑陳六腑之功。今腸胃有邪。則營衛運行至此。其機爲之阻。不能施化。故衛氣鬱而不舒。營血泣而不行。于是乎飲食結痰停于胃。糟粕留于腸。與鬱氣泣血之積相挾而成滯下病矣。如是者當下之。以通壅塞。利營衛之行。至于升降仍不行。衛氣復澀。則成新積。故病如初。如是者。不必求邪以治。但理衛氣。以通腠理。和營血。調順陰陽。腠理開。則升降之道行。其積不治而自消矣。然而舊積亦有不可下者。先固氣因之虛。不能轉輸其食積。必當先補氣血。使腸胃之真氣充溢。然後下之。殊無失矣。以上所云。乃標本先後之法也。更須察其何邪致病。與邪之所在而治之。如初病而兼形痛。惡寒。等表症。則當表裏兼顧。蓋恐表邪入裏。病症增劇也。如因于熱者。利其濕。因于熱者。瀉其熱因于節滯者。導其積滯。因于氣者調之。因于血者和之。新感而實者。可以通因通用。久病而虛者。可以塞因塞用。獨怪世之病痢者。十有九虛。而醫之治痢者。百無一補。氣本下陷。而再行其氣。後重不益甚乎。中本虛衰。而再攻其積。元氣不愈竭乎。濕熱傷血者。自宜調血•若過行推蕩。血不轉傷乎。津亡作渴。自宜止泄。若再行滲利。津不轉耗乎。近世庸工。專守痛無補法。直待痛止。方可補耳。不知因虛而痛者。愈攻則愈虛愈痛矣。皆本末未明。但據有形之疾病。不思可慮者。無形之元氣也。玆將宜宜之症概言之。脈來微弱者可補。形色虛薄者可補。病後而痢者可補。因病而劇者可補。產後而之痢者可補。此乃大略也。宜補之症尚多。要在臨症之時細審之。

症治

痢疾一症。原因不一。症候各異。有宜攻者。有宜補者。有宜清者。有宜溫者。有當先治其表。後治其裏。有當表裏兼顧者。此乃言下痢而兼有表症也。若初起惡寒身病。無汗脈浮。瀉下清水。或如屋漏水。口不作渴。宜敗毒散。人參甘艸茯苓川芎羌活薄荷枳殼桔梗柴胡前胡獨活生姜先解表邪表解痢未止者。宜五苓散。茯苓豬苓白朮桂枝澤瀉分利之。益利小便。即所以實大便也。如瀉痢身熱。脈弦頭疼。腹痛口渴。當表裏兼顧。宜防風等藥湯。防風白芍黃芩之類。如下痢鮮血。口喝心煩。腹痛不食。脈數溲赤。宜茜根散。茜根地榆地黃犀角黃芩黃連山枝豆豉當歸之類。如瀉痢腹痛後重。脈洪疾者。黃芩芍藥湯。黃芩黃連大黃芍藥木香檳榔官桂治之。如下痢暴注無聲。如水不禁。小便清利。周身汗出。偏體盡冷。脈微嘔吐。氣少不能言。宜漿水散。附子桂枝幹姜良姜半夏甘艸之類。若下痢清穀。手足逆冷。腹中絞痛。脈沉而微。四逆湯甘草附子干姜主之。或附子理中湯。人參白朮甘艸附子炮姜若下痢色白。飽悶不食。胸腹作痛。與溫中湯。木香炮姜砂仁厚朴青皮白芍煨姜若純下鮮血。腹不痛者。與河間芩連湯。黃芩黃連當歸甘草下血色瘀者。宜理中湯。人參甘艸白朮炮姜之類。若下痢膿血。脈數口渴。裏急後重。宜白頭翁湯。白頭翁黃柏黃連秦皮若痢下膿膿血稠粘。腹痛後重。宜芍藥湯。白芍黃芩黃連大黃肉桂甘草當歸木香檳榔如下痢膿血而見脫肛者。宜地榆芍藥湯。地榆芍藥阿膠黃柏蒼朮若痢下膿血。腹痛。下焦虛脫者。宜桃花湯。赤石脂粳米乾姜若痢下膿血。小便利而少腹滿痛。脈沉實者。爲內有蓄血。與桃仁承氣湯。桃仁甘草大黃桂枝芒硝若下痢日夜無度。宜斗門祕傳方。黑豆乾姜芍藥甘草地榆粟殼若下痢大孔痛。初病脈洪大者。宜芍藥湯。前見久病身冷自汗者。宜理中湯。前見如下痢清水。胸悶食減。腹滿堅硬。疼痛拒按。宜大承氣湯。芒硝大黃枳實厚朴下痢譫語。苔垢脈實者。與調胃承氣湯。硝芒大黃甘草若下痢嘔逆。不能進食。宜開噤湯。人參丹參石蓮黃連石菖蒲冬瓜子茯苓陳皮荷蒂陳米或半夏瀉心湯。半夏黃芩黃連人參甘草乾姜生姜大麥若下痢時發時愈。延久不休。脈象微弱。面色萎黃。治與補中益氣湯。白朮黃芪陳皮人參升麻柴頭甘艸當歸身如婦人胎前下痢。腹痛後重。胎動不安。宜補中益氣湯上見加黃芩。白芍。產後下痢。日久不愈。虛寒滑脫。宜眞人養臟湯人參白朮甘草當歸白芍木香肉桂訶子肉果粟殼小兒痘後下痢膿血。宜四物湯當歸川芎白芍地黃加黃芩。黃連。枳殼。荊芥之類。如久痢脫肛。氣色淡薄。肢體困倦。微微無力。當與補中益氣湯見前。如痢久脫肛。虛滑不禁。宜眞人養臟湯見前。及訶黎勒散訶子粟殼乾姜陳皮之類。若痢已愈。而形色萎黃。肢體無力。氣血未復者。宜十全大補湯黃芪肉桂人參茯苓白朮甘草川芎當歸白芍熟地。夫痢症甚多。治法各異。不可勝數。茲所言者。乃其大概也。且病之于人多變。其要在乎臨症精別。隨機應變也。

病後調養

（一）愼起居。蓋人之有生。端賴血氣。氣血者。水穀所生也。水穀者。腸胃使之消化也。而其精微又賴腸吸管之吸收入血。以輸送全身。而病痢之時。其直接受害者爲腸胃。腸胃既傷。則其胃內失職。身體之營養因之而不足。營養不足。則氣血必虧。氣血虛虧。則抗邪之力減退。故云須愼起居。恐復爲六淫所侵也。（二）節飲食。夫痢本腸胃炎症。其膜必傷。消化力亦必減退。痢疾雖止。而創傷未必即愈也。其消化亦未必即復也。創傷既未愈合。則食物不但須不刺戟其創傷。而當無以帮助其愈合者爲最妙。消化力既不復全。則食物必須軟而化易爲佳。是故痢疾新愈。食物有宜有不宜者。茲分述之。宜食者。糯米。粳米。玉米。煮稀粥吃蓮子。百合粉。山藥。藕粉豆腐漿牛乳。及其他無刺戟性之流動體等食品。以其既容易消化。復能助創傷之愈合。宜忌者。如酒。葱。大蒜。生姜。韭菜。芫荽。辣椒。胡辣以及一切有刺戟性食品。與一切不易消化之固形物。蓋凡辛辣之物。均能使腸膜發炎而破壞其愈合。不易消化之物則腸胃不能勝其任也。

結論

痢疾一症。症候雖多。其病灶則莫出乎腸胃。此爲古今醫家所公認。然考其實。則在腸者多。在胃者少耳。至于所下之物。其色或青。或黃或黑。或赤。或白。或赤白相雜。或如豆汁。或如魚腦。或下純血。或下完穀。成如鼻涕。然要以赤白二種爲最多。故論痢者。亦以此二種論之爲最詳。但無確論。殊屬可傷。如有云白屬寒。赤屬熱。其言大謬。然千古醫者咸宗之。惟劉河間非之曰。若赤白相兼。豈能寒熱俱甚于腸間而同爲痢乎。可謂獨具隻眼。超出萬人之上矣。可惜亦無精論發表。故此後又有言白屬氣。赤屬血。而丹溪則云赤痢乃從小腸來。白痢乃從大腸來。後世則無敢違之者。其實皆非確論。蓋痢疾乃腸粘膜發炎。故初起多白。其病淺而輕。久則爲赤。其病深而重。白者卽發炎之產物與腸液也。赤者腸粘膜潰破滲出之血也。故痢之赤白。不當以寒熱分。亦不當以氣血分。更不當以大小病分。而當以痢之輕淺深重分之也。質諸高明以爲然否。

批　酌古論今立論詳博　文芳

本學院教學方案

宗旨　本學院遵照中華民國教育宗旨。以研究中國歷代醫學技術。融化新知。養成國醫專門人材。充實人民生活。扶植社會生存。發展國民生計。延續民族生命爲宗旨。

學程　一年級黨義、國文、生理解剖、藥物、醫經、醫學常識、醫史、衛生、醫論、病理、方劑、傷寒等科。

二年級黨義、國文、藥物、醫學常識、傷寒、病理、方劑、診斷、溫病、外科、醫論、婦科、兒科、雜病等科。

三年級上午臨症實習。下午金匱、經方、外科、婦科、兒科、花柳、喉科、眼科、溫病、雜病等科。

四年級（一）臨症處方（二）教師指導（三）同級研究（四）課外閱讀

教材　整理固有醫學之精華。列爲顯明之系統。運用合於現代之理論。製爲完善之學說。生理解剖、外科、急救、採用西醫學術。各科講義。均由教授自編。

實習　三年級生每日上午至名醫處臨症實習。四年級生於教師指導下於本院施診所臨症處方。在醫院內臨床實習。

疔瘡論治

周烺雲

溯自內外科之分。由來舊矣。昔周官家宰有疾醫瘍醫之別。疾醫以中士。瘍醫以下士。重內輕外之習。蓋自古而然也。夫內外科者。理本於一。必先精於內科。而後可與言外科。蓋外瘍之生也。氣化運用。必本於內。經云。治病必求其本。殆斯之消歟。夫我國外科始自靈素。嗣後華扁倉公輩先聖出。既精手術。復有方劑之發明。迄今讀史記後漢書本傳者。猶得窺見其一二焉。且夫我國醫之學說。輒舉陰陽。內科如此。外科亦然。是故癰以屬陽。疽以屬陰。陽證之患。焮紅高腫。陰證之患。色白不腫。然更有陽中之陰。陰中之陽者。高腫而色白。並不發熱者。陽中之陰也。平塌而塊堅。其色微紅。按之發熱者。陰中之陽也。此乃我國外科學之兩大總綱也。至其原因。總以組織受刺激。細胞生活障礙之故。遂致局部發炎。我國醫所謂氣血壅滯。遂生癰疽者。益信而不誣矣。雖然。癰疽之發。危險者蓋寡。而轉愈者實多。雖七惡並見。或治之有誤。惟稍躭延時日耳。若夫疔瘡之患。則不然也。有旦發而夕死者。有夕發而旦死者。有一二日而死者。總之。疔瘡乃急證。豈可忽視哉。內經云『高粱之變。足生大疔』王冰注曰。『所以疔生於足者。四肢為諸陽之本也。』若是則竊以為不能無惑焉。夫疔名甚多。所生之處亦非一處。何獨生於足耶。考疔瘡之生。以外受不正之氣。或恣食厚味。或誤中諸食物毒所致。斯時血液中含有毒素。遂生疔瘡。往往使患部神經麻痺。不知疼痛。較諸癰疽等瘡。乃毒之至深者也。夫疔瘡之證。生於手足者較輕。生於頭項胸背者較重。蓋頭項胸背。一則肝膽二經部位所在。一則近於內臟故也。近內臟則毒易內攻。肝膽二經。乃相火所寄。金鑑云『厥陰少陽多相火。若發癰疽最難平。』夫癰疽尚是。何況疔乎。至若生四肢而較輕者。離內臟略遠。故耳。然疔瘡之證。惟唇面諸疔。暨紅絲疔。最易走黃。若治之無誤。晝夜即可消散。設或治而有誤。則易使患處浮腫。甚則七惡叠見。寒熱煩躁。神識不清。此前所謂走黃是也。走黃者。乃疔毒散漫之謂也。如是則生機極尠。初起最佳用蜘蛛拔毒法。(先將疔頭刺破。用活蜘蛛一個。放於疔上。蜘蛛自能吮吸疔毒。須臾蜘蛛不動。乃係中毒。急宜將蜘蛛取下。放入冷水中。待蘇。再放在疔上。再行吮吸。如是者。以毒盡為止。)若蜘蛛一時難得。可用小尖刀刺入患處。擠出惡血。(見新血為止)外蓋消疔毒膏。或稍加黑虎丹。背上有紅點者。速宜挑去。以泄疔毒。脈息浮數。乍寒乍熱。宜服蟾酥丸三五丸。葱湯送下。以發汗為佳。若脈沈實而大便不通。

口渴者。宜服貴金丸。甚者服拔疔毒丸以下之。其毒卽去。若夫毒生於手足間者。忌施手術太早。蓋手指患疔。皮肉太薄。早動手術。易使胬肉翻出。徒增疼痛。卽欲開刀。宜輕輕刺之。擠盡惡血。外蓋消疔毒膏。再取鮮地丁草。或菊花葉梗搗汁塗之。內服蟾酥丸。潰後根脚堅硬。爲疔脚未去。可將蟾酥丸研末。放入瘡口。或拔疔散亦可。外蓋拔疔毒膏。內服清涼解毒之品。如地丁草。菊花。銀花甘草等。均是疔科之要藥。（但必須重用。否則無效。）然而疔瘡之證。毒雖盡。後生肌藥切忌早用。恐毒未盡。而易致反覆也。凡治疔之法。首宜用刺。過玉書云『治疔先宜刺出惡血。以殺其勢。』李東垣云『凡療疔瘡。皆刺瘡心。至痛爲止。』以上二說。俱爲要言不煩。治疔之良訣也。惟所忌者。刀鐮疔不可刺耳。然疔之宜刺。已如上述。玆將頭面諸疔。及手指諸疔。便捷刺法。再行申明之。按督脈經起於長强穴。終於斷交穴。百旁穴爲脊盡上行要路。若證生於督脈經行之地。（如對口。天庭。印堂。人中等瘡。）俱宜刺百勞穴。以泄其毒。若瘡生於手指。須刺第三節指根近掌處。以泄其毒。尙有委中一穴。不獨疔瘡刺之有效。卽癰疽發背。風濕。鶴膝。中風。痰厥。不省人事等證。皆可刺之。（穴在膕膕約紋中）治以三稜針刺出惡血。立見奇效。以上所述。乃普通疔瘡之治法。若詳細之治法。常再闡述之。華元化云『疔有五色。屬五臟。紅屬心。發於舌根。青屬肝。發於目下。黃屬脾。發於口唇。白屬肺。發於右鼻。黑屬腎。發於耳。』然而考之千金外臺。皆稱之曰十三種。其實不止十三種也。夫毒蘊五臟。發爲大疔者有五。一曰火焰疔。乃心經火毒所發。生於唇口。及舌根。手掌指節間。初起有紅黃小泡。痲木微疼。治法先宜將小泡挑去。擠去惡水。外蓋拔疔毒膏。若寒熱交作。煩躁舌強。頭暈心煩。脈洪便閉者。急宜下之。內服黃連解毒湯。再服蟾酥丸三五丸則可。二曰紫靨疔。此證乃肝經火毒所發。往往生於腰脅筋骨之間。初起有一微小紫泡。或竟破流血水。穿筋爛骨。重則眼紅目暗。舌強神昏。急宜服護心散以禦毒之內攻。繼則大劑解毒之品。如地丁。菊花。紫草。犀角。生地之類。或可拯救。若脈盛便閉者。亟宜下之。以泄其毒。如承氣之類。三曰黃皷疔。此證乃脾經火毒所致。大都生於口角腮顴。以及眼泡上下。或者生於太陽等處。初則黃泡光亮。痲痒拘急。先宜將蟾酥丸服之。以攻其毒。繼宜服護心散以解其毒。患部速宜刺破。擠去惡血。外蓋拔疔毒膏。四曰白刃疔。此證乃肺經之毒。往往生於鼻孔之旁。蓋鼻爲肺竅。故也。初起與上諸證同。甚則破流脂水。失治則氣急鼻搧。痰聲漉漉。治法先宜服瀉肺火之品。如桑白皮。淡黃芩之類。繼宜服蟾酥丸以化其毒。忌食魚腥酒類。五日黑靨疔。此疔生於耳竅。以及胸腹腰腎偏僻等處。乃腎經火毒所發。初則黑斑紫泡。堅如頑石。微痒微疹。玉書云『此證治或失愼。易致驚悸神昏。若更加煩躁悶亂。以致目睛透露者。則難治矣』。法宜速服滋腎清火之品。如黃柏。知母。地丁草。旱蓮草之類。均可服之。至於患處。宜刺破之。擠去惡血。外蓋拔疔毒膏。若或肌硬不化。爲疔脚不去。宜將蟾酥丸研碎放入瘡內。外蓋拔疔毒膏。內服紺珠丹可也。按以上五疔。卽華氏所謂五疔屬五臟之治法也。玆再將各疔之治法。及略有心得者。再縷述之。一曰釘腦疔。生於太陽穴及兩眼角邊。過玉書云『此疔極重九死一生』蓋太陽穴地位。乃顳顬動脈之所在。萬不能深刺者也。然欲洩毒。又不可不刺。但用三稜鍼。臥鍼輕輕刺之。擠出惡血。再挑百勞穴。（在掌心）外敷消疔毒膏。內服蟾酥丸。或飛龍奪命丹。二曰印堂疔。生於兩眉中心。（卽印堂穴）初則有一細泡。根脚堅硬。麻癢疼痛。色紅焮腫。甚則寒熱煩躁。口渴頻飲。若大便不通者。酌用承氣之類。患處急宜刺破。擠去惡血。外蓋拔疔毒膏。內服梅花點舌丹。或蟾酥丸汁之可也。若其色黯而腫痛者。此名印堂疽。宜照疽門治法。三曰鼻疔。（紅腫曰鼻疔。曰泡曰白刃疔）此證生於鼻孔。腫塞脹痛。呼吸欠利。甚則唇腮俱腫。此緣肺經火毒上壅而成。初起宜服蟾酥丸汗之。繼則再以蟾酥丸研末。放入鼻竅。待其流出惡水。內服涼解之品。如菊花飲。地丁飲之屬。若夫鼻外漫腫。堅硬。宜用離宮錠塗之。但此證初起急宜速治。否則神昏嘔吐。鼻腫如瓶者。逆。四曰迎香疔。此證生於鼻下。（迎香穴）是穴乃屬於手陽明經。證由風熱上壅而成。初則微有小泡。麻木癢痛。腫連腮唇。甚則身熱惡寒。煩躁神昏。但此證最易走黃。急用披針刺出惡血。若刺之無血者。凶。急於未走黃時。速服護心散以護心君。內服黃連解毒湯以解其毒。外蓋拔疔毒膏。或稍加麝香散於膏藥內。亦可。五曰顴疔。此證生於顴骨高處。或左或右。俱屬陽明之經。初如粟米。旋如赤豆。根盤堅硬。微麻微癢。甚則寒熱交作。但以此處皮肉俱薄。不可過於深刺。深刺則肌肉易於翻出。收歛殊難也。然此證初起先宜服蟾酥丸。或醒消丸。外蓋千槌膏。或消疔毒膏。若其入大便不解。脈實者。宜服拔疔毒丸攻之。再內服解毒之品可矣。六曰耳疔。耳疔者。生於耳竅故也。此因腎經火毒而成。或內服丹石熱藥所致。初則色黑根深。形如椒目。疼痛如刺。速宜服蟾酥丸汗之。再以蟾酥丸磨研成汁。滴入耳內。或取金絲荷葉搗汁滴入耳內。亦可。不久流出惡水。用藥棉紗布捲盡。然後再將螵蛸散吹入耳中。內服解毒大青湯。或加味黃連解毒湯。或知柏八味丸。隨證治之。七曰腮疔。腮疔者。生於頰腮地位故也。初如粟米。二三日間。旋卽轉大。赤腫微痛。甚則咽喉頸項皆腫。此係陽明火毒所致。先將患處挑破。擠去惡血。蓋外消疔毒膏。內加拔疔散治之。再服蟾酥丸三五丸。以攻疔毒。若大便不通。

口渴引飲。脈盛實者。此係內有積熱。宜服貴金丸下之八。曰龍泉疔。生於上唇人中。（水溝疔）一名閉口疔。初起如粟米根脚堅硬。先宜將患處刺破。擠去惡血。蓋上消疔毒膏。初服葱礬湯汗之。繼服七星劍湯。或菊花飲解之九。曰虎鬚疔。此證生於人中之旁。由陽明風熱而成。初則狀如蚊蛟。根盤堅腫。先宜將患處刺破。擠去惡血。猪口放入拔疔散。外蓋消疔毒膏。內服蟾酥丸。或萬病解毒丸。若寒熱並作。精神昏瞀者。急宜防其走黃。速服護心散以禦毒之內攻。若毒重者。兼服麥靈丹亦可。十曰反唇疔。此疔發於唇內。或上唇或下唇。甚則唇皮外反。故名反唇。書云。『上唇屬脾。下唇屬胃』此證原係脾胃心經火毒所結而成。初起宜將患處刺破。外敷疔拔散。內服追疔奪命湯。或雄麝湯。姚理堂云『平當之疔。可用黃連解毒湯。或犀角地黃湯。若夫唇疔腫如豚嘴。神氣不定。如仍用黃連等湯。勢必走黃。百不救一。惟在此時。速用追疔奪命湯。及雄麝湯。方刻有救』或曰。奪命湯中。豈不用黃連乎。何前後之相謬耶。殊不知黃連與細辛同用。細辛能開疔竅。黃連佐細辛而解毒之功更大。古方有用之者。如化疔內消散是也。本院講師壽朋先生云。『若治反唇疔者。可用鷄爪黃。（秋冬用根。春夏用葉）搗爛。和以食鹽少許。敷於患處。卽能消散。錄之如右。可備治疔唇之一助云。（鷄爪黃彥名野甘蔗鄉間可覓）十一曰。鎖口疔。考此證生於嘴角。係心脾二經火毒而成。初如粟米。堅硬如豆。甚則寒熱交作。患處焮腫。不能飲食。先宜將患處刺破外蓋拔疔毒膏。內服蟾酥丸。或醒消丸消之。十二曰。承漿疔。此疔生於唇稜下。陷中。此係任脈所經之處。初起亦如粟米。根脚堅硬。其色或紫。或黑。痲痒疼痛。但此證貴宜速治。否則若現神昏燥煩及嘔吐之證。則疔治矣。蓋疔瘡雖小。其毒頗深。治法先宜服蜂蛇散以托疔毒。繼宜服護心散以解疔毒。若患處根脚堅硬。速宜將其刺破。放入蟾酥丸（杵碎）一粒。外蓋消疔毒膏。再服解毒之品。禁用灸法。十三曰。牙疔。夫牙疔者。生於牙縫兩旁。堅硬如石。初則狀如豆大。堅硬疼痛。痲痒異常。先宜用披鍼刺破。流出惡血。外搽青果散。或冰硼散。內服蟾酥丸。徐徐噙化。或再服黃連解毒湯亦可。然此證若或失治。以致潰爛腮頰者。逆。十四曰舌疔。此證係心脾二經火毒而成。其形如豆。疼痛應心。初起宜用蟾酥丸含於口內。隨化隨嚥。再服菊花飲。或內疏黃連湯加減治之。至於患處。宜將小鍼刺破。待其流出惡水。再搽中白散。或元硃丹。十五曰喉疔。夫喉疔者。危證也。初生於喉間。形如靴釘。色紫且長。初則微痒微疼。旋卽轉爲大痛。急用鮮菊花葉梗搗汁服之。若無鮮者。可用乾者。大量煎服。患處宜將披針刺破。流出穢血。內吹靑果散。外用太乙膏內加異功散。貼於顎側。待過時起泡。用鍼挑破。擠去惡水。若大便閉者速宜攻下俾毒外泄。十六曰對口疔。此疔生於天柱骨間。初則痒而不痛。根脚堅硬。繼則焮紅壯熱。頭如粟米。但此處爲延髓神經所在地。若毒發深者。必使神經麻痺而險象環生。治法先宜刺百勞（掌心）及委中（膕中央約紋中）兩穴以殺其勢。內服丁壬湯。以解其毒。再兼服蟾酥丸三五丸。外用消疔毒膏加黑虎丹貼之。愼不可灸也。然方書云『須隔蒜灸之痛而不痒。』但灸後又有煩躁不安以致不救者。頗屬不鮮。徐靈胎批外科正宗云『頭項之瘡不可灸。蓋頭爲諸陽之首也。』余聞斯言。頗以爲然。蓋頭項諸瘡尚不可灸。何況疔乎。夫以上所述。乃關於頭項之疔也。玆再將四肢諸疔。及其治法再行述之。一曰十指疔。此因中指生疔連及旁指故也。初起在未及旁指之時。速宜將本指刺破。擠去惡血。外蓋拔疔毒膏。內加拔疔散主之。若毒重者。可服酥蟾丸三五粒。兼服清涼解毒之品。然此證治宜謹愼。否則易成損證也。二曰蛇頭疔。考瘡生於指尖。按之其痛徹骨。堅硬如石者。謂之蛇頭疔。若散腫無脚者。則謂之天蛇毒。此卽毒與疔之分別也。然此二證。俱有手太陰肺經及心包絡積熱所致。初如豆大。堅硬焮腫。其色或紫或黑或痲痒疼痛。其毒更甚於天蛇毒。治法先宜將患處當頭輕輕刺破。外蓋拔疔毒膏。若四圍紅腫。可用鮮地丁草搗爛敷於瘡之四圍。乾則再易。若無鮮者。可用乾地丁草。煎湯調金黃散敷之。內服西黃醒消丸或蟾酥丸消之。又凡手指生疔。無論何指。刺第三節近掌處指根。初起刺之。不獨疔可消散。且可免毒之竄延及旁指。此法頗驗。余嘗經驗者也。三曰蛇眼疔。夫蛇眼疔者。生於指甲兩旁。其形如豆。色紫。此係火毒所發。有黃豆突出如眼者。速宜用鍼輕輕挑破。去盡惡血。外敷拔疔散於瘡上。再蓋太乙膏。或消疔毒膏。內服四聖飲。或化疔內消散。四曰蛇背疔。此疔生於手指甲根後。初起與蛇眼疔相同。先宜刺破。外蓋太乙膏。加雄黃散提之。內服蟾酥丸攻之。五曰蛇腹疔。生於手指中節反面。色赤疼痛。但此疔再易攻心。宜先服蠟礬丸防之。忌食肉類魚腥。六曰蛇節疔。（一名蛀節疔）此疔生於手指骨節間。疼痛焮腫。或黃或紫。治宜將消疔毒膏敷之。內服神仙解毒丸。餘同前法。但此證切勿早用手術。免其豫後之不良也。七曰泥鰍疔。此證一指通腫。往往甚於蛇節疔。色紫形若泥鰍。故以名之。其證焮熱疼痛。外面先宜用金黃散和蜜糖調敷。若不效。可用大紅膏消之。若再不效。勢必成膿。宜用刀尖向膿熟處輕輕開之。擠去膿血。然後敷以拔疔散。內服清解之品可也。八曰虎口疔。（又曰合谷疔）此證生於大指次指之歧骨間。經屬合谷穴。故名曰合谷疔。此係大腸濕熱凝結而成。初如粟米。微有小泡。痲痒疼痛。倘有紅絲上攻腋內。急宜將疔根挑去。繼將紅絲盡處用針刺斷。略出惡血。外用蟾酥丸放入瘡孔。蓋以拔疔毒膏。內服蟾酥丸三五九可也。餘同上法。九曰。托盤疔。生於手掌中心。此證屬于厥陰少陰二經所司至其原因係心火熾盛。或酒色過度之故。初則根脚堅硬。先宜將其刺破•外貼消疔毒膏。內服銀花解毒湯。若毒甚以致神昏煩躁者。可用萬年青連根搗汁並並飲之。或芭蕉根搗汁飲之。亦無不可。十曰。脫骨疔。此證發於手足大指。金鑑名曰『脫疽』治疔大全則謂之『脫骨疔』但此證在未發前。必先煩躁而兼發熱者。往往初起如粟。其色紫黯。旋即通指皆紫。又如煮熟紅棗。久則黑氣侵腐。漸漸轉及五指。甚則臭惡異常。疼痛徹骨。推原其故。均由膏粱厚味。或房術濫淸。以及丹石熱藥。蘊毒臟腑所致。然考其治法直接可用截指之術。先用頭髮十餘根。緊縛患處本節盡處。以防毒之內攻。繼則用隔蒜灸法。(詳下)灸至瘡枯爲度。然後用利刀尋至本節縫中。徐徐切下。若血出不止。可用紫金丹摻之。若不能收口。可用生肌散敷之。內服西黃丸。以善其功。再服大劑解毒之品。以消餘毒。但此證頗險。除截指一法外。別無良法。然往往有不及延至足脛。以致煩躁而死者。故較他證爲凶。十一曰。水疔。夫此疔生於足脛者爲多。初則起一小泡。繼則四圍紅腫。堅硬如石。治法可將患處刺破。流去血水。瘡口可敷拔疔散。或立馬回疔丹。外蓋消疔毒膏。餘同前法。十二曰。刀鐮疔。此疔形如韮葉。狹長。色紫。或黑。王肯堂曰『他疔均可刺。惟此疔不可刺。刺則不治矣。』內服葱礬散。或蟾酥丸汗之。外敷溏鷄糞。或千搥膏消之。十三曰。紅絲疔。此疔形如小豆。紅絲流走頗速。若生於手者。紅絲竄至心則不治。生於足者。紅絲至臍則不治。生於頭面者。紅絲至喉則不治。治法速宜將紅絲盡處。當頭刺破。擠去惡血。再將瘡頭亦宜刺破。外敷拔疔散。紅絲盡處。宜用烟筒內烟膏塗之。或可消散。若大便閉者。內服貴金丸下之可也。夫除上諸證外。尙有痘疔一證。然所以名之曰痘疔者。乃小兒在天花時期所生之證也。顏曰。賊痘。每生於五六日內。或三五枚。或六七枚不等。雜於痘間。其色紫黯堅硬。屢致懷證疊見。蓋痘疔之生。乃熱毒併結而成。至於痘疔之識別。有紫黑乾硬而獨大於他痘者。其脚無暈。有痛有不痛者。治法急宜將鈹鍼挑破。擠去惡血。并以拔痘疔毒散敷之。若有疔脚。宜用小鉗鉗去之。仍以前藥敷之可也。夫痘疔之患最烈。往往在出痘時期。因痘疔而致死者。若在痘毒未齊時見之。則痘不能盡現。既擠時見之。則痘不能起脹。行漿時見之。則痘必致倒陷。治法亟宜解毒。一方亦須顧及痘證爲要。夫以上諸疔。乃言其常也。至若怪僻之疔名。近世所罕聞者。如方書有狗疔。猪疔。羊疔。牛疔。之類。雖各具有至理。而其治法則與諸疔無異也。

(1)蟾酥丸——治瘡瘍疔毒頂不高突根脚不收焮腫走黃兼治癰疽大毒麻木疼痛

蟾酥 雄黃各四錢 乳沒各三錢 枯礬三錢 寒水石三錢 銅綠三錢 膽礬三錢 麝香三錢 硃砂三錢 輕粉五分 蝸牛三十個

各藥研細末秤準將蝸牛打爛入藥候乾研細丸如菉豆大

(2)紺珠丹——此方治癰疽疔毒對口發頤風寒濕痺附骨陰疽等證

茅朮八兩 麻黃 細辛 羌活 防風 荊芥 川烏湯泡去皮 草烏湯泡去皮 天麻 川芎 當歸 首烏 甘草 全蠍 金石斛 水淨以上各一兩 雄黃六錢

右爲細末煉蜜爲丸硃砂爲衣每丸一錢壯者每服二丸中人丸半老半少一丸孕婦勿服如惡瘡初起惡寒發熱如傷寒狀以葱白四五枚煎湯送下取汗爲度若無表證淡酒冲服

(3)梅花點舌丹——治癰疽初起及一切無名腫毒對口疔疽等服之自能消散轉重爲輕陰疽忌用

硃砂漂 雄精飛 乳香去油 沒藥去油 爪兒血竭 苦葶藶 硼砂各三錢 麝香 熊胆鍋上烘 珍珠 犀黃各六分 冰片 沈香 蟾酥以人乳浸化各錢半

右各爲末以人乳蟾酥爲丸如綠豆大金箔爲衣食後服每三丸用葱白五寸嚼爛送下徐飲淡酒微醉取汗爲效

(4)醒消丸——治疔瘡火熱癰毒腫痛

雄黃五兩 麝香錢半 乳香去油 沒藥去油 黃米飯各一兩

右搗爛爲丸忌火烘陳酒送三錢患在上部臨臥服下患在下部空心服孕婦忌服

(5)神仙解毒丸——治一切中毒時行瘟疫毒痢喉閉霍亂痧脹一切疔毒等證

文蛤三兩淨晒研 山茨菇二兩研 千金子一兩去殼壓去油 紅芽大戟一兩半淨晒研忌甘草 麝香三錢研

右各爲細末戥準和勻以糯米粥湯和合於木臼中杵千餘下每料分作八十錠或用山茨菇打漿作錠更妙合於端午七夕重

陽或辰日亦可

(6)萬病解毒丸——治黴瘡爛喉及疔瘡喉痺蛇犬蟲傷等證

五倍子 三兩　茨菇 二兩　大戟 兩半　千金子 去油　山豆根　草河車　雄黃 忌火　獨脚蓮 各一兩　硃砂 漂 五錢　麝香 三錢

製法同神仙解毒丸

(7)蠟礬丸——治一切外瘍瘡毒攻心或中毒中蠱霍亂等證

生白明礬 二斤研末　黃蠟 一斤

右將蠟熔化入礬末爲丸如桐子大每服十粒加至三十粒以日服百粒爲率溫酒送下未成卽消已潰卽合毒重者能從大小便出永無毒攻之患

(8)雙解貴金丸——治發背疔瘡諸毒便閉脈洪沈實者

大黃 一斤　白芷 十兩

研末水泛爲丸每服三五錢五更時用連鬚葱大者十餘根煎湯送下以發汗通利爲效故名雙解

(9)拔疔毒丸——治疔瘡毒甚便閉甚至走黃者

雄黃　大黃　巴豆 去膜心殼 各等分略去油

右共研細末以飛麵陳醋煮糊爲丸如鳳仙子大每服廿三丸輕者服十三丸服後瀉下三四次其毒卽去

(10)離宮錠子——治疔毒腫毒一切皮肉不變漫腫無頭者立效

血竭　蟾酥　膽礬 各三錢　京墨 一兩　硃砂 二錢　麝香 一錢半

右共爲末涼水融調成錠涼水磨濃塗之

(11)麥靈丹——此丹能治癰疽惡毒無名諸瘍及疔瘡回裹令人煩悶等證

鮮蟾酥 二錢　活蜘蛛 二十一個黑色大者佳　定心草 一錢　飛羅麵 六兩

右四味共研一處用菊花熬成稀膏和好撚爲麥子形如麥子大每服七丸重大者九丸小兒輕證五丸在上俱用白滾水服在下用淡黄酒送服每一料加麥子一合收磁罐內

(12)飛龍奪命丹——治疔瘡發背諸大惡證服後平塌者有頭麻木者便痛已成者立愈昏潰者自甦嘔吐者自止此疔瘡惡證中之至寶也

蟾酥酒化　乳香去油　沒藥去油　銅綠　硃砂各二錢　血竭　膽礬　寒水石煅各一錢　麝香　輕粉各五分　雄黃三錢

天龍一條去頭炙　蝸牛二十一個連殼用

右爲細末將蝸牛研之若泥和前藥爲丸如菉豆大

(13)黑虎丹——治癰疽初起神效若疔如有膿而核硬者亦用此藥摻膏藥上貼之

穿山甲七片炙　大蜘蛛炙脆　蟬衣微烘　全蠍各七個　蜈蚣炙　佳蠶七條微炙　冰片五分　麝香　公丁香　母丁香各一錢

磁石三錢　西黃三分

右研極細末藏磁瓶內勿洩氣

(14)拔疔散——刺後以藥嵌入患處能拔疔脚非常神效

硇砂　白礬　食鹽　綠砂各等分

先用鐵銹刀燒紅將礬鹽放刀上煅之擇丁日午時同硇砂硃砂研末藏入磁瓶

(15)麝香散——治惡瘡發背魚眼疔有紫惡肉者以藥乾摻在惡肉上外蓋膏藥每日一換

麝香　輕粉　定粉各五分　粉霜一錢半　巴豆三粒去皮　白丁香四十二粒

先研巴豆令細後用各藥研細合研極細藏入磁瓶

(16)立馬回疔丹——治疔瘡初起頂不高突根脚不收者

硃砂　雄黃各二錢　蟾酥　硇砂　白丁香　輕粉各一錢　麝香五分　蜈蚣炙一條　乳香六分　金頂砒五分

右研爲末糊丸如小麥子大

(17)雄黃散——治指疔散毒消腫

明雄黃二錢　輕粉五分　蟾酥二分　冰片一分

研細用新汲水調濃湯炖熱敷患處蓋以薄紙日換三四次

(18)護心散——治癰毒或疔毒內攻口乾煩躁惡心嘔吐者

菉豆粉一錢　乳香淨末三錢　硃砂一錢　甘草一錢

右藥四味研細末每服二錢白滾湯調服早晚二次

(19)蜂蛇散——治疔瘡走黃頃刻漫腫神氣昏憒或紅腫反退痛處不痛服之能使復腫復痛毒化黃水而出

土蜂窠有子者一兩　蛇蛻全一條

右二味入瓶中黃泥封固火煆存性研末每服一錢葱湯送下

(20)異功散——治一切喉證不可入口

斑毛四錢　乳香　血竭　沒藥各六分　麝香　冰片各三分　元參六分　全蠍六分

共研細末磁瓶收貯如遇喉痛將藥少許放清涼膏上貼外面頸間左痛貼左右痛貼右一周時起泡用銀鍼挑破擠盡黃水腫痛卽消神效

(21)金黃散——治紅癰赤癤

天花粉四兩　大黃　川柏　姜黃　白芷各二兩　陳皮　甘草　川樸　蒼朮　南星各八錢

右切片晒乾磨極細末茶湯調蜜糖調均可

(22)元硃丹——治喉中潰爛能長肉生新去腐

硼砂　元明粉各五錢製　硃砂六分　梅片五分

共研細末吹之

(23)中白散——治小兒口瘡走馬牙疳及牙齦黑臭等證

人中白 煅二兩 黃柏 青黛 薄荷 各三錢 冰片 五分 兒茶 一兩

研極細末吹入喉內

(24)青果散——治喉證神效牙疔及爛牙根亦效

揀好青果百粒用廠布包之冬至日浸童便缸內至立夏前一日取出陰乾研末再用指甲二錢炙枯研細又用秋天壁嘻窩數十個生礬末拌炙或用竹葉夾炙存性研細融俞末吹之用時加梅片更效

(25)冰硼散——治小兒鵝口白斑腫連咽喉及一切喉癰乳蛾喉風腫痛等證

月石 五錢 元明粉 五錢 硃砂 六分 冰片 五分

研極細末吹入

(26)葱礬散——治疔毒及外證初起未成膿者皆效

明礬 三錢研 葱白 七個

右共研爛分作七塊每塊用葱頭煎湯作七次送下蓋被取汗無汗再用葱頭湯灌之汗出則愈

(27)紫金丹——治金瘡出血及瘡瘍流血不止者

紫金藤 五錢 乳香 去油二兩 沒藥 去油二兩 血竭 一兩半 五倍子 炒成團一兩半

右藥各研極細和勻每藥末一兩加梅冰三錢再研勻密藏弗泄氣

(28)生肌散——生肌收口

珍珠 生研三錢 爐甘石 煅一兩 石膏 晴天晒露勿經雨煅研一兩半放童便內浸四十九日逢

共爲細末摻於瘡口

(29)千槌膏——治瘡瘍疔毒瘰癧拱頭等證

土木鱉五個去殼　白嫩松香四兩揀淨　銅綠一錢研細　乳香二錢　沒藥二錢　草蓖子七錢去殼　巴豆肉五粒　杏仁一錢去皮

右八味合一處石臼內搗幾千餘下即成膏取起浸冷水中

(30)消疔毒膏——兼治癰疽

松香二十兩　乳香三兩每兩用燈心二錢半同炒去油研末　沒藥二兩研製同上　銅綠五兩研細過細絹篩再研至無聲爲度　百艸霜五兩研細過絹篩再研至無聲爲度

白蠟二兩切粗末　蓖油六兩　黃蠟十兩刮取粗片

先將蓖油入鍋熬滾次下松香候稍滾三下白蠟候稍滾四下黃蠟候稍滾五下乳香候稍滾六下沒藥候稍滾七下銅綠候稍滾八下百草霜再滾數次於鍋內太老則不適用并少功效冷透搓成如桂圓核大藏磁瓶內用時勿見火隔水燉煬

(31)大紅膏——治一切癰疽疔毒未潰已潰均宜

草蓖肉五兩去殼　松香十兩製研細　杏仁霜二兩研細　銀硃二兩飛　廣丹二兩飛　掃盆一兩飛　茶油二兩

先將草蓖肉打爛松香杏仁緩緩加入打勻再緩緩入銀硃廣丹掃盆打極透再緩緩入茶油搗透膏成不可太老

(32)拔毒膏——痘疔刺出惡血擠後塗之

腰黃二錢研末　胭脂膏五錢　紫草三錢研末

右研勻用

(33)四聖飲——治癰疽一切疔毒及無名腫毒

忍冬花八錢　甘草節五錢　丹皮　連翹各三錢

右水煎服之

(34)化疔內消散——治疔瘡初起其勢輕者服之可以內消

獨脚蓮　黃連　羌活　獨活各五分　草河車　銀花　澤蘭各二錢　殭蠶　蟬蛻　赤芍　甘草節各八分　青皮　防

風一錢各 細辛三分

右水煎服之

(35)七星劍湯——治疔已走黃寒熱嘔噦神氣昏憒者

地丁草根 蒼耳草 豨簽草 半枝蓮 野菊花各三錢 草河車二錢 麻黃一錢

右以水煎服

(36)加味黃連解疔湯——治疔毒入心渴便閉煩悶者

黃連 條芎 黃柏 梔子 連翹 甘草 牛蒡子炒研各等分

水煎服加葱白或大黃均可

(37)解毒大青湯——治疔毒誤灸逼毒入裏燥渴譫語者

大青葉 元參 桔梗 知母 升麻 梔子 木通 石膏煅 人中黃煅 麥門冬去心 淡竹葉各二錢 燈心廿根

水煎服便閉者加生大黃

(38)丁壬湯——治對口發背兼治疔瘡

金銀花三錢 蒲公英 紫地丁 羌活 獨活 當歸 黃耆 甘草各一錢 防風五分

水煎服之

(39)內疏黃連湯——治癰疽疔瘡發熱煩躁口渴脈實者

木香一錢 黃連一錢 山梔一錢 當歸一錢 黃芩一錢 白芍炒一錢 薄荷一錢 桔梗一錢 大黃二錢 甘草五分

檳榔一錢 連翹一錢

右水二茶盃煎八分食前服

(40)雄麝湯——治已走黃者

紫花地丁　二錢　白芷　牡蠣　牛蒡子　銀花　佳蠶　山梔　荆芥穗　青木香　茜草根各二錢　甘草一錢五分

右共煎好去滓再用雄黃乳香各一錢麝香二分俱各研細末和勻借前藥同服

(41)追疔奪命湯——治反疔唇堅腫煩躁勢在走黃者

羌活　獨活　黃連　赤芍　蟬衣　衆蠶　脚蓮　細辛　甘草節　草河車　澤蘭　金銀花　防風　青皮各一錢半

葱五根　生姜五片

水煎服以汗出爲效

(42)菊花飲——治疔毒對口發背一切紅腫者極效

鮮菊花連根葉同搗自然汁一鐘並並服之有起死回生之效

(43)地丁飲——治與菊花飲同巧

用鮮紫花地丁根葉搗汁飲之

(44)隔蒜灸法——治頭項以下外證及發背脫骨疔等證

用大蒜頭去皮切三分厚放瘡頭上以艾壯於蒜上灸之三壯換蒜覺燙即易去痛甚者灸至不痛不痛者灸至痛或九壯或五十壯或百壯未成即消已成其勢亦剎至於灸脫骨疔以灸之瘡形枯色血肉俱死爲度

按治疔之法。以解毒爲第一義。至若方中有宣散活血之品。均宜去之。爲是。如陳酒之類。爲疔所最忌者。邵子雨云『疔瘡之證。毒聚則生。毒散則死。』由是觀之。疔瘡不可宣散也宜矣。

批『删繁就簡語見扼要』　文芳

温熱症治概論

杜榮生

温熱之名。始於內經。散見於各家自金元以前。別無温熱專書。及至清季。始有專書。而温熱傷寒之爭。亦因以起。也有謂温熱卽傷寒。治温熱之方。卽治傷寒之方。如陸九芝一派是也。有言温熱與傷寒截然不同。不可混淆。如葉天士一派是也。然則果孰是孰非乎。以予之管見。二說雖異。其實一也。彼謂温熱卽傷寒者。乃廣義的。卽指一切急性熱性病而言。亦卽難經所謂傷寒有五之義也。謂温熱與傷寒不同者。乃狹義的。卽傷寒論太陽病發熱而渴。不惡寒者。名曰温病是也。由此觀之。二說非異途同歸者乎。又温熱家謂温熱之病。有伏邪新感之分。以意觀之。則伏邪爲多。新感百中一見。猶如水然。藏之釜中。以薪炊之。則水漸化温而成熱矣。伏邪猶水也。感之不卽發。在體中受腎火之薰蒸。及體温之變化。而成温熱病。其理一也。今以温熱之治法。分爲數例。詳述于後。

温熱病之種類與證治

温熱之種類頗多。其致病之因與治之之法。亦皆各異。玆將各症之因證脈治略述如下。

（一）温熱…温熱者。多發于春末夏初陽氣弛張之季。其症面赤惡熱。口渴甚而大汗出。脈來洪大。治以辛涼重劑。白虎湯主之。

禁白虎爲辛涼達熱出表之劑。若其人脈浮弦或沉細。汗不出。口不渴者。不可與之。當須識此。勿令誤也。

（二）春温…春温者。由於冬受微寒。內伏於少陰。待來春感冒外邪。觸動伏氣而發。症現頭疼身痛。寒熱無汗。咳嗽口渴。舌苔浮白。

蠊息舉之有餘。或弦或緊。尋之或滑或數。治以桑菊飲主之。

（三）冬温…冬温者。冬應寒而反温。非其時而有其氣。人感之而生病也。症現頭痛有汗。咳嗽口渴。不惡寒而惡熱。或咽胸疼痛。

脈浮滑而有力。治以辛涼解表。銀翹散主之。

（四）風温…風温者。初春陽氣始開。肝木行令。温蘊挾風而發作也。初起一二日。見證與伏邪略同。惟鼻塞鼻鳴。咳嗽清涕。與伏邪異。其脈多浮。與伏邪不浮不沉而數者亦異。治以葱豉湯加蘆根桑葉滑石生芍…等主之。若但熱而渴。以辛涼平劑。銀翹散主之。

(五)暑溫…暑溫者。長夏受暑之病也。初起一二日。身大熱而微惡寒。症與傷寒相同。但傷寒先惡寒而後發熱。雖熱甚而仍惡寒。暑溫則先發大熱。熱極而後惡寒。纔則但熱不寒。口大渴而大汗出。面垢齒燥。心中懊憹。脈右洪數而左反小。甚則熱極而厥。治以白虎湯主之。若脈芤而汗多不止者。以白虎方中加人參主之。

(六)濕溫…濕溫之病。議論紛紜。有謂溫病復感乎濕而成者。有謂素傷於濕。因而中暑。暑濕相搏而成者。二說皆似是而實非也。蓋濕溫者。乃由濕邪踞于氣分。醞釀成溫而化熱。其所見之症。始惡寒而後但熱不惡寒。舌白身痛。渴不欲飲。頭目昏重。胸悶不舒。日晡發熱。狀似陰虛。脈弦細而濡。頗纏綿難治。若汗之則神昏耳聾。重則目瞑無言。若下之則變爲洞泄。若潤之則病愈深不解。治須以三仁湯。重則以蒼朮白虎湯等。化濕清熱。並施爲主。

(七)溫毒…由於冬令過暖。人感乖戾之氣。至春夏之交。更感溫熱。伏毒自內而發。表裏皆熱而成。又有謂溫毒乃由風溫冬溫濕溫…等病。誤用辛溫之品。以火濟火所致。其症心煩熱渴。咳嗽喉痛。脈浮沉而盛。舌絳苔黃。治之以清熱解毒爲主。銀翹敗毒散之類是也。

溫熱夾症治療

所謂夾者。除溫熱之本症外。再夾雜一種病邪。二病同時並發之謂也。如夾痰夾食夾虛夾實…等。種類頗多。治各不同。請略言之。

(一)夾痰水…飲食入胃。經胃火薰蒸而變稠濁者爲痰。未經薰蒸而稀薄者爲水。痰能發熱。水能作寒。溫熱之病。本體屬熱。如夾痰者。則更增其熱矣。證現昏眩痞悶。脈見滑數。治宜化痰清熱。如桔梗湯加橘紅瓜蔞貝母之類。痰甚者可加稀涎散吐之。若痰迷清竅。致神志昏糊。口吐涎沫者。可以導痰湯牛黃清心丸。或昌陽湯主之。若夾水者。則其脈症相悖。治法亦異。溫熱症本脈數而苔黃燥。胸滿而心下硬痛。手不可近。若夾水者。則脈緩而遲。舌雖黃燥而必兼白。心下雖滿痛而柔軟喜按。或漉漉作聲。如囊裹漿之狀。治法不宜辛涼。更不可用苦寒。宜以解溫藥中加辛燥利水利氣之品。如半夏蒼朮木通赤苓萊菔艸果木香…等方可有效。

(二)夾食…溫熱夾食之症。最爲多見。有食塡胸膈與食積腸胃之不同。食積腸胃。爲陽明熱症。治以三承氣湯。隨其緩急而選用之。食塡胸膈者。必見惡食吞酸噯氣腹滿。欲吐不吐。嘔逆痞滿之狀。脈多沉遲。甚則手足厥冷。治以桔梗湯加枳殼青皮萊菔六麯之類主之。

（三）夾氣鬱：溫熱夾氣鬱者。初起與本症相同。漸至脈沉四肢逆冷。嘔逆胸滿。類似夾食之象。但夾食胸滿拒按。無移動之勢。氣鬱則胸滿可按。常有移動之態。此其別也。治以淸溫藥中加蘇梗靑皮鬱金香附之類爲主。

（四）夾蓄血：溫熱傳經之後。蓄血之症。最爲多見。治宜兼以攻裏。若本有內傷停瘀。復感溫熱者。初起一二日。其脈孔或濇細。其腹脇肋四肢多痛。不可按。此由胞膜肢體蓄血之故。治以解溫藥中加行瘀之品。如紅花桃仁歸尾赤芍元參延胡山査之類。重則炒山甲主之。若誤認芤濇之脈。爲陰虛所致。而投以溫劑。則輕者變劇。重者益危。故不可不細辨也。

（五）夾脾虛：溫病本已纏綿難治。若夾脾虛而見面色痿黃。精神倦怠。氣息微促。中氣不振。脈來虛弱等症。治之更屬難矣。蓋溫熱之病。必須汗淸下後。方能得解。若夾脾虛。則表不能作汗。裏不能任下。汗之則氣隨汗亡。下之則氣在下脫。以純淸淸之。則中氣不能支持。當是時也。須雙方兼顧。若欲汗之。須以解表藥中。兼顧正氣。如參蘇飮之類主之。若欲下之。須以攻裏藥中。兼顧其本。如黃龍湯之類主之。若欲涼之。以涼熱藥中。兼以益氣生津。如人參白虎湯之類主之。必如是方無輕者變重。重者益危之憂矣。

（六）夾腎虛：溫熱病夾脾虛者。已屬難治。若夾腎虛。則更難矣。溫熱本體屬熱。腎虛則手足反冷。溫熱屬實邪。腎虛則眩暈驚悸。腰膝痿軟。腎虛又有陰虛陽虛之不同。溫病必待汗下淸後。方能得愈。而陽虛者。一經汗下淸。則虛脫立見。陰虛者。一經汗下淸。則枯涸立見。治之當以疏表藥中。加人參白芍。若陽虛者。更加官桂杜仲。陰虛者。更加元參知母。必須兼顧本元。方無脫竭之慮矣。

（七）夾亡血：亡血家而得溫熱之病。必面色萎黃。脣口刮白。肌膚甲錯。五液乾枯。未病之先。本已血少。今一受溫熱煎熬。亡陰最易。治之者必步步兼顧營陰。如九味羌活湯之用生地。人參敗毒散之用人參是也。遇此等病者。不可漫行攻利。必先養陰血。使其氣化津。邪多不治自退。若不退者。酌用清利。若攻利太早。則病必險矣。

（八）夾哮喘：哮喘乃因肺家素有痰火所致。一受温熱。則其氣從其類而入肺舉發。必有伏邪。則但治伏邪。而哮喘自愈。或治邪中加括蔞川貝蘇子白前。或千金葦莖湯合文蛤散。使其二邪並解。若哮喘重者。則可以白果定喘湯。或蘇子降氣湯。二方主之。

（九）夾脘痛：脘痛者。由于温邪容于膜原。傳于太陰而發作也。治之以祛熱爲主。以達原飲中加木香蒼朮。以啓其鬱。則痛自已。若審察不明。誤作脘痛屬寒。而用姜萸桂附。必致危殆矣。

（十）夾疝氣：温熱夾疝。證見腎囊與少腹相引而痛。或睪丸脹大。此雖屬疝證。然不可獨治其疝。僅可於祛温邪藥中。加橘核青皮。而疝自消。若依治疝法。而用吳萸桂附茴香…等諸燥品。則輕者變囊癰。重則呃逆嚥嘔昏沉而莫救矣。

以上十則。皆温熱夾之症治也。醫者若不刻意精研。必致差誤。必先辨其夾痰水食滯。夾積瘀氣鬱。夾血虛氣虛。夾陰虛陽虛。然後對證下藥。庶可隨手應效。而無藥不對證之弊矣。

溫熱復症療法

溫熱復症者。皆由病者之不講衞生。或病家不知道看護所致。每見發後而釀成損四不足者。約計其復之病因有三。

（一）勞復：温熱解後。元氣未復。餘邪未盡。稍加勞動。則病復作。輕則靜養自愈。重則察其虛實。虛則調其營衞。和其藏府。安神養血湯主之。使其表裏融和。而病自解。實則以仲景枳實梔豉湯。撤表邪而清裏熱。隨症加減。不可誤投補益。以致閉邪增病。然勞復之中。又有氣虛勞復。陰虛勞復。房勞復之不同。氣虛勞復者。温熱差後。餘邪已盡。正氣大虛。因勞而復熱惡寒。體倦。胸膈寬暢者。此爲眞氣虛勞復也。宜補中益氣湯主之。若正氣雖虛。尚有餘邪未清者。其人虛羸少氣。氣逆欲吐者。竹葉石羔湯加姜汁主之。陰虛勞復者。由濕熱傷陰。腎律已虧。稍加勞動。微挾風寒。其症復作。症仍頭痛發熱惡風。舌燥口渴。清潤而微汗之即愈。房勞復者。即女勞復也。温熱差後。氣空未充。早犯房事。內損眞氣。外觸邪氣。而症復作。頭重目花。腰腹及少腹裏急後痛。增其發熱。胸中煩悶等證。若睪丸縮入少腹。脈離經者死。

舌伸不出者亦死。治之以猳鼠矢調下燒裩散主之。

（二）食復…溫熱差後。胃氣尚虛。餘邪未盡。若食物太過。運化不及。餘邪假食滯而復作。其症仍現發熱頭痛。煩悶納鈍。治宜枳實梔子豉湯加山查麥芽連翹萊菔…等涼疎之。若腹痛不大便者。加綿紋主之。若濕熱新差。由飲酒而復熱者。症現煩悶乾嘔。口燥不納等症。急以葛花枳椇子川連連翹枳實花粉之類清解之。

（三）怒復…溫邪差後。因事觸怒。怒氣傷肝。肝氣橫逆。因而餘熱復作。症現發熱胸悶。心煩懊憹。氣逆喘呼。甚則脇痛嘔血。治以蘇子降氣湯加桑葉丹皮銀胡地骨皮…等。平其氣而清泄之。劇則不語如瘖。形厥如屍者。宜犀角地黃湯加味。甘鹹以平之。芳香以宣之。

總上三復。實則易治。而虛則難治。一復易治。而再復難治。女勞傷酒大怒等復。尤為難治。急則能致人于死。緩則遷延時日而斃。即有得治者。亦不過百之一二也。

溫熱遺症療法

溫熱遺症者。皆由餘邪未盡。失於調理。或由病者不知禁忌所致。有差後發腫者。其因有二。一由食滯中宮。脾胃受病。其氣大虛。不能分消水穀。上輸肺藏。則水道不通。肢體浮腫。治以平胃散加枳實山查麥芽主之。一由陽氣暴復。陰氣尚虧。因而氣無所歸。而現腫狀。須病者調飲食而節勞役。靜養自愈。非藥物所能為功也。又有差後發痿。四肢不能移動。此乃熱傷筋也。重則與氏養營湯。輕則飲食調理自愈。有差後發蒸者。乃由餘熱留于陰分也。治以清熱育陰為主。若差後耳聾。其因有三。餘邪留于胆經而耳聾者。宜溫胆湯加味。若痰火上升。阻閉清竅而耳聾者。宜導痰湯加味。若腎虛精脫而耳聾者。宜服耳聾左慈丸主之。若差後發頤。乃因汗下清解未盡。邪結少陽陽明二經。治以清熱解毒。活血疏散。普濟消毒飲主之。差後咳嗽。此由餘熱未除。留于肺經所致。治以滋養肺胃。而咳嗽自止。差後自汗。由餘邪未清。心陽內熾。薰薰燔灼。液津外泄。而汗出也。治以當歸六黃湯加味主之。差後驚悸。由餘熱挾痰。痰與氣搏。震盪心宮。所致。治宜消痰而清熱為主。差後怔忡。因心腎不交。水火不濟。所致。治以硃砂安神丸主之。差後妄言。因心神虛散。不復所致。治以調養氣血。與氏安神養血湯主之。差後不食。由于胃氣受損。失其消化作用。治宜養其胃氣。葉氏養胃湯主之。差後下血。由於伏熱未淨。熱傷陰絡而血溢也。治宜清營涼血。臟連六味丸主之。差後遺精。因陰虧不能包涵相火所致。治以三才封髓丹。加黃連主之。

溫熱病不治症

本病之死候多端。不勝枚舉。今將內經所言者。錄述于下。

內經曰。太陽之脈色榮顴骨。熱病也。榮未交。曰今且得汗。待時而已。與厥陰脈爭見者。死期不過三日。其熱病內連腎也。又曰。少陽之脈色榮頰前。熱病也。榮未交。曰今且得汗。待時而已。與少陰脈爭見者。死。玉版論要曰。溫病虛甚者死。又曰。病溫發於三陰。脈微足冷者。難治。溫病初起。大熱目昏譫語。脈小足冷。五六日脈反躁急。嘔吐昏沈。失血痙搐。舌本焦黑。脈促急代沉小者。皆死。溫病汗後身熱脈反盛者死。熱病七八日。脈微小。溲血口中乾。一日半死。脈代者一日死。熱病七八日脈不躁。或躁不散數。後三日中有汗。三日不汗者。四日死。熱病已得汗。脈尚躁喘且復熱。喘甚者死。熱病不知痛處。耳聾不自收持。口乾熱甚。陰頗有汗者。熱在髓。死不治。熱病汗不出。戴陽而噦者死。熱病泄而腹滿甚者死。熱病目不明。熱不已者死。熱病汗不出。嘔下血者死。熱病舌本爛。熱不已者死。熱病咳而衄。汗出不至足者死。熱病熱而痙者死。熱病已得汗而脈尚躁盛。此陰脈之極也。死。熱病者。脈尚躁盛。而不得汗者。此陽脈之極也。死。以上皆內經所言之溫熱病死候也。

綜上觀之。溫熱之病。伏邪爲患者多。而新感者鮮。治之之法。較諸疾爲難。且其本病之外。又有夾症復症遺症。上所論者。不過就其大概言之。如欲精密詳細。必須參考專書。偏見各家。然後臨症施治。方不致誤矣。

批　體例嚴整條目井然不紊　文芳

破傷風

沈俊

（一）前言

破傷風一症。在中國實甚猖獗。顧以民智幼稚。一般民衆。既不知預防於前。復不知圖治於後。馴至後弓反張。牙關緊閉。始就醫者醫者忽之。亂投雜藥。僥倖獲效者有之。不治者亦比比然也。且得生者不知何由而生。致死者不知何由而死。或竟不知其爲破傷風也。所謂死者含冤。生者莫白。豈不悲哉。豈不恨哉。輓近西洋醫學日見進步。免疫血清之應用亦愈廣。顧對於破傷風除預上防有功效較外。治療上注射較遲。卽無確實功效可言。僕不敏。憫人之陷於疾苦。爰敢就所見所聞。與一二治驗。約略一述。誠知學術譾陋。謬誤在所難免。尙幸海內明達。進而教之。

（二）辨破傷風與痙及其範圍

或謂破傷風卽痙。是言也。似是而實非。痙而曰病。實爲錯誤。蓋痙爲症象。而非病名。何則。流行性腦脊髓膜炎有痙。狂犬病亦有痙可因見痙而總稱之曰痙病也。然而古書中所記之痙。多是破傷風。又不可不知。古人辨證不詳。固無足怪。臨書抉擇。乃在自己。故我嘗謂習中醫實難於習西醫。是言豈虛語哉。攷金匱要略所記痙病。如病者身熱足寒。頸項強急。惡寒。時頭熱。面目均赤。獨頭動搖。卒口噤。背反張者。痙病也。係確爲本病。毫無疑義。頸項強急。咽頭肌痙攣也。口噤。背反張。咬肌。口部肌。背部肌痙攣也。另一條曰痙爲病。胸滿口噤。臥不着席。脚攣急。必齘齒。可與太承氣湯。本條是否破傷風。未敢武斷。鄙意以脚攣急必齘齒六字辨之。乃是流行性腦脊髓膜炎。因兩症雖均可見下肢痙急。然破傷風之痙強直。流行性腦脊髓膜炎之下肢痙攣。脚前屈不得伸。又齘齒一症。破傷風雖有牙關緊閉。但齘齒則不多覯。而流行性腦脊髓膜炎。則多見齘齒。是否有當。敢質高明。

又產後痙卽產褥性破傷風。臍風卽初生兒破傷風。尤以後者爲害尤烈。民間俗稱四六風七日風者。卽指此。凡發此者多夭亡。莫救。本症在鄉間。因斷臍處置不潔。致破感染者尤多。中國嬰兒死亡率之高。殆爲世界冠。此實民族前途之隱憂。欲謀根本辦法。先須使民衆明瞭衞生常識。至於如何提高民衆智識方法。是在一般負敎育民衆職責專家之努力。願普通有識民衆。亦當盡力宣傳耳。

（三） 病原與病理

本病名曰破傷風。古人以爲皮膚有創傷而觸冒風邪也。風爲何物。何故因有創傷而經風侵入。遂爲害之烈如此。且臍風古人亦斷其由臍而入。至於產後痙（一曰產後風）則以新亡血傷風釋之。總之是風邪作祟也。或謂昔人所稱爲風。實含有細菌之想像。因古人無顯微鏡之發明。知其能傳染而假定其爲由風所散播。其推想與近今學說竟能暗合。實可欽佩云云。是言也。雖似有一部分之理由。然而牽強附會。未免爲識者所笑。且細菌未必盡由風所傳染。此點固非古人所知。然身體偶有創傷。亦尋常事。人在大氣之中。何處無風。何故不見有創傷者盡患破傷風也。此點或則以賊風解之。然賊風之界限亦終不明。是仍虛無縹渺。而終不能確定其致病之由也。鄙意以爲古人見風之爲物。其行也急速而難捉摸。故曰風者善行數變。而見疾病經過之急速者。輒以風名之。如破傷風臍風產後風之外。中風驚風喉風皆是也。之數症者。皆死亡率甚高。而醫生之不能必效者也。故凡古人之學理。如理由不充分或玄之又玄者。概所不採。非敢抹殺古人。爲學不可不爾。至古人醫案。則藉其治驗。廣吾見聞。如有驗方。更宜採用。

如治破傷風之玉眞散。確有效驗。詳後。不可不知。

（附誌）又頭風肝風痛風等亦皆稱風者。則爲象徵其動搖流竄之貌。故又爲一例。

本病原因應以破傷菌解之。1884 年 Carle 氏及 Rattone 氏以本病原發局所之組織液注射家兔。而引起同樣之痙攣。1885 年 Nicolaier 氏始發現破傷風菌。至1886年日人北里氏始於 Koch 氏之指導下。以厭氣性培養而獲得本病原菌之純粹培養。歷經動物試驗。證明其能召發痙攣。四肢强直。而確信爲本病之病原體。本菌因有芽胞。故抵抗力甚强。常存在於土壤廢物塵埃糞便之中。或附着於泥土汚染之尖銳竹片木屑等物。故此項刺傷。易發本病。鄉間爲嬰兒斷臍時。猶有拾取碎碗片割之。致發破傷風者。亦即爲此。或於破傷受創後。續受汚染。而該菌之毒素隨後侵入。此項毒素。侵害中樞神經系統。由運動神經末稍而進至脊髓神經細胞。中樞受刺戟而起肌肉收縮。故發痙攣。本病潛伏期極不一致。或謂爲六日至十四日。但亦有數小時卽發者。亦有數週後始發者。軍人因時常受創傷。且蟄處壕中。時與土壤接觸。故發本病者極多。宜先行預防注射。

（四）略述幾個臨床上所見之症狀及治驗

本文非供教授之用。如一一將症狀診斷全部搬來。未免枯燥無味。爰略述臨床上所見及治驗數例。以為報告而供研究。

余戚某君。有一子纔周歲。鍾愛異常。一日因家人作藥。未為照料。詎該孩取得一剪。刺傷掌部。出血少許。未以為意也。二日後。吮乳時輒咬母乳。母為之痛而呼。猶未延醫。既而覺神色突異。目瞪面青。背亦微強。遂往延兒科名醫某先生。某先生姍姍至。大言無碍述病原則風邪挾食。所處方則桑葉菊花。且曰。明日覆診後。即可弗藥。然詰旦。兒竟殤。蓋不及待覆診矣。

又有鄉民某。刈草傷指。續發淋巴管炎。（舊稱紅絲疔。）既而上膊生一癤。延醫開刀後。自以破布等裹之。腐愈甚。遂延余。余為之洗滌裹紮。數日後。腐盡肌生。將全愈矣。病者以痊愈在即。因往返不便。請自行換藥。因授以藥。數日後。忽有急足召余。云病者忽發痙且死。余一診。知為破傷風也。時患者顏面肌痙攣。而呈啼笑皆非狀。腹部肌痙攣下陷如舟窩。呼吸困難。牙關緊閉。急為處方。藥下咽不久而斃。事後追思。抑自行換藥時所感染。或破布包紮時所感染。雖不可知。然未曾注意。終覺負疚。為醫之不可不慎如此。

上兩例均為死證。然亦有治愈之案兩則。為讀者告。前年暑假。余旋里侍診。一日隨家大人出診。患者僵臥床上如弓。時作痛楚之號叫。詢其業。則為木匠。余初疑為流行性腦脊髓膜炎。家大人曰。噫。此破傷風乃不知耶。既而痙稍平。因略詢病者數語。病者指胸部訴苦、乃呼吸困難也。又詢以頭痛與否、患雖頸肌強直。然猶能微搖其首。家大人因問其曾受傷否。則不能答。遂先檢其手足。至左足跟。得一小創。微呈紅腫。其家人謂是數日前誤踐地上鐵釘所致。於是破傷風益證實。所處方雖不能盡記。但猶憶以南星為主藥。大劑出入。凡半月餘。竟得全愈。

去年余在上海治一五歲男孩。頭部本有瘡癤。不慎跌仆。血流甚多。此後即病發熱。夜不入寐。延西醫診治。用 Omnadin（喔姆納丁）注射。及Cheorat Hgdral（抱水格魯拉兒）灌腸。不效。漸見奏攣。余一見驚曰。此破傷風也。因本前次之經驗。遂大胆用陳胆星一錢五分。鮮菖蒲八分。天竺黃八分。羌活九分。防風一錢。當歸尾一錢五分。西赤芍二錢。原紅花五分。鉤藤二錢。為劑。外用玉真散敷貼。（生南星防風二味等分為末。見本事必用兩方。現行玉真散有天麻羌活芷白附子者。止血止痛之力較強。而治破傷風之力較弱。不可不知。）明日發痙次數漸減。而時間亦短。惟目仍瞪。口仍閉。再以前方出入三劑後。竟愈大半。惟四肢稍見強直。運動不能自如。再以舒筋之劑投之。竟得全愈。此例治愈之速。實爲意料所不及也。

鄙人臨診不多。讀書亦少。治療方法。散見各書。尤難盡述。今將較通用諸方。略論一二。間有稍參鄙見者。亦以眞實爲依歸。不敢作空談也。

(五) 治療方法概論

中醫治療破傷風之方法。極不一致。或則曰治法與傷寒同。或則曰當用八味十全。或則曰當用續命羌活。或則曰愼不可用風藥。誤用且死。各逞辯才。莫衷一是。然觀其用藥。大別可分數類。除所謂治同傷寒者不足取。未列入外。凡得三類。

(一)鎭痙劑。　玉眞散外如羚角鈎藤湯。

(二)鎭痛劑。　如羌活防風湯羌活湯是也。

(三)滋養劑。　如四物八味十全等類是也。

(四)其他。　如下劑大芎黃湯當歸龍薈丸是也。

以上各方。實多含有數種目的。本末可截然劃分。特爲明瞭計。故作如此分法。鄙意此數劑者。實以時間而不同其用。所謂活法在人。權衡在手。爭相曉曉。於事何補。如初起見痙。鎭痙爲先。痛苦增劇。鎭痛必用。惟鎭痙自不可忘。鄙意以爲南星尤不可少。至身體衰弱。或經過稍長。或咽頭肌痙攣。飲食少進者。則滋養興奮。又在當用之列。此外下劑等。亦不過視情形而施耳。

外用藥亦不可少。常有創口覺劇痛。或創口周圍作劇痛。而痙攣甚者。外敷玉眞散。李梴醫學入門。用煅牡蠣末敷貼。殆爲分泌物增多。而用於收斂之目的。

又預防本病。如受創後之消毒。妥愼之包紮。以免受破傷風之侵害。至中醫外用消毒劑。以余所知。似尙未有。昔日有用鹽水冷茶水者。(取其中含鞣酸)恐未必能有功效。至於菊花煎水。則功效更不確實。因循貽誤。不如逕用碘酒石炭酸等類。如用預防注射十至二十單位免疫血淸。以中和其毒素。似較安心。(西醫反對中醫注射。實無理由。在緊急處置之時。而猶斤斤於成見。是以人命爲兒戲也。)至於用玉眞散內服。能否預防。未經試驗。不敢臆斷。但以免疫學學理論之。以用免疫血淸爲是。然既發病後用免疫血清率無大效。而玉眞散有時能奏奇效。特藥理尙待發掘。或者此後復經國外學者。析出某項有效成分。製成成藥。而國內西醫以爲新藥。中醫則以爲國藥。因人成事。猶以爲榮。亦可哀已。嗚呼吾國醫界。再不急起直追。卽醫藥一項亡國有餘矣。

（六）結論

破傷風本難治之症。死亡率亦高。約88—89%。據云自免疫血清發明後。減至50%。但此非本國之統計。此後應自造精確之統計。

如應用此藥治療者。死亡率約多少。但須注意其治療時間。在發病初期。或已發病幾日。以及是早期破傷風。遲期破傷風。或初生兒破傷風。產褥性破傷風等。均應加以分別。以免誤混。而治療經過。更當不論其獲效與否。均應眞實報告。以供研究。吾醫界同仁及醫院主任亦有以余意爲然而有意於斯乎。

批　忠實發表不炫己長不失學者風度　文　芳

燥氣證治概論

沈琴初

夫人之生也。必咸氣而始生。及其病也。莫不因氣而始得。而其治也。亦必法氣而以治。然同氣而能致善惡者。其氣之司令盛行不時也。蓋氣行四時令其當而未有偏勝者。藉以生生萬物。是謂正氣。若行而不令其時。偏勝不一。而病人折物者。是謂不正之氣。故天地之氣。常則安。變則病。而况人稟天地之氣。五運疊侵于其外。七情交戰于其中。安得不爲病染。是以聖人嗇氣。如同至寶。庸人役物而反傷太和。此軒歧所以論百病皆生於氣也。遂有六氣不同之說。氣本一也。因所觸而有異也。所謂六氣者。即風寒暑濕燥火是也。然風之氣。和平而疊啓。熱之氣暄而舒榮。火之氣炎暑而出行。濕之氣埃溽而負盈。寒之氣寒冽而歸藏。燥之氣情勁而悽愴。此六氣時化司化之常也。及其變。風之氣。飄怒而反太涼。熱之氣太暄而反寒。火之氣飄風燔燎而反霜凝。濕之氣雷霆驟注而反烈風。燥之氣散落而反濕。寒之氣寒雪霜雹而反白埃。此六氣之變也。今姑舍其五氣。立論燥氣。

經云燥盛則乾。乾爲濇滯不通之疾。其病有外感內傷之因。寒燥燥熱之異。傷人氣分血分。次第深淺。皆不可不早辨也。邵新甫曰。外感之燥首傷上焦氣分。氣分失治則延及血分。內傷之燥。乃人之本病。由于精血下奪而成。或因偏餌燥藥所致。病從下焦陰分起。先下焦失治。則槁及乎上。喘欬痿厥三消噎膈之萌。總由于此。推其致燥之由。有因于天者。有因于人者。陽明燥金司天。或久旱大行。傷無雨燥化及肺金。此因于天者也。七情不節。氣結神傷精損。及病時汗吐下太過。或勞風日之中。類近爐火之旁。或食味辛熱太過。或慮勞誤投溫燥。與夫服食家久服金石之品。皆能致燥傷津液。此因于人者也。然究其本源。皆緣血液不足所致•蓋陰血虛則不能營運乎百體。津液耗則不能滋養乎三焦。觀乎草木無水以灌。枯縮而不伸。痿落而不收者。亦有其理可知矣。猶人身無血以養。手足安能持行。燥則血液衰少。而氣不流暢。緩縱不收。必然之理。由是邪熱怫鬱。燥變多端。或燥于外。而皮膚皴裂。或燥于內。而精血枯涸。燥于上則咽鼻乾疼。燥于下則便溺閉結。兼熱則手足痿。風則瘛瘲作。實而燥熱。必發癲狂。虛而燥熱。必致勞欬。若燥傷肺金。不能敷布水精。則又發爲乾欬。燥中挾濕。而爲噎膈。因燥致病。何可勝言。然燥主于秋。而必秋分以後。清氣行而萬物乃燥。燥屬金。金屬西方之氣。在人爲肺。乃運氣以卯酉爲陽明燥金司天。而不言肺者。蓋以肺脈起于中焦。津液出于中焦。故也。醫經統旨謂燥是陽明所化。亦是故也。沈生明曰。內經病機十九條獨遺燥氣。蓋爲燥兼風熱而化。言風熱而燥在其中矣。燥兼風熱者。經云。風能勝濕。濕去則燥生。在人則風能燥液。液去則燥又生。躁傷肺金。金不生水。而病及肝木。故中風筋脉動弦風痸口噤收斂急切諸病生。燥兼熱化者。易曰。燥萬物者。莫熯乎火。始也。火爍精而燥乃成。既也。金不生水而燥益甚。故消穀善饑。胃稿噎膈。二便閉塞。枯涸燥裂。諸病又生。由熱生風。由風生燥。燥又生熱。循環來復。至于髓液俱枯。燥非淺患明矣。治燥之法。當觀釜沸之理。血譬諸湯。氣譬諸火。若火猛湯沸。而爲實邪。則當沃薪滅焰。使不涸竭。張太守所謂急下陽明。以存津液者此也。若沸久將乾。則又當益水勝火。使不上潛。王太僕所謂壯水之主。以制陽光者此也。按經云。心移寒於肺。爲肺消。飲一溲二。死不治。謂之死陰。死陰者。謂心肺眞陰枯涸。眞陽亦衰。寒從中起。氣不化液。肺之陰氣已死也。景岳曾以八味丸歸脾湯治一搢紳而愈。又如大便閉結。食少脉微。謂之陰結。以半硫丸治之而愈。是皆血枯氣濇。陰傷及陽。不能運化蒸變。如地氣不上升。則天氣不下降。閉塞而成者也。此因虛而寒、因寒而燥。則當用清潤改溫潤矣。知經知權。知常知變。乃不愧爲司命焉。然外感之燥。津液結於上而爲患者。結者必使之開解。非辛潤流利氣機不可。內傷之燥。精血竭於下而爲患者。竭者必使之復盈。作柔潤靜藥。及血肉有情者以滋塡之不可。大抵是病用藥。最忌者苦濇。最喜者甘柔。此其大較也。獨是外感內傷。宜分寒燥燥熱。尤不可混。夫因寒而燥。爲燥之化氣。由燥而熱。乃燥之本氣。人但知燥燥爲燥之常。而不知寒燥爲燥之變。無怪以辛燥升散。動輒得咎也。觀諸內經。經曰。陽明司天。燥淫所勝。民病善嘔。心脇痛不能轉側。治以苦溫。（苦當以微苦。如杏仁之類。取其通降。溫當是濕潤。非濕燥升散之類。）此內經治寒燥之正法也。又曰陽明之勝。清發于中。右脅脹疼。溏洩。內爲嗌塞。外發㿗疝。大涼肅殺。華英改容。毛蟲乃殃。胸中不便。嗌塞而咳。據此經文。亦指涼燥搏束而言。然謂燥爲次寒。性理固然。沈目南曰。盛夏暑燥薰蒸。人生汗出戢戢。肌膚潮潤而不燥。冬月嚴凝肅殺。人身乾稿燥裂。故深秋燥氣行。人身肺金應之。肌膚亦燥。此亦指寒燥而言。寒燥如此。溫燥可知矣。金主燥。而時爲秋。然秋不遽燥也。秋分以後。漸至大涼。露寒霜肅。清氣搏激。燥乃行令。燥從天降。首傷肺金。肺主一身氣化。氣爲燥鬱。清肅不行。機關不利。勢必乾咳連聲。脇胸牽痛。不能轉側。胸滿氣逆喘急乾乾。又或氣爲燥鬱。不能行水。水停膈上。則必口渴思飲。飲水即吐。煩悶不寧。氣爲燥鬱。不能布津。則必寒熱無汗。口鼻脣方起燥。嗌喉乾疼。又或氣爲燥鬱。內外皆壅。則必一身盡痛。肺主皮毛。甚至皮膚乾疼。手不可按。凜凜惡寒。甚而肢厥。雖覆以重裘不溫。頗似陰寒之象。又或氣爲燥鬱。治節無權。中宮水飲不能屈曲輸于膀胱。而直注于大腸。則必腹痛瀉利。甚則揮霍撩亂。上吐下瀉。脉伏肢冷。又似陰寒。寒濕之象。濕受暑燥。亦多此病。但燥氣乾滯。所瀉必艱澁難行。與濕瀉腸瀉之傾腸滑利者不同。吐瀉甚則津液內奪。柔化爲剛。燥腸拘急。有似鞭梗。按之痛甚。蹉曲難伸。任脉失榮養。當臍上下按之。堅硬動躍震手。此皆燥極之見症也。又或經絡失于榮養。拘攣掣痛。俗名轉筋。立時陰亡液涸。目陷肉銷。面靑膚黑。舌中肉剝。神明昏亂。陰奪于內。陽無依附。遂至肢厥身冷。汗出如珠。內閉外脫不救。又或肺燥直通大腸。而成腸澼。燥鬱氣機。則腸垢下而色白。燥傷血絡。則血滲大腸而色紅。腸中切痛。痛而後行。裏急後重。艱澁不通。行後稍止。氣機終覺不利。糟粕又或結爲燥糞。與濕痢之痛。緩酸墜而不裏急艱澁。大便溏而多者有別。凡此燥病。多生于陰虧之輩。勞苦之人。夏月炎熱。液爲汗耗。水竭金枯。裏氣已燥。以燥感燥。同氣相求。最爲易受。唐孫思邈眞人製生脉散。（人參麥冬。五味子。合爲生脉散。本屬柔之品。乃製爲散。潤藥燥服之。旣可得藥之形質。緩化于內。又不膩氣機。古人立法。周密如此。）使人夏月服之。以保肺金。治未病也。奈漢唐以後。醫道失傳。不知人生天地間。外感內傷。千變萬化。總不外天地陰陽之氣。卽不外天地燥濕之氣。乃世於濕氣猶多發明。而于燥氣未能詳究。所以每遇外感。渾曰風寒。不辨其舊風燥爲風濕。爲寒燥爲病濕。至暑燥初起。與寒燥相似。更不之辨。但見寒熱無汗。頭身疼痛。欬嗽嘔吐。胸滿氣逆等症。輒用辛燥升散。見有胸滿便言感邪停滯。並用苦燥破滯。輕則用蘇。薄。荆。防。重則用羌。獨。芎。芷。在夏月則用香薷。藿香。至靑皮。枳殼。山查。等味亦慣行佐用。試思以上諸藥。其爲辛燥乎。抑爲辛潤乎。其在挾濕者用之猶可。若是風燥寒燥之邪。則以燥治燥。變症必然蠭起。將見燥邪竄入肌肉。則發斑。竄入皮膚。則發疹。竄入榮分。則舌赤無苔。神亂譫語。斯時也。見其邪入榮分。又用一派苦寒淸火柔膩滋陰之品。逼令燥邪深入心包。內入骨髓。入心包則神煩意亂。輕則多言。重則譫語。閉極則神明昏亂。囈語不休。目睛額轉。入腎則躁。循衣模床。揚手擲足。陰液耗極。則口噤齒齘。身強發痙。內閉外脫不可救。緩。又或上焦氣分之邪未開。法宜辛潤開達。或津液結于胸膈爲痰。阻結氣分。正在心下鞭痛。法宜苦辛通降。如小陷胸病。半夏瀉心湯。溫胆湯。三子湯之類。對病發藥。方能獲効。乃不用開化。妄用大劑攻下。氣爲邪搏。不能傳送。正糞不行。但行稀水。徒傷氣血。又或邪已傳裏。遷延不下。致成藏結。雖不下行。若是者。始而以燥治燥。使邪走竄。繼而苦寒冷伏。陰柔滋膩。致邪閉結。終而誤下失下。致邪實正虛。輕者重。重者死。不知凡幾。其爲可慨。不亦甚乎。蓋病有燥濕。藥有燥潤。病有風燥。暑燥。燥火。寒燥。燥鬱。夾濕之分。藥有辛潤。溫潤。清潤。鹹潤。燥潤。兼施之別。且六氣之邪。初無形質。以氣傷氣。首先犯肺。必用輕藥。乃可開通。汗出而解。經日輕可去實。信不誣也。況人之汗。爲津液所化。而汗之出。乃氣機所傳。一經感邪阻遏。肺氣不能布津。外通毛竅。故身無汗。寒熱疼痛。氣爲邪阻。不能布津。上輸清竅。下通胃腸。故口乾舌燥。胸滿氣逆。二便不調。故治而當辨燥濕二氣。何氣致病。所兼何邪。對症發藥。使之開通津液。流行自解。以燥氣論治。燥邪初起。在未化熱時。宜用辛潤開達氣機。如杏仁。牛蒡。桔梗之屬。兼寒加以溫潤。如豆豉。前胡。姜葱之類。邪機閉遏。加以通潤。如白芥子。細辛之類。欬嗽不止。胸前滿悶。加蘇子。紫菀。百部之類。辛中帶潤。自不傷津。而且辛潤又能行水。燥挾濕者宜之。辛潤又能開閉。內外閉遏者宜之。其裏氣不和者。佐以瓜蔞皮。薤白頭之類。辛滑流利。氣機。氣機一通。大便自行。濁邪解而清邪失所依附。亦必化汗而解。其化熱者。於辛潤劑中。酌加清加輕虛之品二三味。加梨汁。皮蔗皮汁。荸薺。蘆根。石羔。知母。川貝母。南沙參。桑叶。菊花。銀花。花粉之類。以洩其熱。勢淺則清肅令行。氣機流利。亦必化汗而解。其陰虛者。于辛潤劑中。酌加生地。玄參。沙參。麻仁。黑脂麻。蜂蜜之類。養陰潤腸。但不宜多用。恐膩著邪氣。其夾濕者。于辛潤劑中。酌加蔻仁。通艸。茯苓。半夏之類。辛淡滲濕。亦不宜多用。恐燥傷津液。其夾濕而化熱者。於辛潤劑中。酌加滑石。淡竹叶之清滲。連翹。山梔之微苦。微燥。重者酌加姜汁炒木通。炒芩連之類。苦降辛通。開化濕熱。其邪已傳裏。依附胃腸渣滓者。則攻下一法。又未可以緩施。但下適其中。不可太過。觀仲景承氣湯一劑三服。視其進退用之。以藥力不及。猶可再服。藥力太過。不可挽回。其用心之細。有如此者。且上焦邪氣開通。天氣下降。地氣自隨之以運行。又何必峻下爲能乎。此治外燥之大法也。然發汗太過。因致痙。則痙之屬燥。固然乎。柳濕化爲燥乎。夫痙乃血虛筋急之狀。按六氣皆足以致痙。風寒之痙。乃清氣搏激所致。暑濕之痙。或風寒搏激暑濕所致。或暑濕壅遏所致。或暑濕化燥所致。或發汗太過所致。其搏激壅遏者。非辛潤溫潤以解之不可。其化燥者。及發汗太過者。非清潤甘潤溫潤以濡之不可。又按六經痙病各部。有身以後者。屬太陽。頭項強急。腰脊及折。髀不可曲。胸筋如結。皆其症也。身以前者。屬陽明。頭面動搖。口噤齒斷。缺盆紐痛。腿脚攣急。皆其症也。身之側者。屬少陽。口眼歪邪。手足牽引。兩脇拘急。半身不遂。皆其症也。腹內拘急。或用吐瀉而四肢拘急。屬太陰。惡寒踡臥。尻以代踵。脊以代頭。俯不能仰。屬少陰。睪丸上升。宗筋下注。少腹裏急。陰中攣拘。膝筋拘急。屬厥陰。然六經部位雖不同。而要皆歸于燥。但當辨燥之所因（因寒因風。

因風寒阻搏暑濕壅遏。）所化（風寒化燥。暑濕化燥。）以治其源。加引經藥。以爲之使。不必泥定經絡。逐末而忘其本也。其因風寒搏激致痙者。其症發熱惡寒。無汗氣上冲胸。小便不利。其脉堅緊。其狀強直而口噤。此得之天氣。即經所謂。諸暴强直。皆屬于風是也。勇猛無痙。故曰剛痙。其有暑濕壅遏致痙者。其症發熱有汗而不惡寒。其脉沈遲。模糊不淸。往來不利。其狀項強几几。此得之地氣。即經所謂諸痙項強。皆屬于濕。是也。輭弱者汗。故名曰柔痙。仲師治因風者君葛根甘涼以治風之動而又淸潤以治燥也。治因於濕熱者。君瓜蔞根苦降以决濕之壅。而又涼潤以治燥也。二用而一藥之。不惟不相宜。且可相濟。且夫善醫者。必用視觀察之法。而辨于其微。辨于其早。以治未病。如項強而痛。即痙之一端。觀此便知是太陽經脉血虛。而預防之。如傷寒論云。脉浮自汗心煩惡寒。而脚攣急。知痙之將發。與以桂枝湯。則厥。與以芍藥甘艸湯。則退自伸。甘艸甘以緩急。等藥微潤微苦。治燥而不膩邪。仲聖用藥。非若後人之顧此失彼。也夫治痙之法。當分虛實。而完其所因。其因血虛發痙。亟用淸和濡潤。以柔化剛之法。其虛甚者。金寒水冷。氣結津枯。淸潤又非所宜。必得溫潤甘潤。如蓯蓉。拘杞。熟地。阿膠。玉竹。鹿膠。兎絲子之類。方爲中竅。以淸潤猶稟淸秋之氣。甘潤溫潤乃得春和煦育之機。虛燥治法。大率類此。嗟乎。虛實殊途。生死反掌。學醫者。所當辨于其微。尤當辨于其早也已。

批　道人所不道吾道其昌　　文芳

釋傷寒六經之眞議與證治概論

鄭鐵民

我國醫學。能步內難之後。而具切實經驗者。首推仲景傷寒論為時病金科後學玉律。其精。妙在乎實際之方藥。不尚空浮之理論。仲景以後。歷代諸家。闡論立說。甚為繁盛。其可考者。逵百餘種。惟多注重理論。少尚實際。因之醫術。未能整個發揚。余不敏。爰將傷寒之六經。考摘古今之菁華。撮為概論。加以闡明。述提綱詳。眞義舉證。脈論治法。襄理論實際貫通於一。藉明究竟也。

仲景傷寒以太陽。陽明。少陽。太陰。少陰。厥陰。六經為提綱。後人多主經絡臟腑。殊多誤釋。今特詳述。以明眞義。夫六經之名。雖出自素問。本是經絡之義。而仲景之六經。則為不然。按仲景之六經。即六病也。是經絡之經。而非經絡之義。素問之六經。是一病共具之六經。因熱病而原及六經。仲景之六經。是異病分佈之六經。設以該盡眾病。假以分表裏部位。配以脈證。為之統名。是六經之目。雖取之素問。實非經絡而言也。故觀全論無一及經絡者。職是故也。更以具體論之。六經之名。以三陽三陰為目。其假設之意義。凡疾病之起。有六等之差。蓋邪風苛毒之侵入。因各人稟賦體質有異。病毒所在之別。發現脈證地位之不同者。是也。三陽者。太陽陽明少陽。三陰者。太陰少陰厥陰。其曰陽者。病有發熱惡寒者。發於陽也。無熱惡寒者。發於陰也。所謂陽證者。新陳代謝機能之病的亢進。病證者。機能衰減之病的衰沉也。故陽證者。概為實證而易治。陰證者。多屬虛證而難療。太陽者。是機能亢進發於體表。即頭項背皮膚病。陽明者。發於面胸腹內肌肉病。少陽者。發於頰頸脅絡間脈病。太陰者。為其最輕微。即肺脾病。厥厥者。為其最重篤者。即心包絡肝病。少陰者。則介乎太厥二者之間。即心腎病。

是傷寒論依其病勢證位。大別為三陰三陽之六經。其六經證治。逐經述下。

太陽之義。太者甚也。陽者熱也。陽氣盛於表位。謂之太陽。蓋人身具有抵抗。病毒與調節體溫之機能。一旦外來邪風苛毒侵害。則起而抗之。即所謂反射機能。強自可使病毒從汗腺而解。或消滅於無形。歸於安全。設反射機能弱。或調節失宜。病毒侵入。初及於表。陽氣被遏屈而為惡寒。激而為發熱。血脈動惕逆行。故病現脈浮。頭項強痛。惡寒等證之感覺。是邪風苛毒。既侵害太陽。則集中於上半身之體表。當藉發汗解熱藥。而從汗腺排除之。然病者之體質。各不相等。而治之。亦隨其各異。大凡人之體質。千差萬別。若窮極之。大別二端。卽中風與傷寒。夫太陽者。統攝營衞。風寒侵入。始分兩途。風則傷衞。寒並傷營。衞氣慓疾。統氣而行脉外。其腠疎泄而屬陽邪之犯。邪不內迫。蔓延於肌表之間。故現脉浮緩而有汗。爲中風邪虛中者當也。風者發動之義。卽今所謂感冒證是也。對傷寒緊縮之邪輕者云爾。寒邪傷營。營氣專精統血而行脉中。其體固密。其屬陰邪之犯。邪氣怫鬱。遂迫骨節。故現脉浮緊而無汗。骨節煩疼。是爲傷寒矣。傷者。戕害也。寒者。閉塞之義。對中風散蔓之邪而稱其重者耳。此卽表證之大綱。卽麻黃桂枝之分也。桂枝之輕。自有陰陽機變。麻黃之重。亦自有陰陽之轉化。傷寒例曰。脉陰陽俱緊。是傷寒之病。大不同於中風。陽浮而陰弱之緩脉。桉中風傷寒。雖同一浮脉。然中風爲浮緩。傷寒爲浮緊。陽邪舒散故脉緩。陰邪勁急故脉緊。同爲在表之浮。而一緩一緊。風寒迥異矣。桂枝湯曰。陽浮而陰弱。不可以不辨。若項背強几几本葛根湯證。應無汗而反汗出者。桂枝加葛根湯。如桂枝加厚朴杏仁湯。桂枝去桂加茯苓白朮湯。則在桂枝之部位。而因喘或小便不利而加損者也。如麻桂各半湯。桂枝二麻黃一湯。桂枝二越婢一湯。則失汗數日。熱鬱不解。致寒熱偏勝如瘧。桂枝之力不能及。故藉麻黃越婢以逞其勢。惟因其證之劇微。而方有緊慢之別耳。若誤汗。或多汗。大煩渴邪氣不解。脉洪大及胃氣不和譫語者。病進陽明。在乎白虎承氣之所主。是爲陽浮之極也。如桂枝加附子湯。桂枝去芍加附子湯。則因過汗津液缺乏。小便難。四肢微急。或虛氣上迫。胸滿將陷於陰位者也。若誤汗煩躁吐逆厥冷者。在乎甘草乾姜四逆之所主。是爲陰弱之極也。如麻黃湯亦然。惟邪氣鬱遏大筋。項背強急。爲葛根湯。病勢稍及於裏。而致嘔逆者。爲葛根湯加半夏。若邪內繼。下利脉促。喘而汗出者。爲葛根黃芩黃連湯。邪氣內迫。筋骨疼痛而喘者。爲麻黃湯。若其勢加劇。表熱極鬱。而加煩躁者。及邪氣不迫筋骨而沉淪於肌肉。不能宣達。但身重者。爲大青龍湯。若其勢遜一等。挾水飲而不解欬喘者。爲小青龍湯。若表旣解而飲熱迫肺。而汗出喘者。爲麻黃杏仁甘草石羔湯。若表不解而熱更入裏。與水相等。煩渴或下滯。爲小便不利。或上逆爲水入則吐者。爲五苓散。其不渴者。爲茯苓甘草湯。若表已解而胸滿脇痛者。及往來寒熱胸脇苦滿。默默不欲飲食。心煩喜嘔者。爲柴胡湯。但熱灼膈間。虛煩不得眠。或反覆顚倒。或胸中窒。或心中結痛者。爲梔子豉湯。少氣者。爲甘草豉湯。嘔者爲生薑豉湯。腹滿臥起不安者。爲梔子厚朴湯。微煩者。爲梔子干姜湯。皆屬少陽者也。若發熱惡寒之證。誤下則熱陷於陽位而成結胸無熱惡寒之證。誤下則熱入於陰位。而作痞。爲大小陷胸湯。三物白散。及諸瀉心湯。此則介乎太少之間。半表裏證。上下之和劑。從寒熱以分治也。但表邪入裏。不惡寒。但惡熱者。及蒸蒸發熱者。爲調胃承氣湯。不大便六七日。頭痛有熱者。爲大小承氣湯。若裏熱散漫。口燥渴。心煩。背微惡寒者。爲白虎加人參湯。若裏熱瘀鬱血中。如狂。少腹急結者。爲桃核承氣湯。若蓄瘀甚。少腹鞕滿。小便自利者。爲抵當湯及丸。以上皆屬陽明者也。是爲脉浮緊進于陽位之極矣。若表證兼濕邪。兩邪相會。身體疼煩。不能自轉側者。爲桂枝附子湯。若熱少濕多。大便溏。小便自利者。爲去桂加白朮湯。若兩邪迫于骨節。煩疼掣痛。不得屈伸者。爲甘草附子湯。若既無表證。虛寒晝日煩燥。不得眠者。爲乾薑附子湯。主煩躁者爲茯苓四逆湯。主下利清穀者爲四逆湯。以上皆屬三陰者也。是爲脉緊陷於陽位之極矣。此太陽傷寒中風之大綱而桂枝麻黃二湯之要領也。

少陽之義。少者。微少也。熱氣不能暢達於表。又不能專盛於裏。其邪逡巡在表裏之間。此陽氣微少之狀也。因名曰少陽。風中少陽。邪戀胸脇表裏之界。寒熱之間。故以寒熱往來。熱氣上薰。胸脇苦滿。口苦咽乾目眩。是其候也。默默不欲飲食。心煩喜嘔。爲其證徵。其脉不數不大而弦緊。皆邪在於半表裏間之象。是以汗吐下三法。俱在禁忌。惟小柴胡湯一方。爲其正的。論曰兩耳無所聞。目赤胸中滿而煩者。不可吐下。吐下則悸而驚。又曰少陽不可發汗。汗則竭其津液。胃腸枯燥。至成陽明病而發譫語。蓋其來路必經太陽。而其歸多入于陽明。於是太陽未解。微嘔。心下支結者。爲柴胡加桂枝湯。胸脇滿微結。小便不利。渴而不嘔。心煩者。爲柴胡桂枝乾薑湯。其既及于陽明。而少陽未解。心下急鬱微煩者。爲大柴胡湯。胸脇滿而嘔。日晡所發潮熱。爲柴胡加芒硝湯。胸滿煩驚。小便不利。譫語。一身盡重者。爲柴胡加龍骨牡蠣湯。其既服柴胡湯已渴者。爲屬陽明。無大熱而躁煩者。爲陷陰位。陽明厥陰篇中論柴胡湯者。鑿鑿可見。此少陽之要領也。

陽明之義。明者離明之明。示陽實也。取照臨四方。熱氣充實。表裏內外。無所不在。謂之陽明。在外身熱惡寒潮熱。在內則現腹滿譫語燥屎。所謂胃家實。此其候也。治分二端。其胃熱散漫未結實。脉洪大或浮滑。腹滿身重。譫語遺尿者。爲白虎湯。渴欲飲水。口乾舌燥者。爲白虎加人參湯。胃氣不和。惡熱心煩。將爲結實者。爲調胃承氣湯。脉滑而疾。譫語發潮熱。大便鞕。未至燥屎。或腹大滿不通者。爲小承氣湯。脉已實大滑疾。燥屎摶結。手足戢然汗出。身重短氣。腹滿而喘。譫語而見鬼狀者。爲大承氣湯。若不識人。循衣摸牀。惕而不安。微喘直視者。爲胃實之極。其脉弦者。精氣尚存。宜下之。若脉微濇者。爲精氣畏縮不振之候。難治。此皆太陽少陽之邪熱陷於胃。其證屬緩下之治。若夫目中不了了。睛不和。或汗多。或腹滿痛者。劇熱迅傳勢近危急。與少陰大承氣湯同屬急下之例。此陽明之正治也。其他表證未解。脈遲汗出微惡寒者。爲桂枝湯。脈浮無汗而喘者。爲麻黃湯。少陽未解。潮熱。大便溏。小便自可。胸脇滿。或脇下鞕滿。不大便而嘔。舌上白胎者。爲小柴胡湯。上焦鬱熱。心中懊憹。舌上胎。胃中空虛者。爲枝子豉湯。下焦鬱熱。渴欲飲水。小便不利者。爲猪苓湯。熱入血室。下血譫語者。爲小柴胡湯。熱結膀胱。其人喜妄。屎雖鞕大便反易。其色黑者。及脈數消穀善飢不大便者。爲抵當湯。瘀熱在裏身黃者。爲麻黃連翹赤小豆湯。瘀熱在裏。身黃如橘子色。小便不利。腹微滿。渴引水漿者。爲茵陳蒿湯。此陽明之旁證。而皆屬熱者。若胃中有寒。食穀欲嘔者。爲吳茱萸湯。下利清穀者。爲四逆湯。此皆陽明之虛證。而皆屬寒者。若胃中無邪氣。汗出小便自利。大便硬者。爲津液內竭。宜以蜜煎。或土瓜根猪胆等之汁導之。若但汗多。胃中燥渴欲飲水。小便數。大便硬。無所苦者。宜少少與水以潤之。此陽明之大概也。

太陰之義。太者甚也。陰者寒也。寒邪盛於裏者。謂之太陰。若罹此症。其人平素當弱。倘感寒邪。傳變早而速。邪從裏化。則臟腑失職。是以腹滿而吐。食不下。自利益甚時腹自痛。故理中四逆溫內臟爲的治矣。若其始自太陽誤下來。胃氣生寒。表邪陷裏。爲腹滿時痛者。爲桂枝加芍藥湯。其壅塞痛甚者。爲加芍藥大黃湯。若脈浮兼表證者。爲桂枝湯。此太陰證之要領也。蓋此病但在胃與陽明。爲寒熱表裏。陽明篇曰。不能食名中風。曰欲作固瘕。曰攻其熱必噦。曰欲作穀疸。曰飲水則噦。曰食穀欲嘔。曰寒熱在表。此皆轉繫太陰者。可見太陰陽明。殆同其局。而虛實一轉互相變也。若此證誤認。下之則胃寒益甚。而胸下結鞕等證併至。不啻太陰二陰皆然。可不戒乎。

少陰之義。少者。微少也。陰氣微少未竭盡者。名曰少陰。以脈微但欲寐。惡寒自利爲候也。此病始有二端。裏證未具。猶發熱者。爲麻黃附子細辛湯。其一等輕。經二三日自若者。爲麻黃附子甘草湯。若二三日以上。上焦燥熱。心中煩不得臥者。爲黃連阿膠湯。若下焦水熱相併。下利欬而嘔渴。心煩不得眠者。爲猪苓湯。若熱壅表裏間。欬悸腹痛。泄利下重者。爲四逆散。若裏實口燥咽乾。或自利清水心下必痛。或腹痕不大便者。爲大承氣湯。此皆陰寒化熱者治法也。若其始無發熱。背惡寒。或身體骨節痛手足寒者。爲附子湯。至四五日加腹痛下利等裏證者。爲眞武湯。下利滑脫便膿血者。爲桃花湯。虛寒下利甚者。爲白通湯。其重一等。厥逆無脈。嘔煩者。爲白通加豬胆汁湯。下利反脈微澀。嘔而出汗。或膈上有寒飲乾嘔者。爲四逆湯。其重一等。下利清穀。手足厥逆。脈微欲絕。身反不惡寒者。爲通脈四逆湯。若吐利手足厥冷煩躁欲死者。爲吳茱萸湯。此表裏純陰虛寒治法也。其他如咽痛咽瘡諸方。則不過少陰治標之藥。如瓜蒂散。亦以其證相似。仍對示之耳。

厥陰之義。厥者盡也。逆行也。陰氣竭盡。寒邪逆行。故名曰厥陰。消渴氣上衝心。心中疼熱。飢而不能食。此其候也。此病分二端。脈亦微而厥。甚則膚冷。躁無暫安時者。爲藏厥。治法與少陰極地者無異。大汗出。熱不去。內拘急。四肢疼。又下利厥逆而惡寒者。及嘔而脈弱。小便復利。身有微熱者。爲四逆湯。下利清穀。裏寒外熱。汗出而厥者。爲通脈四逆湯。乾嘔吐涎沫頭痛者。爲吳茱萸湯。若煩躁有時得食則嘔吐蚘厥。爲蚘厥烏梅丸主之。蓋厥陰者。三陰之極。無有所傳。然物極則必變。於是有陰變陽寒化熱之證。如乾姜黃連黃芩人參湯之於吐下。則未離虛寒者也。如白頭翁湯之於下利渴欲飲水。則已專於熱者。如小柴胡湯之於嘔而發熱。則轉於少陽者也。如梔子豉湯之於虛煩。則專於上焦者也。如白虎湯之於脈滑如厥。則熱盛於裏者也。如小承氣湯之於下利譫語。則熱實於裏者也。此皆陰變陽寒化熱者之治法也。其他外寒暴迫。手足厥寒。脈細欲絕者。爲當歸四逆湯。內有久寒者。爲當歸四逆加吳茱萸生薑湯。胸中有寒飲。心中滿而煩。飢不能食。脈乍緊者。爲瓜蒂散。心下有水飲。悸而厥者。爲茯苓甘草湯。此其旁證之治法也。綜上諸論。傷寒六經病。有陰陽表裏證。有緊慢深淺輕重之不同。治有汗吐下溫清和補七法之各異。苟能究其源。窮其極。細察明辨。用藥對證。病雖危重。不難迎刃而解。不然則方藥妄施。治失其序。變證百起矣。醫者豈不可審慎乎。

批　闡明古義不特爲仲景之信徒謂爲仲景之功臣未見其不可　文芳

汗吐下三法立論

汪繡雲

夫醫之立。所以治病。欲治病。必先識病名。能識病名而後求其病之所由生。然又當辨其生之因。各不同。而病狀所由異。然後考其治之之法。一病必有主方。一方必有主藥。雖有出入加減。而紀律井然。汗吐下三法。佔醫治上之重要地位。能無說乎。爰特拾古人之菁華。參以平日經驗所得。而述其梗概。明其病因。與立方治療之大法。蓋人身本有抵抗病毒之能力。與夫調節體溫之機能。一旦受外來之風寒。隨起反射作用。故太陽中風。陽浮而陰弱。陽浮者。熱自發陰弱者。汗自出。濇濇惡寒。淅淅惡風。翕翕發熱。鼻鳴乾嘔者。是全身起抵抗病邪之作用。故宜桂枝湯。所以調榮衞而發汗也。其立方之妙處。在歠熱稀粥。以助藥力。強胃氣。而驅逐風寒外出。不致過表虛而。汗貽後患。太陽病。頭痛發熱。汗出惡風者。是病機在表。當用汗法。桂枝湯主之。太陽病。誤下之後。其氣上衝者。可與桂枝湯。是雖誤下之症。而病邪猶在腸分。尙可驅之從表而出。太陽病。初服桂枝湯。反煩不解。是桂枝湯之發表。不足以勝病邪。先刺風池。風府。再與桂枝湯。則愈。此風邪凝結於太陽之要路。則藥力不能疎通。故刺解其結。此醫者所以貴圓通活法也。太陽病。外症未解。脈浮弱者。當以汗解。宜桂枝湯。病雖過期。脈症屬太陽。仍不離桂枝法。病嘗自汗出者。此爲榮氣和。榮氣和者。外不諧。以衞氣不共榮氣和諧故爾。以榮行脈中。衞行脈外。復發其汗。榮衞和則愈。自汗爲榮衞相離。取桂枝湯發汗。所以和諧榮衞也。病人藏無他病。時發熱。自汗出而不愈者。此衞氣不和也。先其時發汗則愈。宜桂枝湯主之。發汗不特爲驅除病毒之機能。幷且能調和榮衞也。傷寒不大便六七日。頭痛有熱者。未可與承氣湯。其小便淸者。是病毒尙在於表。當須發汗以解也。若頭痛者。必是蘊熱在經。而必動其血。故仍宜桂枝湯。傷寒解半日許。復煩脈浮數。可更發汗。此乃發汗之藥力未透。病毒雖去。猶未盡也。故仍宜桂枝湯。傷寒醫下之。續得下痢。淸穀不止。身痛疼者。急當救裏。後身疼痛。淸便自調者。急當救表。故治病有先後緩急之分。陽明病。脈遲。汗出多表未解也。可發汗。宜桂枝湯。太陰病。脈浮者。可發汗。宜桂枝湯。太陰病本無汗法。因其脈浮。則邪仍在表也。病人煩熱。汗出則解。又加瘧狀。日晡所發熱者。屬陽明也。脈實者宜下。脈虛浮者。仍宜發汗。然汗法之施於表邪。固屬最善。而貨醫者之臨症詳察焉。其治療之方法。又不止一端。太陽病頭痛。發熱。身痛。腰痛疼。惡風。無汗而喘者。此風寒束肺。肺氣不舒。因而肺部隨起代償作用。

細氣管不能分佈津液。榮衛循環之氣、亦爲寒冷所傷。而爲全身痛疼。宜用麻黃湯汗之。其勇猛之力。足以驅逐寒毒之侵犯。太陽陽明合病。喘而胸滿者。宜麻黃湯主之。蓋病毒俱集肺部。可從皮毛而驅逐之。太陽病十日以去。脉浮細而嗜臥者。外已解也。設胸滿脇痛者。與小柴胡湯。脉但浮而數者。可發汗。宜麻黃湯。傷寒脉浮緊不發汗因致衄者。麻黃湯主之。陽明病。脉浮無汗而數者。發汗則愈。宜麻黃湯。風寒傷人。其初步何以發汗爲要。試探其源而說焉。太陽之氣，行身之膚表。潤澤於皮毛。主周身八萬四千毛竅。而環繞于外。又出則外行肌表。入則內歸中土。常從胸膈以出入。又上行頭項。中抵腰脊循尾閭。下入膀胱。散胞中。爲經脈循行之部署。當其受風寒之時。蘊而爲熱。人身氣血循還不息。爲寒氣所壓迫。則起反抗之力。頭痛身體痛疼。而熱度加高。脈搏浮數。斯時也。臟腑精氣完固。治之得法。用辛溫之藥。開皮毛之竅。一而汗風寒卽出。則脉靜身和。此仲景治風寒之汗法。所以千古不易也。再進而言之。不特氣寒宜汗。卽風溫暑熱。瘧痢等症。亦當汗者。其汗法因風溫者。則用辛涼。蓋風溫上受。首先犯肺。而爲頭痛。惡寒咳嗽。舌紅小便數。此時肺已失清肅之令。肺主皮毛。用辛涼之藥。清其肺氣。得微汗。則溫邪從皮毛而出。如銀。翹散。桑菊飲之類。是也。暑熱之邪。入陽明經。脉洪大。汗出口渴者。宜白虎湯解之。是使暑熱之邪。仍從肌肉而出。此爲大劑辛涼發汗。陽明爲多氣多血之腑。一受暑熱。則氣血蒸騰。必至有不竭不已之勢。用白虎所以間接發汗。而清暑熱也。陽明熱盛。正氣不能抵抗。一得白虎而正氣復。邪不能留矣。瘧疾初起。邪在少陽太陽之界。用麻桂湯以汗之。痢疾初起發熱惡寒脈緊者。人參敗毒散主之。俞氏所謂逆流挽舟是也。至此言汗法已告一段落。再進而論吐法。內經曰。因其高而越之。病如桂枝症。頭不痛。項不強。寸脈微浮。胸中痞硬。氣上衝咽喉不得息者。此爲胸中有寒也。當吐之。宜瓜蒂散。病人手足厥冷。脉乍緊者。邪結在胸中。心中滿而煩。飢不能食者。病在胸中。當須吐之。宜瓜蒂散。然吐法施之得當。諸病可一吐而愈。甚善也。茲姑擢廣吐法之妙用。中風痰涎湧閉胸膈。可吐。用牙皂白礬以湧痰涎。中暑太陽之水鬱於胸脘可吐。上氣閉而大便不通。用吐法以通其氣。此下病上取也。再言下法之大概。下所以蕩穢逐垢之謂也。亦卽內經中滿者。瀉之於內。陽明病。譫語有潮熱。反不能食者。胃中必有燥屎五六枚。若能食者。但硬爾。宜大承氣湯下之。二陽并病。太陽症罷。但發潮熱。手足漐漐汗出。大便難而譫語者。下之則愈。宜大承氣湯。大下後。六七日不大便。煩不解。腹滿痛者。此有燥屎也。所以然者。本有宿食故也。宜大承氣湯。是則傷寒傳至陽明。邪熱盡結胃腑。舌苔黃厚。甚或起刺。脉實大。下之得法。則病從裏解。然有熱邪未盡。歸胃而爲煩燥心下硬。至四五日不解。雖能食。以小承氣湯與微和之。何不云下。而謂和何耶。以熱邪未盡入。而胃氣未實。減去芒硝之軟堅。與枳朴大黃之分兩。微和其胃氣。而邪自解。傷寒六七日。目中不了了。睛不和。無表裏症。大便難。身微熱者。此爲實也。急下之。宜大承氣湯。少陰病得之二三日。口燥舌乾者。急下之。陽邪傳陰。腎水欲涸。故當急去其邪。以保津液。宜大承氣瀉。少陰病。自痢清水。色純靑。心下必痛。口乾燥者。急下之。宜大承氣湯。少陰病。六七日腹脹不大便者。急下之。宜大承氣湯。以上爲熱邪。將爍少陰。故用下法。以保其津。下利三部脉皆平。按之心下硬者。急下之。宜大承氣湯。下脉利遲而滑者。內實也。利未欲止。當下之。宜大承氣湯。下利不欲食者。以有宿食故也。當須下之。宜大承氣湯。下利差後。至其年月日復發者。以病不盡故也。當下之。宜大承氣湯。下利脉反滑者。當有所去。脉滯則實邪不留。下之乃愈。宜大承氣湯。病腹中滿痛者。此爲實也。當下之。宜大承氣湯。脉雙弦而遲者。必心下硬。脈大而緊者。陽中有陰也。可以下之。宜大承氣湯。仲景於治病之法。可謂曲盡病理。變通無窮。使病毒無立足之地。然吾人治病。本不在好奇務遠。而在臨症之明瞭。用藥之妥當。一方可以兼治數病。言其變化。病有進退。則方有加減。仲景氏。可謂深得此中之祕矣。然下法不止一端。有軟堅潤下法。調胃承氣是也。又隔血攻下法。抵當桃核承氣是也。有逐水攻下法。十棗湯之類是也。汗吐下三法已略述梗概。有不可汗。不可吐。不可下之脉症。不能不詳說焉。脉濡而弱。弱反在關。濡反在巔。微反在上。濇反在下。微則陽氣不足。濇則無血。陽氣反微。中風汗出。而反煩燥。濇則無血。厥而且寒。陽微發汗。燥不得眠。脉濡而弱。弱反在關。濡反在巔。弦反在上。微反在下。弦爲陽熱。微爲陰寒。上實下虛。意欲得溫。微弦爲虛。不可發汗。發汗則寒慄不能自還。諸脉得數動微弱者。不可發汗。發汗則大便難。腹中乾。胃躁而煩。其形相象。根本異源。厥脉緊不可發汗。發汗則聲亂咽嘶。舌萎聲不得前。動氣在右。不可發汗。發汗則衄血而渴。心苦煩。飲卽吐水。動氣在左。不可發汗。發汗則頭眩。汗不止。筋惕肉瞤。動氣在上。不可發汗。發汗則氣上衝。正在心端。動氣在下。不可發汗。發汗則無汗。心中大煩。骨節苦痛。目暈惡寒。食則反吐。穀不得前。咽中閉塞，不可發汗。發汗則吐血。氣微欲絕。手足厥冷。咽喉乾燥者。不可汗。淋家不可汗。亡血家不可汗。瘡家雖身疼痛。不可汗。反是則其弊立至。若夫不可吐之症。膈上有飲。乾嘔者。不可吐也。氣上衝胸。起則頭眩者。吐之過也。傷寒吐下後。八九日。心下痞鞕。脅下痛。氣上衝咽喉眩冒。經脉動傷者。久而成痿。傷寒吐後。腹脹滿者。與調胃承氣湯。太陽病。當惡惡發熱。今自汗出。反不惡寒發熱。關上脉細數者。以醫吐之過也。一二日吐之者。腹中飢。口不能食。三四日吐之者。不喜糜粥。欲飲冷食。朝食暮吐。以醫吐之所致也。少陽中風。兩耳無所聞。目赤胸中滿而煩者。不可吐下。吐下則心悸而驚。病者在床褥者。不可吐。凡腹氣虛者。決不可用吐法。凡危急短氣甚者。平居患吐血者。或其症候有血症者。決不可用吐法。明乎此。然後可以言醫。下法尤不可以不愼重焉。陽明病。心下不鞕滿者。不可攻之。攻之利隨不止者死。陽明病合面色赤。不可攻之。陽明病攻其熱必噦。陽明病自汗出。若發汗小便自利者。此爲津液內竭。雖鞕不可攻之。陽明病潮熱不鞕者。不可與之。若初頭鞕。後必溏。不可攻之。攻之必脹滿。不能食也。傷寒五六日。不結胸腹濡脉虛。不可下。此爲亡血。下之必死。結胸者。其脉浮大。不可下。下之必死。再言其脉症。脉濡而弱。弱反在關。濡反在巔。微反在上。濇反在下。微則陽氣不足。濇則無血。陽氣反微。中風汗出而反煩躁。濇則無血。厥而且寒。陽微則不可下。下之則心中鞕。脉濡而弱。弱反在關。濡反在巔。弦反在上。微反在下。弦爲陽微。微爲陰寒。上實下虛。意欲得溫。微脉爲虛。虛者不可下也。脉濡而弱。弱反在關。濡反在巔。浮反在上。微反在下。浮爲陽虛。數爲無血。浮爲虛。數生熱。浮爲虛。自汗出。而惡寒。數爲痛。振而寒慄。微弱在關。胸下爲急。喘汗而不得呼吸。呼吸之中。痛在於脇。振寒相搏。形如瘧狀。醫反下之。故令脈數發熱。狂走見鬼。心下爲痞。小便淋漓。小腹甚鞕。小便則尿血也。脉浮而大。浮爲氣實。大爲血虛。血虛爲無陰。孤陽獨下陰部者。而小便當赤。動氣在右。不可下之。下之則津液內傷。咽噪鼻乾頭眩心悸也。動氣在左。不可下之。下之則腹內拘急。食不下。動氣更劇。雖有身熱。臥則欲捲。動氣在上。不能下。下之則掌握熱煩。身上浮冷。熱汗自泄。欲得水自灌。動氣在下。不可下之。下之則腹脹滿。卒起頭眩。食則下清穀。心下痞也。諸外實者。不可下。下之則發熱。病欲吐者不可下。嘔多雖有陽明症。不可攻也。

批　得其要矣　文芳

癍疹概論

王樂成

醫書自內經以來。汗牛充棟。著述代不乏人。惟癍疹一道。古今以來。素之有系統之專書。誠大憾事。惟羅田萬密齋氏之刻論症論治理透法精。以定吉凶存亡之要。可謂探驪得珠。此外如徐東皐張路玉龔雲林金川洪金鼎諸氏。雖皆有論說。然總闕而不詳。則學說紛紜。莫衷一是。不足取也。隨致後之庸流之輩。不察夫痘屬陰而癍屬陽。以爲古人痘癍二字。每每連稱。遂誤爲同類。而以治痘之法治癍。致禍不旋踵。良可嘆也。且癍疹之名。各方不同。在京師呼爲溫疹。河南呼爲粰瘡。山西陝西呼爲糠瘡。山東福建廣東廣西雲南貴州四川俱呼爲疹子。江南呼爲痧疹。浙江呼爲瘄子。湖廣江西俱呼爲癍疹。又呼爲艄子。閩人氏呼爲膚疹。北人謂之痧子。以及赤疹赤斑瘡騷疹北糖瘡火眼瘡麩瘡等名。可見癍疹之名。每相混淆。然四方之命名雖殊。而其症則一也。調治之法。自無各異。夫同一癍也。而有輕重之分者何哉。孰知癍兆自先天。於人未生之前。受形之初。由父母精血而成。淫慾之氣。繫於臟腑。遇時行感觸。發爲癍疹。即洩先天之毒也。毒有清濁。而癍有輕重。此毒一生。終身無再出之理。俗言有痘前痘後癍者非也。或曰復出者。因時氣傳染。發熱發疹。亦戶戶相傳。此是似癍非癍。即風痧之類。不待藥而自愈。此由天氣外感之毒。發於肌膚之間。故其發也易。非若癍疹之發於臟腑之內者。其出也難。且癍之發也。或火年火運。或歲在赫曦。疫癘之氣感觸。一方盡發爲癍。故先有咳嗽噴嚏。鼻流清涕。眼胞微紅。肺家之象居多。故一感而有是象。後因毒火薰烝肺氣。以致咳嗽不已者有之。古書謂癍出六腑。痘出五臟。分陰陽之謂也。癍出盡而回。無形無跡。陽之道也。痘出盡而回有漿有靨。陰之道也。陽屬表而陰屬裏。故癍屬陽分而已。所以古人有癍無死症之說。奈何今之出癍者。竟有死症聞耶。總由治不早。醫不當之弊在焉。不知治癍之道。有妙理存焉。假令寒熱虛實。隨症有之。補瀉溫涼。因症用之。莫謂癍無補法。而執用寒涼。豈不謬哉。故善治者。先觀其人情氣色。次察其癍之現與不現。透與不透。色之紅與不紅。滯與不滯。其中是火是毒。是虛是實。可迎眸而遡睹矣。如真知其鬱者發之。寒者溫之。熱者寒之。虛者補之。實者瀉之。務使發藥對病。無不應手取效。前賢所謂癍無死症者。良有以也。

發熱

瘄疹之初。必先發熱。但痘熱不過二三日即出。瘄疹有六七日或半月乃出者。或乍涼乍熱。或壯熱經日不退。始熱之際。必見面赤眼腫涕淚俱多欬嗽連聲等證。至壯熱經日不退。惟正出時見之爲宜。若初發壯熱。至已出而熱不少衰者。其證必重。宜清熱透肌湯。發熱數日。止而復作。或早熱而暮退者。在初發時爲熱邪未透。宜葛根解肌湯。正出之際。煩熱轉甚者。此熱邪未解而內攻也。宜清熱退肌湯。疹子收後身有微熱。此虛熱也。不須治之。待氣血和暢。其熱自退。若熱太甚。或日久不減者。宜四物湯換生地赤芍加連翹元參。或柴胡麥門冬散。壯熱不退者。宜黃連解毒湯合人參白虎湯。與前方相間服之。或用竹葉石膏湯去半夏加荊芥元參。疹後熱不除而忽搐者。不可誤作急驚。宜導赤散加人參麥冬。送服安神丸。小便清者可治。短少者難醫。疹子既收。其毒不解。邪火發鬱。渾身發熱。晝夜不退。髮枯膚瘁。漸成疳瘵者。宜清熱除疳丸。失治則睡時露睛。口鼻氣冷。手足厥逆。微微瘛瘲。變爲慢風。多不可救。疹後壯熱。未至羸瘦。但多搐搦。煩躁不安者。此熱在心脾二經。宜當歸養血湯。黃連安神丸。相間服之。大抵疹退身涼。越六七日而復熱者。非餘熱未清。即復感風邪。當以意消息之。或因大病之後。中氣虛弱而致者。則治本爲要。臨病之機。不可不審也。

部位

瘄麤腑候。發則先動陽分。而後歸於陰經。故一身之中。凡頭面背及四肢向外之諸陽部宜多。而胸腹腰及四肢向內之諸陰部宜少。陽部透而陰部不透者無害。陰部透而陽部不透者爲險。發自頭面至足爲齊。頭面多者爲順。先從胸腹腰處起。漸發四肢爲順。如從手足起而漸發至胸背腰腹者爲逆。

形色

痲疹色貴紅潤。唇形貴尖聳。若初出成片。一感風寒。即變爲白。身不發熱。而反內攻。煩躁腹痛。痰喘氣急者危。如毒攻於胃。則嘔吐清水。攻於脾則腹脹不食。攻於肺則鼻塞喘促。攻於心包。則唇舌焦燥。不省人事。搖頭撃手。攻於腎肝。則變黑色而不救也。又有邪發之時。形似斑屑者。此乃風寒在表而成瘾疹。祇宜疎解。俟瘄發透。其疹自退。切忽誤認爲斑。而與苦寒之劑。致瘄內陷而難救。若色雖紅潤而不起。二便艱濇者。宜清熱透肌湯。如色淡不起。二便如常者。此屬本虛。當培養氣血。亦有色黯不起。大便祕結。唇舌燥赤者。此爲火邪內鬱。宜白虎湯加元參荊芥。其有色白不分肉地。惟點粒高聳。移時即沒者。此邪熱本輕也。然亦有表氣本虛而色白者。宜調護溫煖。越一二日自變紅活也。若正出時爲風寒所遏。而色白如膚。必毛竅竦慄。宜葛根解肌湯。若色紫赤而黯者。此火毒熾盛。頂粒起者可治。宜涼血飲之。譫語煩躁者。宜黃連解毒湯調益元散。枯燥不起者難治。若點粒色焦。不論紅淡。皆爲熱極之候。並宜白虎湯重用石膏。乾燥無汗者。加麻黃以汗之。大便祕者。涼膈散下之。亦有痳發如雲頭火片者。其形有二。一則大片焮赤。片上復有小紅點粒。皆火邪熾盛所致。宜白虎湯加竹葉元參。若痳出斑點如錦紋。或出膿血腥臭不乾。心胸煩悶。嘔吐清水。身溫熱者。宜白虎湯加黃芩茅朮。以清熱毒。

咳嗽

痳疹乾咳。連聲不斷。此火邪凌爍肺金所致。然咳則毛竅開而痳易出。故未出之先。欬甚最佳。發透則咳自己。若出盡沒後而欬仍不止。甚至連接不斷。上氣喘急。面浮目腫者。宜清咽滋肺湯。咳嗽多痰者。去麥冬加陳皮茯苓。若感觸風寒。咳嗽煩悶。嘔吐清水。眼赤咽痛。口舌生瘡者。宜甘桔湯加芩連。沒後見者。用人參白虎湯去知母易麥冬以滋化之。

有汗無汗

痳疹初出之際。當宜微汗。蓋微汗則腠理疏豁而邪易透。但不可復用升發。恐汗大泄。致有亡陽之慮。然亦有隱陷不透之壞症。須權用升發。令得大汗而解者。此又不可一概而論。若壯熱無汗。而皮膚乾燥者。此必風寒壅滯。難出多成內攻之候。或腹脹痛。或發喘促。宜與葛根解肌湯。冬月則越婢三拗選用。惟不可過劑。亦有因熱極火鬱。皮膚乾燥而難出者。必致唇舌燥裂。二便祕濇。壯熱昏沉。或身體脹痛。喘促痰鳴。無論何時。急宜白虎湯加元參牛蒡黃芩山梔竹葉之類。又有一種忽然有汗。忽然無汗。汗後肌膚仍燥。身體大熱而痳尚未透齊。或意有大汗如蒸。而痳亦不能盡透者。此毒火燔灼。五內沸騰。汗爲火逼。若單用清表。恐其不能應手。必須釜底抽薪。使毒火引下。而痳自透於上。否則氣粗喘悶。毒無出路。遲則藥無及矣。

發不出

痳疹初起。發熱咳嗽。渾身脹痛。有似傷寒之候。惟乾咳連聲。目赤多淚。嘔噁便溏。爲痳疹之特徵。若於將發之際。或爲風寒所襲。或因肢體袒露。寒鬱熱邪。不能外出。此全盛之勢未萌。與出後沒早者不同。如氣粗喘促。腹中脹痛。煩擾不寧。而不得出者。急與麻杏石甘湯。或越婢湯去棗。重用石膏。輕則升葛湯以升發之。若因觸犯霧露風寒。隱現不能發出者。以新猪矢冲湯。隔簟蒸之。否則更添滾者。幷取猪矢燒灰。葱白湯下二三錢。或燒人矢。亦能發之。若仍不出者。雖有神丹。恐亦不能救矣。

不透表

痲疹無論尖大細小。悉以透表爲主。方無後患。若因風寒鬱遏。或中氣本虛。或火毒熾盛。致隱於皮膚而不能透表者。急宜隨症治之。痲發不透。氣喘欲死者。即用脂麻五合。以滾水泡之。用木盆留帳中。趁熱薰頭面即發。一方小米煎水。不拘時服。一方櫻桃四五斤。入瓷瓶內密封。埋土中。過二三月。俱化爲水。遇此證危急者。取此汁一盃。略温灌下。一方沈香木香檀香。不拘多少。於大盆內焚之。抱小兒於烟上薰之即起。麻出而皮膚乾燥。毛竅竦慄。不能透表者。此風寒鬱遏也。宜越婢湯葛根解肌湯之屬。隨症輕重用之。其有表虛不勝疎透者。宜一味葱白濃煎。時時與之。但得微汗即解。若頭粒隱隱。紅紫一片而不透表者。此火毒熾盛也。宜白虎湯加荊芥元參。如肌膚不燥。唇色淡白。二便如常而不透者。此中氣本虛也。宜消毒飲加連翹木通車前茯苓。雖蘊熱有不可輕用寒涼。即用峻劑升發。亦必不能復透。但當解利。使內化爲主。亦有胸背腰腹焮處起瘰而紅。頭面手足。乍有乍無。此症必纏綿難已。且有疹沒後五七日。復發如前。至二三次而愈者。此氣候之異。當非不透之比。祇宜辛涼透表。令漸次向安。欲求速效。轉增危殆。其有一種扁闊焮赤成塊。塊上復有小粒。平塌不起者。亦有一片如風毒。偏高紅腫。但頭粒不尖。二者雖透。然其中必有邪熱留伏。防有他變。並宜竹葉石膏湯去半夏。以滋化之。縱有餘熱。從此渙散矣。

已出未齊

凡看痲疹。須先頭面。次身體。以及四肢。或有身雖統紅。而手足未明者。斯時熱未退。未曾發越故也。仍宜疏通解表。如見嘔噁便祕。煩燥口渴等症。即於解表藥中加入石膏羌活防風之類。如手不熱而反寒者。用西河柳三四兩。加紫蘇一兩。煎湯薰洗。則鬱者得舒。而痲自透矣。

已齊辨色

夫痲齊之後。細察其顏色如何。使頭面手足。如桃紅之明潤。兼之人情如常。可不服藥而愈。假令其色或紫或滯。身仍熱而未安。此必內有鬱毒未盡。口必渴。便不通。必然煩躁。此毒猶未盡。火亦熾矣。紫滯者。宜活血破瘀。兼清營熱。如當歸紅花赤芍生地之類。口渴便祕者。宜清胃疏通。當用涼表活血疏通飲。此症非輕。宜早晚服藥。待痲色轉。人情安爲妥。更有白色者。血不足之故。宜活血補血爲主。

過期不出

凡痲發熱二三日而出者。亦是正期。又有四五日而不出者。此必皮膚乾燥。腠理閉密。又被風寒侵襲而然。宜用透肌神功散加西河柳以發之。得汗則透。或因衣被太厚。過熱火極。津液枯涸而有是症者。宜用加味石膏湯加黃連生地荊芥大力。以淸內熱。二症俱可外用胡荽酒遍體噀之。令其毛孔開通。疹毒自發。或有食傷於中者。名曰食塡太陰。以致脾胃之氣。不能運行於肌肉。而疹亦不透。須加重消食藥。而疹自起。更有天稟素弱。氣血不運。營衞不通而未能透者。若察其人情氣色。必淡白而虛餒。是爲不足之象。宜補血養營湯加西河柳防風。以上四症。當細燭肌肉內必有隱隱欲出之象。始認爲痲。否則或有別症。不可執認爲痲。而竟有用痲藥誤事者。可不愼歟。

悶瘖

凡係過期不透。卽悶瘖也。大約火爲寒鬱者居多。今醫家見有火象。而不知火鬱發之之理。早用芩連石膏。亦是火因寒鬱。甚至煩躁喘急。危在旦夕。當用開瘖門之法以救之。急將兒頂門正中併前後左右挑五七針。挑之見血者無恙。無血者不治。針挑之後。速將紫蘇葱頭防風生薑芝蔴等煎湯。用絹袱覆頭薰之。使鼻有微汗爲度。薰後再洗兩顴與面。洗畢卽當拭淨避風。再將露天糞缸中久浸之磚瓦。洗淨煆紅。研爲細末。陳酒調服。小兒二三錢。稍大者五六錢。痲疹卽透矣。倘服後尚未透足。再以發散。屢屢回生。故治痲之道。有先後之分。有早用寒涼火因寒鬱者。有畏用寒涼毒盛難治者。太過不及。皆致誤事。用藥者其可不愼乎。

過期不回

痲疹只恐出不盡。若出盡則毒解而回矣。亦有連綿不收者何也。此非一定之道。當細察其形色人情而辨之可也。或有其形雖齊。而其色尚未透明者。此毒仍未解而回。宜用雙解透毒湯。或有外感風寒。身仍熱而不回。宜發散藥中加入解毒之品。其有火毒熾痳而不回者。必氣粗煩躁。宜用大青涼血湯主之。亦有天稟素弱。形色淡白而不回者。宜用八珍湯以補之。以上種種形狀。此其大略如是。觀之者臨症其可忽諸。

早沒

痳出未經三日。或爲風寒外鬱。或熱邪內陷。或誤食酸收之物。一日半日卽沒。周身燰處。絕無紅影。終變危候。若雖沒早。肌膚燰處。倘未全沒。急須透發。發之不應。卽當審其所觸。而與內解。若外爲風寒所遏。邪反內攻而沒早者。消毒飲加葱頭熱服。復透者吉。甚則加麻黃穿山甲。或越婢三拗選用。若不急治。必喘脹而死。亦有偏身青紫熱腫。喘脹氣急者。此毒滯血凝。半匿肌表。急投涼膈散去芒硝加麻黃石膏以發越之。若腹脹喘促。溺濇臍突者。宜涼膈散加葶藶。庶或可救一二。若內挾痰熱。火毒亢劇。而伏匿煩躁。或腹脹喘急。不省人事者。宜白虎湯加元參竹葉。若誤食酸醋收斂之物。致伏匿壯熱。喘嗽煩悶者。以猪胆汁製甘草煎成。續續與之。得吐徹汗爲效。或苦瓠生甘草煎湯灌之。亦能取吐。吐中使有發越之機。誤食豕肉。喘脹氣急者。枳殼湯加山查芒硝以下奪之。誤食核桃。喘咳聲啞者。宜消毒飲加石膏馬兜鈴。服後熱退身安。氣息漸調者。方可無慮。若大病之後。洞泄不止。中氣本虛。不能發越而早沒者。惟當健運中氣。略兼解表淸熱。若沒後而遍身搔癢者。此露風太早所致。宜消風散以疎解之。痳疹因風早沒。目張鼻煽抽掣者。急用芫荽斤許煎湯。盛以木盆。放兒身傍熏之。用細巾濺湯絞乾。乘熱拭其頭面胸背手脚。冷則再換。其痳自透。

遲沒

西北水土剛勁。稟質亦厚。痳多五七日始沒。東南風氣柔弱。痳出不過二三日卽化。然邇來地氣變遷。未有不綿延數日者。當非難沒之比。若三四日後。點燥色白。隱隱於肌膚而難沒者。此必衞氣衰微。不能焮發。或衣被單薄。阻其發越之機。以致綿延多日。法當辛涼透達。不可遽用寒涼。礙其開泄之路也。

鼻衄

凡痳疹初起。發熱自汗。此爲毒從汗解。症屬順候。如熱甚無汗。火邪熾盛。以致錯經妄行。血向口鼻而出者，雖爲可駭。豈知毒從衄解。其熱得以開泄。不治自己。似傷寒症紅汗之類。但不可過多不止耳。未出而衄。宜茅花湯或犀角地黃湯加荊芥穗。如已透者。可用元參地黃湯。如出不止。宜用犀角芩連湯。若正沒及巳沒之後。血仍不止者。四物湯加茅根麥門冬以滋降之。失血之後。須防氣血虧損。如其火巳清者。卽人參亦可加入。勿謂痲藥禁用。

煩躁

痲疹未出。而煩躁身熱。宜痲杏石甘湯。令其透表。而煩躁自止。如痲巳透。而仍煩躁。坐臥不安者。宜用加減石羔湯。則火自淸。而煩躁自止。如已經發散。有汗而渴。此必津液。乾躁而然。宜用滋陰安胃湯。

吐蛔下蟲

夫蛔之一物。在腸胃中。由飲食化生而成。大人小兒皆有之。然小兒多於大人者。因其少食酸辣等物。故小兒有蛔腹痛之一症。其中脾胃強者蟲自安。脾胃弱者蟲必動。若夫出疹而有吐蛔者。悉由胃中熱痰膠固。蟲無所養。逆而上行。以致嘔吐也。宜淸其胃中之熱。而蛔自安。不可用烏梅花椒乾姜酸收辛辣等物。倘疹未出齊而吐者。宜透發藥中兼淸其火。如已透而吐蛔者。胃熱未淸也。淸火而蛔亦安。如蛔蟲多而不能食。此爲胃敗。不治之症。總之。胃熱而吐者。其蟲多死。胃虛而吐者其蟲多活。亦當視其吐之多寡。勿謂一見蛔而卽如是。下蟲者。多見於疹後。因胃熱少食。蟲不能安而下。與過食傷中。蟲不能容而下者不同。但須調其飲食自愈。不須治之。

吐瀉交作

痲疹初起。而吐瀉交作。是爲順症。宜淸涼發散。不必驟止。蓋邪火上迫則吐。而熱邪亦因之而解。惟欲吐不吐。或成乾霍亂者。乃爲逆證。若疹正出或正沒時見者。宜消毒飲加枳實黃連。多痰者更加貝母瓜蔞根。胃中熱邪。不得發越而致者。葛根解肌湯。若沒後而嘔者。此脾胃虛而熱滯也。宜石斛淸胃湯。若痲後吐瀉。多由火毒未淨之故。其火升於上則吐。行於下則瀉。蘊於中則吐瀉交作。吐多宜竹茹湯。瀉多宜解毒分淸飲。吐瀉交作。用升痲柴胡。以提淸氣。赤藥木通。以降濁氣。黃連銀花。以解氣分之火毒。生地丹皮以瀉血分之火毒。力子檉柳。極能透發。而消時疫之氣。吐瀉之後。須防胃氣虛弱。速宜調養胃氣爲要。

咽痛失音

凡痲疹咽喉痛者。皆由肺火拂鬱而上炎。故致咽喉腫痛。不可誤認喉痺。而妄用針刺。及腦麝吹藥。以傷清道。宜甘桔湯加元參牛蒡連翹。或射干鼠粘子湯。錢氏甘露飲之屬。外用十全散玉鑰匙之屬。點之。如痰涎壅盛。宜用牛黃散吹之。夫咽喉爲胃嚥之所。及呼吸出入之道。猶笙之有簧也。皆主於肺金。肺清則氣响。肺實則聲啞。不知心火上刑。肺金枯槁。譬猶管籥乾燥。則所出之聲不清也。則凡聲啞咽痛。發熱作渴。面赤飲冷。悉由上焦熱壅而然。宜清肺氣。以射干湯主之。若因肺胃熱邪。爲風寒所襲。不能透達於表。致咳嗆咽傷而失音者。治宜清咽滋肺湯。若瘖而腫痛者。宜射干消毒飲。然瘖爲痲疹之常事。不可與痘症比例。

氣急鼻搧

夫痲疹有氣急一症。人皆名爲喘者是也。此爲痲疹最惡之症。最宜詳察。不知喘症不一。有氣促氣短氣急氣喘之別。犯此四症。必鼻動如搧。如牽爐箱。一動百動。爲肺氣將絕之兆。若兼喘滿痰鳴。此必不治。如咽喉清利。無喘滿而精神不減者。猶或可治。宜滋培肺氣爲主。若疹已沒而見者死。氣促者。喉間若無。僅在口吻之間。多緣肺熱不清所致。初發或正出時見之者。宜清熱透肌湯。在正沒或沒後見之者。宜清咽滋肺湯。如喉中有痰。齁齁而鳴者。此熱邪阻遏。不得發越也。見於初發正出之間者。宜除熱清肺湯。見於正沒或沒後者。必邪熱未透。或露風太早。餘熱內攻。而肺氣受傷也。症屬難治。氣短者。是元氣虛弱。呼吸短促之象。其人必靜。口雖燥而不焦。大便溏而不實。肌膚鬆而汗出。宜貞元飲加減。氣急者。呼吸動搖。喉中有聲。將近於喘。若至喘症。亦當分其虛實而治之。虛者難治。實則易調。虛則小便清利。大便溏泄。身無大熱。雖清痰潤肺。多難獲效。實則大便堅燥。小便赤澁。身發壯熱。口渴而焦。其人煩躁。此毒火燔灼。熱邪壅遏肺竅。氣道阻塞而然。宜竹葉石羔湯去半夏加蔞仁川貝。冬月量加蜜炙麻黃。無不隨手而應。大抵喘兼嗽者易治。張口擡肩者難治。喘而無涕。兼之鼻搧者死。未出而喘者易治。沒後而喘者者難治。初發之時喘者。三拗湯加石羔芽茶。喘而鼻乾口燥者。白虎湯最捷。若見於痲後。又宜清咽滋肺湯以滋肺胃。白虎又爲禁用。故曰醫不執方。所貴在人活法耳。

口靡牙疳

夫牙疳一症。多見於痲疹之後。火毒未消。熱留陽明。餘毒上攻。致口舌破爛，或牙根臭氣出血。宜加味清胃散加石羔荊芥。以清火解毒。大便祕者。當歸散微利之。外用栗根白皮煎湯漱淨。以無比散或燒鹽散吹之。若不早治。牙根出血腐爛。遲延不愈。名曰口靡。

較疳尤甚。又有走馬牙疳者。戰慄不安靜。身體大熱。面目浮腫。環口青黑。今日方見黑點。明日遂腮穿牙落。唇脫鼻壞。不能飲食而死。名曰走馬者。喻其速也。凡屬口糜者。宜早不宜遲。遲則雖有靈丹。亦無及矣。更有一種滿口唇舌。黃白赤爛。獨牙齦無恙者。此爲口瘡。非牙疳也。亦胃中餘熱未盡。毒藴上焦。二便必多艱澀。宜導赤散以瀉心脾之火。外以蒜袍散敷之。或甘露飲加石羔薄荷。此母實瀉子之義。又不傷胃。但必多服乃效。或四物湯加消毒飲茵陳梔子枇杷葉服之。復加揉洗之藥。很可救治。若通齦色白。自外延入口內。無膿血者。或齒落口臭者。均屬不治。

目疾

痲疹發熱之時。目光如水。而多眵淚。或白睛微紅者。此爲正候。若沒後而猶見紅赤。此肺經風熱未盡。宜瀉白散加荊芥防風薄荷元參牛蒡。閉不欲開。更加連翹木通。赤而腫痛者。風熱上壅也。宜導赤散加荊芥牛蒡元參。若爲風熱所侵而眼眶赤爛者。宜柴胡飲子。急須治之。否則爲終身痼疾。

婦人出痲

婦人出痲。與男子本無大異。所異者。惟行經胎前產後而已。此三者爲醫者所當知不可固執。如有火清火。有毒解毒。宜表宜降。當隨症施治。至於行經。當痲疹發熱之時。而經水適來。血室空虛。邪熱乘虛入內。名曰熱入血虛。其人腹痛。或妄言妄語。甚至昏不知人。當用桃仁承氣湯加減。若在胎前。胎宜安不宜動。痲屬火候。最易墮胎。初發正出時。須驗其色之紅淡。熱之重輕。而與疎解。佐以清原滋血安胎爲主。四物湯加條芩艾葉荊芥紫蘇之類。若胎氣上冲。急宜根艾葉煎湯。磨檳榔續進以降之。如痲火已動其胎。祇清其火。而胎自安。倘胎動有因勞損。有因跌蹼。以致內有瘀血而不安者。加入荷鼻最妙。瘀重者倂可加入紅花丹皮。一切實脾行氣溫燥之藥。既礙痲疹。復傷子氣。咸須禁之。至若產後。發散如羌活麻黃。不可妄施。即防風白芷。新產亦當審用。寒凉如黃連石羔大青知母。更不可加入。即黃芩連翹。亦當暫停。溫煖如桂附乾姜。產後雖宜。然與痲疹有碍。亦宜禁之。調治之法。惟養血祛瘀調氣六字可矣。

批 慎思明辨 文芳

全國關心之熱黑病問題

無足爲奇之痞積
見於內經奇病論

胡靜盦

言僞而非行僞而辨者。其用心誠可誅也。平淡無奇。故作驚異者。其幕後有所圖也。慨自近百年來。中西醫學競爭。鬼魅技倆。無所不用其極。始藉教會之力以傳播。繼憑政治之勢以壓迫。反響迭起。自知不足以深入民間。於是幡然改圖。故作驚人之宣傳。以引起社會之注意。如前數年所流行之腦膜炎症。以爲中醫無此病。非中醫所能勝任。必延請西醫。方可救療。殊不知彼以爲善法者。除注射預防及抽取脊水以外。別無他法。預防而仍不能免疫。抽水而仍不能奏效。則束手無策矣。斯症在中醫名曰驚風。（原名爲痙。有傳染性者。名曰疫痙。）分別治療。處之裕如。原無足爲奇也。

最近又有黑熱病之喧騰於社會。經熱帶病專家。及所謂特派孜察團之實地工作。其所得之結果。僅疑似之原虫。及貧民所不能負擔之注射藥品。而又未能必其奏効。噫嘻。不亦可休巳乎。社會人士不察。以爲果爲新發現之疾病。殊不知彼之所以故作擴大之宣傳者。實幕後有圖用心可誅者也。世界各國。侵略之技倆。日新月異。最爲狠毒者。莫若文化與經濟。在無形之中而亡人之國。吾徒觀其甘作。虎倀摧殘國藥死而不悟。亦可哀矣。然則何以燭其奸謀。揭其黑幕。曰必也正名乎。名不正則言不順。當知斯症實名爲痞積。在民間或名癖塊。或名痞塊。更有專療斯病者。咸稱塊醫生。先時通知約期付藥。叩其所付何藥。曰在初期付以桂枝茯苓丸。已成痞積。則付以鱉甲煎丸。惟病情傳變。決不如此簡單。故受藥之人。愈者半而不愈者亦半。傳播日久。遂致蔓延於蘇北。在該地當時設有一二人焉。加以詳細診察。藉以應付傳變。亦足彌患於無形。乃馴至今日。反被別有用心者。造成機會。故作驚異之宣傳。斯則殊足惋惜者也。然病無古今。識其病灶。辨其證候。卽可以作治療之標準。其病灶所在。爲脾藏腫大。已爲中西醫學者所肯定。經云太陰所至爲中滿。又曰脾之積名曰痞氣。又曰諸濕腫滿。皆屬於脾。由是以觀。則當定其名曰痞積。始名正而言順耳。玆將其詳細證狀。及其變化。並病原病理。分析於後。還希海內高識之士。起而刪正爲幸。

證狀　初發現時。身發寒熱。類如瘧疾。但循環期並不規則。約十日後。寒熱自愈。此時脾已硬化。但爲塊尚小。不易察覺。半月後或數月。又發寒熱。同時脾藏腫大更甚。形質益顯。相繼發生之現象。則爲腹痕腹痛。爲肌肉消瘦。爲四肢發腫。爲盜汗骨蒸。爲衄血鼻血。爲食少便泄。爲精神萎靡。其在婦女。則月經停止。當此時亦由鬱血而至貧血。皮膚漸現蒼白而轉黑暗矣。於是患者病勢日重。醫者顧此失彼。終則死於副發病而後已。如走馬牙疳。如支氣管炎。如痢疾。如衰竭等症。速則半載而亡。遲則三年必死。以上爲痞積病過程之大概證狀也。

病原　據研究隊攷察之結果。以該處一種昆虫間接傳染。尤以白蛉子爲最有嫌疑。竊以爲斯病之主因。其所以普遍傳染。自藉一種原菌。但中醫治病。不專以殺虫爲主。而以人體之何以傳染。及傳染以後使其不能繁殖。而驅逐於體外爲主。其所以爲病之原。不外三因。一由空氣傳染而中毒。卽經所謂濁氣在上。則生䐜脹是也。一由於飲食傳染而中毒。卽經所云。飲食不節。則陰受之。陰受之。則入五藏。爲腹滿䐜脹是也。一由於本身之藏氣有損。不能抵抗病毒而爲害。卽勢倦有傷於脾胃是也。該處地極貧瘠。終日奔波。不得一飽。平日對於醫養。旣感缺乏。而所居之處。又低窪潮濕。空彙自極惡濁。雖在無病之時。一望其顏色。卽知其素患貧血。更何況感染毒菌而爲病。無怪其蔓延而無所底止也。以素患貧血之人。而感染時氣。於是本身之氣血凝滯。過賸廢物。不能盡量排洩。留着於經絡藏府之間。氣火相蒸。瘀濁腐化而病菌以衍。此其理猶之木腐生蠹。水汚生蛆。皆爲本體之所自召。夫豈盡屬外來原虫之爲害哉。凡百病之發現。皆同於斯理。所謂知其子。而不知其母。倒因爲果。吾徒見其兀兀孜孜。以求原蟲之來源。而仍無從知其所以產生也。內經推原積之已成。則歸血氣凝濇。則寒氣入於腸胃。入於腸胃。則䐜脹。䐜脹則腸外之沫汁。迫聚不得散。日以成積。卒然多飲食。則腸滿。起居不節。用力過度。則絡脈傷。腸胃之絡傷。則血溢於腸外。併合凝聚而積成矣。此言痞積之所由成。可謂歷歷如繪。內經奇病論云。人有尺脉數甚。筋急而見。所謂疹筋。是人腹必急。白色黑色見。則病甚。色黑而腹急。斯則黑熱病之形證。早已發明於數千年之前。在當時自屬奇病。則現時又安得倘目爲奇病乎。但又有色白者。使彼而見此症。則更將咋舌。中國之奇病。又何其多也。噫。此安足爲奇。更可從仲師後人之說。以證之。仲景於大黃蟅蟲丸。症則曰。經絡營衛氣傷。內有乾血。肌膚甲錯。兩目黯黑。於婦人瘀血之證。則曰肌若魚鱗。時着男子。非止女身。此皆因血熱而致膚黑。則於西醫所謂黑熱者。又若合符節。至於從寒熱而成痞積。則仲師之鼈甲煎丸證狀。更爲合拍。論曰病瘧以月一日發。當十五日愈。設不差。當月盡解。如其不差。當云何。師曰。此結爲是癥瘕。非從寒熱之後。而脾藏硬化乎。丹溪謂。死血食積痰飲成塊。河間於積聚門中積氣丹下之敍證。有面黃黑瘦云云。而喻嘉言治袁聚東案。亦有毛瘁肉脫。面黧髮卷之說。此數說也。則更可爲黑熱痞積之佐徵。且病者之體質不一。病機發現。亦非盡屬於熱。所云諸脹腹大者，固皆屬於熱。若胃中寒則脹滿者。斯又屬於寒。至於四肢浮腫肚瀉等症。安得謂盡屬於熱。況患病者。旣男女兒童俱有染者。其末期之見證。膚色固多爲黑瘦。謂盡屬於熱病。則恐未必。由此以觀。則黑熱病之三字。更不能成立。今定其名曰痞積。誰曰不宜。

病理　痞積病旣以脾藏痞積爲的證。其後雖有續發副發諸症。要皆因緣而得之。初起之所以發寒熱者。營衛不和。邪正相敵之作用也。痞積何以先起於腹左。難經云。脾之積名曰痞氣。肝病傳脾。脾當傳腎。腎不受邪。脾欲還之肝。肝不肯受。故留結爲積。是脾之腫大。實由肝之先病。肝爲厥陰。其合少陽。少陽者。半表半裏之經也。邪入其間。陰陽相移。寒熱交作。營衛兩不和諧。故發熱如瘧狀。由是表病及裏。經病傳藏。始少陽。繼厥陰。肝病且及脾矣。肝藏居右。其氣實行於左。脾藏居左。其行關係於右。且肝爲最大腺體。心房循環血液。多取給於肝。吸收輸送。肝脾對峙。兩邊氣血循行。恰成一來一往。東西相接。此生理上之常態。卽肝藏血脾統血之謂也。今則病毒侵入。藏統失司。勢必引起肝藏鬱血。肝之動脈亦同受障碍。血色素沉着而肌膚黑暗矣。繼則鬱血日久。新陳代謝之機能失職。蓋血液循環。終始營養身體各部。其鮮血由心藏流出。營養各部。營養旣畢之汚血。再還入心藏。送汚血於肺。肺猶清水池也。由所吸養氣與血中之二養化炭交換。暗黑不潔之血液。復變爲鮮紅色之潔淨血液。而繼續循環。週而復始。不失常度。如起鬱血作用。則生活營養料減少。陳舊之廢物轉多。非特不能充養肌肉。抑且血管易致燃燒。而至於肌肉日削。此由於鬱血而肢體消瘦者也。苟再演進。而至心藏貧血。則皮膚枯燥。毛髮脫落等象。次第發現。此發熱膚黑之原理也。至脾藏異常腫大。邪毒侵襲。日形硬化。且將體內廢物。如濕痰濃血。儘量吸收至脾藏脂膜內而使然也。丹溪曰。痞塊在中爲痰。在右爲食。現左爲血塊。氣不能作塊成聚。塊乃有形之物。痰與食積死血而成也。現乎此。痞塊之屬於脾腫無疑。亦脾藏異常腫大之所由成也。

發熱膚黑痞塊。固爲痞積必見之證。其病理旣如上述。而續發諸證。亦自有其部位上。生理上之關係。或直接受病。或間接蒙害。其證雖異。其原實同。如腹疼腹脹之由於部位關係。四肢浮腫之由於水濕旁溢。亦爲直接受病。緣肝脾同處腹內。肝藏硬化。脾藏腫大。脾病善脹。肝病善痛。腹部焉得不痛且痛耶。脾司分消而主四肢。今失其分消作用。四肢浮腫意中事也。他如肌肉消瘦。食少便泄等症。是又間接蒙害使然。按肌肉消瘦。不外貧血鬱血。食少便泄。原因消化不良。瘀滯於絡。而血管破裂。則爲鼻血衄血。肝以鬱血而引起貧血。脾以腫大而不司運行。婦人以肝爲先天。肝失疏泄。衝任不調。新血不生。瘀血日積。月事不以時下矣。

若至牙齦出血。甚至而成爲走馬牙疳者。則已陷於危境。不獨脾藏異常腫大。肝藏極形硬化。而邪毒已竄潰胃腸。全身血輪。完全受其毒害。故口氣臭惡。牙腐如泥。血從牙齦而出。以致穿腮脫牙。此時雖有治法。恐難挽救於萬一。觀之景岳全書曰。余在燕都。嘗活痞塊在脅下者數人。皆以灸法收功也。又曰。積久成疳者。乃經絡壅滯。致動肝脾陽明之火。故爲頰腫口糜。牙斷臭爛之證。其說精潔。頗覺清心爽目。所言積久成疳者。與痞積病之末期而見牙疳。一吻卽合。此痞積病之死於走馬牙疳者一也。

亦有傳入於肺。則發爲喘急。西醫所謂支氣管炎者是也。當病毒猖獗於肝肺藏時。左右升降。不能如常行使其職權。血液循環。同受障碍。以致肺藏呼吸困頓。調節失司。炭氣滿佈。外來之空氣。頓告隔絕。而致喘逆息賁。疾聲如鋸。肺熱葉焦。生機絕矣。此痞積病之死於支氣管炎者二也。

其傳入腎藏者。則發爲痢疾。蓋腎司二便而主排泄。邪毒蔓延及此其功用完全消滅。斯時小溲秘止。大腸分泌停頓。腐膿惡血下迫肛門。而爲五色毒痢。腸脂盡脫。固攝無力。一身而中下同病。自成半截死人。兼之飲食稀少。醫養缺乏。生化之源竭絕。各部機能。有同陷停頓之虞。自趨於衰竭之途。不死何待。此痞積病之死于痢疾與衰竭者三也。

綜上各症之經過與變化。有偏於熱者。有偏於寒者。亦有寒熱錯雜者。劉河間論積。有謂堅痞腹滿急痛。寒極血凝濇。而反兼土化制之。或熱鬱於內。而腹滿堅結。痛不可忍者。是以凡諸疾病。皆有陰陽寒熱之辨。茲再詳其脈證。及應如何預防。攝其大綱。以舉於後。

治療 （痞積病初起之證治）痞積病。初起寒熱升降。極不規則。脈形弦細。邪踞少陽。當此之時。速宜小柴胡湯合桂枝茯苓丸加減。

（藥品） 水炒柴胡 川桂枝 炒子芩 草果 半夏 青皮 陳皮 茯苓 生姜 大棗 赤芍 丹皮

附加減法。寒多者。加干姜。熱多者加知母甜茶葉。但熱者去姜桂。脇下覺微者痞。加桃仁馬鞭草。

（方義）本方用柴胡以升陽達表。桂枝生姜之上散。冀邪從少陽轉樞而洩。子芩以養陰退熱。草果之辛温撲滅病菌。半夏青陳皮茯苓以化痰濕。赤芍丹皮以和營活血。使痰瘀不致凝滯。並用大棗之助土德以升木。更附加減之法以御病變。實爲廸必擢之計也。

（痞積病傳變後之證治）痞積病。寒熱日久。腹部膨脹。脇左痞塊堅硬。舌紅無津。羸瘦肢細。骨蒸潮熱。口渴引飲。按脈弦而帶數。宜秦艽鱉甲湯加減。

（藥品）秦艽　地骨皮　銀柴胡　香青蒿　石斛　牡蠣　烏梅　鱉甲煎丸

（方義）方用鱉甲煎丸以攻痞。痞散則腹膨自消。秦艽銀柴青蒿以退虛熱。地骨以除骨烝。石斛之養胃生津。牡蠣之止汗。烏梅擅長殺虫止汗生津之特効。並用鱉甲煎丸。寓攻於補。雙管齊下之法也。

「附鱉甲煎丸方」

（藥品）鱉甲　射干　黃芩　柴胡　鼠婦　干姜　大黃　桂枝　去毛石葦　厚朴　凌霄　半夏　阿膠　芍藥　牡丹　䗪蟲　葶藶　人參　瞿麥　蜂窠　赤硝　蜣螂　桃仁

（方義）鱉甲煎丸金匱方也。治久瘧左腹有形成痞。按之堅硬。卽所謂瘧母也。按瘧母卽爲脾藏腫大。痞積病亦爲脾藏腫大。收效之功其理一也。故凡寒熱退後。卽宜服鱉甲煎丸。或李東垣之痞氣丸。

「附痞氣丸方」

（藥品）黃連　厚朴　吳萸　黃芩　茵陳　干姜　砂仁　茯苓　人參　澤瀉　川烏　川椒　白朮　桂心　巴霜

（方義）本方用連芩茵陳以清熱。姜桂椒萸川烏以逐寒。所以分解其寒熱之相結也。朴砂以行痞。苓澤以利水。巴霜以攻積。並用參朮以駕馭其間。邪之所湊。其氣必虛。剿撫兼施。寇去而元氣不傷。實紀律之師也。凡寒熱錯雜之症。均可從此類加減。至若中滿分消丸。及消痞阿魏丸等。皆可隨症應用。

（痞積病由鬱血而從寒化之證治）痞積病。脾藏腫大。四肢浮腫。欬逆氣喘。大便溏薄。小溲不利。面色蒼黑帶浮。舌苔白滑。脈沉弦而遲。法當溫通。用小青龍。麻附細辛。已椒藶黃。三法加減。

（藥品）水炙麻黃　上肉桂　烏附塊　北細辛　干姜　白茯苓　姜半夏　焦茅朮　赤芍　蓬莪朮　葶藶子　川椒目　木防已

（方義）本方爲素體脾腎虛寒之變局。始因鬱血。既而水氣壅聚於三焦。自當以溫通爲目標。莪芍肉桂行其鬱血。且肉桂又足以強心而利尿。附子大補元陽。茅朮以築堤防。干姜細辛以通肺腎之氣。苓椒防已逐周身之水。麻黃葶藶利水定喘。半夏降逆滌飲。水瘀並行。痞積可消。虛寒變局。堪稱獨步。

（痞積病由飲食勞倦之證治）痞積病日久。脾藏腫大。飲食少思。肢體倦怠。時發潮熱。大便艱難。脈形沉弦而微。用益氣消積法。

（藥品）升麻　柴胡　黃芪　人參　當歸　砂仁　查肉　草果　桃仁　丹皮　赤芍　大黃

（方義）參耆益氣建中。砂查草果運脾化積。歸芍桃丹活血去瘀。升麻以升清陽。大黃以攻瘀積。亦運用之要方也。

（痞積病失之血證治）痞積病。不時潮熱。血絡內傷。或衄血。或便血。脈形細數。當以犀角地黃湯加味。

（藥品）犀角　鮮生地　赤芍　粉丹皮

（加減法）衄血加牛膝黃芩麥冬側柏炭。便血加升麻地榆炭川連銀花炭。溲血加小薊炭琥珀木通。

（方義）本方用犀角以解胃熱。而清心火。芍藥以和鬱血。而散肝火。丹皮澤瀉血中之伏熱。生地涼血而滋水。衄血則以黃芩麥冬之滋陰清熱。牛膝以導熱下行。便血加升麻以升清陽之氣。川連以清腸胃之濕熱。銀花地榆清熱止血。溲血加小薊炭通利小腸之火。琥珀以通瘀。木通以分清也。

（痞積病婦女經閉之證治）痞積病日久。脾藏腫大。寒熱頻生。小腹結痛。月經停止。脈細弦濇。舌白者。宜調經散。脈弦細而數。舌紅者。宜琥珀散。

調經散　當歸　赤芍　桂心　甘草　琥珀　沒藥　細辛　䗪蟲

琥珀散　琥珀　三稜　莪朮　肉桂　延胡　烏藥

當歸　赤芍　生地　劉寄奴

（方義）二方皆有去瘀生新之功。爲調經要方。惟調經散偏於溫通。琥珀散以涼血破瘀爲主也。

（痞積病由鬱血而將成乾血癆之證治）痞積病。皮膚黧黑。四肢消瘦。惟腹獨大。筋脈暴露。腹痛而痕。舌青晦淡。脉形沉弦而結。此廢物過膩。脾藏腫大由鬱血而漸趨乾血之徵。仲聖大黃䗪蟲丸可以師法。

（藥品）製軍　䗪蟲　單桃仁　乾漆　玄胡索　白芍　當歸　牡蠣　甲片　只實　查肉

（方義）方用大黃之蕩滌腸胃。以瀉熱去瘀。乾漆延胡桃仁以行血去瘀。排除廢物。䗪蟲甲片搜逐在絡之瘀。當歸白芍之養血柔肝。鱉甲牡蠣之鹹寒軟堅。正使已硬化之肝脾。轉爲柔潤。只實查肉磨積消痞。由是廢物借道大腸而出。瘀血既出。而新血循環如始。流通無礙。脣黑消瘦脾腫等症。可冀其潛移而默化矣。

（痞積病引起走馬牙疳之證治）痞積病。瘀毒既於脾藏爲倉庫。日久流傳血液。達於周身。牙齦受之。則潰爛流膿。兩腮腫脹。而發爲走馬牙疳。甚者穿腮見骨。則挽救已屬不易。治法大抵解毒清降爲主。

（藥品）蘆薈　小川連　金銀花　生川柏　玄參　知母　生草　花粉　象貝　犀角　升麻　猪苓　木通

（方義）本方用蘆薈之大苦大寒以瀉疳熱。黃連以洩心肺之火。而清血分之毒。黃柏之沉降。以導納下焦濕火。銀花甘草以解熱毒。玄參知母以壯水制火。象貝花粉有清熱防腐之效。犀角善清血中之毒素。升麻引入胃中。以解毒。猪苓木通　以導毒由小便而出也。

（痞積病傳至肺藏發爲痰喘之證治）痞積病。上氣喘逆。痰聲如鋸。右寸之脉獨大而數。下虛上實之症。治宜清肺定毒爲主。擬方如左。

（藥品）炙麻黃　白芥子　玉蘇子　桑白皮　海蛤粉　白杏仁　製半夏　陳皮　象貝

（方義）方用麻黃以定喘。白芥子桑白皮以瀉肺除痰。蘇子蛤粉以順氣平逆。杏仁象貝潤肺化痰。半夏陳皮以燥痰濕。是則火降痰除。喘逆可平矣。

（痞積病併發痢疾之證治）痞積病痢下膿血。腹痛如絞。舌青灰而膩。口渴引飲。脉形緊數。蓋此時腸府已告潰爛。脂膜盡脫。已涉危境。苟不通補兼施。必有驟脫之虞。

（藥品）大黃　白芍　黃芩　油當歸　赤石脂　禹餘量　桃仁　青陳皮　黃連

（方義）方用大黃。以除血中伏熱。通行積滯。黃連燥濕清熱。赤石脂禹餘量固攝腸脂之聖藥。油當歸桃仁之滑潤以行滯破結。黃芩白芍治痢之聖方。青陳皮之下氣寬腸。通澀兼施。冀以挽救萬一。

（預防）病理既明。治法又如上述。而先事預防。尤爲當務之急。古來上工治未病。智者善綢繆。歐西諸國。獨重衞生。衞生者。可以杜絕病毒之侵入。亦預防第一着也。痞積病。爲肝脾兩藏之症。而爲消化器病。是病毒由飲食之媒介。而得侵入消化器官無疑。故飲水之清潔。食物之改善。必使病毒無留着之餘地而後可。不觀夫患斯疾者。以低級生活之鄉村農民爲夥。蓋彼輩對於飲食素不注意清潔。病毒極易附着。恆於不知不覺之間。侵入藏府。小兒脾藏尤弱。故其傳染更易，患者尤多。卽其明證。若夫對與患者。應施隔離之法。遷彼於高爽病房。病人之用具及衣服。宜以沸水蒸洗。使病毒無蔓延之機會。而可避免傳染他人。是又不可忽略者也。

「結論」痞積病。既明見於我國最古方書。內經奇病論中。徵諸證象病情。不難確定治法。經云。治病必求其本。故明其病理。衡以見證。雖前者無有論及。亦可闡發靡遺。所謂舉一反三。國醫治證。如珠走盤。無一定方式。不若西醫之固執一見也。今斯症。大約可分三期。其始也。治同外感。而責在少陽。其繼也。有似癥瘕。而治在肝脾。其終也。當隨其所傳而治之。內經云。大積大聚。其可犯也。衰其大半而止。俟病氣稍衰。卽當改用養正排毒之劑。明其其爲虛爲實。爲陰爲陽。或專責一經。或同治數藏。又在臨診時之權衡矣。

批　言如燃犀鼎立論如洞見癥結衛道濟世兼備於斯文　文芳

瘧疾

張劍虹

引言

夫治病難。治瘧疾尤難。患病苦。患瘧疾更苦。蓋斯疾者。病源深遠。發作有時。寒熱互現。病發則其狀甚危。病休則其態如常。寒來則重裘無溫。熱至則冰雪失涼。其醫治也。溫藥借涼藥并進。寒藥挾熱藥兼投。其症變之複雜。用藥之不易。於斯可見。諺云瘧無正方。此古人無藥治瘧之苦處。今人又何嘗不苦於此症耶。苟非飽學之輩。何能應付此複雜之病情。苟非強壯之體。何堪患此纏綿之重疾。是故瘧疾一症。恆爲醫者所棘手。而爲病者所懼也。然瘧雖難醫。究非必死之症。而爲醫者若遇較難醫治之疾病。即感棘手無策。實有愧學之不深。驗之不足也。又何能委之於病之本體耶。吾有感于斯。草是篇以爲研究瘧疾者一商也。

瘧疾之原因

瘧疾之爲病。四時皆有。而於夏末秋初患者恆多。即經云。夏傷于暑。秋必病瘧是也。蓋是症之發生。多緣夏令汗出。腠開。當風。浴水。致受淒滄之水寒。及至秋風起時。涼氣束之。裏邪不能外越。則隨經絡以內薄。客于臟腑募原之間。與日行之衛氣相值。而瘧作焉。

又據倍倫氏所發現瘧疾的發生。係一種瘧媒蚊。吾人倘經此蚊螫過後。即可發生是症也。

瘧疾之症狀

瘧疾之潛伏期。約爲一二星期以至數星期不等。大概視患者之體質而定。弱者發作較近。因其抵抗力衰故也。強者發作較遲。因其抵抗力佳故也。當其邪正交爭。併於陰。則中外皆寒。併於陽。則內外皆熱。熱則陰陽俱衰。衛氣相離。故病得休。衛氣集則復作矣。病淺者。邪出三陽。隨衛氣以出。則一日一作。病深者。邪舍三陰。不能隨衛氣並出。則間日或間二三日而作。愈深者作愈遲。以瘧邪有在經。在臟。在腑之別也。作日早。爲邪傳陽分。作日晏。是邪陷陰分。治者須從陰分提出陽分。作日早則易瘳。作日晏則難愈也。

瘧疾在六經之症狀

一。足太陽瘧——腰痛頭疼。寒從背起。先寒後寒。熱止汗出。難已。

二、足少陽瘧——身體解㑊見人心惕然熱多汗出甚。

三、足陽明瘧——頭痛渴飲淅淅寒甚久乃熱熱去汗出。

四、足太陰瘧——不思食寒多善嘔熱甚則渴。

五、足少陰瘧——腰痛背強口渴嘔吐寒從下起熱多寒少病難已。

六、足厥陰瘧——腰痛少腹滿小便不利數便。

瘧疾在臟腑之症狀

一、肺瘧——令人心寒寒甚熱善驚。

二、心瘧——令人心煩欲得清水反寒多不甚熱。

三、肝瘧——令人色蒼太息狀若死。

四、脾瘧——令人寒腹中痛熱則腸鳴鳴已汗出。

五、腎瘧——令人洒洒然腰脊痛大便難手足寒。

六、胃瘧——令人善饑而不能食食而肢滿腹大。

瘧疾之分類

一、暑瘧

1. 原因。多因長夏納涼雖受暑而汗不出邪伏於內直待秋來加冒涼氣而發。
2. 證狀。惡寒壯熱口渴引飲或着衣則煩去衣則凜肌膚無汗必待汗出淋漓而熱始退。
3. 脉象。弦或洪或軟。
4. 治法。宜清營捍瘧法。
5. 注意。如渴甚者則必以麥冬花粉等佐之。

二、風瘧。

1. 原因。與暑瘧同。
2. 證狀。寒少熱多。頭痛自汗出。
3. 脉象。弦兼浮。
4. 治法。初則辛散太陽法。去羌活加秦艽。
5. 注意。俟寒熱分清。始可進和解之劑。

三、寒瘧。

1. 原因。先受陰寒。或沐浴之水寒。寒氣伏於肌腠之中。復因外感邪風觸之而發。
2. 證狀。先寒後熱。寒長熱短。或連日而發。或間日而發。時時頭痛。微汗或無汗乾熱。
3. 脉象。弦緊有力。
4. 治法。宜辛散太陽法。
5. 注意。俟寒熱按時而至。則可和解。

四、濕瘧。

1. 原因。感受淫陰之氣。伏于太陰。偶有所觸而發。
2. 證狀。惡寒而不甚熱。有汗。身盡痛。手足沉重。嘔逆腹滿。
3. 脉象。緩鈍。
4. 治法。宜宣透膜原法。
5. 注意。辛燥之劑於陰虧熱體須斟酌。慎用陽虛寒體可加老豆蔻干姜之品。但斷截之法不宜早用。否則將成瘧殿也

五、溫瘧。

1.原因。冬令感令風寒。伏藏於骨髓之中。至春不發。交夏陽氣太泄。腠理不緻。或有所用力。伏邪與汗並出。此邪藏於腎。自內達外。陰虛而陽盛。陽盛則熱矣。衰則其氣復入。則陽虛。陽虛生外寒矣。有先傷於風。後傷于寒。故先熱後寒也。

2.證狀。先熱後寒。口渴喜涼。或汗多。或汗少。

3.脉象。陽浮陰弱。

4.治法。宜清涼透邪法。

5.注意。汗多去淡豉。加麥冬花粉。若苔化焦黑。則宜清熱保津法矣。

六、瘴瘧。

1.原因。（此症以嶺南爲多見）蓋因天氣炎熱。山氣溼蒸。多有嵐瘴之毒。人感之者。即時昏悶。而爲是症也。

2.證狀。乍寒乍熱。一身沉重。或狂言妄語。或口瘖不言。

3.脈象。未詳。

4.治法。宜宣竅導痰法。

5.注意。其症輕者在表。宜芳香化濁法。加草菓。檳榔。其重者在裏。宜和解兼攻法。加玉樞丹。

七、癉瘧。

1.原因。肺素有熱。氣盛於身。厥逆上衝。中氣實而不外泄。因有所用力。腠理以開。致風寒舍於皮膚之內。分肉之間。而發病也。

2.證狀。但熱不寒。令人消爍肌肉。少氣煩寃。手足熱。欲嘔。

3.脉象。未詳。

4.治法。宜白虎湯。

5.注意。無。

八、牝瘧。

1. 原因。多緣盛夏之時。貪涼飲冷。感受陰寒。或受陰濕。其邪伏藏於脊。陽氣不行於外。眞陽素虛之體所患爲多。

2. 證狀。寒盛熱微。慘戚振慄。面色淡白。

3. 脉象。沉遲。

4. 治法。宜宣陽透伏法。

5. 注意。寒重者姜附爲君。溼重者蒼果爲主。若日久猶不愈者。當以溫補法爲宜。

九、痰瘧。

1. 原因。夏月多食瓜果油膩。或素係痰體。其痰據於太陰脾藏。伏而不發。一旦外感涼風。痰隨風起而成是症也。

2. 證狀。頭痛而眩。嘔逆。寒熱交作。

3. 脉象。弦滑。

4. 治法。宜化痰順氣法。加草菓藿香之類。

5. 注意。如昏迷卒倒。宜宣竅導痰法。加厚朴。草果。蘇合香丸。若肥胖之人。痰藥更宜多用。古云。無痰不成瘧。此其明顯者矣。

十、食瘧。

1. 原因。飲食不節。饑飽失常。穀氣乖亂。營衛失和。一有不謹。則外邪最易感冒。遂成是瘧。

2. 證狀。寒已復熱。熱已復寒。寒熱交併。噫氣惡食。入食則吐逆。胸滿腹脹

3. 脉象。滑而有力。或氣口緊盛。

4. 治法。宜查麴平胃法。加藿香草果等品。

5. 注意。如見脉遲滯。則是兼寒也。宜加干姜。白蔻。脉緩鈍。則是兼溼也。宜加半夏。茯苓。

十一、疫瘧。

1. 原因。天時寒熱不正。邪氣襲於膜原。欲出表。而不能透達。欲陷裏。而未得空隙。以致發病矣。發則沿門合境。長幼皆似。

2.證狀。寒輕熱重。口渴有汗。

3.脈象。左多勝右。

4.治法。宜宣透膜原法爲主。

十二、虛瘧。

1.原因。元氣本虛。感邪而患者是也。

2.證狀。寒熱交作。自汗倦臥。飲食幷減。四肢乏力。

3.脈象。舉按俱弦。尋之則弱。

4.治法。宜補氣升陽法。

5.注意。又有久患瘧疾。脾胃累虛。亦名虛瘧。蓋脾虛則發熱。胃虛則發寒。熱則烘烘。寒則灑灑。其脈舉之則濡。按之則弱。此宜營衞雙調法。如見肢冷便瀉者。附子干姜可加。或吐涎不食者。砂仁半夏可入也。

十二、勞瘧。

1.原因。久病勞損。氣血兩虧而患瘧。或爲勞役過度。營衞空虛而患瘧是也。

2.證狀。發熱惡寒。寒中有熱。熱中有寒。或發於晝。或發於夜。或多汗少食。或午後發熱。至晚微汗乃解。

3.脈象。或軟或弱。或小滑或細數。

4.治法。宜營衞雙調法。

5.注意。此症以瘧非瘧也。若誤爲瘧治。而投剋削之劑。未有不成瘵疾者也。故治當以調和營衞法。如見汗多少食。卽爲氣虛。宜加參芪。午後發熱。至晚微汗乃解。是爲血虛。宜加歸芍。倘寒熱分清。按時而至。脈兼弦象。是少陽兼證顯出矣。則柴胡青蒿之類。又可佐之。

十四、三日瘧。

1. 原因。邪氣深客於內臟。與衛氣相失。

2. 治法。宜雙甲搜邪法。陰虛加首烏當歸。陽虛加鹿角霜潞黨參。

3. 注意。至間數日而作者。邪陷愈深。必因正氣空虛。當用補虛升陽法。助其既虛之正。提其已陷之邪。使正氣復旺。則邪氣自出矣。

十五、瘧母。

1. 原因。或由食積。或由痰涎。或由瘀血結成痞塊。藏於腹脇所致。亦有調治失宜。營衛俱虛。或截瘧太早而成。

2. 證狀。腹脅偏左有痞塊。脹且痛。令人多汗。蓋即脾藏腫脹。瘧菌之病竈結成也。

3. 治法。鼈甲煎丸爲主。

4. 注意。如形未衰。塊痛甚者。可加蓬莪肉桂。但又不可一概偏用攻破剋削。以治其塊。而不顧其正者。勢必延爲中滿。無法醫愈也。

十六、鬼瘧。

1. 原因。卒感尸疰客忤。

2. 證狀。寒熱日作。多惡夢。時生恐怖。言動異常。

3. 脈象。乍大乍小。

4. 治法。宜驅邪辟祟法。

5. 注意。古傳是瘧如藥物不能治愈時。用咒法頗驗。此不足信也。蓋當今科學昌明之世。此種無根無理之極端迷信。萬不能立足。仍當從藥石求治之。

以上乃瘧疾之分類也。諸瘧之外。尚有胎瘧一症。未論及焉。茲將胎瘧約略言之。胎瘧者。有謂指襁褓小兒患瘧爲胎瘧。亦有謂從未患瘧而第一次患瘧爲胎瘧。總言之。無論其襁褓壯年而未曾患瘧者。悉稱爲胎瘧。治法仍分風寒暑溼。惟較諸瘧更爲纏綿。最難速愈。必俟其勢衰微。方可斷截。諸瘧之分類既明。當進而論其治療方法。

瘧疾療之法

瘧之症狀多端。故其療法。亦不一。要皆不外五臟六腑之病。治宜察其邪之深淺。辨其證之陰陽。令其自臟而腑。散而越之。邪去則愈。脈象多弦。數則熱重。弦遲則寒重。弦短者傷食。弦滑者多痰。亦有病久而脈虛微無力。似乎不弦。然必於虛數之中見弦。但不搏手耳。脈遲緩者自愈。無汗者。欲其有汗。養正為先。有汗者。欲其無汗。散邪為急。瘧病必挾痰。所謂無痰不成瘧也。然痰有寒熱之分。寒痰宜薑皮。白朮。半夏。陳皮之溫。熱痰宜貝母。竹茹。竹瀝。茯苓。瓜蔞之清。瘧必挾風。宜首烏。白朮。橘皮。葛根。羌活。薑皮之品。百藥不效。多為暑濕之邪內伏。宜青蒿。蒼朮。枳實之屬。寒甚而因於虛。必宜補散兼施。宜人參。黃芪。白朮等為君。而以姜皮。桂枝佐之。處暑前發。頭痛項強。脈浮惡風有汗者。宜桂枝羌活湯。或惡寒無汗者。宜麻黃羌活湯。證如前而發在夜者。宜麻黃黃芩湯。身熱目痛。熱多少寒。睡臥不安者。宜先以大紫胡湯下之。微利為度。若下後微邪未盡者。宜用白芷湯以盡其邪。太陽陽明同病。必寒熱大作。桂枝芍藥湯主之。若不應而病反增甚者。此三陽合病。宜桂枝黃芩湯調和之。瘧從酉至午發者。宜大柴胡湯。從午至酉發者。宜大承氣湯。從酉至子或寅時發者。宜桃仁承氣湯。以微利為度。更以大柴胡湯盡其餘邪。病發讝妄狂悶者。宜涼膈散加草果。寒熱便祕者。宜大柴胡湯。虛人發散後。熱不止者。宜人參敗毒散。先熱後寒者。宜柴胡桂枝湯。先寒後熱者。小宜柴胡湯。多熱但熱者。白虎加桂枝湯。若其脈虛輭虛者症也。不得便用白虎。多寒但寒者。柴胡桂姜湯。若其脈洪實者實症也。不得便用桂姜。此最宜細辨詳察也。寒多熱少。或少食易飢。惡心吐痰者。宜人參養胃湯。熱多寒少。口苦咽乾。小便赤澀。或傷食或瘧者。宜清脾飲。勞役所傷。飲食失節。虛弱自汗者。宜補中益氣湯加半夏。瘧疾自汗日甚不能止者。此表虛不能護衛也。宜用人參實衛加桂枝。瘧初起宜散邪清導。日久宜養正調中。日數雖多。飲食未節者。宜禁消風形導滯。氣虛者。多淫疾。發則多惡寒。日久不已。脈輭而沉帶滑。宜補中益氣加茯苓半夏。熱附子亦可兼用。其量瘧後不喜食。四肢倦怠。面色痿黃者。宜六君子加山楂。黃連。枳實。瘧病發渴者。宜小柴胡去半夏。加瓜蔞根湯。久瘧不止。元氣虛盛者。用人參常山各五錢。剉碎。微火同炒。去常山。祇用人參煎湯。於未發前服甚驗。瘧發四五遍後。曾經發散者。宜何首烏散。壯實者。可用七寶飲。至夜熱不止。而脈實邪甚者。宜常山飲截之。瘧發已久。徧治無效。度無內邪。亦無內滯者。宜人參生姜各一兩。加桂枝少許。發前五更時温服。取微汗多愈也。

瘧疾之擬用諸法

清營捍瘧法。

連翹　竹葉　扁豆衣　青蒿　木賊草　黃芩　青皮　加西瓜翠衣二片爲引

右方治暑瘧惡寒壯熱。口渴引飲。

辛散太陽法。

嫩桂枝　羌活　防風　甘草　前胡　淡豆豉　生姜　紅棗

右方治風瘧寒少熱多。頭痛自汗。并兼治傷寒傷溼。

宣透膜原法

厚朴　檳榔　草果仁　黃芩　粉甘草　藿香葉　半夏　生姜

右方治溼瘧。寒甚熱微。身痛有汗。肢重脘懣。和解兼攻法。

柴胡　黃芩　半夏　甘草　元明粉　熟軍　枳殼

右方治寒熱瘧疾。兼之裏積。

甘寒生津法。

大生地　大麥冬　連翹　竹葉　北沙參　石膏　加蔗漿梨汁冲服

右方治癉瘧。獨熱無寒。手足熱而欲嘔。

宣陽透伏法。

淡干姜　淡附片　厚朴　蒼朮　草果仁　蜀漆　加白豆蔻三顆去殼細研分冲

右方治牝瘧。寒甚熱微。或獨寒無熱。

化痰順氣法。

白茯苓　製半夏　陳皮　粉甘草　廣木香　厚朴　生姜

右方治痰瘧嘔逆。寒熱交作。

查麴平胃法

查肉　神麯　蒼朮　厚朴　陳皮　甘草

右方治食瘧。

驅邪辟祟法。

龍骨　茯苓　茅蒼朮　木香　柏子仁　石菖蒲　加桃葉七片爲引

右方治鬼瘧。寒熱日作。多生恐怖。

補氣升陽法。

西潞參　上黃芪　於潛朮　粉甘草　陳皮　歸身　升麻　柴胡梢　生姜　紅棗

右方治氣虛患瘧。寒熱汗多。倦怠食減。

營衛雙調法。

嫩桂枝　黃芪皮　歸身　白芍　西潞參　甘草　生姜　紅棗

右方治灑寒烘熱。脈濡且弱之虛瘧勞瘧。

雙甲搜邪法。

穿山甲　鱉甲　木賊草　嫩桂枝　製首烏　鹿角霜　人參　歸身

右方治三日瘧。久纏不愈。

瘧疾之備用成方。

小柴胡湯。

治瘧發寒熱分清往來有一定時。

柴胡　半夏　黄芩　人參　甘草　生姜　紅棗

景岳木賊煎。

治瘧疾形實氣強多溼多痰。

木賊草　小青皮　製厚朴　製半夏　檳榔　蒼朮

嚴氏清脾飲。

治瘧疾熱多寒少口苦嗌乾便赤。

青皮　厚朴　柴胡　黄芩　製半夏　草果仁　茯苓　白朮　甘草

麻杏石甘湯。

治温瘧先熱後寒。

麻黄　杏仁　甘草　石膏

柴平湯。

治溼瘧身重身痛。

柴胡　製夏　黄芩　人參　厚朴　蒼朮　陳皮　甘草

藿香平胃散。

治瘴疾溼瘧。

藿香　製夏　蒼朮　厚朴　陳皮　甘草

太無神朮散。

治感山嵐瘴氣而發之瘴瘧。

藿香 石菖蒲 蒼朮 厚朴 陳皮 甘草

人參敗毒散。

治嵐瘴鬼瘧。

人參 茯苓 枳殼 桔梗 羌活 獨活 前胡 前胡 川芎 薄荷 甘草 生姜

截瘧七寶散。

治實瘧久發不已只可兼治鬼瘧食瘧。

常山 草果 青皮 陳皮 檳榔 厚朴 甘草

局方常山飲。

治瘧久不愈。

常山 草果 檳榔 烏梅 知母 貝母

子和常山飲。

治痰瘧甚效(按此屬吐痰法)。

常山 甘草

鱉甲飲。

治腹中結塊之瘧母。

白朮 黃芪 川芎 白芍 檳榔 草果 厚朴 陳皮 鱉甲 甘草 加姜棗

四獸飲。

治瘧病。胃虛中挾痰食。

人參　茯苓　白朮　炙草　陳皮　製夏　草果　烏梅　加姜棗

追瘧飲。

治血氣未衰屢散之後而不止瘧有不者。

何首烏　當歸　靑皮　陳皮　柴胡　半夏　甘草

何人飲。

治氣血俱虛久瘧不止。

何首烏　人參　當歸　陳皮　煨姜

休瘧飲。

治元氣不復汗散過多衰老弱質而瘧不能止者。

人參　白朮　何首烏　當歸　炙草

結論

總觀上述。瘧疾之原因症狀及治療均備。吾人於此當可得治瘧之大概矣。然大匠祇能授人以規矩。其中患者體質之強壯弱衰。時令之遲早。欲食起居及職業之異別。當有出入也。要在醫者之臨機應變耳。孟子所謂盡信書。則不於無書。理無他。變爲之也。余不敏有志於醫而愧無心得。尤以每見患瘧疾者之痛苦纏綿而少良明之醫者爲憾。故作瘧疾一文。以供同道之商榷。進而求教焉。

批　推本窮源所列症既極顯見所舉療法亦頗完備　文芳

經病論

傅濟羣

一　月經之生理

女子達一定年齡。發育成熟。其精神上有一種愉快。或時有幽情密意繞於方寸靈台。而同時全體生理莫不欣欣向榮。乳房膨隆。骨盤增大。聲調變化。以及外陰部及腋窩發生疎毛。卵巢內之卵細胞生機勃發。待時而動。而子宮內之黏膜。時時分泌臭異之液體。（其中含有亞爾加里性極強）貯藏於粘膜之內。同時子宮之血管亦起膨脹之衝動。每至經期。由子宮壁膜之毛細血管排洩而出。每月一行。此其常也。設或身體虧弱。營血不足。生理起變化。則或先或後。或通或塞。或少或夥。則病也。然或有兩月一行者。三月一行者。一年一至者。體康神爽。飲食頗佳。此非病矣。乃稟賦之異耳。茲以關係經水病論述于左。

二　經至先期之病理及療治

（甲）脾虛氣弱——人之所賴以生存者。於空氣外厥爲飲食。飲食由咽入胃。惟賴胃氣之消化。脾氣之轉運。然後漸化爲乳糜。於乳糜中含有不潔成分者。乃由胃腑下達大腸。精良者由脾氣輸運而上承於心肺。於是心得之而成血液。肺得之而成氣。氣布血和。精神內充。而元氣亦爲之強固。然血之統系。實出於脾胃。而諸血又統攝於脾。故脾氣壯旺。則血之循環亦自有常度。脾氣虛陷。則氣不能攝血。血隨氣行。如水之有風。今脾不統血。則下焦之血。行之既速。積之自易。故月經遂先期而至矣。其證虛羸少氣。食少便溏。形瘦神疲。色淡。脈虛軟。舌白。治宜歸脾湯補中益氣湯培補可矣。

（乙）陰虛血熱——腎陰不足。元陽獨亢。陰洩陽耗。於是血熱沸騰。不循常度。未及二旬而月經復來矣。或半月而又行矣。如此則其人陰血大耗而亢陽益亢。久之必經行如崩。又久之必血枯經閉而虛癆成矣。其證面赤口渴。心中煩熱。夜寢不安。腰痠色紫黑。或成塊臭惡難聞。脈形細數。舌苔光絳。治宜滋養腎水。上濟亢陽。以傅青主兩地湯。

（丙）肝逆鬱怒——舊禮敎之婦人。往往屈服於翁姑。爭寵於妯娌。或夫婿不獲如意。或處境難期順適。故鬱鬱寡歡者夥。而鬱之既久。發而爲怒。以一洩此心頭之鬱。則又非婦道所應有。於是鬱而不洩。肝病矣。肝火引動。腎水隨虧。肝火愈旺。腎水益虧。血液不守經脈。沸騰。月經遂先期而至矣。其證口渴舌絳。胸滿腹脹。大便不快。五心煩熱。頭眩脅痛。脈弦細。法宗加味逍遙散。

（丁）痰濕中虛——中虛者指脾胃虛也。脾胃虛何以生痰濕。考因大夥縣於胃腑之消化不健全。脾臟運輸之力亦衰弱。飲食既入胃中。其乳糜之中有若干分子不能盡量烝變爲精微。及水分亦不能烝騰而化爲氣液。夫精微既不獲榮澤。氣液又不獲佈化。寖漬於脾胃之間。醞釀既久。自然痰濕生矣。如中虛則脾氣不能統血。胃氣不能養血。故血無所統。則子宮壁膜之充血日積而亦易。惟血無所養。則月經之次數流行亦速。故經先期而至矣。其證消化轉滯。體肥呆重。白帶甚多。舌白膩。或漬久傷及陰分。亦有舌底絳赤者。法宗局方二陳湯。

二　經行後期之病理及療治

（甲）胞中有寒——胞卽子宮。寒卽外來之寒氣。寒氣何以能客于胞中。厥故有二。一則婦女之自不經意。如登廁之不密。室外之寒風得以吹之。褲袴單薄。寒風得以襲之。及行經之時。疊換襯紙。寒氣乘隙襲之。且益以膣口喇叭管之洞開。子宮壁膜之破裂四壁創口未合。其抵抗力完全薄弱。於是不論微小風寒而易致病。或值下期經水落後。或竟驟然而中止。一則夫婿之輕率從事。如交合不以道。顛覆過甚。擒縱太急。或宣淫於幃幕不密之處。或縱慾於月經適來之時。於是微風所吹。乘其無備而深入。而下次月經乃不能應時而下矣。寒性凝泣。溫度頓減。卵巢內之卵珠受此寒凝之打擊。無復有蓬勃之生機。子宮腺之充血亦頓時凝滯不行。於是經行後期。或竟閉而不行矣。其證經行小腹痛如割。或作寒熱。而經來涓滴不暢。色晦黯。有如泥塵。脈搏尺部沉緊。舌白如常人。總之此寒非生冷內積。乃風露外乘之寒也。治法以坐導注內服溫劑。

（乙）生涼寒滯——酸物涼物。爲婦女終身禁忌之品。而婦女獨喜食酸涼之物。因酸的東西能使筋脈拘攣。而子宮腺。卵巢細胞輸卵管等一部之筋脈。亦引起拘攣性。而血液的循環亦大爲遲緩。至過食生涼者。其害損傷脾胃。脾胃爲中州之土。土能生萬物。脾胃亦能運化飲食。變生精微。故此土之義。以壯脾胃之用也。胃喜順下。故食物宜柔軟。脾喜溫燥。食物宜溫煖。苟能若是。自然無疾病發生矣。若其物生而不煮者。食之則胃壁之磨擦苦矣。其物冷而不暖者。食之則脾氣之轉運亦苦矣。故生冷寒滯之物。食之既久。脾胃之消化力完全失敗。夫一身之氣血。莫不仰給於飲食。飲食之變生氣血。厥賴脾胃之消化。今消化脾胃力失敗。則飲食不運化。而又不充盛。血枯氣滯。月經安能應時而下乎。其證大腹病痛。色黑黯。亦有成塊者。脈形細。舌薄白。治宗加味烏藥湯。

（丙）血虛——血虛自然月經後期而至。此理亦極易明顯。似無另立此題之必要。殊不知血虛病證則一。致血虛之病理則有千條而萬緒。僅此方寸紙。決難描寫殆盡。然其大概可得而言矣。有病後正氣未復者。及傷寒數條不解。例如始則以發表之劑。洩其汗液。發表雖爲驅除外侵之風寒。而汗液實爲血液所變化。經此數劑之發表。而血液已慢散矣。其有不應發汗而強爲作汗者。更無論矣。繼則以攻裏之劑去其積滯。夫攻裏之劑。雖爲驅胃腸之邪滯。而腸壁之脂肪。胃壁之津液。未有不因此攻下而耗散。其有不應攻而強作瀉津液者。更無論矣。餘如發疹發瘕。熱入血室。皆能耗血傷營。以及產育過多。七情六淫。皆爲血虛之原因。其證經來色淡。唇淡面白。心蕩。脈形沉細。法宗四物湯歸脾湯加減。

（丁）血熱　從來醫家。以經行先期爲血熱。經行後期爲血寒。殊不知有大謬不然者。蓋血熱之甚者。其血液必過於濃厚。而生殖器管中之紫血積滯益甚。甚則結瘀而成塊。故不至積之既久。子宮血管破裂而至矣。故月經因血熱甚而經後來者。其理亦至易明瞭矣。其證臍腹作陣痛。舌灰黑。脈沈細。喜熱飲。法宗四物加芩連湯。加生姜一片。（蓋人熱鬱已極。若驟進寒涼。多致格拒今加生姜之辛散以引其所好而芩連之寒得此則清散之功益爲神妙矣）

四　經水過多之病理及療治

（甲）血熱妄行——嗜慾無厭。脾火以爍之。胃火以刼之。而血亦不獲安居脈絡。又因過食辛熱之品。促進液血循環迅速。又因思慮過度。勞役不節。皆足以使血脈起有最高之熱度。熱之甚。則血熱亦甚。如江湖之水。得風勢之鼓盪。而瀾波壘起矣。故能使月

經分量加多。其證見口渴。口苦。心中煩熱。腰下腹痛。經來有傾瀉之勢。色紫黑。氣腥穢。成塊而下。脉數大。治宜加味當歸散

（乙）氣虛血虛——「心主血」。「脾統血」。「肝藏血」。是血的系統所在。所謂氣虛者。即三臟之氣虛也。氣虛者。亦即三臟之血虛也。何以致經行過多。此氣無攝納之權。而血有順下之勢也。此症與血崩相去幾希。神情倦怠。昏然奄臥。或頭眩目花耳鳴。唇青脈虛無力。最危則脈見浮大無根。治宗八珍湯。

五　經水不利之病理及療治

（甲）血海虛寒——內經云「衝脈為血海」。血海即「血室」。亦即「胞門」。西醫謂之子宮。血海之虛寒是即衝脈之虛寒也。衝脈且上連胃絡。所以內經又云「衝脈隸於陽明」。陽明者胃之經脈也。則更進一層說法。亦可謂衝脈之虛寒。繇於胃脈之虛寒。其症狀消化不良。食慾減少。時作吞噫。腸鳴便泄。舌質絳苔薄滑。腰痛。帶下清冷。少腹陰中發痛。於治法須以飲食養之。兼服養榮湯。

（乙）所欲不遂——如師尼嫠婦。數行貝葉。長生蒲團。雖云五蘊皆空。難免六根未淨。此師尼之多隱曲病也。至於嫠婦。益覺心傷。前情如昨。今事已非。寡鵠哀鳴。誰慰三更寒夢。孤雛待哺。益痛九淵沉魂。故醫者每治師尼嫠婦。益覺困難。除師尼嫠婦外。大多以憂慮鬱結。悲傷莫名。而肝氣於是不獲暢達。氣有不暢。則血有凝濇。故月經不利。久之不幸而為血枯經閉。治血方法。加味逍遙散最佳。

（丙）下焦有寒——下焦有寒。就是脾胃虛寒。下焦元陽薄弱。內經所謂「臟寒之體」。以及感受外邪風寒所致。其症腹痛弦急。脈沉細。舌白。治法宗加味烏藥湯。

六　經閉不行之病理及療治

（甲）癥瘕積聚——人身氣血周流縈環。上循巔頂。下行足趾。雖毫髮之微。爪甲之細。莫不賴氣之所煦。血之所濡。而臟腑滑利。經脈通流。精微四布。痰濁不生。如此何繇積聚乎癥瘕乎。反之則氣之所至。為痺而不行。血之所至。亦為瘀而不行。於是痰也食也濕熱也。至此亦間有滯積。經年累月。積之既久。癥瘕積聚之症。安有不成者。今氣既痺而窒滯。血既瘀而轉枯。卵巢無排卵之能。子

宮失充血之用。故經閉不行矣。具證腹膜必有形可按。其治之法。甚爲棘手。若用攻瘀破血之藥。難免要耗氣傷血。若是。則終身月經不但不通。且適促成腹大膨脹等危症。故治本之計。不在通經。而在緩消其積聚。積消聚散。氣行血和。而月經自然通流。服藥當以行氣消堅丸。

(乙)肝傷血枯——肝氣條暢。男子則強陰生子。女子則月事以時下。肝氣鬱逆。男子則陽縱不收。女子則月事不調。若肝傷血枯。男子則陽萎無子。女子則經閉不利。其因大概如勞倦不節。鬱怒無常。或爲崩漏。或爲流產耗血太過。以及房慾不節。其證胸脅支滿。目眩頭重。鼻中時聞腥臊臭。時出淸液。兼以唾血下血。四肢寒冷。其治法首禁房慾。藥劑療治烏骨雞丸爲佳。

(丙)經來行房——「女子經未通行而強與之合。以衝動其血。則他日有難名之疾。」此緒彥道先生之言也。其意卽女子未及二七天癸之期。而男子強與之合。或月事適來未斷之時。而男子縱慾不已。衝任內傷。血海不固。緜二者。爲崩。爲漏。或隔數月而一行。或一月而數行。甚者有經閉而不行也。蓋室女天癸未行。何堪強與之合。若婦女經行之際。子宮管之充血方破裂。四壁之新瘡未充補。亦何堪強與之合。同經爲子宮紫血破裂。與子宮黏膜之分泌液體互相而成。其經既來。必聽其盡量排洩。庶使子宮空曠。爲受孕之勝會。設未及其淸淨。而男精遽爲射入。則子宮經此衝動。兼以兩性之吸引。其行至半途之經水從此停留於子宮壁膜之裏。永不淸淨。於是或行或不行。其有男精強固。女精亦不弱。兩者既經吸引。原可一索得男。原爲生理上絕大愉快。而又子宮四壁之新瘡未淨。紫血黏液裹住精卵。血與精相搏。裹結而不解。則月經因此而不通。且裹結不解之精血既不能成孕。必凝而爲瘀塊。或則日益滋大。如懷孕之狀。或成血塊。或爲肉團。異狀奇形。俗所謂鬼胎者多係此而生也。至於治法。坐導藥。或時行溫洗下部。藥劑當先以逐敗精破瘀血之劑。以攻去宿瘀。惟此爲險法。未可懸擬。

(丁)大驚恐懼——夫人身之有神經。厥爲天賦之特素。要以賴其運用思想。便於動作。故不可使其呆鈍。然亦不可使其過受刺戟。良以呆鈍則智慧不用。刺戟則性情變常。惟其出意志命令之外。而驟然有所大驚。則其神經之刺戟最爲劇烈。於是平時之意志命令。稍失其常度。腦神經受此振動。而生殖神經亦全失其交感作用。卵巢之卵細胞經此意外打擊。亦無排卵之能力。子宮壁膜之充血亦頓停而不下。於是經閉不行矣。此證全是神經刺戟而氣血混亂。無容異議。治法當善言慰之。有時因此以氣結不行。痰食停滯。或結癥瘕。或成癲癇。則又不可不求治於醫。然大其旨。總以定驚。（如硃砂金箔）化痰。（菖蒲玉金）順氣。（枳殼陳皮）或稍加通經之藥。（桃仁山甲）

（戊）痰結胞門——人身臟腑經脉而外。又有所謂腺體。卽中醫之毛竅類是。夫脾胃運化不健。飲食水穀於變生精血而外。或有兼變痰涎者。則痰涎亦可從各種腺體而流注上下。如痰積於頸項。則爲甲狀腺病。中醫謂癧串是也。若痰從各種腺體而流注於胞門。則安得不爲之胞門閉塞。究本證痰涎由何道脉體而入。此則非以吾國學說證之。仍未能悉其究竟。蓋肝臟之脈與生殖器最有關係。而又與胃脈連屬。經曰「挾胃。屬肝。絡膽」胃中一有痰濕。兼之肝脉血氣虛弱。於是胃中痰涎從肝脈而流入胞中。結之。明經閉卽成。凡患斯症者。多見肥盛之體。或喜啖油膩。或少事運動。平日帶下必多。或腰痠腿軟。舌胎薄白。脈形濡濇。治法以加味二陳湯爲丸。日以與之。使其脾胃氣旺。而痰涎自蠲矣。

七　經前腹痛之病理及療治

（甲）少腹積有疝瘕。——腹痛一症。爲月經病內一重要問題。質言之。月經調順。則已。設月經不調。則十人中佔其七八也。至腹痛辨症甚爲不易。有寒熱虛實之分。其分辨之法。大概以經前腹痛者實症居多。經後腹痛虛候爲多。痛而有形迹有常度者爲實。痛而無形漫無常度者爲虛。痛而不欲按者爲實。喜按者爲虛。痛而劇烈者爲實。痛而綿綿者爲虛。凡實者多熱象。如口渴便祕之類。虛者兼寒候。如口不渴便溏之類。然而亦同有例外者。如上所述。就其大綱而言也。今言乎疝氣焉。夫疝有七疝。大致多有寒熱痰濕食積氣血之分。然總肝經一臟爲病。男人爲睪丸牽痛。女子爲陰中拘攣。名醫張子和曰「遺溺。閉癃。陰萎。精滑。白淫。皆爲男子之疝也。月事不來。或行後小腹有塊。或時移動。前陰突出。後陰痔核。皆女子之疝也。」此說極是。然而何以每值經期前則腹痛。此亦有原因在也。蓋肝之經脈下通于陰中。其性至喜疏洩。不耐鬱滯。然婦人每於經來之前數日。其子宮之紫血貯積既久。至此其循環行度數益爲瘀緩。而生殖器一部分之經絡皆呈異常之通血。如任脈衝脈無不連帶及之。而肝臟之氣益難疏洩。如平時設竟因此而不獲疏洩。以至於鬱滯氣不通暢。則爲腹痛。卽繇於肝絡積有疝氣。故痛作於經前。必待經水通行。氣鬱可舒。而痛勢迺得稍緩。至於治法。當先治疝。惟疝既有七疝之別。則亦斷難以一方治七疝。然能時行溫熨洗浴。亦可爲藥外工夫。而飲食清潔。

淡泊寡慾。尤爲治疝要著。

（乙）氣滯血瘀——人身氣血之循環。自有一定之度數。而過於迅速。則經脈有沸騰之害。而氣血遂有菀亂之變。如縱飲竭慾。過事煩勞者。皆足致此也。若過於遲緩。則臟腑有遲濡之患。而血氣亦有停滯之虞。如憂思悲結。多食生冷者。皆足致此也。月經者。雖爲紫血之破裂。黏液之分泌。而實賴氣血之推蕩而下也。故氣之與血。相並而行。氣有所滯。卽血有所瘀。而卵巢之卵細胞亦因此而減少。其排卵之機能。子宮壁膜之紫血。亦欲行而復止。下既不通。必逆而上行。其最易引動者。厥爲肝氣。肝氣凌於脾胃。則大腹痛。肝氣凌于下。則陰中痛。迨至子宮充血。不能容納而月經迺始應期而行。行則肝脾之氣得以略爲通暢。故此時痛勢亦可爲衰減。其症狀經行落後。行時亦多不快利。平時或喜啖生冷。或多思善慮。治法當禁生冷以和脾。善爲寬懷以舒肝。肝脾氣調。多瘀自行。腹痛不治可愈。其不愈者。必有積滯。當攻而去之。然非醫治不可。

（丙）下部積寒——夫寒積下焦。能令子宮一部分之經膜。易於拘事。而子宮之積有紫血。益爲凝滯。故痛作於經前也。以症時欲喜煖。得煖物熨之則稍快。治法當先禁服生冷。或溫煖下部。服藥當以溫運。

（丁）下部瘀熱——婦人喜食辛辣。或多食酒漿。或情志之有所未遂。或衣衾過於溫煖。或不幸而染有毒素之黴菌。凡此種種皆足以令其血熱成瘀。（血熱成瘀之理。前已述于經行後期因于血熱者。茲不複贅）而於經期將屆。欲行未來之際。以子宮充血太甚。而又血以熱而瘀滯。子宮筋膜遂起發炎之反射。於是腹爲之痛矣。卽西醫所謂充血性月經困難者。至其症狀腹痛。惡熱。口渴。舌光絳。治當先去其致病之因。而進以清洩之劑。

八　經後腹痛之病理及療治

氣虛血虛——腹痛之虛實。已詳於上篇。至氣虛血虛。何以能致經後腹痛乎。卽西醫所謂「卵巢性月經困難」者。似卽其徵矣。卵巢性月經困難。謂其病症起於卵巢中者。與病在子宮一部份有別。蓋爲卵巢內膜發炎。推厥其故。卽繇於氣血俱虛。何者。卵巢之功用無他。爲其有排卵之機能耳。然卵之不獲排。似當責諸卵巢之失其排卵之天職。然而不然。卵巢之排卵。不得其卵珠成熟。原無排卵之可能。苟其卵珠而早爲成熟也。則排卵珠將不而自則。卵巢之排卵機能。初不過待其成熟。而其有轉輸之權能耳。於是可知卵巢性月經困難。其病雖在卵巢。而其原當責其卵珠之不能成熟。然而又未盡。蓋卵珠非天賦不能成熟者。卵珠之生生於氣血之充盛。卵珠之熟。熟於氣血之充盛。設成氣而俱虛焉。則卵珠將何由而生。生而何能成熟。卽年屆二七之年。雖間有薄弱之卵珠。行其不健全之月經。（如經期不准或經水稀少或經下如衝等皆是）又往往經行以後。立呈委頓之狀。竟有微寒作熱。食少倦怠。不耐煩勞。奄然欲臥。宛如大病後者。皆屬氣虛。氣虛之徵。而腹痛亦於是作也。如是則既無受孕之希望。而百病將因斯而隱伏矣。良以經此一次經行。其虧益甚。而卵巢之卵細胞完全缺乏。損之而不獲恢復。故卵巢筋膜作痛。且痛引陰中也。則卵巢性之月經困難。因於氣血之虛者。豈非瞭如指掌耶。致其治法。當使快其情志。寬其胸懷。而又以飲食調養之。四君四物以半補之。若妄攻療。多致危候。

九　經來兼症之病理及療治

（甲）泄瀉——泄瀉是脾胃之虛。誰不知之。然泄瀉何以不作於平時。而必於經前二三日。迺無有不作一度之泄瀉者。此中原因實係脾胃之虛耳。脾胃氣虛。痰濕必盛。至經行之時。氣血皆側重於下部。而脾胃中焦之虛。至虛益甚。虛則痰濕益盛。脾胃無運濕之權。而其痰卽有就下之法。於是乎洩瀉作也。夫本症原因。既屬脾胃氣虛。則治法當先健脾理胃。兼清痰濕。傅青主先生有健固湯專爲此症而設。致其症狀。多得之於肥盛之體。瘦怯者。罕有也。卽有之。亦未可概作痰濕治。

（乙）吐血——循經血行。既失常度。上逆而爲失衄。通俗婦女月經不行。而吐出口血者。謂之「倒經」。以其倒行而上也。歐醫則爲「代償性月經」。以其此類之血。爲替代月經也。夫經血何係逆上。推厥其故。蓋人之有生。全賴氣血。「氣主煦之。血主濡之」。此氣血相濟之妙用也。然人身後天之氣。資生於穀食。統攝於脾氣。先天之氣。稟受於父母。藏納於腎氣。兩腎中間。厥爲命門。兩腎之氣。經此而交相統協。此處爲立命之元神。卽爲生氣之源頭。惟此氣宜溫和適中。如靜室之有長明之燈。輕微燃著。以蒸腐穀食。化生精血。設此命門之火。稍減一分。卽嫌其式微。稍增一分。卽恐其亢成。此火衰微。下焦遂無生陽。而癥疝瘕聚等症。於是生焉。此火亢盛。則飛騰於上。而肺癆欬血等。亦於以成焉。夫血氣流行。如水流之隨風勢。今氣不安靖。遂爲游移飛騰之火。血隨火勢。以上逆。所以月經不行。而上逆爲吐衄也。然而命火何以不安靖。腎氣何致而不納穀。又當責其腎水之不足矣。腎水猶之燈火之膏油焉。膏油既枯竭。則燄光必飛越而轉瞬熄矣。故百病以水虧火旺而失血者可危。以水虧火旺月經不行而失血者尤爲可危。有腎水所以不足之故。厥故有二。一爲先天不足。如室女月經甫行。而驟爲吐衄。月經因此不行是也。一爲情慾不節。或志意不遂。亦多成本病者。治法烏骨鷄丸最佳。而身體之攝養。又不可不謹愼。急治之法。可用陳年好京墨磨汁。滴入鎭江好醋盡量服之最佳。「張氏巽順丸功與烏骨鷄丸」相同。而於婦女經來吐血。尤爲切合。

（丙）便血——經來便血。亦爲「代償性月經」之一。婦女之行經。迺生理上之自然機能。而今經之行。大便先爲下血者。厥推其故。此緣中土脾氣之虛也。設婦女而或稟質素薄。脾胃之運化力均有失職。氣失兩有不足。有至經行之時。下部子宮壁膜之充血時期已熟。然充血於下者。必不足於上。兼之以中土脾氣既爲久虛之體。益經經行之時。而平日之猶可統攝者。至之竟不能統攝。夫氣者血之帥。血之循行。非血能自爲之。實賴乎氣爲之也。而血之統攝。亦賴乎氣爲之主宰。今氣既不獲統攝血液。而胃腸壁膜之微細血管。必滲從後陰而下矣。然而經血原爲生殖器中之紫血充血。原不是眞性血液。故與生理的生活機能。絕對不發生障礙。而惟「代償性月經」則絕對不是生理上應有之月經。故其出血爲眞性之血液。則經來便血。雖與血崩有異。而病之甚者。實有脫血之危也。治法須急培養脾土。使脾氣健運。便血自愈。法宗歸脾湯意。參以止血之品。若徒用寒涼。則必至胃氣銳減。食慾困敗。脫悶腹脹。大便溏洩等症。因斯而生矣。

（丁）發熱——經來發熱者。卽體溫過高而然焉。陰陽和平。自然體溫適度。陰陽偏勝。自然體溫反常。故陽虛者溫度頓減。陰虛者溫度過亢。徵之診斷所得。確是不爽毫釐。而婦女經來。身必盛熱。其爲陰虛可知。婦女之陰。何以不虛於平日。而每虛於經來。以其陰分平日本不充足。然猶未至於虛。故尙能常保其固有之虛度。迨月經將來。陰氣走洩。如卵細胞之破裂也。子宮紫血之排洩也。莫不賴斯陰氣以用。故經此生理一度之消。而陰分於平日本不充盛者。至此安得不虛。虛則陰不能涵陽。而溫度迺頓然增高。然此項發熱爲虛熱。乃陰氣先虛。故而發此虛熱。其熱之在骨髓。熱在手足心爲尤甚。而其熱度高低。必不平均。以一日計之。則下午較高於上午。以一晝夜計之。則夜較勝於日間。形體消瘦。面赤若裝。或者時則淡而不澤。口渴脣絳。心中煩熱。小有勞倦。則困憊益甚。治療當治於早。藥劑雖定可懸擬。當總以資養化源。氣血同調。是爲至穩至當十治十全之法焉。若徒投苦寒。則日久服之。必至胃氣銳減。飲食減少。膨脹腹大。便溏。至此發熱有增無減。而虛勞則促之速成矣。

（戊）咳嗽——婦女經來必作一度之咳嗽者。爲肺氣之傷也。何以平日不甚作咳。或偶一作咳。而亦不劇。必經來之時。而咳嗽不獲免。此其故安在。曰仍是肺氣亢燥使然也。蓋以吾國之氣化言。則肺金與腎水有母子相生之妙用。而肺金爲最不耐燥。而最易焦萎。燥則作癢。癢則作咳矣。至婦女行經。其全體之水分。皆傾注於下部。如卵珠之排下也。非以水不能推盪子宮壁膜之黏液也。非此水不獲分泌。蓋其經來之時。賴此水以榮養者正夥也。迺此水平日既無存餘。則經來自然益爲竭蹶。腎水無充分之滋養。肺金失此水之潤澤。火有所獨旺。氣有所不利。故咳嗽每隨經來而咳也。總之此爲陰虛之體。其人必多火。形體必瘦怯。口渴舌絳。甚則喉間似帶血腥。咳甚而痰不多。日久有延入癆瘵之危。至治法以枇杷膏最佳。以潤燥而不傷脾。甘寒而不收斂也。考驗方新篇有茯苓湯未可輕服

十　月經異常之病理及療治

（甲）經來發狂——此症大致因經來之時。偶觸煩怒。以致逆血攻心。不省人事。狂言見鬼。如喪靈魂。急以「井華水」猝唾其人面。毋令其知。或以醋炭薰之。迨其稍爲甯定。急爲求醫診之。

（乙）經行白蟲——月經行時。夾有白蟲。形如鷄腸。滿腹疼痛。此爲有蟲積。以四君子湯合殺蟲之藥與之。

（丙）經如魚腦——婦女經來如魚腦。足痛不能動履。此下元虛冷。兼有風邪所致。治當清理下焦之濕。兼清腸胃之風。而以培養肝腎。以善其後。

（丁）經如牛舌——此症多有昏厥倒地者。蓋以症多得之勞傷惱怒。宗氣驟脫。子宮頸膜隨經來衝勢而下脫也。故治法必大補氣血。以固下脫。

（戊）經下如禽獸形——此症體極傭怠。方書治法。先以綿塞陰戶。再以製沒藥五錢。研末滾水調服可愈。

（己）經行如蝦蟆子——據方書所述。謂此症兩三月經水不來。以至七八月。腹大如孕。人以爲孕。一日崩下血來。其血胞中有物如蝦蟆子。昏迷不省人事。急進十全大補湯以培養氣血。延則多有不救者。

（庚）經來起梗如鞭——此症經來結成一塊。如皂莢一條。痛不可忍。不思飲食。此血滯也。治法以酒炒玄胡索三錢血餘炭二錢共爲末。陳酒調送服至半月或一月。其塊可消。

（辛）經來色如淡綠——此迺大虛之症。其下純爲綠色。而無血色宜作「巽順丸」全料服之「烏鷄丸」亦可。巽順丸藥味製法詳述于后。以便配合。

張氏巽順丸「功用」治婦人倒經。血溢于上。男子咳嗽。吐血。左手關尺脈弦。背上惡寒。有瘀血者「藥品」烏首白毛鷄一隻（男子病取雌鷄。女子病取雄鷄。擇其肥嫩者。水浸死。泡去毛。竹刀剖脇。出肫肝。去穢。留內金。并去腸垢。仍入腹內）烏賊骨四兩（童便浸晒乾爲末。微炒黃取淨）茹藘一兩（去梢酒洗切片淨）鮑魚四兩（切薄片）「製法」諸藥納鷄腹內。用陳酒童便各二碗。清水數碗。沙鍋中旋煮旋添。糜爛汁盡。搗爛乾焙。骨用酥炙。共研細末。乾山藥末調和爲丸。如梧桐子大「服法」每服湯十九至七十丸。空腹時百勞之送服。

批　議論詳明。治療扼要。可取之作。王潤民

崩漏考略

周文穆

一 引言

崩漏乃是正常經水以外的自陰道流血。醫宗金鑑上說。「婦人行經之後。淋瀝不止。名曰經漏。忽然大下不止。名爲經崩。」所以崩漏之分。只是出血的狀況上不同。按西醫學家論有陰道出血的已不下幾十種。是病陰道出血並不能算作一個病名。不過是多數疾病共有的一種症狀。我們現在攷據此種症狀。不是要牽強附會的妄說古代已經發明了什麼病。也不是要暴露中國古醫學的荒謬和空虛。而是要將中國古醫學上的散漫材料。加以系統的敍述和整理。「定義」古人對於崩的解釋很籠統。素問上說。「陰虛陽搏謂之崩。」王叔和的脈經更分爲五崩。五崩者。即白崩。赤崩。黃崩。青崩和黑崩。他們主要的分別。是以液體的顏色作根據。王肯堂證治準繩更有「受熱而赤謂之陽崩。受冷而白謂之陰崩。」也與脈經的分類法相似。由此我們可以看出古人對于排出物的性質。毫不注意。所以不僅名出血爲崩。凡是陰道流出的分泌物都叫做崩。但是同時對於排出物的量則很注意。所以張介賓景岳全書有「由漏而淋。由淋而崩。」的說法。所說的漏淋崩。其實都是陰道排出物而已。

二 原因

西醫學的病因。是根據解剖。生理。病理。微生物學等來判斷。中國古醫學。因限于時代思想的關係。則對於這些科學自然缺之認識。故其所推測的原因。難免不着實際。現在姑就以往陳說。分類如下。

（一）衝任不能攝血說　衝脉和任脈都是奇經八脈中的一個。按任脉的循行起於會陰。終於承漿（下唇正中）很與腹白綫（Linea Alba）相近似。衝脈起於氣街（鼠蹊溝）並於少陰。挾臍上行。至胸中而散。在西醫學的解剖上找不出與他相似的東西。至於衝任二脉的作用。據靈樞五音五味篇上說。「衝脉任脉皆起於胞中。上循背裏。為經絡之海。」所說的胞中既位於腹內。衝任又為經絡之海。那麼崩血一定是由於衝任不能攝血了。此說巢氏病源崩中漏下候內說的最透徹。其說如下。

「崩中之狀。是傷損衝任之脉。衝任之脉皆起於胞內。為經脉之海。勞傷過度。衝任氣虛。不能約制經血。故忽然崩下。謂之崩中。崩而內有瘀血。故時崩時止。淋瀝不斷。名曰崩中漏下。」

（二）虛實寒熱說　戴思恭證治要訣說。「崩有血熱而成者。有氣虛而成者。」是以「虛」「熱」為本病的原因。而王肯堂證治準繩則分崩中為冷。熱。虛。實四種。且治法各異。

（三）傷肝傷脾說　內經上說。「脾統血。肝藏血。」又嚴用和濟生方上說。「肝為血之府庫。喜怒勞役。一或傷之。肝不能藏血於宮。宮不傳血於海。所以崩中漏下。」薛已醫案上說。「崩之為患。或因脾胃虛損。不能攝血歸源。或因肝經有火。血得熱而下行。或因肝經有風。血得風而妄行。或因怒動肝火。血熱而沸騰。或因脾經鬱結。血傷而不能歸經。傷悲哀太過。胞絡傷而下崩。」總之。脾肝有病。能使人發生血崩一說。在中國古醫學上是佔有很大勢力的。至於肝為什麼能藏血。脾為什麼能統血。至今尚無人足以解答此謎。

以上三說。雖各執一辭。但非絕對。彼此相輔而不相背。所以中國醫學的病理乃是多玄的。可說玄而又玄。其較近乎實際者。大概尚推李梴醫學入門。其所指出者有A.經行犯房B.勞役過度C.膏粱厚味D.飲食失節E.悲哀過甚等。此外薛己醫案稱「婦人血崩。年少之人因房事過度。中年以上人及高年嫠婦多憂慮過度等」則純是無稽之談了。

二　脈象

張機金匱要略載。「寸口脉弦大。弦則為減。大則為寒。減則為寒。芤則漏下。」又陳自明婦人良方載。「婦人崩中漏下之證。按其寸口脈弦而大。弦則為緊。大則為芤。緊芤為藻芤則為虛。虛寒相搏。其名為革。婦人半產漏下。赤白不止。脉小虛滑者生。脈大緊實數者死。又脈急者死。遲者生」又云「尺寸脈者虛漏血。脈浮者但不治」

由此可知芤革是崩血的脈象。又小虛滑是佳象。大緊實數是惡象。其實不過出血病人的共有現象。算不得什麼特徵。由近日眼光看固無足輕重。但在古人已不知費盡多少心血。

四 治法

（一）鍼灸 上面所述衝任二脈既是本病的病原。則鍼灸應當按着衝任二脈經行的地方在鍼灸才對。但是實際上則不是那樣。試就下述諸例。即可證明。甲乙證載「婦人經下若血閉不通逆氣脹『血海』主之。又女子漏血『大衝』主之。又婦人漏血腹脹滿不得息小便黃『陰谷』主之」千金方載「女子不字。陰暴出經漏刺『然谷』入三分灸五壯（按灸一次叫做一壯）又「女人漏下赤白月經不調灸『交信』三十壯。」李杲十書載「胞門不閉。漏下惡血不禁刺『氣門』入五分」證治準繩載「經血過多不止併崩中取『三陰交』『行向』二穴各針訖灸之。又取『通里』刺二分灸二七壯」

（二）藥物 試一調查古今治血崩的藥物和成方。已多至數百種。錯雜無章。眞使人如讀二十四史。其中與治療出血毫沒有關係的固然很多。但是也有若干藥產和成方有止血的價値。甚至現代西醫學仍在利用。至於根治方法如手術療法等。自非古人所夥及。我們也無須苛求。現在試就已往利用的藥物分述如下。

A.膠及骨石類藥 此類藥品能增進血液凝結性。以達止血的目的。約與白阿膠（Gelotina Alba）及鹽化鈣（Calcium Chloratum）一類藥品相似。計有。

牛角鰓 阿膠 白馬蹄 豬後懸蹄（以上膠類）禹餘糧 白堊 雲母 紫石英 白石脂 赤石脂 龍骨（以上石類）

烏鰂骨 鱉甲 蝟皮 牡蠣 生鯉魚頭（以上骨類）

B.炭類 炭具吸收作用和消毒作用。古醫籍常用作止血。醫所謂血見黑即止之意。九實變化的理由。我們尚不能加以解釋。或者吸收作用與止血有關。也未可知。下面所舉的九種散都將藥燒成灰內服。所以上列入炭類。

百草霜 墨 伏龍肝 三灰散 五灰散 七灰散 十灰散 蘭黃散 神應散 荆芥散 烏金散 如聖散

C. 植物類 此類藥品用於血崩者尤多但常用者亦不過下列數種

當歸 黃芩 黃柏 桂心 地黃 茯苓 地榆 艾葉 芎藭 香附 人參 白朮 厚朴 白芍 黃耆 龍眼肉

升麻 柴胡 陳皮 甘草 巴戟肉 葫蘆巴 菟絲餅 杜仲 續斷 桑寄生 桑白皮 陳櫻皮 大薊 小薊

丹參 雞冠花 苦參

（三）附治崩漏成方 更由上述諸藥配合而成四物湯為古今治崩漏最通行的方劑

四物湯 當歸 川芎 白芍藥 熟地黃

丹溪云「崩漏有虛有熱虛則下溜熱則通流氣虛血虛者皆以四物湯加參芪漏下乃熱而虛四物湯加黃連紫色成塊者血熱

四物湯加黃連柴胡之類急則治其標用白芷湯百草霜末甚者採櫚間灰後用四物湯加炒黑薑調理」就是現今滬市一般婦

科專家也以此方為立場所謂荊芥四物湯則以四物湯加荊芥穗條芩骨附子或加防風升麻白朮蒲黃或加芩連梔子蒲黃或

加阿膠艾葉則又所謂膠艾四物湯其他所謂鹿茸散鹿茸白龍骨 鼈甲 熟地黃 白芍藥 白石脂 烏賊魚骨 續斷

肉蓯蓉 則動植礦三界的藥物均能配合而成至於止血之用五灰散蓮蓬殼黃絹血餘百草霜棕皮（以上共燒灰）

山梔炒黑 蒲黃炒 黑墨 血竭

十灰散 錦片 木賊 棕櫚 柏葉 艾葉 乾漆 鯽魚鱗 血餘 當歸（以上逐味火燒存性各等分研末）麝香少許研

如聖散 棕櫚 烏梅肉 乾薑

烏金散 棕櫚毛燒存性 龍骨煅

蒲黃散 蒲黃炒 破故紙炒 千年古石灰炒 各等分

地榆散 地榆 蒲黃 白芍 白茯苓 柏葉 蟹爪 熟地黃 鹿角膠 漏蘆 芎藭 當歸 伏龍肝 乾薑 桂心

甘草

像以上種種成方古醫藉上所載不勝枚舉今特取其符合現代病理和有效病家而已總之醫家處方不可固執舊說亦不可專

擅己見。應宜隨症施治。則病家幸矣。

五　結論

一　古醫籍統稱自陰道流出的血液和分泌物爲崩漏。認崩漏爲獨立的病。而不知是多種病的症狀。

二　他們將崩漏的原因約分爲三種。即A.衝任不能攝血B.肝不藏血。脾不統血和C.虛實寒熱。但無一與出血原因有關。

三　崩漏的治法。除針灸外。古人已知利用阿工和鈣劑。

綜結一言。則古醫籍値得今日探討的。爲病理的原因多不可靠。病的療法爲近世科學醫學中所不及。旁徵博引。有待高明。若能於古醫籍中作一有系統的整理。未始非可使中國醫學重見光明。凡我同志。曷共努力。

批　以是爲是絕不阿私所好斯能好而知其惡惡而知其美　文芳

經帶病論治

錢椿壽

引言

治病之道難。治婦女之病更難矣哉。昔冠宗奭曰。寧治十男子。莫治一婦女。謂女子之病。多不易治也。蓋以婦女幽居。情懷憂恚。愛憎多疑。所懷不遂。性質偏拗。且因婦女生理心理病理。實有異於男子者。故病亦異之。夫男子苟能清心寡慾。調節得時。康健尙保。偶病亦不越正規。醫者從其病而治之。察其癥結而療之。烏得不有中肯者。治婦女之病則不然。蓋經帶兩症。爲婦女普通之疾。且每月受月經一羈束。一時寒熱不愼。或心理有所不快。則月事隨之不調。於是百病叢生。錯綜難辨。非精當處方。實難獲效。

經病

月經。一名紅潮。又曰月信。醫書上亦稱天癸。但天癸二字。不一定指月經而言。今人每以天癸單指月經。其實不然。內經有女子二七而天癸至。男子八八而天癸盡。可知男女皆有天癸。不過男子天癸指精液。女子指月經。初必無分其性別也。月經在女子生殖機能成熟時。每月由子宮流出暗赤色之血液。時有近於褸色或黑色者。在生理上從無鮮紅色。經血之化學組成。檢查尙未充分。其成分千分中有水分七八五至九〇一。固形分九九至二一五。常混有多量黏液。於月經起訖之際尤多。惟月經最高潮時。幾純爲血液。經血之特性。較平常血液不易凝固。其理由據尋常久信者。謂因頸管黏液混入血中之故。然據 Birn.Bawn Und Oijen 之研究。則頸管黏液匪但不妨礙血液凝固。轉從而促進之。兩氏又驗婦人在月經時期身體之血液。其凝固時間較經期以外之血液約增二倍。據此成績。則經血之乏於凝固性者。實由經期中血液全體乏於凝固性。然據其後多數之研究。無論經期與不循環血之凝固時間。似無大差。近時有欲據黃體之內分泌。說明經血之不凝固性者。漸喚起學者之注意矣。當月經來潮之際。非謹守衛生。以圖保全健康不可。月經中尤須清潔陰部。倘月經血附着說外陰部股間。馴致腐敗。不僅該部易生炎症。且誘發子宮陰道等炎症者不少。故在月經期中。每日必以微溫水洗滌外陰部。且宜安靜精神。及身體。如體操。乘車。乘馬。舞蹈。球類等。固不可爲。即長時間之觀劇。眠睡不足。精神過度。激動等。均須避之。且宜注意感冒。月經與感冒。雖似無何等直接關係。但月經中感受溫度之影響。最爲敏捷。月經中罹感冒。致續起生殖器障礙。或有懵惡者。此吾人所屢經實驗者也。

一、經來先期——室女婦人。經事先期而來。其因有二。（一）有熱甚者。（二）有氣血多而傷血海者。血熱者。腹多不痛。乃火也。身必熱。其色必紫。脉必洪大。宜涼血地黃湯。虛熱者。逍遥散。或補中益氣。黃柏知母以佐之。或四物湯加陳皮。香附。黃柏。知母。醋丸服。如腹中冷痛。禁用寒涼。而用五積散。若瀉者。先理脾胃。咳嗽者。逍遙散加川貝。若氣血多而傷血海者。其腹必痛。以補血行氣爲主。亦愼用寒涼。宜歸附丸。及藿香正氣散。若婦人四十外月經或二三日一至者。日久必成淋症。王肯堂曰。月事先期而來。血熱必帶紫色。或先或後。淡而糊粘者。痰也。將來先腰痛者。血海空虛。而氣不收者。不或止或來。無定期者。因氣不調。血亦隨經而行止也。務一月兩至。或數日一至。乃氣虛而血熱也。或經來之後。累數日而不能止者。乃血海脫滑。兼有火以動之也。既止之後。隔兩三日而復庭徵血者。以舊血未盡。爲新生之血所催。故不能容而復出也。明理者觀之。卽可以施治矣。

二、經水過期而來——凡婦人女子。月事過期而來。其說有三。（一）有血虛者。（二）有血寒者。（三）有澀滯者。血虛腹不痛。身微熱。然亦有腹痛者。乃空痛也。宜服生氣補血之藥。八物湯加香附。血寒者。歸附丸。以脈辨之。若浮大而無力。微濡芤細。皆虛也。沉遲弦緊者。寒也。王背堂云。經水過期而至。血虛也。其色必淡。治宜補血爲主。以四物湯加香附。艾葉。五味。麥冬之類。倍加當歸熟地。血淡而糊粘者。以化痰爲主。二陳湯加香附。生姜。砂仁。經水將近而腰腹痛者。以補血爲主。君以熟地。佐以歸。芍。參。朮。芎。苓。香附。陳皮甘艸之類。或一月二至。數日一至者。以和血清血爲主。宜八物湯加黃芩。山梔。龜板。炒蒲黃之類。或止或來。無定期者。以調氣爲主。君以香附、佐以陳皮。烏藥。砂仁。艾叶之類。與四物同服。經行越數日不止。治以氣血爲主。君以炒黑山梔。佐以蒲黃。地揄炭。牡蠣。側柏葉。香附之類。經水止後。過二三日復見徵血者。以四物湯爲主。加香附。陳皮甘艸之類。然此不足爲病。卽不服藥。亦無甚妨礙。

三、經行腹痛——婦女經水將行。小腹作痛者。氣虛澀滯也。經行而腹痛。或屬虛寒。然氣亦能作痛。恐有血瘀氣滯。不必驟補。先用四物加陳皮。香附。次用八物湯加香附。如瀉者。先止其瀉。而痛自止。有每遇經行輒頭痛。心忡。飲食減少。肌膚不潤澤者。宜加減吳茱萸湯。亦有衝任虛衰。少腹有寒。月水過期。不能受孕者。大溫經湯主之。有經水過而作痛者。血虛有寒也。法當調經養血。宜四物湯加桃仁。香附。肉桂、有經行著氣。心腹腰中疼痛者。血瘀氣滯也。當順氣消瘀。青皮。歸芍。桃仁。紅花。香附。丹皮。甘艸。延胡。有經水行後而作痛者。氣血虛而空痛也。法當調養氣血。宜八珍湯加姜棗。有經水過多。久而不止。而腹痛者。乃脾經血虛也。治宜補血健脾。四物湯加白朮。茯苓。木香。厚朴。香附。陳皮。乾姜。甘艸。明理者。隨症用藥。無不見效。

四、經水過多——慢性便祕。營養不良。脂肪過多。心臟肝臟等患病。精神感動等。俱能使月經過多。其證候則日數延長。或分量加多。以致面色痿黃。身體倦怠。而困乏愈者也。人以爲血熱有餘之故。豈知係血虛而不歸經乎。夫血旺經始多。血虛經當縮。今血虛而經轉多。良以血歸於經。雖旺而經亦不多。血不歸經。雖衰而經亦不少。世人見經水過多。每謂血旺。此治之所以多誤也。倘經多果因血旺。自是健壯之體。須當一行卽止。精力如常。何至一行再行。致困乏無力耶。惟經多實爲血虛。故再行而不勝其困乏。血損精散。骨髓中空。故色不華於面也。治宜大補血而引之歸經。則自無行後復行之病矣。方用加減四物湯。(大熟地一兩九蒸 白芍藥三錢酒炒 當歸五錢酒洗 川芎二錢酒洗 白朮五錢土炒 黑芥穗三錢 山萸三錢蒸 續斷一錢 甘艸一錢 水煎服。四劑血歸經。十劑後加人參三錢。再服十劑。下月行經。適可而止矣。)

五、熱入血室——婦人傷寒傷風發熱。經水適來。晝則安靜。暮則讝語。有如瘧狀。此爲熱入血室。治者無犯胃氣及上二焦。宜服小柴胡湯。若脈遲身涼。當刺期門穴。前證若因勞役或怒氣發熱。適遇經行而患上證者。亦用小柴胡湯。加生地黃治之。血虛者。用四物湯。加柴胡。若病既愈。而熱未已。或元氣素虛。並用補中益氣湯。脾氣素鬱。用濟生歸脾湯。血氣素虛。用十全大補以湯治之。

六、崩漏枯閉——崩漏枯閉。實非一症。崩者。如山之崩。鄭文康曰。婦人暴崩下血者。此腎水陰虛不鎭。制胞絡相火。故血走而崩也。涼血地黃湯主之。然此症多起於內傷。若小便不痛。只宜此藥。或八物湯加芩連。若痛者。先宜大劑四物湯。歸身。白芍。川芎倍之。再加醋製香附。若用補藥。宜補宮湯加芩連。漏下者。淋瀝不斷。曰中暴有如注。乃漏下之甚者也。其狀或如猪肝。或如泔如涕如爛瓜汁。至有黑如乾血相離者。亦有純下瘀血者。此皆衝任虛損。喜怒不節。疲極過度。大傷於肝。蓋肝爲血之府。喜怒勞役。一或傷之。肝不能藏血於宮。宮不能傳血於海。所以漏下。治法宜投平氣補氣之品。如補中益氣湯。地黃丸。參朮大補丸等。以平爲度。枯閉者。多由飲食起居失宜。或勞心過度。衝任虛損所致。其病也漸。宜補養陰分。使血脈漸充。則經水自行。又有氣旺而血枯者。多起於勞役焦思。則宜溫和滋補。或兼痰火溫熱者。尤宜清之涼之。但切不可純用峻劑。以傷營陰。而致有意外發生。

帶病

帶下一症。多因下焦臀氣虛損。或喜怒憂思。或産育房勞。致營衛氣滯而成。或因鬱怒傷肝。肝乘脾土。土傷生溼。溼鬱生熱。熱則流通。滑濁之物。滲入膀胱。故時流清冷粘液。或兼有五色。或祇有赤白。患此病者。多見面色無光。腰痛腿痠。頭暈眼花。精神短少。種種疾患。見倘疏於醫治。則終身爲患。困之孕育無望。或月經不調。且易有血崩及全身衰弱諸證。可不懼哉。

帶下——婦人帶下一證。從腰間帶脉而來。故名曰帶。雖有赤白二色。終屬腎虛。其病與淋相似。然淋之所下者。多散而薄。必覺腥氣臭穢。帶之所下者。滑而稠粘。無腥穢之氣。以此爲辨耳。保命集曰。赤者熱入小腸。白者熱入大腸。其本皆溼熱結於脉。故津液湧溢。是爲赤白帶下。內經云。任脉爲病。男子內結七疝。女子帶下瘕瘕。王註云。任脉自胞上過帶脉。貫於臍上。故男子內結七疝。女子帶下。帶脉起於季脇章門。如束帶狀。今溼熱寃結不散。故爲病也。經曰。脾傳之腎。病名曰瘕疝。小腸寃熱。而痛出白。一名曰蠱。所以爲帶下。寃結也。寃屈也。屈滯而病。熱不散。先以十棗湯下之。後服苦楝丸。大延胡散。調下之。熱去溼除。病自愈矣。丹溪治赤白帶下。與夢遺同法。肥人有帶。多是溼痰。用海石二陳加南星。黃柏。青黛。川芎。瘦人帶下。俱是鬱熱。宜香附。砂仁。黃柏。青黛。如結痰白帶。以小胃丹。半飢半飽時下數丸。俟鬱積行後。再以補藥調理。

白濁白淫——婦人小便白濁白淫者。皆由心腎不交。養水火不升降。或因勞傷於腎。腎氣虛冷故也。腎主水而開在陰。陽爲溲便之道。胞冷腎損。故有白濁白淫。宜服局方金鎖正元丹。或固心虛而得者。宜服平補鎭心丹。降心丹。威喜丹。若思想慮過度。致使陰陽不分。清濁相干。而成白濁者。思傷脾也。宜用四七湯吞白丸子。此藥極能分利。更宜小烏沉湯。每帖加茯苓一錢。寃者益智仁二十枚。去殼輾鹽煎服。前證若因元氣下陷。宜補中益氣湯。脾胃虧損。六君加升麻。柴胡。脾經鬱結者。歸脾湯加黃柏。山梔。肝經怒火。龍胆瀉肝湯主之。虛則用加味逍遙散。

論結

婦女各症。最多羈革。蓋婦女獨居斗室。以致所懷不遂。性執偏拗。愛增多疑。一旦疾病發生。倘過月事來潮。則又有熱入血室之虞。

且身體虛弱之人。或淫慾過度。則易生帶下等症。故有寧治十男。莫醫一婦之說。信哉斯言也。以上各症及治法。乃其大略耳。臨症者。又當參以脉舌之診。細辨其原由。方可用藥施法。如經期先後。屬寒屬熱。及帶下之五屬。屬氣屬血。又有夾氣夾食。或夾瘀夾痰。屬虛屬實。種種症狀。不能盡同者。又當臨時隨機應變耳。

批　平妥無疵　文芳

關於臨床上的幾點小整理

章翼方

緒言

現代社會上的一般時人。和一輩沉醉在歐化的青年們。多數是注着迎新棄舊的眼光。射視到整個中醫的分上。他們却是根本還沒有暸解內幕的枝節。我們獻身於中醫界的地位上。應該潛心地攷察現在社會的心理。中國的醫術有了四千餘年悠久的歷史。經過了許多聖哲先賢的發明。爲什麼不能達到光明的一天。反落伍到這般闇澹的田地。說將起來眞是使我羞恨。却又令人詫異。哦……可不是在臨床上缺乏了診斷的信仰。和處方後失去了藥物的效用嗎。要曉得這不是整個中醫的弱點。更不是中藥失去了藥物的效用。透澈的說幾句。確實是要痛恨於一班祇顧私囊的市醫。和一批遊方的串醫。他們祇唸了幾個湯頭。讀熟了幾頁的藥性賦。或學了些神祕不可思議的邪術。憑了揣測口給的工夫。遽同人家看病。又抱了（趁我十年運。有病早來醫。）的玄想主義。利用狡猾的手段。於是乎引起了社會的懷疑。同時亦妨害整個中醫的信譽。眞把自身的道德觀念。不知拋到那兒去呢。唉！他們的人道。由是而窺見全豹了。我覺得做一個懸壺問世的醫生。必先種下一顆佛教所謂的菩提心。自身修養首推第一步的程序。又需博覽古今的醫藥書。所以徐靈胎先生說「醫非人人可學」（載在醫學源流論裏）這一篇的訓辭。實爲儆誡後世的學者。我們應當時時抽出來讀讀。還有許多的教訓。也不可疎忽地放棄。那末方纔知道做一個賢良的名醫。很不容易的一回事啊。但是明知良醫的目的非易達到。然而欲想問世行醫的執事們。第一要曉得庸醫殺人的罪過。很容易犯到。理應時刻留心。竭力避免天下人的嘲罵。如今在下關於臨床上略有幾點的小整理。吐出來與諸位談談。可是我恨我的學識譾陋。免不了言不達意的所在。願望博學廣見的先生們。乞請時時永遠地指教我。

甲　診斷的簡說

望聞問切的四診。固爲中醫診斷疾病的大綱。難經八十一難分說。『望而知之者謂之神。聞而知之者謂之聖。問而知之者謂之工。切而知之者謂之巧。』雖是這類的文辭似乎說爲迂緩。但是從實際上去應試。確有洞見癥結的可能。「望」是望病人的表面形色。「聞」是聽病人的口鼻呼吸。「問」是問病者起因和經過。「切」是按知血液循環之緩速。這四診的總論。早經本院第四屆畢業同學盧鴻志君。演述很詳細底載在畢業刊上。而我亦不必再來嚕囌。不過我想中醫固有的四診。在診斷上還不能算是有美皆備的一句話。遺漏的地方確也不少。最好採用日本的腹診法。西醫的打診法他如聽診筒體温表。我們亦不妨拿來作爲他山之助。來補充舊有之不足。我現在且引幾節腹診來參攷……………

據掘井對時說。「胸腹者五臟六腑之宮城。一身資養之根本。陰陽氣血之發源。外感內傷之所位。古來診法多矣。若欲知其臟腑如何。則莫如診其胸腹」

又高村良務說。「內傷亡病。腹部必有滯礙。腹者。臟腑之居。臟腑病則外訴來起。身亦不覺病。而腹既生滯礙矣。故善診腹者。診平人而可預知他日大病將起也。」

又白竹子說。「外感切脉可知。而內傷病非腹診不能知也。胸腹者病之本位。診之於此。察其厚薄虛實。則可知其一二年後之病。」看上三例就可知腹診的價值了。至如仲景氏書中如結胸與腹痛之虛實。動氣之所在。內癰之成否。積聚之診斷。臚脹之廓實。不無參用腹診之法。徒以後人懼煩而疏忽。由是略焉不詳。但縱有價值。還有缺憾的地方。可是不能盡臻美善。再用打診來助合。可以定其全身各部的氣性水性和固有性存在之處。又參勘了四診的對照。可謂是無美不臻的哩。至於說體温表。尤其能診斷病症的寒熱。人生的體温雖然可由血液循環之緩速而推定。但單用脉學來判斷。未免也有不妥當的。那時用體温表來測度。比更有準確的紀錄。臨診處方有自把握。但有上熱下寒。眞寒假熱的病證確。又不足爲憑也。當從各方面診察。方不致於誤事哩。

乙　病與症的認識

病。是具有數症的合稱辭。並且是一定而不變的。症。是局部分的單名詞。是無定而常變的。例如太陽的傷風。這就是說病。他的症狀是惡風。身熱自汗。頭項強痛。脉浮緩。這是他本有的主症。假如又患泄瀉。不寐。心煩躁。胸腹痞等。却是算他變有的副證。又如瘧疾。病他本有的主症是寒熱往來。口苦嗌乾。胸脇痞痛。嘔吐心煩。若兼有頭痛脹滿。咳逆便祕等症。這是瘧疾的副症了。如果說染瘧且又下痢腹痛者。每天便行十餘次而不暢。這也不是主症。亦不是副症。實是算了瘧痢的併合病喲。不但病與症有區別。症與症有主副之不同。簡直是病與病亦有分併之特異。類如這種的見證。眞正多得很。執着我這技禿筆。如何寫得盡病與症的分辨呢。不過借引了兩個例子。來作我們的比較觀吧！

丙 治療與藥物

醫生的目的就在治療。而治療的目的全基於藥物。這是普通醫生共所領晤。然而有種疾病治療不在藥物。且在自然療能。即使說在藥物。亦有時間之不同。日本和田啓十郎氏說「凡病有一定之經過。不服藥亦可致治。（方書所謂不藥爲中醫）雖是名醫不能使其病癒早於一定之經過。名醫唯能去其中途所生之障礙。保病者之安全耳。」看他上面的幾句話。豈不是說疾病有自然療癒的可能。醫藥祇能協助自然作用的後盾嗎？

又有寺田豐作說「昔時言病有四百種。（出於印度醫學）今則其數更多。實際所能用藥治癒之病。不過爲急性僂麻質斯（指風溼。）瘧疾。實夫的里（指白喉。）梅毒等。其他皆無特效藥。有謂藥能治療疾病者。大謬矣。」看他的幾句話。我例實在有些批評。不能找到病灶。用藥當然不能對證。或用藥的時間有謬。反致引起其他的作用。但有藥物的瞑眩作用。亦應該所知道的。我現在且談談治療與藥物。應有注意的三點……

1. 自然療能

東洞翁說。「發熱。嘔吐。下利。吐血。下血。乃至膿血等。皆身體之自然作用。可爲治病之助者。余輩切不可止遏之。若所用之藥方與自然作用相反。則不惟病毒留於體內。貽誤治期。重者致死。即幸而不斃。亦不能復爲本然之健康矣。」又歇撲克拉斯氏說「自然療能爲第一流醫家。」據這兩位先哲的說法。可以明瞭醫療的目的。在利用自然療能的天然妙用。卓有見地。實在說得透明。因爲人體內的細胞。每個都有獨活的生存。各種細胞支配到全身統一。成功了一個大主宰。如果有效于生活的則吸取。有害的則排除。所以營養繁殖的動機。都是細胞組織的功能。偶有外界的刺激。隨時起了反應抵禦的作用。在這個時候或是發熱。咯痰。嘔吐。下痢。膿潰。下血等的症狀。即所謂是前驅期。嗣後再轉至進行期。醫者用藥不能絕對阻止病行的趨勢。祇能援助細胞共同排除病毒。同時亦要和病家申說在先。方始免豁了病者的疑竇。又有肺癆病及貧血症的患者。全賴藥物來治癒。正是莫濟于事。

也非得自然的調攝和預防則病不瘳。下文（調攝和預防）比較有詳細地說白。

2. 治療的時期

內經分說。「因其輕而揚之。因其重而減之。因其衰而彰之。」這三句。明明是指定治療可分初中末的三期。「因其輕而揚之」是第一期。例如流行性的感冒。體內白血球內皮的細胞。呑食血中的微菌。是爲防禦病勢的蔓延。于是起了自然的代償作用。醫者用藥宜于揮發等物。取其輕而揚之（就是說扶助細胞互驅病毒。）「因其重而減之」是第二期到進行時了。因爲細胞與微菌牴觸。然而微菌力强且細胞力弱。敵不住病菌力的弛張。勢必擴充病勢。那時需得藥物作爲救濟。擬用承氣通便。或施五苓利尿。或以芩連消炎。或用石羔退熱。都是排除病毒減輕痛苦。「因其衰而彰之。」這是第三期的退行性了。病到了退行期。體內的細胞血數是精疲力倦。死傷了不曉幾千萬個。病人的精神當然衰弱不振。在這當兒急即增加白血球生長細胞的能力。藥如參。芪。桂。附。或是地芎歸朮等品。興奮中樞神經。一方面用飲食來滋養。始能恢復本原的健康。

又有和田啓十郎氏說。「疾病之既發者。初期雖用適當之治法。必仍增劇至於一定度。決不能阻遏之。（就是說病家的進行而期却又說自然作用）緩慢之病。變化徐徐。應變之手段亦當徐徐（這是說慢性的加答兒）急劇之病。變化迅速。應變之手段亦當急速（這是說急性的傳染病起于倉卒變亦迅速故治法亦須要急救）」這一段的說文確是也說得不錯。我們在臨床上不把病理的界限分淸如何能夠處方呢。

3. 藥物的瞑眩作用

尙書說。「若藥不瞑眩。厥疾則勿瘳」瞑眩者。藥物引起細胞强烈的反應作用。驅逐病菌體外的現象。不要誤會是中毒和中毒適成一個反比例。中毒症如服了過量的附子。感不覺痲木仁。走似螞蟻。又不服了過量的金鷄納霜。顯出頭顱空痛耳聾耳鳴等的貧血象。不但不能瘉病。更其是易於斃命。東洞翁早經講過中毒與眞正瞑眩的鑑別。眞正的瞑眩我來引證幾節……從前扁鵲治病。自己確知這病非用藥此治不是屢報無效。並雖是病毒不去。實才是還沒有感覺藥力的作用。如果一日感到藥力。立卽得了大瞑眩。從此大雲霧散天朗消淸疾病頓瘉。又得血洞翁治驗案說。「治一患腫物者。喘息煩渴小便不利。因予大靑龍湯。四十日許尙無效。其時有疑藥方之不當者。余曰。藥效不計遲速。只在中肯。余視此症無他藥可用。仍令服二十日。一日忽前症暴劇。

惡寒戰慄。汗出不可止。家內大亂。惟喪命之是恐。余曰生死固不可知。然藥不瞑眩。則病勿除。仍令服前方。果終夜大汗出。幾六七度。翌朝腫物減半。喘鳴亦治。小便快利。再十日許而後如常」。翁又說「醫生無定見者。常從患者之言。及症變言加減方藥。有定見者。不從患者不之言。雖發變症而知其爲藥劑之反應。非定症有變化。決爲易妄原方」。這幾句話眞是講得痛快。醫生往往有這種的弊病。每見症勢稍有變遷。恐怖起來。沒有定見就立刻改弦易轍。要曉得傷寒論裏小柴胡湯的戰汗。四逆湯的煩躁。半夏瀉心湯的大吐大瀉。桂枝茯苓丸的漏血。那時候的症勢更加增劇。傍人定須愴惶失措。其不知內部起了又應的佳象。病毒已經感覺藥物的效能。有驅出體外病癒的冀望。做醫生的理該與病家申說在前。並且亦要安慰病家。才不塊一個良知的名醫。

丁　煎藥的法度

煎藥。對於藥效。深有密切的關係。大凡一班的市醫。常有置棄不去講究。但由聽病家自去理。涉且病家那裏懂得法度。祇教撮藥回來。煎了即飲。比較有些常識的。尚有幾分的細心。可是這個問題事關重大。不得不提前討論。不但關於醫的信譽。不相當的關繫。即使對於患者的痛苦。勢有早痊的時兩。且容我分列四點。備檢於后……

1. 煎藥的器具及預備

煎藥最好採用外面瓦料裏面釉塗的一種罐器。比較任何陶器尤其良好。現今滬肆王元道的蒸溜煎藥器更爲盡美。如果沒有蒸溜器。將瓦釉罐洗滌清潔。把藥透進。加以適量的清水。外邊用燥布揩乾。再用潔淨的包藥白紙封固罐邊和罐嘴。藥氣使不致揮散。而後放在一架小巧的白炭爐上候煎。煎至若干時。慢慢地提起預備一隻清潔的玻璃盃。又用紗布的濾藥器置在盃口上。將藥徐徐濾出。使藥糟不致混入。濾出後仍用白紙封密盃口待飲。免得氣散塵入。飲後用溫性的白開火微微送下。

2. 水火的適合

古人有說。煎藥用水分了十餘種。這類的陳說在下覺得太是迂腐。事實方面恐無這種的揣想。不合於現代藥學之所爲。我意爲水無菌毒清淨可飲就是了。例如現在的自來水。山澗裏碧澄的溪潭水。和城市中私有無垢的井水。都可以煎用。不着分什麼陰陽水逆流水等等的混名。但是在鄉村裏的河水塘或水。倒是有些可怕。因爲有種無智的愚民。將死的狗。貓。鼠。以及各種的死物霉腐等品。一併掉在河塘裏。非但不能煎藥。就是平時作飲。必然產生種種的傳染病。這一點卽請衞生當局嚴厲地進行審查。煎藥的火候。也有分辨。譬如能表劑有麻黃湯。桂枝湯。銀翹散。桑菊飲等。煎時不宜多。微火沸幾次卽可提起。否則失去了牠的揮發性。是不得方哩。假如滋養料的藥物。那就不同了。因是取牠的液質。沸幾次決不能煎出藥汁。煎時宜長。微火慢慢地煑。水宜多加些。使藥不致焦涸。熟至一二小時或三四時。方許取飲。

3. 先煎與後入

凡是一種藥汁不易煎出的物品。必須先煎。例如蚧類有牡蠣。石决明。鱉甲。龜版等。礦物有磁石。龍齒。龍骨。紫石英。禹餘糧等。植物有乾地黃。何首烏。石斛。參附等。如含有毒素的藥物。生半夏。生烏頭。生南星。亦須先煎。可以殺制牠的毒素。假如芳香性的藥物。必須後入。保存牠的揮發性。例如桂枝。薄荷。佩蘭。藿香之類。多煎則散去藥物作用。

4. 特種藥物的處置

這一點可以分說九小點。(一)冲…砂仁。蔻仁。木香。玄明粉等。易於揮發。煎時且易於熔化。故須後冲。(二)另烊…凡膠類是一種液體的組織。牠的質地是粘膩透明。同時亦向下沉降。最易於罐底積焦。煎焦時並且倒不出來。所以最妥當是另烊。(三)另煎…各種的參類以及各種的石斛。價格高貴。藥質難以煎出。另煎較省而藥力尤足。(四)包煎…凡有細毛有石屑的物品。例如全福花。枇杷葉。海金沙。飛滑石等。都需包煎。可免毛屑誤入咽喉內和胃腸內。致發其他的變化。(五)磨…羚羊。犀角。玳瑁。琥珀。馬寶。猴棗等。其價特貴。而且牠的物質更不容易煎出。最好用粗碗的底。放了少許的溫開水。細細地磨。再冲入藥中和服。亦較經濟而藥效益佳。(六)絞冲…急性熱病津液乾枯。口必大渴的時候。非用鮮生地。鮮石斛。麥冬。荸薺。甘蔗。鮮藕。雅梨等。非絞汁取飲不可。(七)攪和…仲景之鷄子黃湯的雞子。先將雞子黃白一併攪和在碗內。取藥冲服。易於消化。亦不致障礙胃腸。(八)研化…假定有種顆粒過大的藥丸。或是硬如鐵石的藥丸。小兒必不能嚥化。那時用溫開水先開化藥丸。再用洗淨的手指去研碎。方可給服。(九)自加…大凡便宜而容易取得的引藥。如生姜。紅棗。葱頭。蓮子肉。桂圓肉。胡椒等。病家一概可以自加。但是切不可忘記加入。

戊　服藥的方法

徐靈胎氏說。「病之癒不癒不但方必中病。方雖中病。而服之不得其治。非特無益而反有害。此醫者不可不知也。」看這一段的文字。我們做醫生的尤感困難。雖是對症發藥。以爲是有把握。假使服藥不得法。無論你驗方良藥終免不了週折。病家不以爲藥不中肯。總歸咎醫生看得不適當。其實已經是負盡責任了。故而對于這一項必須有些補充。也可以給病家做一個顧問。保全自己的信譽。

1. 溫熱涼三性的適宜

溫：疾病汗腺分泌過多。體內白血球皮內生長細胞的能力勢必衰減。當時病人的精神萎弱不振。四肢逆冷。瞳神將快散（即所謂亡陽面色㿠白現出貧血的症狀。醫即擬四逆湯。或是眞武湯等等的興奮劑。是爲促進白血球內皮生長細胞的力量。恢復原有生活的機能（回陽救逆）那時服藥當宜于溫。不宜于熱。熱則恐又助汗腺之分泌。更不宜于冷。則不能達到藥力除病的目的。

熱：解表發汗劑。取其促進汗腺的分泌。例如麻黃湯，桂枝湯。大小青龍湯等。飲宜于熱（太熱則燙嘴。是非所宜。較爲普通引飲之熱可矣。）熱則能取汗。汗出病除。但是出汗不可以過多。過多則顯上列的反象。仲景氏早經有訓。

涼：凡遇眞性熱病（如白虎承氣症）多數是大渴喜飲。或是腹部硬痛。燥屎不下。便閉胃腸起了障礙。用藥大概是白虎湯承氣湯之類。熱藥涼飲的方法極有奇效。又有涼藥熱飲亦很有卓識。當視病情分別。指導病家。

2. 頓服與分服

頓服法：如肋膜間或胃部蓄有水毒。因致擴張。發現了似吐非吐泛漾的症狀。用瓜蒂散。稀涎散。去探吐。就須頓服。取其藥的雄峻。能使肋膜胃部起了收束排擠水毒。得吐則瘥。不吐再服。但不可多吐。多吐更損胃氣。

分服法：在傷寒論的書本上。有許多詳細地說明。想必諸君亦看讀過了。而作者亦不煩麻重提。

3. 丸散膏露的應用

常有患胃腸病。肺癆病。和水腫病的病人。積極飲服湯藥每不見效。改用丸散膏露的方法。反能治驗。時有所聞。略述如下。（丸）者取其功緩。緩則反能治癒。猶如腎氣不足有致閉小便。用腎氣丸能夠緩緩增進腎細胞的分泌力。腸燥病屢見便祕。用痲仁丸能濡動腸管之作用。胃擴張時用有嘔酸水。用理中丸能助胃部之吸收。脾臟腫大屢用鱉甲煎丸很有功效。因鱉甲煎丸能有推陳致新的作用。烏梅丸的殺虫。含有酸鹹的收濇素。不論任何蟲蛀。見了鹹酸素便卽收縮身軀。並且殺制牠的生存。虫由大便而出。（散）治水氣病極有意萬。水氣病的患者。體內的水分當然是過多。或是病後的餘水未盡。用湯藥似嫌水多。反不如施以（散）法的好。溫開水送服。手續簡便。藥力仍不失。仲景氏用牡蠣澤瀉散治「大病瘥後。從腰以下有水氣者主之」。又有局方之五香散和五皮散。皆有分治水氣的特效。（膏）是種藥汁和菓汁和冰糖熬成的一種滋養品。似乎患者的消閒物。味亦甜香。藥力也有。例如雪梨。枇杷。兩儀等膏。最宜于慢性的肺炎及各種的調理病。（露）是藥氣的蒸溜水。清香適口。如藿香。金銀花。夏枯艸。等的露。都有避暑消渴的功用。

4. 服藥的時間

西醫服藥定有時間。中醫服藥何嘗沒有時間。譬如說服補益劑。宜于早晨空腹服。因其胃腸空處潔淨。容易吸收。血液循環也有輸送藥汁的可解。倘是解表劑。則當宜于飯後服。使胃部有物抵抗。不致發生嘔逆。探吐劑亦須飯後服。能引激胃神經起強烈的反應。吐出宿垢。與奮劑白天服。安眠藥臨臥服。再有仲景氏說的桂枝湯。分服法。亦有時間性哩。

5. 特殊的服藥法

小兒服藥。多數是拒絕。因爲藥味的苦辛。往往仍是吐出。假使他的母親較有常識。是可以懂得服法。將小兒坐在大人的腿上。用着左手枕住他的頭顱。右手提匙。掐藥汁半匙許。一面彎轉左手。揑住他的鼻腔。就用匙中的藥汁灌下。自能慢慢地咽下。又有咽喉腫痛。嚥藥困苦。醫生也應該設用後嚥的方法。爲仲景氏的苦酒湯。半夏湯等。嘔吐的患者。亦不宜一次服下多量的藥汁。防他吐出。或素有胃病消化不良的人。亦用緩嚥法最爲妥貼。再有急性的傳染病。常有牙關緊閉的現象。那時服藥舊法中雖有用酸性物質擦口的方法。有時亦不能取效。不妨借使西醫的開口器。撐開患者的嘴。然後將藥汁灌下。頗爲穩當。

調攝的一節。關於各種的疾病在臨床上頗佔着一部分主要的地位。同時也可以預防意外不測的變端。無論病時病後都應該有相當的調攝和預防。而調攝的大旨。且分兩大類。

己 調攝和預防

1.…猶如激受外界的冷空氣之後。身必惡寒發熱。外界愈冷而體溫愈高。這也是上面所說過自然的反應。服藥之後宜保寒溫。即仲景氏說。「服桂枝後適寒溫。已須歠熱粥一升（約一小碗許）以助藥力。溫覆令一時許。徧身漐漐微有汗者益佳。不可令如水流漓。病必不除。」又說。「服麻黃湯。溫服八合。取微似汗。不須啜粥。餘如桂枝法將息。」看上文一須啜粥。一不需啜粥的兩者不同。就該領會病理與藥理的界限。諒想讀過仲景氏書的同志。胸中早有定見。可是說保寒溫與啜熱粥的調攝。豈是輕渺的事嗎。再有節慾和飲食的預防。亦很緊要。在臨床上必須與病家有鄭重的表示。

2.…中醫之所謂內傷的雜病。與西醫所說的貧血症。肺癆病。概是慢性的炎症。對照起來有什麼分別。至於說到治療。完全依仗藥力。祇能得十分之二三。可是說調攝反佔十分之七八的希望。最近丁福保先生著有一篇肺病之自然療法。講得非常的細密。在下讀了這一篇文章。感想到各種的雜病都應有自然的療法。如在新近發現貧血症的患者（雜病中的應損如吐血衄血下血及一切的失血）病情的起因。或是神經過敏。或是精神上受了挫折。或是受到外界的刺激。均能造成貧血症的起因。假使在發熱的時候。第一點遵守安靜。即應靜臥病榻。嚴厲的不准會晤親友。更不能和家人作時常談話。須待熱度降下。稍給談話的時間。否則熱度增劇。病勢加進哩。第二是精神療法。安慰患者的痛苦。解除他的煩腦。引古證今的勸勗他。能使患者得了精神上的愉快。不知不覺而忘記了自己的疾病。第三是食餌療法。需用一種含有鐵質素的食物。或有營養的脂肪料。易於消化血的如雞卵。雞肉汁。牛乳。牛肉汁。和新鮮的蔬菜類。）都可供給病人吃。第四是空氣療法。在清曉的早晨。吸取新鮮的空氣。有時常作深呼吸的運動。全身組織得到濡動的調劑。

又若肺癆病的療養。最注重的就在空氣。因為肺臟的生活。全賴于養氣所生存。患肺炎的人。多半是炭氣過多。障礙呼吸氣管。在古代的中國人民。患肺癆病死去冤魂。不知有幾千萬人。那時候反說冷空氣有害肺部。于是將病室的窗戶，關閉得風影無隙。竟是建築了一個肺病死者的塜穸。多麼地慘恨。據丁先生的報告說。在外國的肺病療養院。病室內的窗戶。日夜大開。令患者能日夜暢受屋外新鮮的空氣。有時天晴。將患者連同病榻。一併移往屋外。長日臥于四面無壁的亭子中去。又使他呼吸爽達。一方面仍用上文所說的安靜。精神。食餌的三法。來援助他的不足。雖是貧血症和肺癆病途徑兩路。調攝與預防的方法。總是大同而小異。就是雜病病後的調攝。亦何常不是這樣呢。

結論

當今中西潮流激盪的時候。彼挾其物質與機械的眩耀。不論他對於治病的途徑。是否適合。在喜新厭舊的人們的視綫之下自屬相形見絀。可是我們有許多頑舊的同事。還是抱着我行我素的態度。沒有進取的思想。不知現在的潮流不論任何事業。都是物競天擇。非但是在藝術的精神上優者勝而劣者敗。即使在形式上亦是這樣。我們中國醫學的技術精神上的優點。世界各國都承認的。各種藥物治療的效能。在初起以為是樹皮艸根沒有功用的。如麻黃當歸。防已。鹿茸。人參之類。）經過了幾番化學的實驗。方以為發明的神奇。現在世界各國的學者。對于中國的學說。加以努力不斷的研究。而我們中醫界的自身。反為自封故步。任何一種的學術不進則退。將來的將來。他們只是日新月異的攢進，我們一樣一樣的淘汰。到那時還有我們立足的餘地嗎。推想到這兒。眞令人不寒而慄。以上幾點形式上的小整理。有的也早經許多人講過。算不了什麼貢獻。更說不到什麼心得。可是對於整個醫學技術上整理。還希望我們的同志快趕地埋頭奮進。不要等候別人來替我們發揚固有的技術。反用以作摧殘我們的計劃，讓我們自己起來肩負新興的責任。苦幹一些實際需要的工作。重建我們中國固有的醫學。以推行到全世界廣播寰宇這纔是同志們所負的新興使命啊。

批 能注意人所不注意者 文芳

論癇厥與癲狂之證治

謝　瑜

夫癲狂癇三症。似同而實異。世之患此病者殊夥。而對於研究斯病者却鮮。且社會上視癲狂爲痴人而不之顧。目癇厥爲不可治而未之醫。然癲狂癇之病。豈眞無治法耶。我以爲凡病之生。必有其因。書所謂三因者是也。內經云『治病必求其本』可見治病必須探得病原而後可以按症施治。則癲狂癇之三病。當亦不能例外。瑜今不自揣其譾陋。參究各家之學說。爰草斯篇以資研究。尙望海內同志有以敎之也。

夫癇厥之病。與狂不同。而與癲相似。其病類多由積憂積鬱而起。當責之心脾包絡，蓋因氣鬱痰迷膻中。失於宣發之用。於是神識爲之蒙混。且此病或因驚恐而得。或由飲食不節而成。或受驚於母腹之中。故病起於有生之初。臟氣有偏。失於調治。一觸積痰厥氣。內風忽然暴發。莫能禁止。故發時猝然暈仆無知。口眼牽掣。腰背反張。手足抽搐。口角流涎。形殭有如死厥。必待其氣返而後已。是以患此者，往往於談笑自若之際。可以猝然而仆。余曾親見有忽倒於河中及火邊者。故其行動實爲危險也。嘗讀內經云。『二陰急。爲癇厥。』蓋謂少陰氣逆於經而上行。則喉塞音瘖。而癇發矣。症由心腎虛怯。肝風胆火倏逆。痰涎上壅心胞。經脉爲之閉阻。此病幼小爲多。大人亦有之。經久失治。遂成痼疾。一觸厥氣。鼓動風涎。升逆莫遏。痰在膈間則眩微不仆。痰溢膈上則眩甚而倒。必待其氣反。吐出驚涎宿沫而後甦。若元氣虛甚者。往往屢發不已。因其忽作忽止。病有間斷。故曰癇。卽俗名羊癲風是也。且夫癇病之發。有作五畜之聲。乃定五臟之病。茲列表以明之。

癇病之五畜聲

- 心臟病……則爲馬鳴
- 肝臟病……有如羊嘶
- 脾臟病……一若牛吼
- 肺臟病……則如犬吠
- 腎臟病……乃同猪呌

五癇病之見證

馬癇……搖頭張口應心
羊癇……揚目吐舌應肝
牛癇……直視腹脹應脾
犬癇……搖頭反折應肺
猪癇……吐沫應腎

夫癇病以五畜之聲而定五臟之病。此說我以爲未可盡信也。蓋癇病原由於心脾包絡。肝風隨痰涎而動。然腎氣能充。陰精不耗。肝風何能內動耶。若肝風上升。則肺氣失於肅降。又可知矣。故癇厥之病。臟氣有偏。原非一朝一夕而成。惟欲以畜聲辨症。則未免附會矣。

至於癇厥之治法。雖有五癇之分。然其主因。不外火與痰耳。通治以定癇丸（天麻川貝胆星半夏陳皮茯苓茯神丹參菖蒲麥冬遠志全蠍僵蠶琥珀辰砂竹瀝薑汁糊丸）主之。或人參琥珀丸（人參琥珀茯神遠志菖蒲乳香棗仁硃砂）主之。愈後必斷其根。宜用河車丸（紫河車人參茯神茯苓遠志丹參煉蜜爲丸）補其元氣。否則必有復發之慮。昔丹溪治癇。主痰與熱。故以星半芩連爲主。熱多者涼膈散（連翹大黃芒硝甘草梔子黃芩薄荷爲末每服三錢加竹葉生姜蜜煎）加川連麥冬以泄之。痰多者三聖散（防風藜蘆甜瓜蒂）吐之。如驚者。東垣安神丸（當歸地黃芍藥川芎陳皮貝母連翹甘草茯神麥冬遠志棗仁蜜丸辰砂爲衣）平之。此治癇厥之大法也。

癇厥之病。既如上述。今當論癲狂之證治矣。或曰。癲狂二症。其將何以別之。夫狂者喜動不喜靜。其罵詈不避親疎。手足却躁擾有力。善悲恐。或大怒。多忘少臥。飢飽不知。自高自尊。日夜詈罵。或狂歌而歡樂。輒妄行而無度。甚者登高而呼。棄衣而走，踰牆上屋。人不能禁。癲者喜靜而不喜動。時歌時笑。或悲或泣。若醉若痴。語言無序。常默默不欲飲食，忽斷斷而多言。語如見鬼。精神恍惚。穢潔不知。問之不對。或答非所問。斯病往往經年累月而不愈。此狂癲見症之不同也。

經云。『重陽者狂。重陰者癲。』何謂重陽。即其人素爲陽體。木火之質。其性善怒。兼以多食膏粱厚味。化爲痰火。兩陽相搏。心火旺極。或因七情過度。五志之火內燔。煎熬成痰。痰濁阻於陽明胃絡。上通於心。心包爲痰濁蒙閉。以致神經昏亂。失其常態。猖狂剛暴。故發爲狂。當責之心胃二經。至於重陰者。卽其人素爲陰體。精血不充。其性多憂善鬱。侘傺無聊。兼以事不如願。痰氣鬱結。陰氣內閉。陽氣不伸。心火失宣。肺氣幷結。肝不條達。有狂之意。而不如狂之甚。故發於癲。當責之心肝二經，此狂癲二症病因所起之不同也。

夫狂癲二症之病因證狀。旣有不同。故其療法亦各異。治狂者。倘察其上焦實。則從高抑之。宜生鉄落飲（生鉄落 八兩 石膏 三兩 龍齒茯神防風 各半兩 元參秦艽各一兩 煎成入竹瀝一杯服）之方。若係痰火在上者。可宗經旨所謂在高者因而越之。用三聖散（方見上）涌吐之立安。如因痰擾心胞者。可用鬱金丸。（鬱金硃砂白礬）此治陽狂之主方也。

至治陰癲之法。若因氣怯而神虛者。宜歸神丹（硃砂 二兩 入猪心血酒蒸研人參棗仁茯神當歸 各二兩 西琥珀薑炒遠志龍齒 各一兩 金箔銀箔 各二十張 爲衣酒糊丸麥冬湯下丸）加之。倘因痰迷心竅者。須金箔鎭心丸。（胆星 一兩 天竺黃琥珀硃砂 各五錢 牛黃雄黃珍珠 各二錢 麝香 五分 蜜丸金箔爲衣）若陰虧而暈仆者。可用滋陰安神湯。（地黃芍藥當歸川芎人參白朮茯神南星遠志 各一錢 棗仁甘草 各五分 黃連 四分）或用安神法。如琥珀散（人參琥珀遠志茯神棗仁硃砂菖蒲乳香）等。均可擇用。此乃狂癲二症之治法也。

夫狂癲癇三病之證治。雖已略如上述。但尙有未盡之意。容再申論之。按狂病最大之原因。多由於痰火。因其火氣之上亢。故處方必以大苦大寒之劑以瀉之降之也。試觀其狂亂猖獗。凶勢莫遏。小溲短赤。大便不通。脘腹亦必脹悶。是爲痰火內結之候。若當歸蘆薈丸（當歸蘆薈龍胆草梔子仁黃柏黃連黃芩大黃青黛木香麝香等味神粬糊丸）者。亦可適用。蓋此方重用苦寒。瀉其熱結。又如礞石滾痰丸等通腑豁痰。亦釜底抽薪之一法。倘得火平。則狂病可不治而自愈矣。至於癲癇之因。多由痰氣。蓋氣有所逆。痰有所滯。均能壅閉經絡。蒙塞心靈。故發則猝然旋暈而僵仆。目睛上視。口眼相引。腰脊強直。或則手足搐搦。約食頃則氣返而醒。因其痰氣之倏逆倏順。故其病亦忽發忽已也。由此可見癲癇之或病或已。全在痰氣之順逆所致。故治此者。必須察痰察氣。因其順者而先治之可矣。非若狂病之勢如燎原。故苦寒之劑所不宜進也。但有痰氣鬱久而生熱者。亦當審其脉證而酌奪用之耳。

予曾診得一人，每於工作之際。或在行路之中。忽覺頭暈。卽不能自主而仆。但無五畜之聲。亦無涎沫之流。察其象。一若昏睡然者。頃刻乃醒。起坐操作。一如常人。據云病起已有數年之久。月必二三發。或五六次。若此者旣非陰癲。亦非陽狂。雖然略似癇厥。但與五癇亦不相同。觀其體甚淸癯。不若體肥痰盛者。但聞平昔喜食花生及肥肉之類。或亦生痰之一大原因。偶因氣逆。痰隨上升。於是頭眩而仆。俄則氣平痰降而甦。此豈與癇病之倏發倏已者相同乎。

有因氣鬱胸悶。忽然不知人事而脉象沉伏者。可先用蘇合香丸芳香理氣。開其心竅。待其神醒脉起。可繼投茯苓丸。（茯苓茯神硃砂人參遠志鉄粉石菖蒲胆星半夏粬）以化其痰。方中用鉄粉一味者。取其質重能墜痰涎而鎮魂魄。亦宗內經生鉄落飲之意也。

更有癲癇時發。心竅因被痰涎積涸已久而閉塞者。可常服磁硃丸。（磁石硃砂六神粬）丹礬丸。（黃丹白礬）白金丸。（白礬鬱金）等藥。其功能入心包絡導其痰涎從大便而瀉出。此丸配製旣便。服後亦無副作用。故不妨久服。必得奇効也。

夫癲狂癇三病之證治。已略如上述。卽列舉之方。亦屬先賢驗劑。但用之有效有不效者何耶。或乃未得其根源。而混統主治乎。今我人於治療癲狂癇病之先。尤須注意者。宜着重於肝經方面。蓋斯病之起。總不外厥陰肝經風木之煽動。厥陰之氣一旦上逆。則諸氣亦必隨之而均逆。氣旣逆于中。則脾胃輸佈津液之機能必發生阻碍。因是聚液成痰。痰隨氣逆。心包被蒙。則爲昏厥矣。故探本之圖。當以治肝爲第一要義也。古方有酸甘收斂之法。以制肝木之橫逆者。又有辛散之劑以解肝氣之鬱塞者。書云。或逆其勢而折之。或從其症而治之。必於其所不足者已之。有餘者瀉之。此卽治病必求其本之旨。固不僅治癲狂癇病爲然也。但若治肝而無效。倘有返而求之於脾胃一法。蓋脾胃爲後天生化之源。倘得中氣健運。則諸病自可奏效。故內經又有調其中氣使之和平之言。是可爲吾人之明訓。當奉爲金科玉律也。若夫病之久治而無效者。均可治其中氣。此固非特爲療治狂癲癇病三種之最後良法。卽他症亦莫不如此也。然乎否乎。質之高明。

批　區別簡明立論尤具識見　文芳

腫脹病的探討

魯六華

近來社會上一般人們。不論懂醫的。或不懂醫的。一遇脹病。談虎色變。誰都看了害怕。因爲脹病糾纏難痊。而且牠的豫後往往不良。這恐怕不但中醫碰着牠會皺眉頭。就是日以科學相炫耀的西醫。也沒有根治的方法哩。

究竟腫脹是不是不治的壞病呢。予敢斷定說否。不然。爲什麼呢。蓋腫與脹是兩種病。腫是膚腠壅滯。脹是脉絡阻塞。腫易治。脹難愈。而且脹病之釀成。往往因爲腫病治不得法。竄入脈絡所致。所以腫與脹雖說是兩種病。實在有因果相互的關係存在着。而病家見了四肢浮腫目如臥蠶的腫病。害怕萬分。那腹大如箕的單腹脹。反漠然置之。顛倒錯視、咲眞誤盡不少蒼生啊。

腫病多屬水。脹病多屬氣。雖似言之成理。其實也不盡然。內經說「五臟六腑無不有之。」脈要論曰「胃脈實氣有餘則脹。」病形篇曰。「胃病者腹腫脹。胃脘當心而痛。」本神篇曰。「脾氣實則腹脹。經溲不利。」應象論曰「濁氣在上則生䐜脹。」這都是實的脹病。太陰陽明論曰「飲食起居失節。入五臟則腹滿閉塞。」師傅篇曰。「足太陰之別公孫虛鼓脹。」這都是虛的脹病。經脈篇曰。「胃中塞則脹滿。」方宜論曰。「臟多生滿。」病風論曰。「氣隔塞不通則善脹。失衣則䐜脹。」這是因於寒的脹病。陰陽別論曰。「二陰一陽發病善脹心滿。」診要經終篇曰。「手少陰終者腹脹閉。足太陰終者腹脹閉。」這是因於心脾受傷的脹病。此外如六元正紀至眞大要等論云「太陰所至爲跗腫及土鬱之發太陰之初氣大陰之勝復」都是濕勝的腫脹。或曰「水運太過。寒勝則浮。」或曰「太陰司天。太陽勝復」都是寒勝的腫脹。或曰少陰司天。少陰勝復。少陽司天。少陽勝復。熱勝則腫。都是火勝的腫脹。或曰厥陰司天在泉。厥陰之復。或曰陽明之復。都是水泛侮脾。及肺氣反勝的腫脹。這樣看來。不特五臟六腑而已。就是五運六氣。也統有致腫脹的可能。醫者必審其所因。對症施治。那有不日漸輕可的道理。奈今之醫者。非五苓化濕五皮利水。即大耗大破攻下兼施。輕者變重。重者致危。治病而不求其本。自不能藥到病除了。

治腫注重利水。治脹當運其氣。這似乎是腫脹的不二法門。但是陰陽虛實。不可不辨。大概陽證多熱。熱者必實。陰證必寒。寒者多虛。先脹於內而後及於外者多實。先腫于外而後及於裏者多虛。小便黃赤大便祕結者多實。小便清白大便溏泄者多虛。脈滑數有力者多實。弦浮微細者多虛。形色紅黃氣息長者多實。容顏憔悴聲音短促者多虛。大凡實證必是六淫有餘傷其外。飲食怒氣傷其內。以致氣逆不行。三宜壅閉。其病多在氣分。無處不到。所以不分部位。而多通身浮腫或氣實於中。又爲單腹脹。急陽邪急速。其至必暴。每成于數日之間。像這種病。惟年少質壯者多有之。但破其結氣。利其壅滯。病無不愈。這是實脹的治法。若是虛症。必以五志積勞。酒色過度。傷其脾腎。日積月累。往往成于數月之後。像這種病。中年以外的人多患此。他的形證脈氣。必有很虛寒的證候顯現於外。所以腫脹一症。治實恆易。理虛頗難。虛實攻補之間。最宜消息。不然的話。虛虛實實。大命隨傾。豈可以把幾張成方而治一切腫脹病呢。會卿之說。最合我心。

「黃帝曰。夫氣之令人脹也。在于血脈之中耶。藏府之內乎。岐伯曰。二者皆存焉。然非脹之舍也。黃帝曰。願聞脹之舍。岐伯曰。夫脹者。皆在于臟腑之外。排藏府而郭胸脇。脹皮膚。故命曰脹。黃帝曰。藏府之在胸脇腹裏之內也。若匣匱之藏禁器也。各有次舍。異名而同處一城之中。其氣各異。願聞其故。岐伯曰。夫胸腹藏府之郭也。膻中者心主之宮城也。胃者太倉也。咽喉小腸者傳送也。胃之五竅者。閭里門戶也。廉泉玉英者。津液之道也。故五藏六府者。各有畔界。其病各有形狀。營氣循脈。衞氣逆爲脈脹。衞氣並脈循分爲膚脹。三里而寫。近者一下。遠者三下。無問虛實。工在疾寫。」這段經文。是當時君臣研討脹之命名。以及怎樣致脹的病理。奈輓近醫生。碰著脹病。理氣利水。莽投不已。吃了許多藥。仍舊沒有效驗。輒以千古難治之證。原不能必其全愈。聊以自解。那曉得同一脹病。而有五藏六府五運六氣之不同。既如上文所述。自宜詳察病灶所在。施以對症治療。有不一劑知二劑已者。癒然而這一步工夫。非得仔細研讀經文不可。否則腫病利水。脹病運氣。其處方用藥。並不能說是差誤。不過未能擊退病魔罷了。經曰。「夫心脹者。煩心。短氣。臥不安。肺脹者。虛滿而喘咳。肝脹者。脇下滿而痛引小腹。脾脹者。善噦。四肢煩。體重不能勝衣。臥不安。腎脹者。腹滿引背央央然。腰髀痛。胃脹者。腹滿。胃脘痛。鼻聞焦臭。妨與食。大便難。大腸脹者。腸鳴而痛濯濯。冬日重感于寒。則飧泄不化。小腸脹者。少腹䐜脹。引腰而痛。膀胱脹者。小腹滿而氣癃。三焦脹者。氣滿于皮膚中。輕輕然而不堅。胆脹者。脇下痛脹。口中苦。善太息。」醫者苟能于診治脹病的時候。細審牠的現症。自必能夠灼知病之發於何藏何府。虛者補之。實者瀉之。不以籠統疲藥治原因複雜的脹病。覆杯而愈。我敢說一定可操左劵。茲更論水臟與氣臟之證因脈治。

水臟與氣臟原係兩證。其腫脹處按之成凹。不能隨手起者。是水臟、按之成凹。而能隨手起者。是氣臟。水臟當利其水。氣臟當利其氣。差不多統知道的。然而治水臟容易奏效。治氣臟難于見功。又是什麼道理呢。因爲水臟不必鬱氣。但治其水。病即可愈。氣臟必兼瘀血。單治其氣。瘀血積滯不行。脹病依舊如故。近賢張錫純說。「內經謂諸濕腫滿皆屬于脾。誠以脾也者與胃相連。以脾能代胃行其津液。且地居中焦。更能爲四旁宣其氣化者也。王勳臣謂其中有玲瓏管。西人謂其中多迴血管。究之脾之爲體。乃通體玲瓏。爲千萬顆玉粒結成。易透氣化。猶沙磧之地。善于滲漉也。有時因思慮過度。或忿怒過甚。致傷其脾。而其體之本玲瓏者。寖至變爲瘀滯。其所瘀者。係迴血管之血液凝結。成絲成塊。以致脾失其職。氣化湮瘀。清不能升。濁不能降。而臌脹作矣。是以治此證者。當以消脾中瘀滯。爲第一要著」。張氏這一番議論。可謂獨具隻眼。後之醫者當知治氣臟於利氣之中。必兼通瘀矣。

此外又有一種血臟脹者。尤爲難治。其形狀與水臟脹幾無以辨。所可辨者。就是周身廻血管之紫紋外現而已。論此症致病之由。張錫純謂「或因努力過甚。激動血氣。或因暴怒動氣。血隨氣升。以致血不歸經。而又未即吐出瀉出。遂留於臟腑。阻塞經絡。周身之氣化因之不通。三焦之飲水因之不行。所以血臟之症。初起即兼水臟氣臟也。迨至瘀血漸積漸滿。周身之管血皆爲瘀血充塞。其迴血管較血脈管膚淺易見。遂呈紫色。且由迴血管而細紋旁達。初則兩三處。寖至徧身皆是。此證若於迴血管紫色初見時。其身體或猶可支持。宜先用金匱下瘀血湯。加野台參數錢下之。其腹中之瘀血下後。可再用藥消其血管中之瘀血。而輔以利水理氣之品。調治期月。庶可奏效。若至徧身迴血管多現紫色。病候至此。其身體必羸弱已甚。即投以下瘀血湯。恐瘀血下後。其身體轉不能支持。若但服化瘀血通經絡兼利水理氣之品。歷程二月。庶亦可愈」。足見水停氣滯。連帶血也瘀積。下瘀方中必加扶氣藥者。所以維護元氣。使逐瘀藥格外奏着顯著的效驗。

査世傳治脹病諸方。其法都是悍毒急攻。耗損眞元。虧傷脾胃。可一而不可再。即使能夠取效一時。倘再腹腫。竟沒有別的法子可以療救了。而且遍身俱腫。五藏六府各有現證。所以瀉肝瀉肺瀉膀胱大小腸之藥。間或有取效的時候。惟單單腹脹。因爲中州之地。久窒其四運之軸。清者不升。濁者不降。互相結聚。牢不可破。實因脾氣衰微所致。一切瀉脾的藥品。尚敢亂用麼。不過現在一般病家。如見脹病而用補藥。他們必定驚駭萬分。誰肯服你的藥呢。他們牢牢地記著腫脹不外乎氣與濕二種原因。濕是呆邪。愈補愈滯。氣貴流利。補則窒碍。他們抱定了這種見解。自然視補劑似蛇蝎了。此近世脹病所以多不治者。其原因就在此啊。

余近治一劉姓婦。年四十餘。患脹病。延久不瘥。邀予往診。據她說病已經年。前曾由草藥醫生用攻下藥數次。便瀉不瘥。以致近來四肢浮腫。按之有凹。浮急便沫。咳嗆白涎。口淡無味。小溲短少。胃納不健。按脈濡滯。舌白。我說此病初由脾虛不能化濕。濕滯化腫。綿延成脹。迭經攻下。脾氣愈陷。補弱。濕邪越結越多。法宜扶脾舉陷。化濕利溺。病家聽了似乎有些狐疑。說扶脾必用補藥。恐怕與脹病不宜。我說此病若不扶脾。即使利濕的藥效如何偉大。恐怕沒有效驗。而且有增病致死的危險。因爲濕是呆邪。倘若脾欠健全。不能去運化滲漉牠。一味淡滲利溺。必至脾氣愈傷。不可救藥。遂用枳朮丸。浙茯苓。陳皮。附片。半夏。椒目。荷叶拌炒穀芽。生苡仁。大南棗等出入爲治。約二十劑。腫退脹消。調理而安。

啓峻湯治下氣虛乏。中焦氣壅之脹病。而用人參。黃芪。當歸。白朮。倘執脹無補法之說。那不是矛盾了嗎。但啓峻湯峻補其下。疏啓其中。所以氣得峻補則上行。而啓其中。中焦運行。壅滯疏通。中滿自消。下虛自實。就是內經所謂塞因塞用的法子。一知半解者動輒掣肘。此近世醫術之所以日漸晦澀也。唉。

膚淺的西醫。他們知道些什麼。見病人身腫溺閉。不論腫脹之病因怎樣。一以利溺爲不二法門。往往小便撤盡。性命隨之俱去者。所見甚多。猶憶民國八九年間。父執沈君嗜酒患脹。脾虛作泄。性極急躁。但求速愈。請西醫用器械放水。放後頓覺釋然。不一星期脹如故。正在續行放水的時候。病人氣息僅屬。撒手長逝了。醫師還說此病非死於放水。實由心藏衰弱所致。然則心藏怎樣爲衰弱呢。豈不是姿意放水所造成的麽。這猶注射強心針。往往不能維持心臟之搏動一樣。並不是我黨同伐異。實在他們所見者淺啊。

總而言之。內經說諸濕腫滿。皆屬于脾。又說其本在腎。其末在肺。皆積水也。腎何以爲聚水。因腎者胃之關。關門不利。所以聚水而從其類。這樣可見腫脹無不與肺脾腎相關。以肺主氣化。主脾運輸。腎主藏液也。而且脹不必兼腫。腫則或兼脹也。有腫與脹並至的病。在水分以治水爲主。而兼理氣。氣能化水也化了。病在氣分。以理氣爲主。而兼利水。水能行。氣也行了。但其間虛實必辨。不得有一些模糊。凡陽證必熱。熱者多實。陰證必寒。寒者多虛。溺赤便祕。脈數有力爲實。溺清便瀉。脈微無力爲虛。實者六淫外感。飲食內傷。忽然浮腫。其來必速。虛者情志操勞。酒色過度。病後氣虛。其腫漸至。必先知道這虛實寒熱的道理。而後攻補溫涼的治法進退緩急的程序。始有把握。不致爲病所窘了。質之高明。以爲何如。

批　將腫脹二症鳌然劃分。庶其治法有絲絲入扣之妙　文芳

血症概論

顧琇

1. 總論

宇宙間萬物生成之道。惟陰與陽。非陽無以生。生者神其化也。非陰無以成。成者立其形也。人身中之陰陽。即是氣血。陽主氣。氣全則神旺。陰主血。血盛則形強。故人之所以有此形者。全賴此血也。然血本陰精不宜動也。動則爲病。蓋動者多由於火。火逼血而妄行矣。上逆則見於七竅。而爲吐血衄血。流注於下。則出於二陰而爲便血溺血矣。

2. 吐血

經云。榮血者水穀之精氣也。調和於五臟。灑陳於六腑。乃能入於脈也。源源而來。生化於脾。總統於心。受臟於肝。宣佈於肺。施泄於腎。灌溉於一身。故平人之血暢行經絡。散於脈外。充逮肌膚。流通無滯。是謂循經。謂循其經常之道也。一旦爲外邪鬱迫。不循其常而溢出於腸胃之間。則隨氣而上逆。於是由口中吐出。蓋血之出入升降濡潤宣通。均由氣所使然者也。故氣即無形之血。血即有形之氣。血之與氣。其名雖異。其類則同。人之一身。氣血不能相離。氣中有血。血中有氣。氣血相依。循環不息。以行新陳代謝之功。苟起居不節。七情過度。以及勞倦色慾飲食等傷。皆足以動火損氣。火動則血熱妄行。氣損則血無所附。於是氣血失其經常之道。或由背脊走入膈間。由膈溢入胃中。甚者傾盆盈碗。惟不若嘔血之漉漉有聲也。故凡吐血者。必有胸背疼痛之現象。是血由脊背而來。氣迫之行。不得其和故也。蓋氣爲血之帥。血隨氣而運行。血爲氣之守。氣得血而靜謐。氣結則血瘀。氣虛則血脫。氣迫則血走。又或由兩脇肋走油膜入小腸。重則潮鳴有聲。逆入於胃以致吐出。故凡失血之人。復多腰脇疼痛之證。此二者之來源既不同。則治法自亦各異。前者以治肺爲主。後者以治肝爲主。蓋肺爲華蓋。其位在背與胸膈之間。血既由其處溢出。自當治肺爲是。肝之位在脇下。爲統血之藏。故血從其地而來者。又當以治肝爲是也。治肺宜人參瀉肺湯。治肝宜佛手散及逍遙散。然肺肝二藏。雖係血之來路。而其吐出。實則胃主之也。凡人吐痰吐食。皆胃之咎。今血雖非胃所主。然同屬吐證。安得不責之於胃耶。況血之歸宿在於血海。衝爲血海。其脈麗於陽明。未有衝氣不逆上而血逆上者也。仲景治血。以治衝爲要。衝脈麗於陽明。故治陽明者即治衝也。陽明爲多氣多血之經。其氣以下行爲順。今乃上逆而吐。係失其下行之令矣。治宜清理胃氣以安其血。不可驟止。止則敗血留積爲瘀血之根。致不時而舉發。故吐血一症。治有三法。（一）宜降氣不宜降火。因氣有餘便是火。氣降則火亦降。火降則氣自不上升矣。血降氣行。則無溢出上竅之患矣。若先降火。必用寒涼之劑。反傷胃氣。胃氣傷則脾不能統血。血愈不歸經矣。（二）宜行血不宜止血。血之所以不循經絡者。氣逆上壅所使然也。故降氣行血。則血循經絡。不求其止而自止矣。若用硬止之劑。血必凝結不散。血凝於內。必增發熱惡食及胸脇疼痛等證。病日沉重矣。故止血一法。非所宜也。（三）宜補肝不宜伐肝。肝爲將軍之官。主藏血。吐血者肝失其職也。養肝則肝氣平而血有所歸。若使伐之。則肝虛不能藏血。血愈不止矣。此三法者。乃治吐血之要訣也。雖其病因複雜。兼證繁夥。各經各症。治法不一。然能以此三法爲主。復視證之虛實寒熱表裏。而酌加溫涼攻補之藥。則治吐血一症。必無一失矣。

3·衄血

經云。陽絡傷則血外溢。血外溢則衄血。按此證有眼衄耳衄鼻衄齒衄舌衄乳衄膕衄肌衄等之分。但除鼻衄外。其他皆不常見。故今人多以衄血爲鼻出血之專稱。夫鼻者爲肺藏所開之竅也。內通於肺以司呼吸。乃清虛之道。與天地相通之門戶也。宜通不宜塞。宜息不宜喘。宜出氣不宜出血者也。然血何爲由鼻孔而出哉。以太陽之脈起於目內眥上額交巔。陽明之脈起於鼻交頞中旁。二陽之經脈。互相貫通。設二陽之絡或有所傷。則軀殼之外肌肉皮膚脉絡之血。必不能安於脉中而妄行矣。陽從外出。勢必血從陽分循經而上。則干清道由鼻孔外出而爲衄矣。所謂陽絡者。即太陽陽明之絡脉也。蓋太陽之脉行於背。陽明之脉行於胸。統主人身軀殼之外。故凡陽絡之血傷於太陽者。由背上循經脈至鼻爲衄。傷於陽明者。則由胸而上。循經至鼻爲衄。因一則主開。一則主闔。故其證治亦各異也。太陽主開。春夏兩季爲陽氣開發之期。若一鬱閉。則邪氣上壅而爲衄。其證鼻塞頭痛寒熱昏憒。或由風溫暑疫攻發而動。或由素有鬱熱。應春夏開發之令而動。故太陽之熱。有不得發越於外者。必逼而爲鼻衄也。皮毛爲肺之合。太陽之氣外主皮毛。內合於肺。鼻又爲肺之竅。凡治太陽之衄者。當以治肺爲主。觀傷寒論中治太陽。用麻杏理肺。則可知治肺卽治太陽矣。法當清瀉肺火。疎利肺氣。肺氣清則太陽之氣自清。而衄無由作矣。陽明主闔。秋冬之陰氣本應收斂。若有燥火傷其脉絡。熱氣浮越。失其主閫之令。則必逼血上行。循經脈而出於鼻。其證發熱口渴。氣喘鼻塞孔乾目眩。其原或由酒火。或由六氣之感。然總是陽明燥氣合邪而致者。蓋陽明經之本氣原燥。病入此經。無不亦化而爲燥矣。故其治法。總以平陽氣爲主。統觀上述二經之證治雖異。然鼻總係肺開之竅。血總係肝經所藏。故今且不問春夏。不分秋冬。凡治鼻衄。總宜調治肝肺爲主。蓋肝主血。肺主氣。治血者必先調氣。舍肝肺而何所從事哉。又治衄切忌發汗。仲景已有明禁。如傷寒論中第八十七條衄家不可發汗。汗則額陷是也。爲醫者不可不慎也。

4.洩血

洩血者血從前陰出。或與溲溺並下。或純爲血液者是也。按前陰有二竅。一爲水竅。一爲血室之血。而血室又與膀胱幷域而居。素問氣厥論云。胞移熱於膀胱。則癃溺血。其致病之由。則有內外二因。外因者。乃太陽陽明傳經之熱。結於下焦。其證身有寒熱。口渴腹脹。小便不利。溺血疼痛。宜仲景桃核承氣湯治之。小柴胡湯加桃仁丹皮牛膝亦治之。內因中又有心經遺熱。肝經遺熱。腎陰虧損肺氣虛等四種。（一）心經遺熱於小腸者。證見虛煩不眠。口渴脣紅。咽乾作痛。或昏睡不醒。或怔忡懊憹。治宜導赤散加黑山梔連翹丹皮牛膝主之。（二）肝經遺熱於血室者。則有脇肋刺痛。少腹脹滿。口苦耳聾。脈象弦數。或寒熱往來等證。宜以龍胆瀉肝湯加玉金桃仁丹皮牛膝治之。（三）多慾之人。腎陰必虧。下焦結熱。血隨溺而出。脈必洪數無力。治當壯水以制陽光。宜六味丸加生牛膝。（四）肺氣虛不能攝血。節制失常者。色必淡薄。脈必虛細。形色無神。宜補中益氣放主之。如日久不愈者。可加五味以斂之。龍骨牡蠣以濇之。又老人患此者。多由氣虛及服助陽藥所致。不易治療。惟宜大劑六味丸加紫菀茸作湯服之。總之治溺血一症。不外清心涼肝滋腎養肺四法而已。

5.便血

大腸者傳導之官。變化出焉。其位在於小腸之下。主下脾胃之化物。故爲化糟粕之腑。手陽明是其經也。與肺經相爲表裏。大腸之所以能爲中宮作傳導之官者。全賴於氣也。氣者肺之所主。故治病者。多治肺也。其位居之部。又係腎之所司。內經云。腎開竅於二陰。故腎陰充足者。則大腸必腴潤而無病。肝經之脈係環繞於陰器。腸與胞室又並域而居。故肝經與腸亦相干涉。大腸既與各臟有相連之關。是以其病之來。有由中氣虛陷。濕熱下注者。有由肺經遺熱傳於大腸者。有由腎經陰虛不能潤腸者。有由肝經血熱滲漏入腸者。概括之皆由於傷及陰絡之故。因三陰經之絡。一有所傷。則其血必內入腸胃而下從便出矣。經所謂陰絡傷則血內溢。血內溢則後血。後血者便血是也。然絡傷便血。其症有二。一爲熱傷。一爲濕傷。如所下之血色紅而鮮者。係陰絡爲熱傷。治宜清血補絡。血色瘀紫。如烟塵者。爲濕傷陰絡。治宜化濕和絡。又如先血後便者爲血近。因其血聚於大腸。離肛門近。故謂之近血。先便後血者。爲遠血。謂其血在胃中。去肛門遠。故其下於大便之後。因名遠血。近血一症。由濕鬱大腸。熱傷絡脈。血隊經下行滲入大腸。傳於廣腸而下。治宜清血化濕。赤小豆當歸散（赤小豆當歸）主之。遠血者。即古所謂結陰下血也。以中宮不守。宮行失度。血無所附。致滲入大腸而下。法當溫脾養血。宜黃土湯（竈中黃土熟甘草乾地黃白朮熟附子阿膠黃芩）主之。近血中又有兩種證治。一爲腸風。一爲藏毒。腸風便血者。係風淫腸胃。挾熱下血。其證肛門不腫痛而但下血。所下之血色清而鮮。然腸居下部。風從何襲之哉。所以有風者。外則太陽風邪傳入陽明。協熱而下血。內則厥陰肝木虛熱生風。風氣煽動而血下。風爲腸邪。鬱久則變成火矣。故治腸風下血者。總以清火養血爲主。火清血寧。而風自熄矣。宜用槐角丸（槐角。枳殼。當歸。地榆。防風。黃芩。）治之。藏毒便血者。乃濕淫腸胃。毒由內積。積久而後發。其證肛門腫硬。疼痛流血。血濁而黯。與痔漏相似。宜利濕熱和血脈爲治。地榆丸（地榆當歸阿膠黃連訶子肉木犀烏梅）主之。此外尚有食積便血。酒積便血。中蠱便血。痔凍便血。損傷便血。痢疾下血等。皆係便血之兼症。各治其本症而兼理其便血。則自愈矣。不必專治其便血也。便血症治大旨如斯。若夫內傷外感。變症多端。隨證制方。在於醫者之自悟也。

6. 結論

上述四症。同是血病。然吐衄係血隨氣上行者。溲血便血係血從下行者。由此觀之。氣血貴在平衡。各守其職。則病自不起矣。先哲有云。血貴寧靜。不喜疎動。疎動則有泛溢之虞。又曰。血宜流通。不當凝滯。凝滯則有瘀着之慮。人苟能善調其管。靜而不至於凝。通而不至於動。則經脈流行。皮膚潤澤。筋骨強勁。關節清利矣。又何有以上四患哉。

批　言之扼要　王潤民

急慢驚風之謬稱

周 行

夫幼科一道。亘古以來。皆認爲百倍難于成人者。何也。以其骨氣未成。形聲未正。悲啼喜笑。變態無常。此氣血未充。臟腑未堅之故耳。以未充未堅之體質。處于氣交之中。襁母或有疎忽。感受風寒。不能自道病苦。即能道之。亦惝恍而莫可準的。種種隱奥。其難固多。是故世人稱之爲啞科也。

近世幼科專家者流。見小兒間有四肢抽搐。角弓反張。撮口弄舌等變。並不察其外感內傷。寒熱虛實。概稱爲驚風。又將急慢兩字駕馭其上。名之曰急慢驚風。驚風之謬。由來已久。不知起自何代爲始。亦不知以何根據而稽考。而世之業兒科者。竟將驚風兩字。存于胸中。逮其臨診。則茫然莫辨。惟開口驚風。閉口驚風。甚至以一藥統治。如藥肆中所售之小兒回春丹。訪單內示明。並治小兒急慢驚風。發搐。痰癱。內外天吊。傷寒邪熱。斑疹煩躁。痰喘氣急。五癇痰厥。大便不通。小溲便血等症。寫得天花亂墜。原以推廣銷路爲目的。尚不厚非。獨怪今之時醫。一見小兒發熱。尚未見手足發搐者。亦投以回春丹。以爲預防驚風。按此種自欺欺人。實屬大謬。危險殊甚。蓋小兒初生。以及幼童。陰氣未足。性屬純陽。易致生熱。熱甚生痰。痰生風。風生驚。亦所恆有。腠理不密。易生寒邪。寒邪中人。先入太陽經。太陽之脈。起于目內眥。上額交顛。還出別下項。夾脊抵腰中。是以病則筋脈牽動。遂有抽掣搐搦。世之妄稱驚風者。即此也。世俗見其汗出不止。神昏不醒。便以慢驚爲名。病家缺乏常識。購以回春丹治之。以爲萬無一誤。不知輕者變重。重者竟死。以吾觀之。回春丹治痰熱急驚。或有功效。惟須手足牽動。確已發搐者。方可服之。萬不可于寒熱不涼等症嘗試。因回春丹攻痰積甚烈。急驚大抵熱甚生痰。痰甚生風。風攻其痰積則根本解決。夫急乃剛字之訛。爲實熱。宜于清涼•慢乃柔字之訛。爲虛寒。宜于補治。驚乃驚駭之驚。爲七情內傷。風乃風邪之風。含有兩義。在外感則爲風寒。宜用表散之劑。在內傷則爲肝風。宜用鎮息之品。今混言之曰風。意爲外風乎。抑爲內風乎。兩種意義。各有不同。治外風之藥者。不可以治肝風。治肝風之藥者。不可以治外風。治法各異。安可以一藥而統治耶。此回春丹統治小兒百病之根本差誤也。司命者可不慎諸。反分造出人驚。畜驚。蛇驚。天吊驚。四足驚。天雷驚等種種怪談。不知所云。至其療法。動手輒投散風重劑。爲能事。針刺艾灸爲專工。種種虛妄。不勝枚舉。提孩嬌柔之軀。遭此無妄之災。寧不塞滿泉壤乎。噫。不死于病而死于藥不死于藥而死于醫。不死于醫而死于作驚風者之咎耳。彼曰驚風。此曰驚風。一唱百和。及至危殆。則惶恐萬狀。而病家或信巫問卜。或求神禱鬼袖手待斃。哀哉。奚嬰兒之不幸若似耶。行雖不敏。能無感乎。今敢將急慢驚風四字。分剖詳釋。列于下文。惟希高明。不吝賜教爲幸。

急慢驚之解釋

世之稱急驚者。即金匱之剛痙也。其症壯熱延潮。牙關緊閉。面赤唇紅。口中氣熱。四肢拘攣。抽搐發厥。甚則兩目竄視。角弓反張等。其症緣外感寒邪不解。當汗失汗。致表邪傳入陽明經絡。乘勢化熱。不得透達。裏氣壅滯。鬱結不通。是以關節閉塞。血脈停瘀。熱邪內熾。燎源莫遏。故無汗氣逆。角弓反張。雙目上視。昏憒不省。名曰剛痙。即幼科誤稱之急性驚風也。治法如在經者。金匱主以葛根湯汗之。入府者金匱主以承氣湯下之。如下後餘熱未清者。人參白虎湯。竹葉石膏湯之類。亦可酌用。切勿誤投散風燥劑。及艾灸等法。要知小兒乃柔脆之質。凡遇鬱熱不徹。往往輒變瘈瘲。瘈瘲者。即剛柔兩痙之總稱也。宜分虛實。蓋急者。急迫也。爲實熱驚者驚駭也。爲神虛。一虛一實。天懸地隔。以之命名。豈非張冠李戴。大相悖逆。須將風字删去。以之改剛。以驚改痙。即名之剛痙。爲外感之實症。無汗之實邪也。

慢驚者。即金匱之柔痙也。其症四肢拘急無力。難以屈伸。面痿白帶青。口噤弄舌。項強唇白。口中氣冷。喉間痰聲漉漉。角弓反張。目光昏暗。腹鳴瀉痢。冷汗。神氣懨懨不振等。其因外感風寒。始時邪在肌腠。玄府洞開。營衞不固。自汗脈虛。斯時若早進桂枝湯則一劑可愈。如誤投發汗太過。重虛其陽。遂致漏汗不止。耗傷津液。外邪虛乘入裏。反惡寒。小便難。或四肢拘急。難以屈伸。口噤下痢。此脾陽大虧。治之之法。必須峻補脾土。而溫元陽爲主。如桂枝附子湯。附子理中湯之類。酌用。如初時者。以瓜蔞根桂枝湯爲合法。切勿誤認驚風。妄投散風發汗。及燒針。或滋陰寒涼等品。如誤進養陰寒涼。則浮熱愈甚。如妄投散風發表。則元神立殆。須知此爲亡陽虛症。眞元有立盡之象。稍一錯誤。生死立判。苟或再進以回春丹等。則猶下井投石。必沉其底。斯時之際。雖盧扁再世。沉痾難起。爲司命者。可不謹乎。愼乎。敢將慢改柔。驚改痙。風字删去。名曰柔痙。即慢痺是也。然愚意若斯。是否有當。尙希明正。

驚風之解釋

蓋驚爲大驚。起于猝然。或聞大聲。或見異物。或從高處跌下。猝然不防。致驚駭于心也。較之外感傷寒。更險十倍。而用藥亦迥然不同。幼科專家者流。竟將風字繼于驚字之下。命之曰驚風。近世名賢輩出。何不將驚風兩字改革從新。免致以訛傳訛。其流弊迄今。何可勝言。蓋幼孩爲柔脆之質。元神未足。血氣未定。偶遇驚駭。最傷心胆之氣。輕則血氣紊亂。精神殆盡。重則魂魄分離。心神飛散。正氣下陷。唇白面青。雙目脫神。因其魂不守舍。故臥則驚惕。睡不合目。自汗而嘔。下痢反渴。斯時若進以安神定志湯及歸脾湯等。補養心脾。可保十全。或失治。則漸變神志昏憒。嗜口弄舌。項強肢搐。雙目上竄。發痙發厥。以安神定志湯。恐已不及。或作驚風之治。投以散風耗氣雜藥亂投者。則危亡立待矣。

風爲外感之風。乃六氣之一。經言風爲陽邪。善行而數變者。乃指風溫而言也。然風中亦有寒耳。始傷風自汗。主以桂枝湯。傷寒無汗。主以麻黃湯。蓋風傷肌腠。玄府洞開。故有汗爲虛邪。寒傷膚表。毛塞閉塞。故無汗爲實邪。虛爲正氣虛。邪乃乘虛而入。實爲邪氣實。邪鬱無出路。其症無非頭痛項強。發熱惡寒。或身疼。或氣逆。其不同者。惟在有汗無汗之別。與脈緊脈緩之異耳。故桂枝湯用以治脉緩有汗之傷風。使營衛和而表解。以麻黃湯治脉緊無汗之傷寒。使解膚表而發汗。夫惡風者。未必不惡寒。惡寒者。未必不惡風。實一類也。夫風者。春之氣也。生萬物者。是此風也。又風者。蟲之動也。害萬物者。亦此風也。人爲萬物之一。其生于風。害于風。自當于萬物相同也。春日之風。固足以發生萬物。木之欣欣。草之青青。無一非春風吹之而生。然食根之蝥。及食節之賊。未常不因春風而動。故風字從蟲。良有以也。中醫謂風爲百病之長。而西醫謂病皆生於菌。其說雖深淺不同。然其理則一也。不過風爲氣化之名詞。而菌則指定形體耳。夫百病不外外感于內傷。外感者。風、寒、暑、濕、燥、火。內傷者。心、肝、脾、肺、腎也。風之所以爲百病之長。其說有兩義。一爲縱。一爲橫。所謂縱義者。風爲東方春風。春爲四時之長。凡病首發于春。故風爲百病之長者。是因春長于四時之義也。所謂橫義者。外感之邪。皆可兼風。如風寒。風熱。風濕。風燥。風火之類。內傷之邪。亦易兼風。如肝風。脾風。血虛生風。熱極生風。痰熱生風之類。是固外感內傷。皆必兼風之義也。要言之。無論縱義橫義。皆認風爲害人之氣。此內經所謂賊風是也。故人能適寒溫。則外風不侵。調喜怒。則內風不熱。雖有蟲。不能汚流水而蠹運樞也。

要知驚爲內傷之一。風爲外感之一。但外感爲實邪。法宜疎解。內傷爲虛症。法當補養。一虛一實。天淵地隔。豈可同日而語哉。然四字連合名命。本係文義不通。若云一藥可以統治者。則尤極禍人。苟如症源莫辨。用藥差訛。則虛虛實實。禍如反掌。可不慎諸。

附小兒回春丸配合法以明不可兼治慢驚

麝香一錢牛黃一錢龍腦一錢半硃砂三錢雄黃三錢蛇含石八錢胆星二兩川貝母一兩羌活三錢天麻三錢姜蠶三錢白附子三錢天竺黃一兩防風三錢全蟲三錢

爲細末另用甘草一兩鈎藤二兩煎湯和煉蜜打爲丸如胡椒大外蠟殼固封

本文所引方劑開列如下

葛根湯

葛根 麻黃 桂枝 炙草 姜 棗

承氣湯

大黃 芒硝 枳實 原朴

人參白虎湯

人參 煅石膏 知母 甘草 粳米

竹葉石羔湯

竹葉 石羔 人參 甘草 麥冬 半夏 粳米 生姜

桂枝湯

桂枝 芍藥 甘草 姜 棗

桂枝附子湯

桂枝 附子 芍藥 炙草 姜 棗

附子理中湯

附子　炙草　人參　白朮　乾姜

瓜蔞根桂枝湯

桂枝　芍藥　炙草　姜　棗　瓜蔞根

安神定志湯　茯苓神各　人參　遠志　菖蒲　青龍齒　辰砂

歸脾湯　白朮　人參　黄耆　當歸　炙草　茯苓　遠志肉　酸棗仁　木香　龍眼肉　姜　棗

麻黄湯

麻黄　杏仁　桂枝　甘草

批　成竹在胸言之中肯　章鶴年

小兒的特徵病

蔣景鴻

緒言

打開每年的病人死亡率來看。當然是年老的要比年少的多。而小兒呢。却又比年老的更多。的確。我國的一般人。向來對于小兒。未免太漠視了。自從兒童年的聲浪傳播出來。大家才肯有點兒關心。要知兒童是國家未來的主人翁。也就是將來有希望的人才。強國強種。怎可不重加注意。我們醫生。是負着保健人類生命的使命。際此慈幼運動熱烈的時候。鑒于只小兒死亡率的可怕。我們要應該有怎樣的供獻。方才對得起自己做醫生的責任。列位。上面不是已經說過。醫生的使命。也就是醫生的責任。人類的不健全。那便是我們的對象。只對象是叫做疾病。所以我們祇要爲人類能除了疾病的痛苦。只就是盡了我們做醫生的責任。假使對待小兒。當然也是一樣。在小兒未病時。務須要防制疾病的來源。使他們多能夠成爲自然的發育。只是從積極方面做。倘是已病後。尤須要醫療癥法的所在。使他們得藥石而重登衽席。那便是消極的方面做。無論它是積極消極。都可以減少小兒疾病的痛苦。在我們。總可以算是盡了做醫生的責任啦。再看到我國的從前。小兒未病時。固不知防制。就是已病後的醫療。還都是墨守着祖傳家法。開方子既不寫脈案。而用藥又多在一粒丸子。或一包藥粉。尤其是他們利用着民間深印在腦子裏的所謂驚風。不是說專治驚風。便是稱驚風專家。不要說我們做醫生的。就是常人們。祇要稍具有醫學常識的。沒有一個不知道。只驚風的名稱。根本是不妥的。試問天下究竟有多少驚嚇的事。該使只般的小兒。不死于病而死于驚呢。我們要想能除小兒疾病的痛苦。斷不是一般的祖傳家法。可以挽救得來。我們要從有根據的着想。分列系統。逐條討論。只才是時代潮流的科學化。也可以說是兒童年中一般兒童的福音哩。

總論

小兒。小兒是未成年人的稱呼。當人在未成年的時期。人體組織。當然沒有健全。環境的適合。多必須依賴成人。假使發生了疾病。就好比一株花枝的初出的嫩芽。一經挫折。便難希望牠長成。所以小兒病。從來稱爲難。關于只難治的緣故。大概是有三點。

一　小兒的組織沒有健全。容易變生疾患。就是所謂事虛事實。醫生一時裏捉摸不定。確實頗難着手。碰着祖傳家法的先生們。大批是有特殊的老門檻。用着那程咬金三斧頭的本領。處治只不可捉摸的疾病。幸而準。當然是他們有經驗的眼光。不準。也該是只小兒的命運了。其實無論什麼事情。也總有個原由。變化雖多。有頭便可以搜尋。小兒病的原因。在初生的先天稟賦。或有遺傳。或有畸形。只是首當注意的。其次後天的環境。又當分做三項。一·七情飲食。病成鬱積。這是內因。二·衣被住處。病受邪風。這是外因。三·跌仆損傷。敗壞組織。這是不內外因。凡此先後二天。內外不內外三因。診察時。儘可探問病家。因爲小兒的先天。祇有一端。常在一起的人。必然明瞭。後天的三因。也可以說就是大人造成的。當然更不會有不知的道理了。假使已經曉得是先天遺傳的胎毒。初起一定藏在血液和淋巴腺分泌液。將次再傳達肺胃。醫在臨床時。有了成見。便可告訴病家。加以安慰。其他的後天三因。也是一樣的辨認。總在醫能心領意會而已。

二　小兒沒有自訴。無從打聽得着他的實在。所以又稱做啞科。醫當仔細推想看護人的報告。同時再加以他覺的診察。兩面對照。某種症狀。是在某部分。就是某經的病。兩種症候。同或先後發見在一起。就是合症或併症。一種病。又帶見別種症候。就是兼症。又有變症壞症等名稱。都是傷寒論的分症法。我們不妨把它臚到一些大意。并將關系小兒的特徵病。分類序述起來。

傷寒論序六經。分爲三陰三陽。三陽是指外體的三層組織。三陰是指內藏的三種器官。（見光華雜誌二卷二期醫學研究欄拙著。）小兒外體組織是很薄弱的。虛邪賊風。分外要比成人來得容易感受。但是一般人以爲小兒體質純陽。所以俗話說。「若要小兒安。常帶三分飢與寒。」其實。小兒體陽所以要比成人熱一些的。一方面是要催動內藏的發育。一方面是好幫助外體的抵抗。假使熱度不高。所謂氣陽不足的小兒。頭痛發熱。傷風咳嗽。只是司空見慣的。在小兒自己。祇是啼哭。寢食稍異常態。多爲看護人所不注意。并且病情症治。也很少有小兒的特徵。小兒外體既是薄弱。當然就容易傳進內藏。小兒的體器不健全。受着只無情病邪的蹂躪。所以多現險症。一·太陰是營養器官。肺的呼吸。胃的消化。所以製造成津氣。以營養人體。太陰病。呼吸欠氣。人體缺乏酸素營養。氣機窒息。多見痰鳴氣急。消化不良。含物內阻。津液不生。多發泄瀉下痢。津氣來源斷絕。人體營養。皆失調濟。形體瘦削。神色萎疲。痰濁積久化熱。醞釀腐化而生虫。是病爲疳。二·少陰是孳生器官。血液和淋巴腺分泌液的循環作用。新陳代謝。以攣生人體。少陰病。血液雜質不沽。溫毒在血。是病爲瘰。淋巴腺分泌液雜質遺傳。胎毒在無管腺體。是病爲痘。三・厥陰是運動器官。神經知覺。筋骨屈伸。以運動人體。厥陰病。運動機能失常。神經衰弱或過敏。筋骨舞亂或強直。是病爲痙。

三　小兒不便服藥。從前多有由乳母代服的。以爲乳母服藥後。藥味必能影響到乳汁。小兒哺乳後。藥性便可傳達小兒體內各組織。只種方法。意思雖然是很對。但究竟不如直接服藥的好。并且。小兒有病。哺乳量是應該減少的。些薄弱性。經過甜味融化後。還有什麼功效。所以小兒的服藥。在哺乳期間。最好把藥品製成乳劑。用哺乳瓶餵飼。大一些的兒童。把它製成餅劑或丸劑。外用粥糜包裹。比較便利適口。而容易下咽。此外有注射法。推拿法。貼劑。熨劑等。都有很可引用的地方。

總之。勉強醫療。究竟還不如在未病時早爲預防的好。就是在已病時。調護也比醫療有力量。「上工治未病。」古人也說最好是預防。人們的生存。本來有抵抗大自然的機能。衞生。是保衞本來的機能。使它能夠始終抵抗自然。可以一切多不妨。又何患疾病。所以個人講衞生。可以個人減少疾病。衆人講衞生。便可以衆人減少疾病。小兒的衞生責任。完全在于保護人平時的注意。飲食調切。衣被適當。空氣浴。日光浴。多可以防制疾病的來源。照例。小兒是應該多有減少疾病的幸福。但是近世小兒多病。不是遺傳。便是傳染。遺傳。是關係先世的衞生。傳染。是關係公衆的衞生。雖然天下的父母都很謹愼的爲了小兒講衞生。而小兒偏又受大衆人不衞生的牽累。所以國家衞生行政。實在是決不能再一味洋化。而徒事敷衍了。小兒病的遺傳和傳染。預防是也有兩種方法。第一先要煆煉小兒的身體。使得增加抵抗毒素的機能。第二是清潔小兒的環境。使得沒有接觸毒素的機會。還有在每種病流行的時候。應該怎樣的預防。留下在後面討論。已病後的調護。平時有等順症。可以不藥而愈。險症逆症。調護也很有關係。所以說它比醫療還要緊。也不是過語。大抵看護人對病兒所注意的。不外衣食住行四項。一・衣被要寬敞。輕暖。乾燥。清潔爲合乎條件。二・飲食要少納健運。多進適宜營養而清潔的食物。三・居住要空氣新鮮。日光充足。屋基高燥。環境清靜爲合宜。四・行動必須要安定。務使小兒心神暢快爲舒適。此外又當按天氣熱冷的時季性。地方東西南北的空間性。人民風俗的習慣性。必須顧到種種情形。方才可以說得是眞眞會善自調護，在各種病的不同。也歸下面去理論。

各論

疳

疳在成人。便是癆病。所以俗名又叫做童子癆。或小癆病。

「原因」一·小兒因先天性欠氧呼吸。或出世後食物欠育。營養器官衰弱。在肺臟。多含酸素缺之而窒息。在脾胃。乳食不化而成積。人體各組織。皆失營養。漸致而同歸衰弱。二·小兒恣吱不事消化而有妨碍營養的食物。（脂肪及碳水化合物等。）同時。環境空氣不潔。多致痰濁交積。腐化生虫。敗壞營養器官。又蔓延其他各組織。三·小兒在哺乳期。營養不足。忽然斷乳。一時改事食物。消化困難。思念乳食。氣阻食滯。是成鬱積。四·小兒吐瀉病後。津液已枯。醫用攻伐峻劑。大傷津氣。津氣不濟。人體營養不敷。五·乳母患病。或食物不合營養。以及喜怒房事後。多足以使乳汁分泌不足或不良。小兒食物欠育。新陳代謝作用。便因此喪失。

「症候」在初起。多有氣急短促。或泄瀉溏薄等外顯症。纔起便見面責肌瘦。午後潮熱。不思乳食。尿如米泔。漸見青筋暴露。肚大堅硬。皮毛憔悴。兩眼睇多或昏爛。只時。若能急早延醫診治。更當善自調護。尙可恢復小兒原來的健康。因循失治。必使津液乾涸。筋骨自形緊縮。形體日見枯萎。症爲頭皮光急。毛髮焦稀。顋縮脊聳。口渴鼻乾。開甲咬牙。唇白體黃。凡見只種症候。多難全治。還有酷嗜瓜菓鹹酸米泥土等。只是因爲消化器有虫的關系。總之。只病必須早治爲妙。遲遲而更不自調護。甚致多難免于死。

「診斷」切脈。平常濡弱無力。細數當有虛熱。動濇是爲虫積。浮而無根。碩果僅存的津氣。也不能收藏。是難挽救。舌苔或膩或燥。色不鮮明。平時灰白。熱時白厚粉刺。從面色指紋可以看到的血液壞與不壞。頸項四肢的屈伸。又可知骨質的耎與不耎。再有淋巴腺的腫脹或結核。體重的減輕和加重。都必須仔細診察。而很有關系的。

「預防」小兒的飲食。消化和排泄。支配有一定的時間和納量。養成習慣。使營養器的動作。有一定的規則。平常八個月重約五磅的初生兒。生後二三天。便能吮乳。每二小時。餵飼一次。每次約三分鐘。乳後。須隔半小時。方許睡眠。在夜間。最好不加餵飼。免得小兒放尿的麻煩。當小兒啼哭極甚時。先宜設法使其哭聲和緩。肺氣脈平。然後與乳。一月外小兒。每三時餵飼一次。每次約五分鐘。六月後。每四小時餵飼一次。每次八分鐘。期年時。便可兼飼其他易于消化的食物。漸至斷乳。完全採取食物營養。自然是要滋養料豐富。清潔而易消化的食物了。大凡小兒啼哭。能夠有膨脹肺葉的力量。所以儘可不必硬加制止。因爲肺臟的吸收酸素。也是我們人體的必需營養。并且比食物營養還要緊。關于只點衣服和住處。都須有選擇。

「調護」在有虫積的病兒絕對不可多與乳食。沒有虫積也祇可稍稍進與稀粥等食品。避風寒。浴日光。弄玩親務使小兒心神暢快。

「治療」在後面分類施治。

「分類」一・脾疳。又名叫做食疳。是因爲乳食不布。飯後與乳。乳後便睡。只都易使營養器官受損。或是乳母恣食生冷肥膩。小兒營養不良。也是同樣的受損。外症除上述。又有頭大頸細。心下痞滿。肚腹硬痛。困倦多眠。喜臥寒涼。專嗜泥土。有時吐瀉煩渴。大便腥粘。當先後積。用消肝理脾湯。或肥兒丸。積退。當注意營養。用參苓白朮散。「附症」一・疳瀉。因爲疳熱久而傷脾。乳食不得分化。多見面色青黃。夜熱晝涼。額有青紋。腹有癖塊。頻頻作瀉。當清熱滲濕。用清熱和中湯。瀉久不愈。必須顧到營養。二・疳腫脹。因爲疳病久而傳化失宜。虛中有積。脾肺兩傷。所以又有氣逆喘咳。胸腸痞煩。頭面及胸腹四肢腫脹虛浮。用御苑勻氣散以消腫脹。三・疳痢。因積熱結在腸胃。挾受風寒暑濕。冷熱不調。宿積停滯。乳飲不聚。下痢或赤或白。腹中急痛。用香連導滯湯以導滯下。四・疳渴。因爲乳母恣食肥甘。積熱煎耗。津液虧損。不得上承。時而大渴引飲。心神煩熱。用清熱甘露飲以解渴。五・疳熱。因爲脾肺衰弱。氣浮于外。形瘦發熱。飲食不成組織。口渴引飲。治當分別輕重虛實。初起屬實。用必甲青蒿飲。日久成虛。用必甲散。此症無論虛實。總當先顧津氣。六・疳癆。因爲久而成虛。淋巴結核爲癆。多見潮熱心煩。手足及胸鬱熱而生瘡。骨蒸盜汗。喘咳枯悴。或渴而後瀉。飲水畏寒。肚硬面色如銀。是已難治。勉用犀角散及必甲煎法。七・痼疳。因爲早時失乳。飯食及肉類等食物。皆能醞釀而生虫。腹中攪動。有時煩躁。皺眉多啼。有時肚腹攪痛。唇色或紅或白。口溢清涎。腹脹青筋。肛門澀痒。先用使君子散。不愈。再用下虫丸。蛔既出。當以調理。用肥兒丸。八・丁奚疳。哺露疳。因爲體羸而虛。總是純虛症。急當先去虫積。再用人參調補。

二 肝疳。又名叫做風疳。是因爲乳母冷熱不調。滋味不節。或是外邪風寒內鬱。喜怒氣未平復。便以乳哺小兒。或是小兒肝臟受熱。也會肝風入目。外症面目爪甲純青。偏身流汗。腦上發熱。合面睡臥。腹大青筋。身體羸瘦。眼生眵淚。赤腫生翳。搖頭揉目。耳瘡流膿。躁渴煩急。糞清或下鮮血。或下青苔。當先清熱。用柴胡清肝散。或蘆薈肥兒丸。熱勢漸減。便用逍遙散。或抑肝扶脾湯以資調理。

三　心疳。又名叫做驚疳。原因是心藏鬱熱。乳食不和。外症面紅目赤。壯熱盜汗。時時煩渴。咬牙弄舌。口唇生瘡。小便紅赤。胸膈滿悶。疲悴而睡喜伏臥。含不下。或吐或痢。熱盛用瀉心導赤湯。兼痙用珍珠散。心虛用伏神湯。

四　肺疳。又名叫做氣疳。原因是乳食過多。熱壅傷肺。外證面白氣逆。咳嗽咽喉不利。壯胸憎寒。唇鼻赤痒。胸腹氣脹。口有腥氣。不從乳食。右顋皖白生瘡。手足枯細。皮毛焦枯而起粟粒。常流清涕。先用清肺飲以清解。再用甘露飲以潤肺。日久肺虛。用補肺散。

五　腎疳。又名叫做急疳。原因是初起先有解顱鶴膝等惡候。以致步行出齒都很遲晚。只是腎氣不足的緣故。尚因勞動後而與乳哺。伏熱在骨髓深處。外症面色黧黑。肌肉瘦削。齒齦出血。口中氣臭。足冷腹痛。隨得啼哭不已。多事傳爲走馬牙疳。急用金蟾丸消疳。再用九味地黃丸滋腎。稟賦不足。要用調元散。

六　腦疳。是因爲小兒在胎中受風熱。生後寒熱不調。外症頭皮光急而生餅瘡。毛髮焦結似穗。鼻乾心煩。困倦羸弱。睛暗自汗身熱等。當內用龍胆丸。外用吹鼻龍腦散。

七　眼疳。是因爲疳熱上攻。虛火侵目。外症眼胞腫疼。時發痒澀。白眼生翳。漸漸遮滿。不時流淚。閉目羞明。先用瀉肝散疏解。再用清熱退翳湯消翳。日久不瘥。用逍遙散或羊肝散。

八　牙疳。此病起勢很快。所以有名叫走馬牙疳。原因是腎氣不足。先天骨耎。疳毒侵骨。骨起腐爛。齒爲骨餘。骨病外現于齒牙。在初起口臭。叫做臭息。繼而齒黑。叫做崩砂。漸次腐爛。叫做潰槽。有血迸出。是營血尚充。毒可以解。叫做宣洛。甚至牙枯脫落。叫做腐根。多難全治。外症腦熱肌瘦。手足冰冷。寒熱滑泄疼痛。爪甲青黑。乾渴。痧痘餘後。往往見此。急用消疳蕪荑湯以瀉疳毒。再用蘆薈肥兒丸。以清疳熱。外用牙疳散。時時揉擦。必須胃強能食。可勝峻劑。方有挽回。

九　脊疳。是因爲脊熱生虫。上蝕脊膂背空擊聲如鼓。外證脊背瘦弱。如鋸齒狀。身熱煩渴下利。十指生瘡。時嚙爪甲。急用蘆薈丸殺虫。再用金蟾消疳散。調治得宜。或有生機。

十　無辜疳。原因有二種。一種是小兒衣被爲虫鳥所汚。多有細菌傳染。一種是乳母患病。傳染小兒。外證頸項生瘰。或項內有核。大小如彈丸。按而轉動。軟而不疼。此中有虫如米粉。急宜刺破。使虫不內侵。假令便利膿血。身體羸瘦。面貴發黃。頭骨高露。當先清熱。用柴胡飲。熱減。用蘆薈肥兒丸。

還有口疳乾疳等等。是皆變症或兼症。并非本症。所以略而不述。

痧

痧的種類很多。大抵可分有疫和無疫兩種。有疫的是疫痧。疫痧多咽喉腫痛。所以也可以叫喉痧。喉痧重症喉頭腐爛。是名爛喉痧。方書名爛喉痳痧西名日譯做猩紅熱。無疫的是風痧。方書上叫做癮疹。各處的方言不同。俗名也因此而各異。只點。我們可以不必去盡述。祇要曉得只便是我們江南人稱呼的痧子就是了。

研究痧的問題。先要認定痧的範圍。痳痧瘢疹。本來多是急性傳染病。類似相同。不可不先有鑒別。四症所異。實由病因而分。大凡小兒有先天性雜質混在血液。所謂胎毒。偶值流行時氣。口臭接觸傳染而併發。是名痳痧。痧由臭而傳于肺。毒發在衛。所以膚起而成點。痳由口而傳于胃。毒發在營。所以膚平而成片。又有小兒為邪風覆鬱。體溫不得放散。熱蘊血液。心臟搏動過度。甚至發炎。傳達肺胃而泛布。是為瘢疹。疹起成點。隨痧一理。瘢平成片。與痳同型。所以熱人以為發在成人的是瘢疹。發在小兒的是痳痧。其實。小兒離初生於近。先天的原因較多而已。

痧的範圍。既已剖明。今再將有疫和無疫。分序如后。

有疫疫痧。喉痧。爛喉痳痧。

「原因」大自然間的氣候失常。前物腐化而生毒素。人體的抗毒機能薄弱。并且有先天性毒質的素因。接受空氣和飲料的媒介。疾病因此而發生。只確是很難避免的。還有因為在旁的病兒而傳染來的。那祇怪保護人未免太忽略了。

「症候」在初起痧子欲出未出。叫做潛伏期。病侵後十二至十六小時。頸項胸背便見痧點隱隱。發寒惡寒。胸悶煩躁。口渴嘔噁。為桃腺腫脹作痛。喉頭生灰白色的光膜。只是疫毒將在擾亂營分的現象。繼而痧子顯出。叫做透發期。惡寒已罷。發熱不已。體溫驟增。煩躁不甯。咽喉腫痛更甚。漸致腐爛。妨碍飲食。痧點蔓延。全身出齊。點紅細密。將次散漫。作潮紅色。甚作猩紅色。只是疫毒正在極盛。最後是痧退。喉腫漸消。叫做收沒期。此必須痧透齊而後回。方才熱退神安。喉痛減輕。飲食知味。二便通調。是為順症。大約一星期後。喉腫全消。皮膚落屑而痊愈。倘若仍然壯熱。喉痛毒腐更甚。不能飲食。痧鬱不達。多致內陷神昏。氣急鼻煽。泄瀉溺祕。甚或顫體嘎齒。只是險症。有種在落屑後皮膚上生疙瘩。痒或麻木。只是溫熱疾濁關雜鬱阻的緣故。

「診斷」脉息浮按濡濇。重取沉滑。此以伏邪鬱怫肌膚。左弦緊。爲風勝血在分。右沉。爲邪遏氣機。脉形鬱伏。是故過于裏。弦數。是疫邪熾盛。右寸伏。是誤進寒涼。喉已腐而肺氣不能宣泄。舌苔色白滑或膩。此表邪尚未化熱。內夾濕濁痰滯已現。舌質灰白。或青或黃。舌尖兩旁爲鮮紅色。再變爲猩紅色。喉色在輕症多鮮潤。爛處僅是零星數點。重症多乾黃腐爛滿布。腐爛至喉底小舌。是疫毒太盛。病已內陷。痧點要在頸項胸背先見隱隱。顏色紅潤。顆粒分明。撫摩。時似覺觸手。或起毒泡。此疫毒宣泄。是順症。痧點隱約成片。此毒火內陷。是逆症。

「預防」傳染病。祇有隔離是最好的預防法。少進乳食。勿出門而嚴避風寒。注意衛生。注射院疫。多有益處。

「調護」潛伏期和透發期。必須室內溫度加高。衣被加暖。窗戶緊閉。勿進風寒。減少乳量。凡一切以清靜爲標準。

「治療」潛伏期。用升麻葛根湯。或麻杏石甘湯。發表解毒。透齊後。用三黃石羔湯。以清肺熱。末了。用益黃散。或參苓白朮散。

無疫（風痧。麻疹。痧子。）

「原因」小兒有先天性雜質混在血液。最易受病。假使該小兒沒有只種素因。雖然同病兒接觸。也不會一定受病。所以麻疹的原因。一方面固然是由于傳染的誘引力。而最主要的。還是因爲小兒有易受病性的關系。

「症候」潛伏期。病侵後大抵十一至十四日。在耳根頸項胸脊等部細察。當見有三五紅點。同時身熱憎寒。頭痛體痛。眼胞浮腫。淚水汪汪。只是血液的抗毒作用。想利用液體來排毒。腮赤面目赤。煩躁不甯。是血壓高而血流速。造溫亢進的現象。噴嚏咳嗽。鼻寒流清涕。是血液不清。肺氣不得已降的緣故。胸悶口渴。乾嘔吐瀉。唇舌燥裂。只是渾濁不清。津液不生。所以雖能食而總不能消化。只是普通的見症。假使已過潛伏期而仍不透發的。叫做遲透。原因有幾種。一·重感風寒。出路緊閉。二·津氣不振。出路難開。三·毒盛沸鬱。出路壅遏。四·嗜食生冷油膩。或誤服寒涼。出路阻塞。多見氣急鼻煽。消渴便祕。只是逆症。透發期。壯熱不塞。咽痛咳嗆益甚。皮腫而痒。眼畏光昏睡。耳後頭面腰腿諸部先見。週身上下。遍及手足以底。紅點細密。連串成片。大小勻淨。不見空處。顆粒分明。陽部多而陰部少。神氣安甯。肌膚滋潤。大抵五至十日透齊後。再四至六日。方才表皮漸脫。只是順症。假使不到透齊而先回的。叫做早沒。多有餘毒未靖。原因也有幾種。一・感冒風寒。邪出不澈。二・嗜食酸味生冷。或誤服酸斂。邪出復斂。三・病後。或素體氣陽不足。邪托不盡。只種。多數成肺炎走馬牙疳等。只是逆症。收沒期。肌表清清。漸次收斂。膚無瘡痕。表皮大約一星期脫盡。只是順症。假使在收沒期而不見回象。叫做難收。最易變症。原因也有幾種。一・虛熱留戀肌表。熱不清而痧不退。二・內熱甚而外不收。衛氣虛。衣被單薄。風寒阻碍。痧機停致。多慎變生痼疾。不可不慎。只也是逆症。

「診斷」切脉。在潛伏以至透發。多見浮數。右手一指。分外洪大有力。雖有兼症。可無妨害。若細弄無力。元氣既邪。不能勝邪。仲景謂「陽病見陽脈者生。反見陰脈者死。」舌是心竅。痧是以候。所以舌苔關系痲疹。頗有價值。心藏機能强壯。舌色必能鮮紅。若是淡而不紅。是人本質衰弱。紅甚變紫變黑。是心機有停頓的危險。舌上起浮苔。是肺胃津氣的表現。苔色滋潤。是肺胃津液充足。白膩的。是痰濁交滯。黃燥的。在氣分為積。喉色先看硬顎間有紅點。類內有小白點。照得有經驗的醫生說。要出痧子的以前。只便是一定的憑據。痧點見後。當看形狀。是否尖聳粟起。顏色是否鮮紅勻淨。透齊時。是否鼻準顯明。假使都合佳象的條件。保可無虞。

「預防」凡小兒未經發過的。體內有素因。只眞是防不勝防。大概在春令的時期。禁止小兒出門。一來可以避免傳染。二來可以少受風寒。血清注射。檀香辟穢。都可以行得。民間有用鴿蛋柴玉蘭花同食。可以預防痧子。但不明理由。

「調護」一・緊避窗戶。床上加帳。衣被增厚。嚴避風寒。二・增高室內溫度。用火爐或電爐。三・病情未明。不可亂投藥石。四・用燭光照看。是否透齊。不齊時。可用生麻黃三錢。西河柳三錢。紫浮萍三錢。芫荽五枚。老酒半斤。水煎。薰帳中。同時用紗布浸水。洗擦面部及四肢。或用棉花浸水塞鼻孔。以痧點密顯鮮豔。為透齊。若未齊早回。用五年以上陳櫻桃水少許溫服。可使復出。五・室內光線宜暗不宜亮。燈光以紅色為合。務使痧點出透。七・飲食宜流體素食。不宜葷腥。在哺乳期中。乳量亦宜減少。每四小時間哺一次為宜。八・清潔身體。可無餘毒。

「治療」潛伏期。葛根解肌湯加麻黃。有痰積。再加南星。蘿白。瓜蔞。芒硝等攻消。透發期。用清氣解毒湯。清澈肺胃。透發未齊而早回。急用無價散救逆。若見氣急鼻煽嗳齒。宜以溫潛法。用烏附塊。磁石。黑錫丹。煅益智。破故紙等。陽虛泄瀉。宜以升提法。用升麻。葛根。柴胡等。收收期。痧子既回。先顧營養。用參苓白朮散。難收逆症。還當清泄虛熱。勿再遲延。

痘

痘。是每個小兒多應該有一次的。但也不會得再發。普通分天痘和水痘兩種。都不接觸性流行病。患後便有很長久的免疫性。大抵便不會得再發。可見只病在人體裏面。原有一種素因一經透發素因便不會存在所有能夠敵此病的免疫機能。實在是病根已除。自然不會得再發了。現在我且把天痘和水痘申敘起來。

天痘

「原因」我國歷來於傳說。是人情多慾的遺患。小兒稟受胎毒。伏藏在骨膜深處。無管腺體裏面。命門。是腺體的發源地。道家稱爲丹田。物理上所謂重心。近此生理。稱做副腎。又名腎上腺。統轄一身得無管腺體淋巴內分泌液。此等腺體。大抵生在骨膜深處。在腦脊等部的。便稱做髓。人體發育和原動力。便根基于此。小兒出世後。一經混濁空氣的誘引。抗毒作用的原動力便發育起來。儘量把先天遺傳的毒質。透逆到肌表。泛布成痘。西洋學說。以爲是一種微生物接觸傳染而成。所以接種牛痘。也認爲是增加小兒的抗毒機能。其實。微生物的傳染。就是混濁空氣的誘引。減去先天遺傳的毒質。便是增加敵此病的機能。二說似異而實於同。

「症候」初起病侵後。潛伏十日至十四日。名爲發熱期。惡寒戰慄。體溫升騰至四十度以上。熱留二三日。頭及薦骨痛。甚至痙攣啼哭。詔語嘔吐。寢食不寧。呼吸增加。脾腫及結膜咽氣管發生等。第二日。名爲見點期。下腹部及肢內發疹狀。暫時即退。至第三第四日。熱度低降。先發面部。繼及軀幹和四肢。第六日。名爲起脹期。痘點透齊。長成痘形。頂尖發出水泡。至第九期日名爲灌漿期。水泡化膿。熱度復增。第十一至十二日。名爲結痂期。痘逐乾燥。熱度下降。普通經過落屑期。約兩星期餘。便入恢復期。自報點起經過的症狀。可分爲兩種。一種是重症。痘瘡熱點。先在頭部顏面發水泡。二日以後。變爲丘疹。中央發見水泡。次變爲膿泡。至第九日。變成痘泡。膿泡頂點有臍窩。周圍繞以紅暈。繼而體溫再上升。面腫。頭部及手指發疹疼痛。咽亦發疹。聲音嘶嗄。嚥下困難。兼有起結合炎處。虹膜炎等。至第十二十三日。體溫下降。膿泡乾燥結痂。搔痒劇烈。一週或二週後。殘留痘痕。或暗褐色瘢而愈。此瘢數月後。方始消失。此症在經過中。灌漿期比較危險。全愈大抵須有四週或六週。一種足輕症。發疹極少。膿泡不多。全愈經過約二週。

「診斷」發熱期。先見肉腫。神情恍忽。遍身骨布薰疹筋將。不時驚悸。口鼻氣粗。中指獨冷。耳尻不熱。耳後有紅筋。皆爲初出天痘的濕據。自發熱而至灌漿。脉轉頻浮數。是痘毒發表。沉細而遲。多爲不治。結痂後。脉必濡緩。静而不亂爲病愈。舌苔。初起是薄白或帶膩。灌漿後。必是淶黃。總以紅潤爲正例。痘點要顆粒稀疎。形質上。痘頂當尖高而不平塌痘體充滿而不綯爽。痘根緊固而不散漫。顏色上。初見時當紅活。灌漿時當黃潤。再後便當老蒼。凡痘應期。光澤而不暗滯。多是佳痘。

「預防」種痘可以防天痘。已爲大衆人所知道。我國先有鼻苗法。只是一次的發淨。和患天痘一樣的可以免疫十年。也而險性就減少很多。近世西人傳來牛痘法。以爲絕大發明。其實不過便利接種。同時可以更少危險。但是根據牛痘的免疫時間。僅能保持六個月。所以必須年年播種。方才可以免得天花的危險。然而也有經過了種牛痘以後。仍然會發天痘。只却是數見不鮮的。從此對于西人以爲最有價值的種牛痘法。未免也有些懷疑了。列位。不要上當。我并不是說牛痘的不好。不過嫌牛痘還不能絕對的穩妥罷。在現在沒有辦法的時候。仍當趕快種牛痘。比較是放心一點。

「調護」與痲疹相同。在透發不足的時候。宜稍與香菌。㮾筍及鮮魚湯一類食品。帮助透發。

「治療」見點時。應出不出。或出而復隱。用蘇解散。裹熱毒伏。用歸宗湯。津氣不足。用保元湯。已出而內有熱。用涼血攻毒飲。外有熱。用清熱解毒湯。又有熱末三朝。而痘已湧出透齊。用歸宗湯。參以清熱解毒法。起脹不如期。形扁頂陷。色灰白。皮薄嫩。用保元化毒湯。傷食熱鬱不起脹。用寬中快癍湯。灌漿時。痘點紫暗。灰板不化膿泡。用清毒活血湯。氣血虛弱。用千金內托散。或參歸鹿茸湯。結痂收靨遲遲。不易收斂。皮嫩漿薄。用回漿飲。毒盛臭潰𤢖赤。用大連翹飲。不乾燥而浸潰出水。用除濕湯。落屑時。乾燥不潤澤。難以脫落。用涼血解毒湯。似落不落。用荊防敗毒散。肅清表熱。落屑後。有紫黑瘢痕。是熱鬱未消。用黃連解毒湯。瘢痕凹陷。形體虛羸。與十全大補湯。

水痘

「原因」人體內有過量的水分。或是不合營養的分泌液。藉着體温的熱力。排泄出來。達于肌表。同時接觸着空氣中的毒素。以致溫熱鬱遏于肌表。皮膚隆起如痘形。小兒因爲多飲流體的關係。所以發生尤多。此病凡經過一次後。卽可有敵此病的機能。

「症候」病侵後。潛伏約六七日多至十一十二日。初起身熱。皮膚作痒。漸又熱退。便見發疹。光顏面。而挨次及于軀幹四肢。以至于週身。色赤而圓。一二日後。表皮隆起。形成水泡。中央凹陷。內容物始爲透明體的漿液狀，繼又變爲不透明乳液。且帶膿性。常混有多數的圓形細胞。三五日後。水痘乾燥。灰色或類褐色。至七日。痂皮剝落而不留瘢痕。

「診斷」本症與天痘彷彿。僅在肌表觀有區別。起初發熱。由紅點而變成水炮。頂色白亮。根脚散大有紅盤。漿色淡白。頂無痘眼。支薄色之。并無咳嗽噴嚏的併發症。就是水痘。

「預防」隔離。清潔。種牛痘。多可預防。而最有效驗的。必須少飲不清潔的流體爲要。

「調護」與以易消化食物。清潔口腔。靜臥二三日。無須藥劑自愈。

「治療」初期用辛涼宣達。葱豉桔梗湯加味。發疹時。用清熱解毒。加味三豆甘草湯。熱甚便祕煩躁。用大連翹飲。

痙

傷寒痙病。民間誤稱爲驚風。西名流行性腦脊髓膜炎。又簡稱腦膜炎。此症分類。大別有三種。一•剛痙。俗所謂急驚。西名急性腦膜炎。二•柔痙。俗所謂慢驚。西名結核性腦膜炎。三•陰痙。俗所謂慢脾。西名慢性腦底膜炎。列位。且不要嫌我麻煩。聽我一一道來。

剛痙

「原因」小兒感冒風寒。經過汗下而仍然不解。津液已傷。邪熱尚熾。此病初在太陽頭項背脊。漸次蔓延。人體內流體營養。消耗殫盡。神經于是乎麻痺。筋骨以之而拘攣。是爲病態。據顯微鏡下的視察結果。由于一種腦膜炎雙球菌傳染而造成。大抵神經興奮過度。或是筋骨疲勞過久。當人在自然療能力衰弱的時候。它就會悄悄的乘虛而入。若在有感冒肺炎的病兒。尤其是容易併發。只病在春夏時的原發性流行病或散發病。隨感隨發。比較可治。但見有角反張。起後數日。也便要致命。如爲冬日伏藏的繼發性類。症狀初不甚顯。驟時發作。而最難挽救。

「症候」初起無汗。惡寒發熱。頭痛連腦。或眩暈。或動搖。咳嗆嘔吐。小便頻數。不欲飲食。肢體痠疼。不便轉側。熱犯頭腦。引起充血。

循環呼吸。諸感困難。是痙在太陽。繼而項脊強痛。身體反張。四肢痲木。兩腿屈伸不利。神昏卒口噤。起臥不安。熱已蔓延。痙在陽明。再甚頭痛如劈。手足抽掣。兩目上視。瞳神散大。或發狂亂舞。或嘎齒詀妄。或閉口不語。泛吐白沫。此時熱熾化火。痙在少陽。危險萬分。失治或治失其當。卽至殞命。能愈順症。便見身熱漸低。心神清明。繼而肌筋漸鬆。愈期也還很久。致命逆症。多見昏迷。漸甚呼吸粗潮。腹凹陷。肌盡鬆。漸至極弱而死。

「診斷」在太陽時。脈浮而緊數。舌苔白而滑膩。傳至陽明。脈轉洪大而急促。舌苔或黃或絳。均見乾燥。在少陽。脈起弦勁。或伏而細濇。苔色紫赤或焦裂。凡病在未肯定是痙時。必須細察後腦痛。及項脊四肢強而不得屈伸。便是特徵。瞳孔大小不一。手心不起痒感。病必不輕。

「預防」一、神經不可興奮過度。二、筋骨不可疲勞太過。三、保持頭部冷靜。四、少進刺激食品。五、衣被要乾燥。不過熱也不宜受冷。六注射時膜炎血清。有三星期的免疫。

『調護』一、適宜病兒的環境。二、清靜和休養病兒的神經筋骨。三、病未轉定。藥石不可亂投。

「治療」太陽痙。邪在裏。用桂枝加葛根湯。陽明痙。熱已在裏。用白虎湯。或竹葉石膏湯。便祕。用大承氣湯。少陽痙。熱熾化火。急用羚羊角散。

柔痙

「原因」此症與剛痙同出一轍。但以小兒氣陽不足。體表衰弱。又因飲食內傷。或是再受暑濕。消化不良。津液不生。日久而神經筋骨。皆作病態。

「症候」大致與剛痙類同。惟有自汗。口中氣燒。呵欠頓悶。面痿白帶青色等症。

「診斷」脈象初起鬱滯。弦細而燥。繼見弦而細數。漸又勁疾。然而促數。或有歇止。或豁然而空。舌苔灰白暗滯。

「預防」「調護」與剛痙彷彿。外當注意調養。

「治療」初起用瓜蔞根桂枝湯。若固汗多亡陽的變痙。可用附子散。血虛體弱的熱傷筋。宜用當歸四逆散。

陰痙

「原因」病氣陽式微。醫反用寒凉重墜。陽不振而陰不化。吐瀉日久。風邪入腸。大便不禁。脾胃氣脫。腎元已虧。此不必因痙而傳變至。

「症候」面色虛黃或面青。舌短頭低。二目無神。睡時露睛。吐舌咬牙。頭微動搖。四肢冷而微搐。身體時寒時熱。痰涎凝滯。神志昏迷。沉沉喜眠。

「診斷」脉虛無力。舌苔灰暗。凡見上症候。便是此症。

「預防」「調護」病陽虛的。謹慎用藥。病吐瀉的。當心避風。其餘概與剛痙同。

「治療」始終要注重脾胃。參以回陽益志。化痰順氣。用六君子湯加泡姜。或用理中湯加附子。

結・論

上面嚕嚕囌囌。已經佔據了不少寶貴的篇幅。關于文內所引用的陳方。恕不再贅疣了。

痘症概要

王嘯山

痘症總論

諺云。走馬看痘。極言其變症之速也。經云。痘稟於陰。而成於陽。譬之種豆。亦必天氣陽和。地土溫暖。方能發生。人身之痘。亦猶是也。痘之將出。全杖眞陽托送。斯時培補氣血。尙且不暇。何堪剋削。無如近代痘師。但見發熱。便用寒涼。無非連翹大黃及一切涼藥。元氣乍虧。痘瘡立陷。又云痘之一症。有神司之。迷信之言。豈可信哉。委因不知培補。妄行攻伐。以致立時造變之明徵也。走馬看痘症。痘神換壞症。此二語舉世相傳。迷而不悟。縱更換醫生。亦總是寒涼剋削。愛女嬌兒。必驅之於萬不能生而後亡。亦生民之厄也。言念及此。不勝歎息。余於痘症一門。略加考索。竟獲微得。茲適校中舉行考試。以付諸同學研討。治痘之法。宜溫血兼散。治疹之法。宜養血兼散。二症俱忌寒涼消導。所謂微得者。如是而已矣。

發熱

痘者胎中之陰毒也。必賴陽氣以成之。小兒出痘。大約發熱。三日肌肉鬆透。然後能見點。苗齊熱退。乃眞陽內伏。交會於陰。復發熱三日。是運水達苗。以成清漿。漿足熱退。及至養漿。眞陽外出。發熱三日。化毒以成膿。膿成熱退。而陽伏。毒既化膿。又必發熱蒸乾。方能結痂。痂落後。眞陽外出。蒸化斑點。謂之燒斑。倘有黑斑。乃是火衰。並非因食鹽醬之故。所謂痘稟於陰。而成於陽也。如此治痘之法。始終當以補氣血。扶陽氣。爲第一義。用藥以溫補。少加發散爲首務。否則氣不足。則痘頂不起。火不足。則漿不稠。且恐厥逆腹痛陰寒起而壞症作矣。

或曰。痘宜溫補。此理甚明。若兼發散。豈不傷氣。不知純用散藥。汗多則傷氣。少加發散於溫補藥中。則血脈流通。痘瘡易出。無壅滯之患。受解散之功。所以古方補中益氣湯內有升麻。柴胡。大溫中飲內有麻黃。溫中補氣。尙用散藥。可見古人用心之妙。痘之初出。是斷不可減去散藥者也。

或又曰。痘宜溫補兼散。此理已明。後開大補元煎。六味回陽飲。此二方重用附桂。並無散藥。兼用龍骨粟殼收濇之品。其義何取。不知溫補兼散。乃治尋常痘瘡之法。更有一種小兒發熱一二日。卽遍身出痘。古書無方。時醫袖手。此乃陰毒太重。陽氣太虛。陰毒一發。陽氣已消。故瀉痢不止。瀉出之物。多作青黑色。肝氣所化。胃氣將竭之兆。速宜大補元煎六味回陽飲二方大劑連進。可以扶元陽。可以消陰毒。操起死回生之功。有鬼神莫測之妙。二方合煎。名還魂丹。治效卓著。功難盡述。

至於清火解毒涼藥。必察明果有實火者。方可暫用。若誤用於齊苗時。則水不能升而頂陷。若誤用於養漿時。則漿不能稠而癢塌者。眞火衰也。明者當前速宜參熟並用。附桂同煎。脾腎雙補。大劑疊進。尚可挽回。否則咬牙寒戰。吐瀉交作。不可爲矣。至於身涼而膿不乾。痂落而斑不化。及痘後毒發。皆因誤服生地銀花犀瀉連翹等涼藥之故。不可不知。熱有邪正。必當體察。正熱者。陽氣蒸騰。自內達外。喜露頭面。不惡寒。時熱時止。兼有小汗。手足溫和。飲食有味。二便如常。所謂內外無邪。不必服藥。邪熱者。偶受風寒。頭痛惡寒。四肢冷而無汗。荊防地黃湯內加肉桂一錢。一二劑儘可散除表邪而愈。古人云。熱不可盡除。眞格言也。

形色

痘以飽滿爲形。紅活爲色。頂陷不起。是氣虛。色不鮮明。是血虛。宜培補氣血爲主。眞陽虛者。乃無紅暈。甚至通身皆白。身涼不溫。宜大補元煎。陽回身溫。轉白爲紅矣。又有一種遍身血泡者。此非血多。乃氣少不能統血。故血妄行。急當大補元煎。陽氣充滿。血泡變白而成功矣。庸工不明此理。謬言血熱。誤用寒涼。變症日增。形與色。外象也。必要飲食有味。二便如常。知其無內病。可以不藥。若二便不調。飲食不下。煩躁悶亂。夜中不寧。形色雖好。亦甚可憂。的當察其病情。如何小心用藥。挽回方妙。形色不佳。多半是體虛氣寒。手足厥冷。頭重神昏。便清泄瀉等症。必當大補元煎。兼用附桂。若泄瀉不止。並當添入龍骨粟殼等藥。以收濇之方。可回生。

痘以紅爲貴。有圈紅。㬠紅。鋪紅之別。圈紅者。一線紅圈。緊附痘根。最爲佳兆。㬠紅者。痘根血色隱隱散漫。亦氣不收之故。速宜大補氣血。鋪紅者。一片平鋪。無痘之處亦紅。所謂地界不分。若兼不惡寒。口臭而渴。小便數而短。大便燥而結。內熱有據。宜白虎地黃湯以利之。熱退身涼。卽宜平補。不可多劑。又有一種錫光痘。身涼不溫。色白不紅。此乃陽虛陰象也。宜大補氣血。附桂同施。氣足陽回。痘根紅而漿稠。痂結矣。又有一種根無紅盤。頂含黑水者。乃陽氣大虛。陰氣凝結。亦宜大補元煎。兼用桂附。黑水化而爲膿矣。

痘有五泡。曰水泡。膿泡。灰泡。血泡。紫泡。痘有五陷。曰白陷。灰陷。血陷。紫陷。黑陷。水泡者。皮薄加明。經言氣熱生水。要知清漿皆水。何以不成膿。火少故也。必當姜附肉桂等藥。大劑陡進。水必成膿。若悞用涼藥。作瀉後轉爲白陷。膿泡失治。則破流膿水。灰泡失治。轉爲灰陷。二症亦宜參附熱桂大劑多進。若有小顆粒發出。謂之子救母。生意在焉。血泡者。乃氣虛非血熱。亦宜大補元陽。否則變爲血陷。紫泡者。其症有二。紫中帶青者。亦因氣虛不能攝血。陰血凝結而成。其人必身倦惡寒。舌胎白。飲食不多。大小便清白。速宜大補元陽。否則變爲紫陷。又有一種紫黑焦枯者。乃純陽無陰之症。其人必口乾惡熱。小便短大便結。此實火也。宜清涼解毒。白虎地黃湯。酌加大黃以行之。但得線漿。尚可望生。失治轉爲黑陷。又有一種小兒因服涼藥。腹中作痛。嘔吐瀉痢。將成慢驚。頭面大熱。唇焦舌黑。亦似實火。此乃火不歸元之故。實火者。二便燥結。虛火者。瀉痢不止。全在細心體察。方得其眞。經云。有者求之。無者求之。實者責之。虛者責之。蓋言萬病皆當體察寒熱虛實。然則醫治痘症。可概云實火。肆用苦寒剋伐。以斃人性命耶。

起脹

痘至開盤。頭面腮頰亦腫。謂之起脹。至膿成漿足。痘囘而脹消。謂之收脹。蓋緣毒氣由內達外。此時尙在肌膚之間。故腮頰亦隨之而腫。迨至膿成漿足。毒氣盡化爲膿。而脹自消。亦必脾胃強健。方能如此。若當起脹而不起脹。乃由元氣內虛。不能送毒外出之故。宜用大補氣血之藥。少加發散。大補元煎。大溫中飮。相間服之。盤自開而脹自起。若痘未開盤。而頭面先腫。乃元氣大虛。此乃虛脹。非起脹也。其痘必不能起脹。亦宜大補元氣。腫自消而脹自起。又有痘已囘。而腫不消。乃元氣大虛。不能攝毒。餘毒留於肌肉之間。不能盡化爲膿所致。亦宜大補元煎。大溫中飮。相間服之。餘毒盡化。而脹消矣。痘書云。痘出稠密。封眼者有救。不封眼者無救。不起脹者無救。此言甚確。封眼者。眼弦多痘。胭脂水塗之。仍不可以不封眼。不起脹者。因若不起脹封眼。乃元氣大虛。何以送毒外出。必當大補元煎。附子肉桂。大劑多進。脹起而毒化。一定之理也。

養漿

痘之緊要。全在養漿。漿成則毒化。漿不成。痘斯壞矣。自發熱見點。齊苗灌漿。無非爲養漿而設。若顆粒稀疏。根盤紅潤。精神爽健。二便如常。乃上等痘也。可以不藥。倘形色平常。全憑用藥。助其氣血。以養其漿。最怕者無熱。蓋痘症全仗眞陽充足。出而用事。方能化毒成膿。設陽氣不足。何以蒸化其氣。宜大補陽氣。實爲上策。緊防泄瀉。瀉則中虛。陽氣一虧。毒必內陷。定當預爲隄防。補其陽氣。助其脾胃。漿乾痂結而成功矣。煎藥方無非補中益氣湯。大補元煎之類。萬不失一。而世之面痲者。皆因不明是理。養漿時被庸工誤用消化之藥。中氣下虧所致。若於養漿時大劑溫補。氣血充足。落痂後斷無面痲之患。又有一種小兒。痘後滿面潰爛。名曰陽虛貫頂。又曰髮痘。經年不愈。此乃出痘時。誤服涼藥。胃中受寒。陽無所依。上冲頭頂。譬之火爐中以水潑之。則熱氣必上冲。此理無二。速用大補元煎。大溫中飲。相間投之。引火歸元。旬日可愈。

收結

收者。漿回而脹收也。結者。膿乾而痂結也。收如法。其功成矣。倘漿回而腫不消。膿成而痂不結。亦是眞陽不足。身無熱不能乾漿化毒之故。膿漿充足。必賴陽氣薰蒸。方能結痂。陽氣二字。豈非痘症始終必需之至寶乎。設此時氣體虛弱。不能結痂。必相其虛實。無非培補氣血。無不立見奇功。又有一種漿不能乾而生蛆。謂之蛆痘。總由陽氣不足之故。俱宜大補元煎。大溫中飲。相間服之。膿自乾而蛆自化。痂結而愈矣。

痘毒

痘本胎毒。自內達外。若出痘時。盡化爲膿。痘後無餘毒矣。當其初。總宜培補元陽。兼用散藥。毒氣方能盡出。化而爲膿。時師用黃芩連翹澤瀉等藥。任彼以爲涼藥可以解毒。豈知痘乃胎中陰毒。得陽氣則行。得涼藥則滯。毒氣因涼藥留滯於肌肉之內。痘後所以發爲大疽。名曰痘毒。皮色不變者居多。宜大溫中飲。數劑全愈。其色紅白相間。半陽半陰症也。荆防地黃湯與大溫中飲相間服之。數日亦愈。倘已潰爛。亦以荆防地黃湯大溫中飲投之。計日可愈。荆防解其凝結。姜桂散其寒涼。所以可愈。倘時醫見之。不分陰陽。統言火毒。仍用生地連翹銀花等藥。以致堅腫不消。潰爛不斂。清膿淋漓。久而不愈。漸至泄瀉不食。脾胃一敗。不斃鮮矣。若紅而帶紫者。乃陽症也。方可以荆防地黃湯。愈之。大便結者下之。然陰症多而陽症少。痘後罕有陽症之毒發現也。

治法

痘科一症。順者不必治。逆者不能治。可治者惟險症耳。險症治之得法則生。否則死。是故治法。不可不精也。內經未嘗言及。今行世諸書。皆本之於諸瘡痛癢。皆屬於熱八字。所以立意先言解毒。開方卽用寒涼。良以解毒最爲入耳。寒涼似亦應然。殊不知痘瘡全以發透爲吉。起發必賴氣血滋培。方能自內達外。齊苗灌漿結痂。無非陽氣爲之也。寒涼則血滯。剋削則氣破。血滯氣破。毒氣乘虛深入。此痘症陷塌之所由來也。痘之始終。全憑氣血。但得氣血充足。則易出易結。血氣不足。則變痘百出。症之欲出。陽氣蒸騰。小兒發熱。正是痘欲見苗。斯時氣虛者。宜服補中益氣湯。血虛者。宜服荊防地黃湯。兼寒者。宜大溫中飲。或大補元煎。察其體氣之虛實。酌而用之。所謂培補氣血。疏通經絡。無不立奏全功。時師不明此理。定言用補太早。則補住毒氣。乃愚陋之見也。不知補中卽所以托毒。灌漿卽所以發苗。萬無補住之理。且有散藥在內。此實先哲治痘之心得。高明者必以爲然。淺學者何能窺其萬一。要知治痘之法。總不外乎虛實寒熱四字。何者爲虛爲寒。凡小兒向日氣體薄弱。面色青黃。唇淡長寒。大便溏而不結。小便清白。飲食減少。或不甚消化等症。知腹中火少。出痘時必難灌漿。亦難結痂。氣血不足之故。是名虛寒。速宜培補元陽。以防後患也。何者爲實爲熱。小兒氣體壯實。飲食易消。出痘時。大便結而燥。小便赤而少。口鼻中出氣如火。惡熱喜涼等症。是名實熱。察明果是內熱。方可暫行清解。荊防地黃湯。用生地加大黃一二劑。而火退矣。然不可以虛火誤認爲實火。察虛火實火之法。全憑大小便爲主。小便清白。大便不燥。身雖大熱。乃是中宮有寒。火無所依。浮而在外。誤服寒藥。亦有此症。不得以身熱便認爲實火。虛火者十中八九。實火者數十中一二耳。

批　自牛苗接種術興而此道乃晦本篇於是乎有存亡續絕之功　文芳

頭痛

任天石

1、腦之解剖及生理

體稟素弱。或生活過於清閑。此二端。無論於內傷外感之頭痛。均為最大原因。然欲知頭痛之為病。必先知腦及神經之作用。茲先就此說明。復言頭痛之原因。頭痛所由來之病。及其療法。夫腦位於人身最上層之頭蓋中。由神經以與身體各部分相貫。形與電綫相似。一經由腦傳達命令之後。則遍傳於身體各部。腦之構造。又有數多區。分自頭蓋之天靈骨以達於面。殆占腦全體分之八。為大腦。自頭蓋後方以至頭部直上之處。為小腦。小腦與大腦間。有形如橋。名曰滑洛里氏橋。小腦與脊髓之間。為延髓。是於生活上關係尤大。為生死之點。延髓與脊髓相連續。蓋人之克為萬物之靈。超越動物之上者。端在於腦髓。至於胃腑心臟肺臟等。他之動物中且之較人類為健全者。然他部分縱有若干完備之處。惟腦髓無論何種動物。其構造之複雜精巧。其作用之微妙不可思議。無有可與人類相提並論者。惟其質甚柔軟。不可無以保護。所以保護之者。頭蓋是也。是由廣薄之六種保護層而成。對於腦髓殆有金城鉄壁之觀。其保護之第一層為毛髮。保護腦髓之功甚大。毛髮密生且長。則雖受外力刺激。亦不易傷及其頭。且能防禦寒暑。故毛髮於生理上頗屬重要。在頭蓋尚未十分堅實之小兒時代。固無論矣。在成人亦不宜使髮之過短。第二保護層為頭之皮膚。其構造與他部皮膚無大異。惟較緊密。生無數之毛髮。有多數之皮脂腺。分泌多量之脂肪。血管亦較他部皮膚為多。所以使其營業之良。若頭部誤受創傷。亦較他部之創傷易於告痊。第三層為頭蓋骨。由八塊堅滑之骨而成。其中為頭蓋腔。各頭蓋骨恰如二重之壁。內外枚之二骨板相重合。其間有一種物質為板障。此骨比於他部分之骨為強。而載於小環形骨之上。此骨為咲脫拉斯。其外部即頸之周圍有多數之筋肉。能使頭部仰觀於天。或俯察於地。以至前後左右。均能如意所向而迴轉。其他三層在頭蓋骨之內部。又有硬膜蜘蛛膜脈絡膜之三保護層。硬膜為緻密之纖維層。以保持腦髓形狀為其職務。脈絡膜有多數血管。供給血液於腦髓。蜘蛛膜為極弱之纖維膜。殆與蜘蛛之巢相似。故名。能使腦有移動少許之餘地。此三層之間為液體。子絡膜與腦之間。腦中各細胞之間。亦均滿貯液體。以保護其陰。人於行往坐臥之間。時不免動搖其頭。而卒無傷於腦者。皆是等保護之力也。腦之表面作灰白色。有數多之起伏凹凸。是爲腦之溝及迴轉。應其人之賢愚。年齡之長幼。其凹凸有不同。凡智識超羣。發育完全之成人。溝深而其迴轉亦著。幼者愚者之溝淺而迴轉少。卽人之賢愚之差。與腦之廻轉及其溝有關係。大抵腦之廻轉大而溝深者。其部分之神經細胞亦較發達。因而其細胞中所含神經力亦多。則思考力動作力之發生亦大。此其所以爲賢愚之判也歟。惟大小輕重。又因人而異。腦髓之大而重者。其人多智。凡初生兒之腦量最輕。男兒約三百三十克。女兒約之百克。後因身體漸次發育。腦之重量之漸增加。自二十歲至三十五歲之間。腦量最重。五十之後。則又遂漸減少。成人之腦量。平均男子爲一千三百七十五克。女子爲一千二百四十五克。女子智識所以不及男子者。其理卽在於此。同屬男子。其腦愈重者。智識愈廣。茲就學者數人。記其腦量如下。

哲學者蓋斯氏（七十八歲）	一千四百九十克
詩人但丁氏	一千四百二十克
詩人西電氏（四十六歲）	一千五百八十五克
哲學者康德氏（八十二歲）	一千六百克
解析學者克伊爾氏（六十二歲）	一千八百另七克

觀前數人之腦量。比於男子平均腦量爲甚大。是爲腦量大者其人多智之明證。惟上述僅就人之一種屬言之。且其所謂重者。不可不就體重而比例言之。若僅就重量言。則動物中有腦量遠較重於吾輩人類者。然其智識決不能超出於人類之上。故槪括言之。腦量與體重之比愈大。則智識愈高。在同一種屬中。腦量較大者較智。今就數種動物記其腦重與體重之比如下。

象之腦量	體重之五百分之一
羊	三百五十分之一
鷹	一百六十分之一
鼠	一百四十分之一

鴿　　　　一百三十分之一

上列數動物中。以鴿爲最智巧。且同一人類。文明與野蠻國人。腦之發達亦相異。今日之文明民族。亦因其文明之進步。而腦量漸次增加。休密德氏嘗測定古今之埃及人。知其隨文明之漸次衰頹。而國民之腦量亦漸減少。又在同時代同種屬之同國國民。素居鄉野者。恆較都市人之腦量爲輕。但腦量以重爲貴。然亦有反對之現象焉。古來有名之人。每有腦量較平均腦量爲輕者。例如

生理學者哈電斯氏（四十歲）　一千二百三十八克

生理學者幾台滿氏（七十九歲）　一千二百五十四克

雄辨家卄別德氏　一千三百四十六克

化學家黎皮伊氏（七十歲）　一千三百五十二克

由是觀之。則於腦量於外。所以區別賢愚者。必另有理由焉。蓋腦爲種種之部分而成。司精神作用者。以其表面之皮質爲限。苟此部份而大且重者。則他部分雖小而輕。其精神作用仍強。反之。他部分雖大而有過人之重量。惟此皮質部分則小而輕。其精神作用終屬遲鈍。又若皮質部分中神經細胞之分量無多。質量亦未良好。仍不能營敏捷活潑之精神作用。前言腦之廻轉多而溝深者。其人智。蓋以廻轉多。則腦皮質面亦大故也。諺有曰。時錶較時鐘爲精巧。非果彼善於此也。僅大小之殊耳。故精神作用之銳鈍。不能僅以腦髓全體之輕重大小判別。其理亦若是。

2、頭痛之種類

腦及神經之作用既明。當復言頭痛之爲病焉。乃如下所記各病中之一症。假如冒寒爲頭痛之因。一切熱病皆足招致頭痛。其他如腸胃病。婦人病。神經痛。腦病。黴毒。耳鼻咽喉病。眼病。中毒等。皆有頭痛之症候。在病理學上分而爲三種。一、由實質上發生變化之疾病而起頭痛。即腦髓若何之變化。因而患頭痛之症。二、頭痛源於中毒。三、因官能障害而起之頭痛。玆再分述如下。

由實質變化而起之頭痛。乃實質上發生變化之疾病。因而引起頭痛者。以下列之病爲主。

一、腦疾患。即如腦受外傷。腦腫瘍。腦黴毒。及其他腦病。

二、腦血管之疾病。卽如腦出血。動脈瘤。黴毒性。血管炎。血管之變質及其他。

三、腦膜之疾患。卽如結核性之症炎。黴毒性之炎症及其他之腦膜炎。

四、頭蓋之疾患。卽腫瘍膿腫齒病。

五、其他之疾患卽眼病。耳病。鼻腔內之疾患。

由中毒而起之頭痛。其因有二。一爲吸收外界之毒物而起。二因體內發生毒質延及於腦而起。

一、由外界而來之毒物。卽如呼吸於惡劣空氣中。居住空氣流通不良之房屋。煤氣中毒。由藥品而發生之含毒氣體。誤吸入之烟艸酒鉛等之中毒。

二、體內發生毒質延及於腦而起者。如患チフス之熱病而起頭痛。他如尿毒症。糖尿病。腸胃病等。亦有頭痛之症。

由管能障害而起之頭痛。係血壓變化。充血貧血。精神過勞。頭腦之壓迫。神經衰弱。眩暈。月經障害。反其他原因。頗爲複雜。再舉其鑑別方法。擇重要者記之如下。

3、頭痛之鑑別及其療法

一、外感內傷之頭痛

內經曰。風氣循風府而上。爲腦風。新沐中風。爲首風。犯大寒。內至骨髓。爲腦逆頭痛。下虛上實。爲腎厥頭痛。頭痛耳鳴。九竅不利。爲腸胃所生。頭痛甚。腦盡痛。手足青至節。死不治。條而列之。有因風。因寒。因腦。因痰。因火。因鬱熱。因伏暑。因傷食。傷酒。傷怒。與氣虛血虛內風擾巔(虛氣逆諸症。因風者惡風。川芎茶調散。薄荷川芎羌活甘艸荊芥白芷防風細辛。因寒者惡寒。桂枝羌活湯。桂枝羌活防風甘草。因濕者頭重。羌活勝濕湯。羌活獨活川芎藁本防風甘草蔓荊子。因痰者嘔眩肢冷。爲太陰痰厥頭痛。半夏天麻白朮湯。半夏天麻白朮人參黃芪陳皮茯苓麥芽神曲蒼朮澤瀉薑。因火者腦痛。以連喬丹皮桑叶羚羊角山梔薄荷菊叶苦丁茶。因鬱熱者心煩。清空膏加麥冬。丹因菊花散。因伏暑者口乾。荷叶石羔山梔羚羊角麥冬。因傷食者胃滿。香砂枳朮丸。木香砂仁枳殼白朮陳皮半夏。因傷酒者氣逆。葛花解酲湯。葛花砂仁蔻仁木香青皮陳皮人參白朮茯苓神曲乾姜猪苓澤瀉。因傷怒者血逆。沈香降氣湯。沉香砂仁香附炙草姜。眞頭痛。客邪犯腦。手足靑至節。黑錫丹。硫黃黑鉛加沉香附子肉桂茴香破故紙肉豆蔻金鈴子木香葫蘆巴。偏頭痛。屢發日久不痊。菊花茶調散。芎犀丸。透頂散。內風趨巔者筋惕。肝陽上冒震動髓海。三才湯加牡蠣阿膠白芍茯苓炒甘菊花。腎虛水泛者頭痛如破。昏重不安。六味湯去丹皮加沉香。更以七味丸。人參湯下。因腎虛氣逆爲腎厥。玉眞丸。來復丹。外如雷頭風。頭痛起塊。或鳴如雷震。清震湯。大頭痛。頭面盡腫。由天行時疫。甚則潰膿。普濟消毒飲。輕者發頤。腫耳前後。甘桔湯加薄荷荊芥鼠粘子連喬黃芩。眉稜骨痛。由風熱外干。痰濕內鬱。選奇湯。眼眶痛。俱屬肝經。肝虛見光則痛。生熟地黃丸。肝經停飲痛。不可開。晝靜夜劇。導痰湯。此內傷外感之治也。

二、中毒性頭痛

寒夜圍爐。數人共話。因而頭痛者。爲炭酸中毒。倘開窗當風。或散步室外。以吸收新鮮空氣即愈。或因宿醉而頭痛。或因常用含有鉛質之白粉而頭痛。亦爲一種之中毒。戒酒或用無鉛白粉。去其病因。頭痛自愈。他如鼻病或腸胃病而頭痛者。亦除去其病因可也。

三、神經性頭痛

常病頭痛者。如遇天氣寒暖不時。或當春月之初。均足爲其頭痛之近因。大抵以神經衰弱爲其主因。夫神經衰弱爲文明諸國之特產。學生於求學時代固無論矣。他如政治家。新聞記者。學校教師等。恃腦力爲生活者。無不知神經衰弱之名詞。實可謂神經衰強全盛時代。然則使用腦力者。易患神經衰弱歟。凡勞力者任事簡單。猶之使用粗劣之機械。不易損傷。雖食不易消化之物。或飲過量之酒。誠有種種不合於衞生之處。然仍無害於其康健。使用腦力者。猶之使用精巧之機械。偶不注意運用。卽因而阻滯。故用腦力之人。苟不自節勞。易致神經衰弱之症。然有易於恢復者。有不然者。若遠行或操作勞力之事。必感疲勞。此乃生理之關係。尙休養二三日。必能恢復其舊時狀態。惟眞患神經衰弱之人。其疲勞雖休息多日。仍不能恢復其康健。例如遇難解之事。必求判斷。或心意不適。卽起憤激。斯時腦力遲鈍。判斷力因而薄弱。故屬於生理上一時之關係者。經若干時而恢復。惟患神經衰弱之重症者。既感疲勞之後。欲其恢復甚難。其症候可分肉體和精神二端。肉體上之徵疾。爲神經性視力衰弱。耳鳴。味覺錯誤。知覺異常。易起頭痛。其痛有在頭之全部者。有在頭之一偏者。頭重聳肩。消化不良。脾胃衰弱。尿之化學成分易起變化。心悸亢進。心臟部痛。有時則感呼吸困難。眩暈反射機能則亢進。生殖機能則起障碍。夜眠不易熟寐。忽而煩悶萬感交集。或則既寐而忽醒。或則心神不安。睡中多夢。最困難者。爲不能操持職務。其始即感疲勞。實則疲倦未必若是之甚。惟常存疲勞之心。步行則覺腓腸之痛。視書則覺目眩。思慮則感頭痛。食物則覺腹中不和。且如頭部稍痛。則視爲腦病。胸部稍痛。自視爲肺病。恆自覺罹於重症。而存自危之心。精神上之徵候者。即精神減退。不能運腦力是也。例如記憶力之薄弱。甚則忘其親友之名。簡單之數。亦難暗算。會晤之人。數日即忘。日常簡單之事。不能分辨。且如簡單之書翰。不能一揮而就。精神之集中。必見薄弱。例如正在觀書之時。而心神外馳。每思索書外之事。理解力因而薄弱。且無堅強之意志。在常人所爲。視甚平淡之事。亦不能判斷。如一時決定一事。偶聞他人之一二語。即改變其決心。蓋已失其自信力。其病再進則爲失望。是爲最危險之症候。世之不察事理。無端抱厭世而自殺者。實以此類爲最多。神經衰弱各症候之中。於醫學上最有興味者。則爲強迫觀念。其心經爲一種思想所拘束。念念在茲。不能除去。是種思想是也。其例甚多。不遑枚舉。至於其神經衰弱之原因如何。是則可分爲二。一屬於先天性。有生之初。神經已見衰弱。因父母之神經病遺傳於兒女而得。二屬於後天性。是有種種原因。據海斯林氏就八百二十八人中之神經衰弱病者。記其原因如下。

家族之機能神經病	二八六	精神過勞	一四四	懸念憤怒激昂	一三〇
手淫	六〇	生殖器病	四〇	急性病	三九
外傷	三八	酒傷	三〇	分娩	三〇
胃腸病	二六	インフルエンザ	二四	色慾	二三
身體衰弱貧血	一六	慢性病	一五	脫脂療法	一〇
不得職業	一〇	身體過勞	九	驚愕	八
強戒色慾	八	月經閉止	七	教育不良	六
其他	四				

就上表觀之。精神過勞。及懸念為大多數之原因。今日與昔日異。生存競爭者是劇烈。生活狀態若是複雜。神經衰弱病者之與年俱增。亦時勢使之然也。又於上表所列之外。耳病鼻病眼病等。亦為神經衰弱之原因。以學生為衆。主持學校教育之人。不可不加之意焉。既明其種種原因。當為設法避免。避免之法。攝生為佳。並亦可視為預防法也。茲再略述。夫神經衰弱之症。較重者。自以入醫士治療為宜。其輕者。則注重於養生亦可。養生首宜遵規律。凡起居飲食行動。須有一定規律。晨醒卽宜起床。而行冷水摩擦。冷水之於神經。有非常之效力。故能行適量之冷水浴者。可自行之。以為一種之治療法。冷水浴。亦有種種方法。最良者為灌水法。食物宜就病人所好。食量宜少。富於滋養分且易於消化為適度。食量過多。或消化不良。則血液亦易停滯於腸胃間。詳細言之。瘦削。人宜食柔軟。肉類魚類牛乳牛酪鷄卵米飯馬鈴薯新鮮蔬菜等。肥滿者。宜食脂肪較少之物。再就飲食時所宜注意者言之。苟不知飢。不宜就食。每次就食。時間宜有一定。食物須十分咀嚼。飲料以少為貴。辣茄葫蒜辛香之物。均宜禁絕。食事前後。不宜運動。食時又不宜閱書。或思索事理。祇宜為有趣味之談話。食後休息片時。均宜注意溫度。烟酒有害於養生。神經衰弱之人。大半濫用此二物而起。故不可不禁絕。茶亦有害於神經而使之衰弱。能以麥湯或牛乳代之。珈琲與茶亦有相同之害。運動。於神經衰弱之不可不十分注意。蓋運動不特勞者肉體。神經亦因而疲勞。如其就人之所好。或散步於庭園。或閑行於郊野。其運動固無損而有益。如乘車馳馬等運動。須適於其人之嗜好方可。至於職業言。縱不完全禁絕。亦當無擇其適宜者方可。如學生之患神經衰弱症。不妨仍令讀書。惟須以不感痛苦為限。苟終日無所事事。卻有如何日暮之感。其次為娛樂。是宜出於自然。如圍棋等娛樂品。勞精疲神。決非所宜。凡激烈之感動。易致心病。甚者殺身。故久抱若是之感情者。為不善也。患神經衰弱之人。因七情而起者當多。既患是症務心意和平。開拓胸襟。解煩惱。不貪小利。不慕虛榮。實神經病者之對症良藥。此僅為養生之道。至於醫治神經衰弱之症。不外乎補血安神理氣之品。內傷外感亦已言及。總之須先察其病因所在而避去之。於藥療之外。第一為安靜療法。此則卽如前所述使精神安寧是也。

批　論病理不背乎生生理談療治兼及於衛生允稱完善之作　文　芳

膀胱說

江海峯

膀胱爲盛受尿而司排泄之器。今人莫不知之矣。而膀胱之生理。多有不能明瞭者。致啓上口有無之爭。按胎生時之膀胱。確有上口。連一小管通達於臍。那西醫所謂胎兒尿管是也。因胎兒在母體內。必借母體排泄器以排泄之故。膀胱下口爲尿道尙閉塞不通。尿液完全由膀胱上口排泄。經臍帶達母體。迨分娩後。因身出母體。自能排泄。故膀胱上口。即閉塞不通。達臍之小管。亦遂變成帶狀。以固定膀胱。而是時膀胱下口並尿道。遂正式開始其工作矣。然吾國醫籍。不言膀胱上口者。正與西說合符也。

今人每論生理。輒贊西醫之詳。而適中醫之略。實不知中醫之言也。謂中醫略於解剖則可。若謂中醫略於生理則不可。不過中醫書籍。文與意深。讀者確以了解。無西醫之易明也。吾今試以有關膀胱生理者。隨憶所及。略舉言之。如靈樞本輸篇曰。腎合膀胱者•津液之府。素問靈蘭祕典論曰。膀胱者。州都之官。津液藏也。氣化則能出矣。素問經脈利論曰。通調水道。下輸膀胱。靈樞五癃津液別論篇曰。水下留於膀胱。則謂溺與章。靈樞營衛生會篇曰。下焦者。別迴腸注於膀胱而滲入焉。又曰下焦如瀆。彙而觀之。足見所言膀胱之生理。與西說並無二致。然尙不加以解釋。並參證以西理。猶恐難明。考西醫泌尿器之解剖。爲腎。輸尿管。膀胱。尿道四部。其言生理。則謂始由腎臟起濾渡作用。將動脈送來之血液。經絲球狀血管。達婆門氏囊而濾之。濾出尿之成分後。（尿酸及尿素）經曲細涼管有倂流入輸入管。送達膀胱。再經知覺神經之感觸。（覺已充盈）然後由尿道排泄於體外。即此可知泌尿器之重要者。爲腎與膀胱。他如輸尿管與尿道。不適爲腎與膀胱之傳達經路耳。內經謂腎合膀胱。又謂下輸膀胱。又謂注於膀胱。又謂下焦如瀆。曰合。曰輸。曰注。曰瀆。經四字之形容。雖不明言輸尿管。而輸尿管宛然正其中矣。又觀章化則能出矣一句。尿道亦隱含於其間矣。夫黃帝著內經。旣知尿與膀胱。並悉其功用。豈有不知輸尿管與尿道之理。其所以不言者。膺由於古時解剖術之不精。或爲二者係傳達經路。似可略而不詳。故謹以形容字表示之。安可即謂吾國醫籍略於生理也耶。吾師曰實不知中者之言也。

或曰子言固矣。然讀素問五藏別論曰。胃火腸小腸三焦膀胱此五者。天地之所生也。其章象天。故寫而不藏。此受五藏濁章。名曰傳化之府。此不能久留輸寫者。膀胱爲五藏之一。旦明明所受盛者爲尿液。何獨謂爲津液之府。又言津液藏也。亦有所解乎。曰此正余所欲言也。先就以經解經。再以淺顯之理明之。猶憶靈樞本藏篇有云。六者。府所以化水谷而行津液者也。膀胱爲亦府之一。專蓄水液。故稱之曰津液之府。因其津液藏焉。然於津液二字。仍不能瞭然。試再以素問逆論觀之。論曰。夫水者循津液而流也。腎者水藏。主津液。則可明乎津液所至。水液隨之。更可明乎津液是濁液。與精液之謂清液者不同。精液用以養身。津液應宜排泄。同一水液。而精津清濁判。如其謂津精同類。在陰爲精。在湯爲津者。不知津液之言也。然則尿液謂之津液也。亦宜。不觀夫夏日汗多小便少。冬日汗少而小便多乎。蓋汗與小便同一津液所化。不過汗由汗腺泄於膚表。所含阿母尼亞少。小便經尿管泄於體外。所含阿母尼亞多。更徵諸汗衣呈黃垢之色。其與小便同一液體所化。尤無可疑。經不云乎。汗出溱溱。是爲津液之理。從可明矣。

言夫病理。今人每謂西醫明而中醫昧。其亦未知中醫之言也。中醫之言病理。既詳且精。何昧之有。不過繫在無統系耳。吾今試以膀胱病理舉言之。靈樞上問篇曰。邪之所在。皆爲不足。中氣不足。溲便爲之變。是凡病邪一入裏。爲寒爲熱。可即溲便而得之。故素問至眞要大論有諸病水液澄澈清冷。皆屬於寒。水液渾濁。皆屬於熱之文。然猶此非膀胱病也。不過因邪亂氣化之影響耳。若夫膀胱病或爲閉癃。或爲遺溺。蓋即西醫之所謂膀胱肌發生障害是也。據西醫解剖學說。膀胱係有內外二層肌膜構成。內層肌膜爲橫行纖維。頗強厚。在尿道近傍。圍繞膀胱頸部。爲最緻密。名曰膀胱括約肌。外層肌膜。爲縱行纖維。前後壁較強厚。名曰利尿肌。如利病肌發生障碍。則病閉癃。如括約肌發生障害。則病遺溺。豈非即素問宣明五氣篇之所謂膀胱不利爲癃。不約爲遺溺者乎。而妙在不利不約。與西醫解剖所得正復相同。且也西醫不分虛實。故治療不得當。中醫則各有虛實之分。治有補瀉之別。似較西醫爲精詳。素問氣厥論云。胞灼熱於膀胱。則癃溺血。此屬癃之實者。如靈樞脹論曰。膀胱脹者。少腹滿而氣癃。此屬癃之虛矣。更有素問奇病論虛實並舉而言之。尤爲精處。其言曰。癃者。一日數十溲。此不足也。夫人迎胃脈。太陰肺脈。癃之屬於熱盛者實也。屬於氣衰者虛也。脈症比較。瞭如指掌。至於遺溺。則素問咳論之所謂膀胱咳狀。咳而遺溺者實也。素問脈要精微論之所謂水泉不止者。是膀胱不藏也。得守者生。失守者死。虛也。同一遺溺。不多遺與遺不止。實虛分焉。今人務求簡易。即以素問宣明五氣篇之二句。分明虛實。實大昧於經旨。如謂閉癃多實。遺溺多虛。則猶可。謂閉癃盡實。遺溺盡虛。則不可也。他如素問痺論云。胞痺者少腹膀胱。按之內痛。若沃以湯。澀於小便。上爲清涕。又靈樞邪氣藏府病形篇云。膀胱病者。小腹偏腫而痛。以手按之。即欲小便而不得。肩上熱。凡此又近乎現今西醫所謂之膀胱炎也。

上所述者。爲膀胱自病。施以局部治療。卽可奏效。若有他藏影響。被動而發者。則必先見他藏之症。或係他藏幷發症。醫者又當施以根本治療。此亦爲研究膀胱病理者。所不可不知也。其最易使受影響者。首推肝腎肺督脈三焦。脾胃次之。餘者當鮮。蓋以生理上關係有疏密也。茲就所憶。約例舉之。如由於肝病者。遺溺閉癃。腎氣不及。則少腹滿小便變。肺氣或而有餘。則小便數而欠。氣虛則溺色變。督脈生病。癃遺溺。三焦病者。腹氣滿。小腹尤堅。不得小便。窘急。由於脾病者。水閉。胃病有餘。則溺色黃。諸如此類。不勝枚舉。此卽西醫所謂副症是也。

總之治膀胱病者。有虛實之分。實則宜瀉之。虛則宜補攝。今舉例如下。如閉癃之症。既多屬於濕熱蘊結。或腎藏不强。而不能排泄。閉者點滴難通。屬暴病。癃在滴瀝不爽。屬久病。此虛實可明矣。虛者宜腎氣丸。滋腎通關丸。實宜八正散。五苓散。導赤散之類。遺溺多因腎氣不攝。眞陽不固。宜五螵蛸散。或補中益氣丸。咳而遺溺者。宜茯菟丸。餘者尙有淋瀉之別。當隨症施治。自能痊愈。方列於后。

腎氣丸　附子　肉桂　山藥　熟地　山萸　丹皮　茯苓　澤瀉

滋腎通關丸　黃柏　知母　肉桂

八正散　車前子　木通　瞿麥　扁蓄　滑石　梔子　大黃　甘艸

五苓散　茯苓　豬苓　澤瀉　白朮　桂枝

導赤散　生乾地黃　木通　甘艸

桑螵蛸散　人參　茯苓　遠志　菖蒲　桑螵蛸　龍骨　龜版　當歸

補中益章湯　黃芪　人參　甘草　當歸　橘皮　升麻　柴胡　白朮　生姜　紅棗

茯菟丸　製菟絲　茯苓　石蓮肉

批　引古證今不偏不倚　文　芳

咳嗽概說

傅家樂

夫疾病亦多端矣。其痛苦最久。如受天刑。是以毀滅人體而最可憫可畏者。厥惟欬嗽一症而已。故近人稱之曰惡疾。以其性甚頑固。治之不易就痊也。自古中外皆有之。獨我國人患者最多。因之死亡者。亦累累不絕。外人隨稱之曰東亞病夫。噫。何以我國特多耶。近據專家攷察。其說有二。一曰國事蜩螗。內政不修。民智未開。衛生不講。以致斯疾得以繁殖無已。一曰我國人多由先天遺傳。雖數月嬰孩。亦有同類之症。較之他國人體質。絕對不同也。又曰體質不同。非人體內生理之不同也。乃包括一切起居飲食習慣等而計。試觀今日西人。飯後大啖水果。謂有助消化作說。其對于身體。竟毫無妨害。反觀吾華人。則罕見之。雖有二三行之者。往往疾病隨因之而起。（見世界雜誌）以上二說。對我國人心理。均甚確實。然我人當察此病之來源。以作醫學之研究。今試論之。

蓋欬嗽之病。種類繁多。就醫籍所載。約計之共數十種。其症狀之異。處方之夥。堪稱爲內科也首之。但普通所常見者。方都以風寒。痰熱。痰飲。虛勞。以及小兒百日欬等爲最多。然其主要病因。總不離乎內傷與外感兩大綱。內傷者。飲食不節。醉飽無常。晏眠遲起。七情六鬱等。均可造之。但其大半多由外界引誘。非單獨而發也。雖上古聖哲。後世賢士。均已知之。如內經云。邪之所湊。其氣必虛。孟子曰。物必先腐。而後虫生之。此言病先傷于因。而後外界侵之。然則外感者。非空中六氣乎。於是國醫隨言之曰。天地不正之氣。發爲六氣。亦曰六淫。風、寒、暑、濕、燥、火是也。人體除少數內傷外。凡一切疾病。皆由六氣造之。內經云。夫病之生也。皆生於風、寒、暑、濕、燥、火以之化之變也。易以今日西醫言之。曰人間有物。視而不見。於顯微鏡下觀之。圓者橢形。桿者曲者。不一其形。其累累者曰椎亦曰細菌。凡人之疾病。悉有細菌祟之。蓋細菌乃人類之仇敵也。又曰。若無細菌。即無疾病。與我國醫若無六氣引誘。安有疾病。二者似乎相台。然彼竟死力反對六氣。謂細菌乃有形微生物。六氣乃無形之名曰。而涉于玄妙虛杳者也。且醫中動在處方時。動輒曰感受外邪。無不依六氣爲命。余曰。西醫在診斷時。動輒曰細菌傳染。亦無不依細菌爲命也。且六氣能造微生物（即細菌）微生物不能改造六氣。在天時暴寒暴熱之際。（即天地不正之氣也）我人到處可見時疫流行。如傷痧欬嗽。喉風。痧子等。而西醫則細謂菌密佈空中。人類觸之。每致疾病。其病大多係氣管炎。喉頭菌。猩紅熱。以及天花等。由是觀之。六氣實能造微生物。且西醫所舉病症。與我國醫病症相符。二者名異而實蹈也•夫如是。則又何必談人之短而尊己爲長哉。究竟六氣與微生物。孰是孰非。請各注重事實。徒勿空談學理也。須知醫學乃活命之術也。當以能否治病爲標準。即世界之醫藥。均不能逃公律者也。必先察其治病之成績如何。而後方可定其確實也。譬如紙上談兵。豈可料彼勝而彼必敗哉。

我國醫藥。向以症候爲主。所謂憑症處方。因症而發藥也。例可欬嗽一症。我國人人有之。不過身體健全與不健全之別。身體健全者。易于治療。雖了了數味。足可應付。身體不健全者。難于治療。往往成爲癆病。遂致不治。「俗諺說傷風不醒便成癆」。斯言是也。證明古訓。傷風原爲肺臟受邪。以肺主皮毛。系司呼吸。故凡五疾六腑外受之邪。肺先受之。以肺爲嬌臟。不能受外界侵襲。于是清肅失司。氣必上干於肺。氣不條達。則津液凝滯不成疾。因而及分泌。遂痰出如稀。色曰而薄。而成欬嗽之症。其初起無不欬嗽氣急。鼻流清涕。輕者無寒熱。雖不藥能愈。但必須多飲開水。醫家所謂寒者溫之之意也。以後慎不可重感風寒。聽其自愈。重者往往發熱惡寒。頭痛骨楚。舌黃白膩。脉象浮滑。與傷寒症無異。雖麻黃桂枝。亦可相參而用也。然後人不明究竟。妄稱桂枝治風。麻黃治寒。實阻止醫學進步。其害匪」淡殊不知風寒兩者。同屬寒性。可分而不可分也。在冬日遇風。則皮膚起慄。夏日遇風。則心涼氣爽。二者氣質相同耳。是故柯韻伯曰。「風寒本是一氣。湯劑可以互投」。以外界風寒而引起欬嗽。則其治法。當解表以透邪也。此爲國醫惟一之定律。雖外邪中人。千變萬端。總以症之肌表虛實定其標準。如故表虛者。欬嗽鼻塞。汗出惡風。宜桂枝防風之類以疎散之。表實者。頭痛惡寒。壯熱無汗。咳嗽氣急。甚則煩躁如狂。宜麻黃蘇葉之類以解散之。設若不愈。則爲傳經。言邪將漸次化燥。若小兒犯之。則見身熱爲灼。呼吸短促之症。大人則痰出膩粘。色黃而厚。（即醫籍所謂痰熱欬嗽也。）往往胸脅隱痛。初起自覺喉部搔癢。及灼熱。并起欬嗽嘶嗄之症。往往在劇烈咳嗽之後。痰帶血點。言語感痛。終至失音。久而不除。則肺液被熱所爍。漸成虛損。當急治之。初起生清泄熱。主時方桑菊銀翹。頗得其法。後與清肺養陰之品。茲將二種處方如下。

麻黃湯——麻黃桂枝杏仁甘草　（治發熱惡寒。頭痛腰痛。欬喘氣急。或有痰或無痰者。加石羔生姜大棗。名大青龍湯。治麻黃症而枯煩躁者。）

桂枝湯——桂枝芍藥生姜甘草大棗。　（治表虛惡風。有汗不能。欬嗽上氣。鼻塞流涕。或嘔吐者。）

杏子湯——麻黃杏仁甘草（又名三拗湯。治欬喘氣急。或面浮足腫。金匱治發汗消腫。）

桂枝加厚朴杏子湯——桂枝芍藥生姜甘草大棗厚朴杏仁。（治欬嗽汗出惡風。肺氣上逆。喘急口張等症。）

杏蘇散——杏仁蘇葉枳殼桔梗前胡半夏陳皮茯苓甘草生姜大棗（治頭痛寒熱。痰多氣急。較麻黃症輕者。）

麻杏石甘湯——麻黃杏仁石羔甘草（治風寒束表。痰熱伏肺。欬嗽音響。形寒口渴。）

溫肺湯——卽麻黃湯加五味子。（治欬嗽氣急。久不愈者。）

淸肺湯——桔梗茯苓橘皮桑白皮當歸杏仁梔子黃芩枳實五味子枇杷葉（治寒邪犯肺。鬱久化熱。咳嗽氣急。口乾。胸脅隱痛。痰帶血點。）

瀉白散——桑白皮地骨皮生甘草粳米（治上焦鬱熱。咳嗽氣急。口乾脉數。痰帶腥味。）

寧嗽丸——前胡薄荷杏仁川貝沙參蘇子半夏橘紅茯苓菸仁甘草（治形寒發熱。欬嗽氣急。咯痰不爽。痰黑腥臭。口渴欲飲等症。）

若痰飲欬嗽。則其病由老年人居多。以其脾腎虛弱。眞陽不足。飲食入胃。不能分泌津液。遂凝滯而成痰。一受外邪。立卽欬嗽氣喘。胸滿泛噁。古人有脾爲生痰之源。肺爲貯痰之器之說。頗不虛語。而內經敍痰飲四條。亦曰理脾腎虛弱。濕土爲害所致。故先哲云痰飲不經脾胃。不散其滿。非其治也。是二句足有研究之價値。吾人曰常所飲之水。所食之穀。須經分解種種之化學作用。一部分固供生理之需要。他部分亦當循環代謝。以爲公軌。或變小尿。或變汗液。而排之體外。若水穀過多。則妨害于胃腸消化機能。金匱痰飲篇因候之曰。其人素盛今瘦。水走腸間。瀝瀝有聲。實乃胃腸之消化機能衰減。因之水停胃腸之間。不能充分排泄。遂成胃擴張腸擴張之症。而腸胃中所蓄之水。當其下行之際。遂動盪離合而作聲也。故治之之法。如仲景云。夫痰飲者。當以溫藥和之。用溫藥所以溫中行水。水行則痰化。而喘急自平矣。

小靑龍湯——麻黃桂枝芍藥乾姜細辛甘草半夏五味子（治水氣上衝。痰飲喘嗽。頭痛胸滿。遇寒更甚。）

苓桂朮甘湯——茯苓桂枝白朮甘草（治痰飲心悸。肺逆冷嗽。胸脅支滿。頭昏目眩。）

蘇子降氣湯——蘇子橘紅半夏前胡厚朴桂枝甘草生姜。（治痰飲中阻。腎氣上逆。欬嗽熱急。下虛下盛。）

導痰湯——半夏茯苓枳實甘草南星（治痰涎壅盛。痞塞不通。欬氣急。兩目上視。）

濟生瓜蔞實丸——瓜蔞實枳實桂枝半夏。（治痰飲急喘。呼吸短促。胸膈飽滿。痞痛徹背。）

小半夏加茯苓湯——半夏生姜茯苓（治痰飲喘嗽。胸滿泛噁。小便不利。）

局方二陳湯——陳皮茯苓半夏甘草（治痰飲嘔噁。頭眩心悸。）

十棗湯——芫花大戟干遂大棗（治外邪內陷。水氣上衝。蓄于胸中。卒然昏厥。不省人事。乾嘔短氣。水氣浮腫。小便不通。但此方性甚猛烈。今人罕用。若水飲之屬于實者。捨此則必成瘵病。是亦不得不用也。）

葶藶大棗瀉肺湯——葶藶子大棗（治痰飲喘急。胸脅支滿。顏面浮腫。小便不利。）

外台崔氏消腫下氣方——葶藶子貝母杏仁紫菀茯苓五味人參桑白皮（治痰飲欬嗽。胸滿喘急。久而不愈。變成面浮足腫之症。惟此方治之。此方不但能治痰飲喘急。實乃瀉肺消腫之妙品也。）

小兒鷺鷥欬——又名百日欬。以症狀而命名也。其初起欬嗽發熱。鼻塞流涕。與普通傷風症無異。故病家不以爲意。在患病期內。失於調護。而醫者亦過于大意。敷衍處方。殊不知此種欬嗽。最易纏綿。在日本醫學。則謂本病由細菌性傳染。專犯小兒。且有免疫性質。故一次罹患。而後不再傳染。我國醫則謂傷風不愈。痰水上泛于中宮。冲激于肺臟所致。其欬嗽之發作。多突然而至。頓欬連聲。狀有類乎鷺鷥之引頸。故用鷺鷥涎即此意也。至後病勢加重。聲音短促。在劇烈欬嗽之時。頸項青筋怒張。（按即靜脉）呼吸爲之不利。夜間四肢抽搐。惡心嘔吐。咯痰甚多。常見血點。痰出而後始得安靜。所以關于身體。大受妨礙。而小兒面色。遂漸次憔悴。鷺鷥涎性味鹹平。從其類而引之。至于治療期間。最短在二星期以上。長則六星期不等。是後病勢漸漸輕減。咳嗽音嘶亦稍退。嘔吐亦止。然後尙有輕微之欬嗽。留之不去。復經一二星期。始告全愈。

鷺鷥涎丸——鷺鷥涎㕮黃杏仁桔梗花粉山梔石羔青黛蛤粉牛蒡細辛射于甘草（治小兒感冒。連聲欬嗽。久而不愈。欬嗆失血等症。）

麻杏石甘加代赭石旋覆花湯——麻黃石羔杏仁甘草代赭石施覆花（治百日嗽。肺氣失降。頓欬甚者。）

小青龍加杏仁湯——麻黃桂枝芍藥甘草細辛生姜半夏五味杏仁　（治百日欬。肺氣上逆。喘急甚者。）

麥門冬湯——麥門冬半夏人參甘草粳米大棗　（治百日欬愈後。餘熱未清。鼻熱面赤。口乾欲欬。）

收嗽湯——天門冬川貝母花梹榔百部根生甘草　（治百日欬愈後。除蛔蟲者。）

至於欬嗽久而不除。則必肺腎同病。牽及脾胃。遂成癆嗽之症。西醫名曰肺結核。而吾國古代早巳詳細發明。在素問稱爲五虛六勞。靈樞謂之四脫。難經謂之虛損。迨金匱要略始名之曰虛勞。其言曰。男子脉芤爲虛。脉大爲勞。夫脉大爲心肺之陽損于上。脉芤爲肝腎之陰虧于下也。蓋因損而不復。卽成虛虧。而不復卽成癆。此虛勞二者。所以相繼而成也。然患者多係青年壯年。次之老年最少。蓋青年知覺易于興奮。各種神經亦因之過敏。于是發生種種之妄想。遂造成與貧血失眠之症。積久累月。漸成虛損。他若飲食不節。（飢飽無常）起居失宜。（晏眠遲起）七情六鬱。（耗其心脾）烟酒疲勞（傷其肺腎）等。足爲癆病之誘因。其初起與外感症無異。故多數患者。信爲感冒。不加注意。而病卽轉入中期。於是肺液缺乏涵養。勢必乾欬無痰。氣急吸血之症。逐漸環生。牽及脾胃。則食慾不振。在婦人或處女患之。常見貧血與月經不調諸症。而醫家誤認爲萎黃病者。足爲本病之特徵。且易發生疲勞。稍倉勞動。卽欬嗽氣喘。日晡常發潮熱。了上騰時。兩顴卽緋紅。似桃花色。至夜則熱降。熱降之際。卽發盜汗。又名虛汗。此種汗液。最易消耗病人體力。于是重病畢生。形神憔悴。頭眩目花。病勢由淺入深。則壞症發現。欬嗽音啞。膿血並出。皮骨相附。足腫腹瀉。病家至此。九死一生。強靈丹妙藥。亦無濟于事矣。

人參清肺湯——人參阿膠五味地骨皮知母烏梅粟殼炙草杏仁桑白支大棗　（治肺虛有熱。治節失司。久年勞嗽。咯血腥臭。坐臥不安等症。）

人參固本丸——人參天冬麥冬生地熟地　（治肺勞虛熱。眞陰不足。欬嗽失血。自汗盜汗。）

加味逍遙散——白朮茯苓當歸白芍紫胡薄荷炙草丹皮梔子　（治血虛肝燥。骨蒸潮熱。欬嗽脅痛。寒熱往來及婦女經水不來等症。）

小建中湯——桂枝芍藥生姜甘草大棗飴糖　（治肺勞欬嗽。中氣不足。脾胃虛寒。納穀不振。仲景用此方急建其中氣。俾飲食增而滯血旺而復其身體之不足。）

秦艽扶羸湯——秦艽鱉甲柴胡地骨當歸紫菀人參甘草烏梅生姜大棗　（治肺痿欬嗽骨蒸潮熱。痰色嘶嗄自汗體倦）

竹茹温胆湯——竹茹半夏柴胡茯苓桔梗枳實香附人參黃連甘草大棗生姜　（治勞欬熱不退夢寐不安驚心動悸）

黃芪鱉甲湯——黃芪鱉甲地骨皮秦艽紫菀人參茯苓半夏柴胡知母生地黃芍藥天冬肉桂桑白皮桔梗甘草　（治肺虛勞嗽。骨蒸潮熱。自汗盜汗。肌肉消瘦。）

瓊玉膏——人參生地茯苓白蜜　（治肺有伏水。乾欬無痰。津涸液枯。皮脫毛落。）

金匱腎氣丸——熟地萸肉山藥茯苓丹皮澤瀉附子肉桂　（治虛勞少氣。欬嗽痰喘。腰腎痠痛。脈細肢冷等症。）

紫菀湯——紫菀知母貝母人參茯苓五味子阿膠桔梗生草　（治肺虛氣傷欬嗽勞熱。肺痿肺癰。吐痰叶血。此方與百合固金及阿膠補肺兩方相同。）

批　詳盡完備　文芳

温熱病之三脘條辨

姚天農

傷寒與温熱病之分岐。始於清代諸家。如葉氏香巖之論温熱病二十則。陳氏伯平之風温病篇。吳氏鞠通之温病條辨。張氏鳳逵之治暑全書。其立意論症。靡不精詳。內容不外乎新感伏氣之別。攷論伏氣與新感最精詳者。當推戴氏北山之廣溫熱論。綜上先賢之學說。可爲治溫熱病之規範也。蓋通俗之溫熱病。而醫必審其邪之所在。按經施治。無有不著手回春也。余將臨證上所經驗之温熱諸症。以分三脘而辨之。

一、邪在上脘

考上脘離臍上五寸。當胃上口。名曰賁門。其紋密。其清氣注于肺。貫膈而佈胸中。爲清陽之道路。津液往來之所。喻嘉言所謂上脘象天。清氣居多是也。一病温熱。必有痰涎水飲。與清氣搏結。見症不一。大叚虛煩懊憹。脘胸痞悶。按之痛或自痛爲主症。舌多白滑不燥。或黃白相兼。或灰白。不渴。或苔白底絳。或四邊色紅。中心或黃或白。其其有涼遏熱伏者。有溼遏熱伏者。皆氣分遏鬱之熱爍津。非血分也。先宜開達。枳殼桔梗湯爲主方。餘加杏仁蔻殼橘紅前胡蔞皮象貝母等。以辛潤達邪。或如梔子豆豉葛根蟬衣薄荷連翹蘆笋竹葉等。以清輕透熱。隨症施用。無不藥到病除。此即徐之才輕可去實。葉天士輕清化氣之法也。惜乎近時習俗。讀條辨經緯之後。温病傷陰。温病忌表等語。熟會於胸。而邪鬱未伸。氣熱灼津之理。漫不加察。一見温病發熱。不知解肌透邪。輒用苦寒冰伏。遏令氣分之邪。遏伏內陷。邪遏熱伏。舌苔因之亦伏。反成純絳無苔。一見舌絳無苔。便用大劑陰柔。集而用之。有闔無開。是溼熱已遏上脘氣分。又用滋膩濁藥。兩濁相合。逼令邪氣深伏。藥愈清滋。舌質愈燥愈赤。甚至神昏竅閉。逆傳心包。內閉外脫者甚多。若不內陷心包。又必逼令下傳肝腎。銷爍眞陰。陰涸致斃。皆由不知上脘氣多。誤用涼遏所致。救誤之法。其邪閉必包者。酌用連翹大力蘆笋石菖蒲薑汁淡竹瀝梨汁等。和入神犀丹或紫雪丹以開之。重則至寶丹牛黃清心丸等酌用。或外用鴿鴿罨心法。甚妙。其邪燥肝腎。神神志尚清。未見痙厥者。酌用復脉法。加青蒿鱉甲等味。進而托之。陰液托足。傳送邪氣由裏還表。從戰汗而解。或從血分復還氣分。發白㾦而解。如邪傳肝腎。發痙厥而神志模糊者。此爲壞症。吳氏雖有大小定風珠三甲復脈等法。多不及救。總之温爲伏邪。邪在上脘。濁熱瀰漫。本無形質。總以開透爲主。愼勿亂投苦泄滋膩。則得其要矣。

二、邪在中脘

考中脘離臍上四寸。在人字骨下。近軟肉處。卽是葉天士曰。脘在腹上。其位居中。蓋居陽明胃中也。蒸津液泌糟粕。全在中脘氣旺。爲之升降於其間。喻嘉言之所謂升清降濁。全賴中脘爲之運用是也。中脘氣血俱多。溫邪傳此。必致氣血兩燔。審無宿食痰瘀搏結。則是胃家焦燥。宜白虎加鮮生地湯。以兩清之。如誤汗而液乏者。加西洋參以滋液。誤下而氣乏者。加別直參以扶氣。有癍則參入蟬衣桔梗西河柳蘆笋之類。有痰則參入竹瀝萊菔汁化橘紅括蔞仁之類。失此不治。內陷包絡則蒙。深入心臟則閉。下爍肝腎則痙厥。惟溫熱傳至中脘。夾宿食者十之六七。夾痰水者十之二三。夾宿瘀者十之一二。其宿食有燥結未燥結之分。未燥結者。脘中滿而不痛。脈滑口渴乾嘔。心煩舌苦黃滑或黃膩。此屬水穀散漫。邪則與氣互結。氣屬陽而輕清。最易疏透。宜順氣消食。枳殼桔梗靑皮陳皮梔子豆豉山查萊菔汁爲主。已燥結者。硬痛成塊。疼不可按。多在心下軟肉處。甚至一條扛起。此屬水穀燥結。邪已與血相搏。血屬陰而重濁。最爲膠滯。宜消瘀化食。犀角鮮生地赤芍丹皮紅麯山查延胡桃仁爲主。甚者加三稜莪朮蒲黃五靈脂等。夾痰涎者。爲痰結。胸痞脘悶。按之牽引串痛。兼嘔。脈浮而滑。舌苦黃膩。或中黃邊白。輕則橘半蔞薤。重則蔞夏枳連。苦辛開降。導其痰涎爲主。夾蓄水者。爲水結。統脘滿而痛。按之石硬。仲景所謂從心下至少腹硬滿而痛。不可近者也。舌上白膩而燥。口渴頻飲。而不能多。或多飲而吐。脈沉而緊。甚至神昏如蒙。急宜攻其蓄水。大陷胸湯丸酌用。輕則吳氏四苓湯加入白芥子細辛。辛淡泄飲。控涎丹亦可用。夾宿瘀者。爲血結。脘腹脹滿刺疼。按之則軟。身熱體重。漱水不咽。大便黑。小便利。脈芤弦濇。宜宣瘀滌熱。和血逐邪湯主之。或桂枝紅花湯主之。又加海蛤桃仁。或犀角地黃湯加琥珀丹參鬱金歸尾。失治則瘀血與熱爲伍。阻遏氣機。遂變如發狂之症。方可用桃仁承氣湯。加穿山甲䗪蟲。急下之。尤須加鮮生地當歸元參麥冬。養血滋陰。以固其本。婦人熱入血室。及胎前產後之溫病。亦當如此。遲則不救矣。惟體消邪實。症成結胸。脈多沉濇弱微。手足厥冷者。總之雖有陷胸湯一方。攻補兼施。究嫌峻瀉。不若仿馬元儀法。用黃連瀉加枳殼厚朴肉桂。消解上下。宣通中脘之滯。爲穩而且效也。外用三物按揉法。爲以上諸痞結症。雖舌絳神昏。但中脘拒按。卽不可率投涼潤。心必忝開泄之品。始有效也。予每見神未全昏。便不甚悶。惟中脘痞結。不可救藥而死者甚多。皆由誤進凉遏。如三黃白虎黃芩解毒三石玉女煎等劑。或早投滋滯。如沙參麥冬生地元參鱉甲龜板阿膠白芍等品。寒凉滋膩。有闔無開。逼令邪氣深伏。邪伏則氣血凝滯。中脘運用無權。反成內陷下燥等症。前人但戒誤汗誤升。而未述誤遏逼成痞結者。因痞結症不多見耳。總之邪在中脘。宜消宜清宜開宜降。而消清開降不效者。則于消清之中。參入化瘀。或于開降之中。參入和血。以陽明為多氣多血之腑。攙有壅蔽。每見氣血互結。致成痞結之症。結屬有形。故滿痛而硬。痞屬時有形而無形。故但滿不痛。仲景所謂心下痞結胸症是也。至稱胸與心下。均指胃脘而言。不然胸中為太虛之地。只有清氣津液往來流行。焉有食痞與之搏結之理。尤在涇傷寒論註仲景所謂心下者。正是胃中之謂。已一言道破矣。不過古人重在辨症。並不于步位上確定之。予謂傷寒之邪在表。誤下則邪內陷而痞結。温熱之邪在裏。誤遏則邪盤踞而痞結。如此分析。則傷寒之痞結與温熱之痞結其治法或同或不同自有把握矣。

三、邪在下脘

考下脘離臍上二寸。當胃下口。名曰幽門。下達小腸。位近腹中。主出糟粕而存濁陰。濁陰者何。胃陰是也。積蓄胃底。如脂如膏。乃後天之本也。陰何以謂之濁。喻嘉言曰。下脘血多。血屬陰而重濁。故喻又曰。下脘象地。濁氣居多也。較彼上脘。一為清陽。一為濁陰。清濁懸殊。一為氣多。一為血多。氣血攸分。一宜開透。一宜通下。法治皆不同。宜透反下。便為誤遏。宜下反透。便為誤發。此中關鍵。性命相依。胡可置而不辨也。李東垣曰。下脘不通。病在幽門。因已而其所以不通者。病因不一。有因濕熱與渣滓相搏者。舌苔薔厚。脈息沉數。脘中按之微痛。不硬。中多溏糞。色似敗醬。宜用三黃枳朮丸緩下之。有因燥火與糟粕相搏者。舌苔黃如沉香色。或黃黑而燥。脈沉細而小。甚者沉微似伏。四肢發厥。或渴喜飲熱。脘腹痞悶。按之硬痛。中有燥矢。宜犀連承氣湯峻下之。有因蓄血與穢濁相搏者。少腹按痛。大便色黑如漆。反覺易行。其人喜笑若狂。是下脘蓄血。上干包絡。宜桃仁承氣急下之。或合犀角地黃湯以清包絡。有因痰水與宿垢相搏者。舌苔黃膩。或白燥如砂。胸腹拒按。按之硬而痛。心煩乾嘔。脈息滑數。甚則煩躁譫語。宜陷胸承氣湯直下之。緩則滾痰化痰丸等選用。有因濕濁與邪熱相搏者。發黃如橘子色。小便不利。腹滿。宜茵蔯蒿湯清下之。其有氣虛甚而邪實者。宜參黃湯。陰虧甚而邪實者。生地大黃湯。津液虧而實者。宜增液承氣湯。營陰虛而邪實者。宜養營承氣湯。氣血兩虧而邪實者。宜黃龍湯。陰液兩虧而邪實者。宜元蜜煎。加入熟地露生地汁等。即虛極不任承氣攻下之而有不得不下之勢者。宜雪羹合五汁飲潤下之。此皆邪熱入胃病在下脘之諸下症也。歷攷古人之法。凡陽邪盛而刼陰者。無不假手于一下。以消息乎緩急輕重之間。失此不治。病入陽面則狂。病入陰面則厥。熱熱生風則發痙。火坑攻心則內閉。邪盛正亡。挽回不及。較彼傷寒之下不嫌遲者。死更速也。故世人於此杜撰一增水行舟之法。或徒用一滑降去着之劑。如以增液承氣。蔞仁代大黃之類。置承氣諸方於不問。始則以滋膩留邪者。躭擱數日。繼則以滑降之不能蕩積者。又數日。如此則陽明急下之三症。因死少陰之急下三症。愈無生之理矣。尤其甚者。不辨胃腑心包。一見神昏譫譔。輒用犀角珠黃至寶紫雪。將未入心包之邪。一舉而送入心包。迨心包洞開。膠粘糞矢。仍在眞陰已涸。孤陽欲脫。病至如此。已不可爲。徒以一服去薑桂之腹脉湯。或一服去半夏之麥門冬湯。杯水車薪。何濟於事。此實由輾轉因循。當下決下者。皆至理也。若夫下之宜愼。固有不待言者。前哲許多斟酌。只在邪熱未入下脘之時。而一見邪入下脘之不可下矣。予謹以一得之見。而略陳述于畢業刊中。總而言之。治三脘主法。如邪在上脘。宜開宜透。邪在中脘。宜清宜消。邪在下脘。宜通宜下。先一着不得緩一着不可。此邪入胃家之一定層次也。

方藥滙錄

上脘方

枳殼桔梗湯　桔梗　枳殼　括姜仁　仙半夏　黃芩　甘草

神犀丹　犀角　銀花　連翹　豆豉　花粉　扳籃根　紫草　玄參

紫雪丹　靑黛　石膏　牙硝　甘草

至寶丹　牛黃　玳瑁　天竺黃　當門子　琥珀　腰黃　梅水　犀角　安息香

牛黃淸心丸　西黃　麝香　羚角　犀角　桂枝　歸鬚　白朮　黨參　浙苓　雄黃　梅冰　甘草

鵓鴿罨心治　將鵓鴿活剖胸部用麝香二三分置鵓鴿胸中再覆于病人心下

復脈湯　人參　甘杞子　麥冬　炙甘草　竹茹　大棗　生硬米　枇杷叶

青蒿鱉甲湯　生鱉甲　青蒿梗　鮮生地　當歸尾　赤芍　黃芩

大定風珠　生鱉甲　生龜甲　鷄子黃　五味子　人參　牡蠣　麥冬　阿膠　棗仁

小定風珠　雞子黃　生龜甲　童便　阿膠　淡菜

三甲復脈湯　生鱉甲　鮮生地　青蒿梗　婦尾　黃芩　赤芍

中脘方

白虎生地湯　生石羔　知母　生硬米　鮮生地　生甘草

大陷胸湯　大黃　甘遂　括蔞仁　小川連

四苓湯　伏苓　豬苓　澤瀉　陳皮

控涎丸　芥子　大戟　甘遂

和血逐邪湯　當歸　黃芩　荊芥　香附　柴胡　枳殼　秦艽　蘇梗　撫芎　川朴　益母草　木通

桂枝紅花湯　桂枝　桃仁　紅花　蛤粉　赤芍　炙甘草

犀角地黃湯　犀角　羚角　鮮生地　元參　連翹　胆星　石菖蒲　橘紅

桃仁承氣湯　大黃　桃仁　丹皮　赤芍　歸尾

黃連湯　黃連　乾姜　桂枝　甘草　人參　大棗　半夏

下脘方

三黃枳朮丸　大黃　黃芩　白朮　神麯　新會皮　荷葉　黃連　枳殼

犀連承氣湯　犀角　川連　生軍　元明粉　生甘草

桃仁承氣湯　仝上

犀角地黃湯　仝上

大陷胸湯　仝上

滚痰丸　半夏　南星　乾姜　橘紅　青皮　神麯　牙皂　查炭　萊菔子　香附　沈香　枯礬　礞石　粉葛　杏仁
黃芩

化痰丸　天冬　橘紅　瓜蔞仁　桔梗　連翹　香附　青黛　黃芩　海蛤粉　元明粉

茵陳蒿湯　茵陳蒿　梔子　生軍

增液承氣湯　元參　生地　元明粉　大黃　厚麥冬

養營承氣湯　當歸　枳殼　白芍　生軍　川朴　生地

元蜜煎　元明粉　白蜜

雪羹湯　荸薺　陳海蟄

五汁飲　梨汁　荸薺汁　麥冬汁　藕汁　蘆根汁

批　界限分明立論精細足見臨症功夫　文芳

消渴證治概論

胡克仁

消渴一症。西醫稱之爲糖尿病。邇來頗映入一般人士之腦海中。蓋自　前患此症。報章競載。騰傳衆口。於是糖尿病之名辭。遂行起一般人們之注意。偶一提及。人民腦筋中即有迴憶。實則斯病社會上患之者。不在少數。初非汪氏始生此症。在昔漢代文學家司馬相如。亦患此症。如漢書司馬相如傳。常患消渴疾。即其明證。是則此病之由來已久。本事曰。消渴者腎虛所致。每發則小便必甜。觀此。我國醫籍。先賢。對於是症。早已言之甚詳。且與西醫之所謂糖尿病。名證俱符。特人民不加注意耳。茲欲使閱者明瞭究竟起見。不避譾陋。將平日研究所得。概略述之於下。錯誤之處。在所不免。希同道諸君。予指正焉。

考我國古代醫籍。對於是症。論治兼備者。始自仲聖之傷寒金匱。後之治斯病者。多宗之。惟金匱「厥陰之爲病。消渴氣上衝心。心中疼熱飢而不欲食。食則吐蚘下之利不止」一條。乃是傷寒論中厥陰經之病。與傷寒論「太陽症消渴小便不利宜五苓散厥陰症消渴宜大承氣湯」之類。同爲外感病。蓋傷寒之消渴。乃傳經之熱邪。及熱邪一、解則不渴。而亦不消。今所論之消渴。爲雜病中之消渴。即西醫之所謂糖尿病。與傷寒之消渴。名雖同而病則異。宜分別之。

消渴症之所以起者。由於恣意高梁。嗜慾不節。勞過度。或因平素對於飲食不能攝生。醇酒厚味。漫無限制。迨至日久。飲食蘊釀成熱。始則求濟於水。當能解渴。繼則愈消愈渴。乃成消渴。或因女色過度。腎水枯竭。相火內熾而成。在西醫則謂因血液中葡萄糖滯積過剩而起。其誘因爲精神亢奮。勞心過度。神經系統器械的振盪。（即外傷性例如墜落打擊負傷等）及常食富有含水炭素質之食物。而少運動。又續發於腦溢血。腦髓膿瘍。脊髓癆。及急性傳染病。（腸窒扶斯虎列腥紅熱赤痢麻拉利亞）又有由父母而遺傳於子孫者。亦有不能檢出何種起病之緣因者。但不論其緣因爲何。而其病之發。由於膵臟內之蘭氏島分泌之島素減少或缺乏之所致。則彰彰明其。纖毫無變者。

消渴症。症狀之重要者。則爲尿變。狀小便頻數。尿量增加。有脂似樣而甘。故西醫謂內含有葡萄糖。滴落於衣上。遺有白色斑痕。常覺飢餓。口渴。因之飲食增進。逾過常量。病甚者雖飲食加多。而人體日見消瘦。略有勞動。則覺疲憊不堪。精神懆鬱。不喜與人交接。

皮膚乾燥。搔不可言。眼則視力障碍。不能透光。甚者致失光明。四肢常常發現刺痛。知覺及運動障碍。膝蓋腱反射消失。往往不能步履。徵之臨床經驗。小兒罹本病者甚少。多爲二十歲至六十歲之男子。女子發病之年齡則較早。近代文質文明日漸進化。吾人處世。非竭其心力。不足以圖生存。故本病侵襲之機會較多。患者之數量。亦較前大增。

消渴症之由起。在西醫病理上之研究。謂由於人體內失却化用糖分能力之故。蓋血液由腸內吸取糖分。運輸全身。以供身體榮養。今糖入血液。漸漸增加。而使人體內能吸收含水炭素之膵臟蘭氏島分泌之島素缺乏。「按膵臟橫居胃下。俗名胰子。中含三種酵素。一曰胰澱粉酵素。能化澱粉。爲葡萄糖者。二曰胰蛋白酵素。能消化蛋白質者。三曰胰脂肪酵素。能分解脂肪質者。此三種酵素。乃膵臟之普通細胞所生。而島素則由膵臟之特別細胞所生。）島素分泌缺乏之原因。由於膵臟之島組織萎縮。製造內分泌物之機能減退。夫島素之功用。平日分泌洽入於血液內。以資人體吸用含水炭素。設或島素有所虧損。人體則不能照常吸用含水炭素。以致血液負載糖質過量。增至三四倍之多。達至血液每百分含糖至百分之十七以上。肝臟又不能變化糖爲動物澱粉。而儲蓄之。於是過剩之糖質。遂由腎臟排泄而出。故尿中含糖。此西醫謂糖尿病之所由來也。我國古代醫籍。有上中下之分。謂其證皆起於中。而極於上下。其實無論上消中消下消。症狀大都如前所述。無甚差異。約皆渴而多飲多尿。其尿多有甜味。故聖濟總錄論消渴。謂渴而飲水多。小便數。有脂似而甘。至謂其證皆起於中。中者卽中焦也。此與西醫之謂由於膵臟之蘭氏島分泌之島素缺乏。暗暗相合。因中焦屬脾。膵病而累及於脾也。蓋膵爲脾之副臟。在中醫書中。名爲散膏。卽扁鵲難經所謂脾有散膏半斤也。（膵尾銜結於脾門。其全體之動脉。又自脾脉分支而來。故與脾臟有密切之關係。膵液注入於腸內。與腸相通。故古人之謂脾。疑卽指今之腸。）有時膵病發酵。（由於島素分泌缺之。不能化用糖分。）多釀甜味。由水道下陷。其人小便遂含有糖質。迨至膵病累及於脾。致脾氣不能散精達肺。（內經謂脾氣散精上達於肺。）則津液短少。不能通調水道。（內經謂脾通調水道下歸膀胱。）是以小便無節。渴而多飲多尿也。張隱庵謂脾不能爲胃行其津液。肺不能通調水道。故爾。而肺之失職。由於脾不輸津。是說可與今通。

消渴症古有上中下之分。故又名三消。雖於臨症。不能詳爲之分。（前已述之）惟爲攷古證今起見。不得不略述之。上消屬肺經曰。心移熱於肺。傳爲膈消。肺本燥金。心爲火臟。心肺兩間。有斜膈膜。膈膜下際。內連橫膈膜。若心火亢盛。則必移其熱。由膈膜而達於肺。肺受熱邪。則肺陰受傷。治節失令。水精不能囘布。飲不解渴。渴而復飲。愈飲愈消。愈消愈渴。消渴到極。是爲上消。中消多屬於胃。內經陰陽別論曰。二陽結謂之消。二陽者。陽明也。陽明分手足兩經。手陽明屬胃。足陽明屬大腸。二陽結。則鬱而生熱。熱鬱於中。則胃汁消耗。太陰又爲濕阻。則脾不能爲胃行其津液。胃中液枯。胃火過旺。於是陽明燥熱獨亢。經云。胃中熱。則消穀令人心懸善飢。故食入則飢。飢復要食。愈食愈消。愈消愈食。消食不飽。是謂中消。下消屬腎。經云。腎者胃之關也。關門不利。則水無輸泄。而爲腫滿。關門不閉。則水無底止。而爲消渴。然關門之利閉。又當視腎陰之充營與否。腎陰有餘。則水能制火。固無所謂病。若腎陰不足。則水虧火旺。必成燎原之勢。火在上則爲膈消。火在中則爲中消。火在下則爲下消。故先賢治療三消。有獨取於腎之說。良有以也。又有因腎命火衰。不能化氣。氣虛不能蒸發而下泄。致津液不能上騰於口。腎衰不能助膀胱化氣。則膀胱約束無權。故時欲時溺。飲一溲二。愈溺愈消。愈消愈溺。消導容易。是謂下消。

消渴病理。已如上述。治療之法。近代醫家。意見不一。陳修園謂上消以人參白虎湯爲主。中消以調胃承氣爲主。下消以腎術氣丸爲主。惟內以承氣湯治中消。不無可疑之處。蓋承氣湯之主症。在於腸胃有實積。痞滿燥實堅五症並見。始可用之。且多適用於急性熱病。而消渴之症。乃是漸積之熱。素蘊之火。所有飲食。皆爲火邪所消。或氣虛不能蒸發而下泄。故食雖多。而腸中則無積也。腸中旣無停積。無須施攻擊之法。徒傷腸胃。轉增其困。雖與甘草同用。可以稍緩其性。惟大黃究爲峻攻之品。非消渴症所宜也。如其脉症果爲實火致耗津液而成者。則承氣在所必用。蓋瀉其火則津液自生。而消渴自平。不過大黃宜久蒸以和其性。且祇可暫用之。以其性猛烈。戕賊生氣太甚故也。趙養葵謂治消之法。無分上中下。先治腎爲急。惟六味八味及加減八味丸。隨證而服。降其心火。滋其腎火。則渴自止。白虎承氣。皆非所治。或曰。下消無水。用六味丸以滋少陰腎水固矣。又加附子肉桂者何。蓋因命門火衰。不能蒸腐水穀。水穀之氣。不能薰蒸。上潤乎肺。如釜底無薪。鍋蓋乾燥。故渴。至於肺亦無所禀。不能四布水精。並行五經。其所飲之水。未經火化。直入膀胱。正謂飲一升溺一升。飲一斗溺一斗。觀於尿味甘而不鹹可知矣。故用桂附之辛熱。壯其少陰之火。竈底加薪。枯籠蒸溽。槁苗得雨。生意維新。則消渴自止矣。張隱庵謂人但知以清涼藥治消渴。而不知脾喜燥。肺惡寒。(其論此症已見上述)

試觀泄瀉者。必渴。此因水津不能上輸。而惟下泄。故爾以燥脾之藥治之。水液上升。卽可不消。其所論治。專責之脾。蓋卽根據上述之證起於中而極於上中之意而立論也。

津液之於人。不能片刻傾亡。極爲重要。是則固然。然津液本吾人之眞水。水不自生。一由氣化。一由火致。黃耆六一湯。取氣化爲水之義也。崔氏腎氣丸。取火能致水之義也。七味白朮散。方中有藿木之香燥。而金匱翼謂其大能生津。理中湯方中有乾姜之辛熱。而侶山堂謂其上升水液。此皆知症之本而立論者也。

嘗閱申報。有胡適之者。患消渴。在北平經西醫治不愈。改延中醫。方中重用生黃耆治癒。以其能助脾氣上升以散精達肺。亦卽取氣化爲水之意也。金匱腎氣丸。善治消渴。取其能壯少陰之水火。薰蒸水穀。使水穀之氣。上潮以潤肺。又前閱醫報。有單服山藥。以治消渴而癒者。因能補脾固腎。以止小便頻數。上述方藥。以新醫學理解釋之。必有使糖量低減之作用。至於何種藥味。有此作用。尙待研究。此時難以指定。日醫博士上條秀介。曾於中藥何首烏中。抽出一種有效成分。名曰 Psalygonin。治糖尿症。證明有降下血糖作用。發表治驗報告。東西醫界。甚爲驚異。其實以國醫醫理治病。此藥對於是症之由腎水虛而致者。爲必用之藥品。（功能滋腎水）亦何待其抽出化學成分而後知治此症。故中醫治病。重在實驗而改進之道。亦當以是爲基礎。

俗傳治消渴便方。但服生猪胰子可癒。用之屢驗。蓋消渴症西醫謂由於膵臟之島素分泌缺乏或減少。猪胰子卽猪之膵。是以猪健全之一緬。療人之膵病。以補其不足。此屬於古時之臟器療法。與在今之內分泌療法暗合。但古人只知以臟補臟。不知其有內分泌之作用也。茲擇通用古方數首於下。並於方後略予解釋。俾閱者容易明瞭。

人參湯（按理中丸原方參朮姜草各三兩；人參湯甘草則用四兩以此分別．）

治消渴脾虛不能爲胃行其津液

人參　白朮　乾姜　炙甘草

方解　程郊倩云。參朮炙草。所以固中州。乾姜守中。必假之餤釜薪而騰陽氣。是以穀入於陰。長氣於陽。上輸華蓋。下攝州都。五臟六腑。皆以受氣。則消渴自愈。

消渴方（丹溪）治消渴症。胃熱善消水穀。

黃連　花粉　生地汁　藕汁　牛乳

方解　胃熱則令人消穀善飢。故以黃連苦寒泄熱。花粉甘寒止渴。然熱必傷陰。不養陰則熱未必去。徒清熱則陰難以復。所以除苦寒泄熱外。復加生地之壯水。藕汁之生津。並以牛乳補血潤燥。使津生血旺。則熱退而渴自止。

腎氣丸　治腎命火衰。不能化氣。氣虛不能蒸發。津液不能上潤。而成消渴。

地黃　山茱萸　丹皮　澤瀉　山藥　茯苓　肉桂　附子　車前子　牛膝

方解　此方大補腎命之火。兼益其陰。使陽生陰長。蒸腐水穀。水穀之氣。上潤乎肺。化氣爲水。源頭活水潺潺。則消渴自止矣。

繅絲湯　治消渴如神

如無繅絲湯。可以原蠶繭殼絲煎湯代之。

方解　龔子才謂。此物屬火。有陰之用。大能瀉膀胱中伏火。引陰水上潮於口而不渴。

治案　余鄉有一老婦。客秋患消渴症。經醫治不愈。且告我謂不願服藥。因思此湯能治消渴。但時當初秋。無繅絲湯。乃以繭殼十枚。淡豆豉三錢。煎湯代之。服數十劑而愈。（豆豉能助脾氣上升以散精。以其屬穀類。故入脾經。）

人參白虎湯　治消渴飲不解渴。消穀善飢。

人參　生石羔　知母　甘草　粳米

方解　胃中熱。則消穀易飢。熱則傷津。故飲不解渴。此方以人參益氣生津。石羔知母。清熱解渴。津復則熱自退。熱退則津自復。再助以甘草粳米。和中州以生津。

文蛤散方（金匱）治渴欲飲水不止者。

文蛤一味杵爲散以沸湯五合和服方寸七

方解　飲水不止。內熱可知。文蛤味鹹想寒。寒能除熱。鹹能潤下。用以折炎上之熱。爲無上妙品。

白茯苓丸　治腎消二腿漸細。腰脚無力。

茯苓　黃連　花粉　萆薢　熟地　覆盆子　人參　元參　石斛　蛇床子　鷄膍胵　蜜丸　磁石湯下

方解　此症由於操勞過度。嗜慾不節。使腎枯竭。相火內熾而成。故以熟地元參壯腎水。覆盆蛇床固腎精。茯苓交通心腎。萆薢清利濕熱。黃連瀉火。石斛養陰。人參補肺氣。花粉生津液。膍胵爲鷄之脾。善治膈消。能消水穀。（此屬於古人之臟器療法與前所述之猪胰子能治消渴理同）磁石其色作黑。補腎益精。攝納腎氣。並能引領諸藥。以歸於腎。

鹿茸丸（丹溪）　治腎虛消渴。小便無度。

麥冬　鹿茸　熟地　黃耆　茯苓　五味子　鷄膍胵　肉蓯蓉　山萸肉　破故紙　炒牛膝　地骨皮　人參　元參

方解　此症由於腎命火衰。不能助膀胱化氣。則膀胱約束無權。故小便無度。腎中陰陽均有告竭之危。故處方陰陽並顧。以元參麥冬。培補陰血。人參黃耆。專益肺氣。五味萸肉濇精。膍胵茯苓開胃健脾。而尤妙在鹿茸蓯蓉故紙牛膝大補命門之火。使眞陽一生。則除氣自長。前述之氣能化水。火能致水。此方盡備之矣。

批　有獨到之見地　　文芳

痿痺症治論

張嘉卉

序論

近今中西醫學。互相抗衡。幾有出賓入主之勢。究其原因。由于吾國醫不自振作。有以致之也。吾國醫學垂數千年之歷史。其間精研切討。好問深思之士。固不乏人。然泥守成規。膠柱皷瑟者。實繁有徒。即徒事敷衍。騙取金錢。爲口腹之計者。亦復不少。於此。則欲求醫學之發皇。其可得乎。況際此歐風美雨之秋。正危急存亡之侯。吾國醫藥界。苟再固步自封。不求精進。恐漸趨于淘汰。可不悲哉。欲振興吾國醫學。厥惟自強。尤貴乎永恆不息之研究也。爰將痿痺症治之大概。略述於左。以就正於諸明哲焉。

分論

經云。五藏各有所合。皆能使人痿。又曰。風寒濕三氣雜至。合而爲痺。痿痺之病因。固絕不相同矣。其所以名痿痺者。皆以病形名也。

今分別以論之。

1. 痿　夫痿者。四肢軟弱。難於運動也。經又云。肺熱葉焦。則皮毛虛弱急薄着。則生痿躄。猶如草木之失於灌漑培養。或偏於燥濇。則枝葉乾枯。根本雖未損傷。而久不涵養。則枯稿之態即起。痿症亦猶是也。痿之原由于偏盛於火。火盛則水衰。眞陰竭。筋膜被灼而成。故痿病之成。皆傷於熱。其病不拘何藏。總之。由於燥火內蒸。津液涸徹也。如草木日無水汁以灌漑。夜無雨露以滋潤。雖欲萌芽不痿。其可得乎。痿症之名繁多。有五藏之痿。及脉痿。筋痿。骨痿肉痿皮痿之分。皆因各藏之所屬。而爲病也。然經論五藏之痿。必由于肺熱。以肺爲相傳之官。主一身之氣。爲諸藏之華蓋。其體燥而畏火。若金受火爍。則氣傷而失其治節。肺病不能輸佈津液于四藏。則四藏亦因之而病痿也。苟胃竭津液。則肺失所養。燥氣上逆。或腸竭津液。熱無出路。水熱交鬱。亦可成痿。反之。胃陰足。則肺有所賴。而降令下行。腸陰足。則脾無所壅。而轉樞自捷。安有痿症之患哉。蓋陽明者。五藏六府之海。經云。人受氣於穀。穀入于胃。以傳於肺。肺朝百脉。輸精於皮毛。故痿病之因。實可歸于胃土也。是以土弱不能生金。金虧不能生水。水虧則不能濡潤筋骨。木失涵養。於是肝木橫逆。金受其刑矣。此即陰虛陽旺之侯也。推根窮源。總由于肝腎陰虛。一言以蔽之。蓋肝主筋。腎主骨。陰虛則生內熱。

熱氣久居於陽明。上蒸於太陰。肺乃嬌藏。爲熱所侵。則失其治節清肅之權。是故百節縱緩不能約束支持也。陰者。卽下焦之精也。精者。卽天一之水。水愈耗。火愈熾。此天然之理。火旺則氣有餘（熱氣也）然而壯火亦能食氣。（正氣也）氣血虛衰。陽明爲多氣多血之腑。故內經所謂陽明虛。則宗筋縱。帶脈不引。致足痿不用。此痿症之不足於陰有餘於陽者明矣。然而陽明無病。則宗筋潤。能束骨而利機關。雖有肺熱。徒病於肺。亦無成痿之可能。必由于陽明積熱。或濕熱內鬱。閉其排洩之路。營衛滯濇。或濕痰盤踞。以及虛弱等情。則津液不化。筋骨失養。乏液以上供。則肺受熱乘而日稿。脾受濕淫而日溢。遂成上枯下濕。而痿躄之疾作矣。金匱云。或從汗或從嘔吐。或從消渴。小便利數。或從便難。或被快藥下利而成痿。蓋由于汗吐下傷其陰液所致也。經云。精則養神。柔則養筋。無津則燥。燥則筋縮。又如肺熱則水源竭。水竭不能濟下於腎。上不足以抑肝。三焦之水道枯。於是則相火益熾。豈有精以輸肢體乎。上下水火不相交濟。升降清濁之令失司。則發爲皮痿脉痿骨痿筋痿者也。若濕熱逗留。脾胃運行氣機失舒。水氣停滯。穀氣因之而困。清濁混淆。氣滯濕鬱。交阻經絡。既不可升清降濁。又不能運精微以灌漑。則肉痿弦縱勢乃大發。故內經曰濕熱。不攘大筋軟短小筋弛長軟短爲拘弛長爲痿旨哉言乎今將五藏之痿略述其概如左。

五藏痿病之症狀

1• 肺痿　肺痿之侯由於有志不遂所求不得鬱而生火陽明之火上冲於肺肺熱叶焦清化不行肺經津液衰少不能滅陽明之焰金從火化薰灼於肺叶之間釀成水竭金枯清肅失司津液變爲痰濁無津液以滋養經脉毛悴皮枯筋脉動惕上則喘咳下則足痿不用甚則身弱不起欲欬不能欲嗽不果一經欬嗽立卽不已痰濁膠粘有味此乃肺液乾竭肺氣虛怯濁唾盤踞一欬而火必沸騰脉形浮濇或虛數此籍肺之病也。

2• 心痿　夫心痿之侯。良于心火上炎。胃火大熾。上灼心經。腎水受胃火煎熬。安能上濟心經。火盛水衰。陰血日損。症見心中煩悶。怔忡心悸。四肢關節不能活動。足脛縱緩。不能收持。如樞紐之折。而不能提挈。面類常赤。意亂心煩。此言心痿之症也。

3• 肝痿　肝痿之候。僉由大怒傷肝。肝氣怫鬱。木木鬱火無以自存。勢必來乘脾土。脾陰不受。胃陽受之。肝熱日漸橫逆。胃陽灼極。無津液以滋腎。症見口乾脇脹。滿而痛。食少索飲。手足痿軟。臥榻難行。筋膜乾急。筋縮而攣。攣夜睡驚惕。惡聞木聲。脉弦而濇。此皆肝痿之象也。

4• 脾痿 脾痿之候。僉由水飲不愼•水積熱生。或因膏粱積熱。濕熱傷脾。脾司肌肉。而主四肢。故肌肉不仁。肌膚甲錯。手足不便。身重難以轉側•枯縮不收蓋脾氣熱無以爲冒行其津液•痿症固責之于陽明•而太陰火旺則陽明更燥•誠以陽明有表裏之司。陽明火旺。太陰亦隨之而旺。二火同搏結於藏府之間。飲食僅供火之消磨。安有津液以佐水之滋潤耶。火旺水虧之症。所由起矣。

5• 腎痿 思想無窮。意淫于外。入房太甚。宗筋弛縱。又有遠行。勞倦逢大熱而內。陽氣內伐。水不勝火。水虧於下。則腎熱而骨痿。症見腰骨不舉。尻以代踵。脊以代頭。兩膝痛軟難行。足不任地。骨痩不能起於床。尺脉大而虛。或脉細而疾。此腎痿之候也。

2• 痹 今更言其痹。夫痹者。閉塞不通之謂。其原爲各感天地之六氣而成病也。經云。風寒濕三氣雜至。合而成痺。是以痹症。卽因感受風寒濕而成。風寒濕三氣雜合。內客於經絡之陰。氣血不流。營衞阻遏。壅塞不通也。內經論痺名目繁多。指病之因。則有風痺寒痺濕痺之別。論病之狀。則有行痺痛痺著痺之殊。言病之所在。則有筋脉皮肉骨之分。此乃以所遇之時。所客之地。而命其名。非行痛着之外。別有五痺也。而筋脉皮肉骨。各有五藏之合。五藏亦各有所應。病久不去。而復感於邪。正虛邪勝。氣必更深。則各因其合而內舍於藏。故言其病屬。復有心肝脾肺腎五藏之名也。經云。邪入於陰。則爲痺。良由營衞衰於未病之先。風寒濕三氣以外襲於後。正氣爲邪所阻。不能宣通。陰血凝濇而痺成矣。繹既言三氣雜合。可知痺之一症。非偏受一氣足以致之也。惟風勝則爲行痺。寒勝則爲痛痺。濕勝則爲着痺耳。風邪勝者。其痛流走不定。寒邪勝者。其證痛勢甚劇。濕邪勝者。其痛重着不移。周痺則邪在血脉之中。隨脉上下。深痺則邪舍於骨腰脊節之間。此言周深者。非別有其名。無非言邪之淺深而已也。亦有其人體盛陽旺而遭陰寒之氣。稽留不去。邪鬱病久。病氣反爲陽氣所勝。風化爲火。寒化爲熱。濕蒸爲痰。則不可膠柱而談。又當改絃治之。此卽內經所云。陽氣多。陰氣少。陽獨或而爲熱痺之症是也。其症又有胞痺腸痺之分。其原由于飲水太過。或飲食有傷。中氣乖張。壅塞閉逆。不得下順•返而上沖。則喘爭而小便不利。水穀混於大腸。而成飧泄。蓋因下焦之氣閉塞不行。雖數飲而溺不出。上逆而溢於高源。受盛之官。不能化物。清濁不分。是以水液與糟粕混淆。飧泄之症所由起也。所謂胞痺者。卽膀胱痺也。小腹脹閉。按之內痛。若沃以湯。清涕上出。小便下澀。膀胱脹急。此胞痺之特殊症也。僉由膀胱氣閉。則水道不行。是以小便下澁。而少腹脹痛矣。下既不通。則水液勢必壅滿。無以發洩而循太陽之經。上流清涕。蓋膀胱爲州都之官。津液藏焉。氣化則能出矣。若上傷肺氣。清化之令不及州都。下又傷及腎氣。開闔之關不利。有以致之也。或謂五藏有痺。六府有痺。所謂五藏之痺。卽行痺痛痺着痺之所屬。以合於五藏而言也。所謂六府痺者。卽腸痺胞痺之類而已。斯不過大綱而已。又謂大腸小腸三焦。皆有痺症。然皆不外乎風寒濕三氣之爲患。而致令氣機失宣而成者也。大腸主司傳化。偶爲寒邪入腹。留連大腸。風濕乘虛遂入。固結於中。致使兩足痛縛難行。若氣旺而能轉輸。大腸得以傳化。則濕邪自無逗留之憂。陽明之所以成痺者。因胃喜熱而畏寒。偶一爲寒濕互結於胃。胃口受寒相犯。風必入胃而不散。濕必停胃而不行。三者相合。致令嘔吐胸膈煩悶。呑酸作痛。而成痺。茍氣壯運行。當無成痺之可能。陽明痺者。與金匱之胸痺適相脗合。夫小腸主泄水。若水濕祕結而不流。風寒凝滯而不散。水道難通。是以便秘不暢。又所謂三焦痺者。卽一身上下皆痛。痰濁不清。胸膈飽悶。良由風寒濕犯於膜原之間。三焦主氣流通。風寒濕感其氣。卽不能宣洩。況三氣乎。何怪清濁二途。舉皆閉塞耶。若腎氣充足。下焦之熱能通。肺氣清肅。而上焦之氣能降。脾胃健旺。中焦之氣能化。則風寒濕三氣自可迎刃而解矣。故痺症之始。無論何府何藏。必由於氣滯血凝。經絡攣急。有如溝澮之中。污泥日漸壅過。雖欲流水潺潺。不致閉塞。不可得也。又何須拘泥成見也。此不過略述痺症之概略耳。

論治

論病必先正其名。治病必先求其因。得其致病之原。方可擇法以治之。如痿之一症。經云。五藏皆令人痿。蓋以某藏虛。則某藏生內熱。或母藏虛及子藏。而子藏生熱。熱則精液消爍。血液枯涸。症起於內而病於外。如肺熱毛痿。心熱脉痿。肝熱筋痿。脾熱肉痿。腎熱骨痿。等種種名稱。統括言之。皆不越內因與外因二者而已。皮毛。筋。脉。三痿屬於內因。而骨肉二痿。上有屬於外因者。生氣通天論曰。因於濕。首如裹。濕熱不攘。大筋軟短。小筋弛長。軟短爲拘。弛長爲痿。又曰。大發生骨痿。由此以觀。此則痿有外因者明矣。經曰。肺熱葉焦。發爲痿躄。五藏既皆有痿。而必拘於肺熱何也。蓋肺乃藏長。體燥居上。爲相傳而治節。五藏主氣而畏火尅。若熱火薰蒸。則肺受火爍。何以管攝一身。而痿躄作矣。況痿乃正氣本虛。濕熱乘虛內犯。致成怫鬱懈惰之病。爲柔緩之邪也。經曰。邪之所湊。其氣必虛留而不去。其病則實。故當以不足中之有餘名之。上既述有內外二因。治當分為二途。古人之治痿曰。獨取陽明。而不在太陰。此其說何居乎。以肺胃二經。子母情牽。於氣同於燥金。子虛者母氣未有不傷。故經言治胃虛則補其母也。夫陽明為五藏六府之海。主潤宗筋而利機關。陽明之水穀氣化失和。則五藏之氣血皆無所稟受。陰氣無所資。何能滲灌谿谷。濡潤氣血。而輸灌於皮肉筋骨。是以筋骨懈怠。機關失運。宗筋縱而帶脉不引。故不用而為痿。火熱內熾。胃液焦枯。治痿者。可不為陽明顧慮哉。若專重陽明。而無庸顧及他藏。亦不可。故謂取陽明者。謂治五藏之痿。均須顧及陽明。非謂專治陽明。而五藏之痿能自已也。傷津液者。首先顧及陽明。以潤澤其枯槁。經脉潤則熱除。由於濕熱傷筋膜者。以疏通其濕熱。濕行熱化。其舉其大綱而已。至若五藏之痿。其原上已論之。至其治法。又當提及肺痿為肺經津液衰少。不能滅陽明之焰火者。水竭金枯。宜瀉胃火。益肺氣。滋腎水之屬。心痿為胃火上灼心經。致令腎水枯涸者。治當益水之源。以滋胃火。培陰之本。以養心經。肝性橫裂。怒傷肝木。鬱而生火。火旺剋土。而成肝痿者。治以平肝益胃。滋腎養榮之屬也。脾痿由于太陰火旺。與胃火相搏。而傷津。火旺水虧。治以益太陰之水。以勝陽明之屬。腎痿由于縱慾竭精。水涸火生。宜大補腎水。以制陽光。考之五行相生之義。以潤陽明者。亦宜用潤肺之藥。清金以生水也。少陽之源出于腎系。膀胱為腎之外府。腎陰不足。小水不利。而濕不行。濕不行。則熱被鬱。三焦之決瀆失司權衡。由于腎關閉闔。水氣不升。雖治少陽。亦多用堅腎陰生腎水之藥。壯水以制陽光。則水精四佈。筋節暢遂。此五行相生之義也。大要主重陽明與腎水者。以陽明為諸筋之總會。腎為筋骨之總司也。況胃土為人生後天之本。腎水為先天之根。豈可捨此而別作聰明者耶。

夫痺症之始也。由于外感風寒濕剛烈之實邪內犯而成。以名之為行痺痛痺着痺也。凡痺在分肉皮脉間者。輕而易治。在筋節骨幹間者。則久而難已。治法大都風邪勝者。宜辛散祛風為君。利水禦寒。亦不可廢。佐以行血之品。血行則風自滅也。寒邪勝宜辛熱散寒。祛風行濕。亦不可缺。又當佐以溫運陽氣。陽氣運則寒凝自釋矣。濕邪勝者。宜苦燥逐濕。利濕為主。祛風解寒。仍不可少。當佐以健脾之劑。土強則可以制濕。腸痺由于中氣乖張。壅塞閉逆使然。治當先益其氣。俾氣旺而輸轉。大腸得傳化之妙。則風寒濕得氣運而自解矣。胞痺上則傷肺氣。下則傷及膀胱氣化。治當先利膀胱之氣。使氣散水行。則水道通調。而下輸膀胱矣。此二者皆陰氣客于下焦也。痺之成。每由陽氣不到之處。故治痺。尤貴於溫助氣化。以運陽氣。蓋陽氣充足。則血隨氣行。而邪則易散。譬如赤日當空雲霧立除。則風寒濕三氣自無容留之餘地矣。在女科中更有血風痺一症。蓋由血虛風濕相搏而成。治法與諸痺稍異。宜於祛風化濕之中。多用去瘀溫經活血透絡之品耳。

結論

綜上所述。爲痿痺症治之概略。然此二症。爲頑固之疾。又謂經熱則痺。絡熱則痿。斯痿痺之要論也。考其受邪之原。又不可拘於此論。痿雖屬於熱。而所主由於陽明。因經謂治痿獨取陽明之故。痺雖屬於風寒濕三氣。而所主由於太陰。因太陰爲營氣之本。流通經脉之故。苟陽明胃火薰蒸。太陰肺氣閉結。何藏不足以致痿。何府不足以致痺。又何須拘於經熱則痺。絡熱則痿之謂也。痿由于燥火炎蒸。津液涸徹。痺由氣滯血凝。經絡攣急。蓋人身形體百骸。皆賴氣血以爲調養。偶或有一氣之偏盛。或有外邪之侵襲。則疾病遂以叢生。痿之與痺。相類而實殊。痿病兩足。痺病周身者多。痿證軟弱不痛。痺證疼痛頑痺。痿起于內。痿起于外。痺有虛有實。痺則正氣未有不虛者也。痺症雖爲實邪所犯。然而邪之所湊。其氣必虛。是脾腎之陽先虛。而後陰霾之邪。始乘於皮毛經脉。阻於營衞流行。則痺痺之在皮者。祛之易。其伏於筋脉肉骨者。則非發散所能濟事。勢必扶正以祛邪也。其言痺有死時。其入藏者死。其留連筋骨間者疼久。其留於皮膚間者易已。李大材謂皮肉筋骨脉各有五藏之合。因合而內舍于藏。在外者。祛之猶易。入藏者。攻之實難。惜均未將經旨分晰明之耳。實則皮肉筋骨脉之痺。復感於邪。內舍於合。傳入於藏者死。其痺之直客於五藏之合。六府之俞。不由皮肉筋骨脉間而轉傳者。未必皆至於死不可治。是以特設五痺湯之治痺也。故內經之舍客二字。大有深意存乎其間。總之痺而覺痛知癢。在絡在經者。邪淺而易治也。不痛不腫者。邪深證險而難愈也。若夫痿症筋弛而不收。肢弱而無力。骨髓空虛。皮毛虛搏爲熱傷血脉。內損不足之症。治當不可膠柱而談。由濕熱癱着而緩縱成痿者。主以清燥通府。肝胃液虛而風動肢廢。治以通補鎮攝。肝腎陰虛。足熱枯痿者。塡精益髓。腎陽虛脊軟腿痿者。壯筋健骨。老年足軟肉麻。蹻維不用者。亟宜溫煦絡脉。流暢奇經。病後陰傷。骨痿不能起立者。急當歛陰壯水。固攝潛陽。有痰者化之。食滯者消之。血瘀者行之。實熱者奪之。雖然痿皆由于熱。而泄熱之中。又當活法而運用之也。不可執一偏以斷。泥成法以治。故善醫者。當運心以爲治。用法而不泥于法。斯無法而不入神明矣。呃要言之。五藏之痿。咸由于火灼。痺者爲氣滯之爲患。良以胃爲水穀之海。以生津液。一經薰灼。津液乾竭而成痿。氣爲轉運之機。

一經凝滯風寒濕三氣相隙而成痺者也。治痿則先瀉其熱。痺則先利其氣。故治痿痺之症明乎此。則思過半矣。

治痿痺類方

治痿痺類方

1. 清燥救肺湯　主治諸氣膹鬱。諸痿喘嘔。燥熱傷肺喘咳痰粘。

冬桑葉　生石羔　黑芝蔴　鮮沙參　杏仁　眞阿膠　炙枇杷葉　麥冬

2. 桔梗湯　治肺痿咳嗽聲嘶吐涎沫脉虛數

桔梗　防已　桑皮　貝母　括蔞　甘草　當歸　枳殼　苡仁　杏仁　黃耆　百合　姜

3. 炙甘草湯　治肺痿及脉痿

甘草　人參　桂枝　生地　麥冬　麻仁　阿膠　姜　棗

4. 獨活寄生湯　治肝痿之手足抽搐及風寒濕之頑痺

獨活　桑寄生　秦艽　防風　細辛　川芎　當歸　白芍　熟地　桂心　茯苓　杜仲　牛膝　人參　甘草

5. 鉄粉丸　治心熱而成脉痿

鉄粉　銀箔　黃連　苦參　石蜜　龍胆　龍齒　牛黃　秦艽　丹皮　白蘚皮　地骨皮　雷丸　犀角

6. 紫葳湯　治肝熱而成筋痿

紫葳　天冬　百合　杜仲　黃芩　黃連　草薢　牛膝　防風

7. 蠲痺湯　通治風寒濕痺

羌活　獨活　桂心　秦艽　當歸　川芎　甘草　海風籐　桑枝　乳香　木香

8. 小續命湯　治六經中風喎邪不遂爲治風之通劑宜於諸痺初起

麻黃　人參　芍藥　川芎　官桂　附子　杏仁　防風　黃芩　防已　甘草

9. 五苓散　治胞痺之主方

白朮　澤瀉　枯苓　茯苓　官桂

10. 吳茱萸散　治腸痺

吳萸　泡姜　甘草　肉果　砂仁　神曲　白朮　厚朴　陳皮　良姜

11. 茯苓川芎湯治濕痺留而不移汗多四肢緩弱皮膚不仁精神昏塞

赤苓　桑白皮　防風　蒼朮　麻黃　芍藥　當歸　官桂　川芎　甘草

12. 導赤各半湯　治偏於濕熱成濕

黃芩　黃連　犀角　山梔　滑石　麥冬　人參　甘草　茯神

13. 腎瀝湯　治濕熱盛致痺

麥冬　五茄皮　犀角　杜仲　桔梗　赤芍　木通　桑螵蛸

14. 河間升麻湯　治熱痺

升麻　防風　犀角　羚羊　人參　羌活　官桂　茯神

15. 活絡丹　治手足攣拳筋脉不舒皆由風邪痰濕留滯經絡。營衛之行不利。渾身走注疼痛。

南星　川芎　草烏　地龍　乳香　沒藥

16. 秦艽地黃丸　主治皮痺。肌膚木癢微痛。

當歸　川芎　白芍　熟地　秦艽　荊芥　防風　羌活　白芷　升麻　蔓荊　甘草　牛蒡

17. 五痺湯　統治五藏之痺。

人參　當歸　茯苓　白芍　川芎　白朮　五味子　細辛

18. 麥門冬湯　治胃中津液枯燥。虛火上炎。肺液枯而成痺。

麥門冬　人參　半夏　甘草　粳米　大棗

19. 甘草干姜湯　治肺痿吐涎遺尿。上虛不能制下。

甘草　干姜

20. 加味二妙湯　治濕熱致痿兩足痿軟無力。

防已　當歸　萆薢　黃柏　龜板　牛膝　秦艽　蒼朮

21. 虎潛丸　治腎陰不足。筋骨軟痿不能步履。

龜板　黃柏　知母　熟地　牛膝　芍藥　鎖陽　當歸　陳皮　虎脛骨　外加羊肉搗丸

22. 加味金剛丸　治筋骨痿軟。

萆薢　木瓜　牛膝　菟絲子　肉蓯蓉

23. 木防已湯　治痺症久痛化熱。肌熱如火。而成熱痺。

木防已　石膏　桂枝　人參

24. 升陽散火湯　治熱痺。

柴胡　葛根　升麻　羌活　獨活　人參　白芍　防風　甘草　姜　棗

餘音

以上所選諸方不過就所舉諸證而略以概之。證情變化本無常軌。所謂醫無常方。概執以例其餘。適以見其拙。然總不越乎規矩準繩。神而明之。則又存乎其人矣。

痿之與痺。本極相似。痿屬於虛。痺屬於實。痿因血虛而火盛。痺因三氣之相湊。痺無不痛。痿多不收。極其變化。痿亦有寒。痺亦有熱。症屬頑固。醫者苦之。斯篇從縱橫綜之中作邏輯分析之工。綱舉目張。具見平素研究功深。初學得此。殊不易也。

心如評閱

肝臟之研究

王德香

生理

內經云。肝者將軍之官。謀慮出焉。喻其怒火之發尤如古之將軍。發號施令也。肝之陽藏于陰。脈上巔入腦中。肝之系貫膈運心胞。腦子心有神經系相連。與肝相通。合腦力與心肺。故主謀慮。肝爲赤褐色。巨臟之一也。位居于橫膈膜之下。而略偏于腹之右。上與心爲比鄰。下與胆相近。惟一薄膜之膈耳。肝形前緣略尖。後緣則平圓形。右大左小。足厥陰之脈也。此臟血多氣少。男子以氣爲主。而女子獨以血爲主。由此觀之。則肝與女子有絕大之關係。凡婦女之病。十占八九于肝家有密切之關係焉。肝木不調。則無以營養全身。病遂起矣。夫人身之血無處不有。試觀人身無論何地破裂。均有血溢出。則何以內經獨云。肝爲藏血之臟也。蓋人身之血。約十六鎊。四分之一藏于心肺兩臟及其他各微細血管中。又四分之一藏于肌骨筋肉中。肝獨占四分之一。尚餘則分散于各局部。由此觀之。則肝經之血確較任何臟爲多矣。中醫之深奧。於此可顯。夫肝爲全身經絡之總。上通于心吸收血液。經肝之製造。而于另一管中輸入心臟。下通于心腸以及脾胃。收吸各經絡之濁血。還入製血之所。復經提練。再輸入于各處。如此循環川流不息。渣汁廢物。則排泄于體外。近世西醫。謂肝歸于消化器者。不過得其皮毛而已。原夫其有製造胆汁之功。直接輸入胆經。由胆輸入于腸。助腸中消化一切食物中之油膩。即國醫所謂木能疏土之意義也。經云。肝開竅于目。主筋絡。其榮華在爪。觀夫近代西醫往往用手扳下眼睛視之。見紅潤者。蓋即肝血正充足也。亦即全身之血液俱現充足之現象也。若苦澀色白。則肝血虛也。亦即全身之血統呈貧血之症也。肝血暢達。則指甲俱現鮮紅色。毛髮濃厚易長。若現筋牽瘛瘲。毛髮脫落色白。指甲苦澁。此皆邪之爲病也。故肝之在于我人。確俱有重要之位置。不特此也。且與其他臟腑。亦皆有密切之關係焉。即經所謂東方生風。風生木。木生酸。酸生肝。肝生筋。筋生心。肝主木。其在天爲玄。在人爲道。在地爲化。化生五味。道生智。玄生肺。在天爲風。在地爲木。在體爲筋。在臟爲肝。在色爲蒼。在音爲角。在聲爲呼。在變動爲掘。在竅爲目。在味爲酸。在志爲怒。怒傳肝。悲勝怒。風傳筋。燥勝。咸酸傳筋。辛勝酸等等。此皆言肝與生理。其他各部之關係耳。嘗觀醫宗必讀有乙癸同源論。論相火之說。可謂肝之于他臟。確有莫大之關係。夫女子之性多氣善鬱。故凡治女子之病。十之九宜理氣開鬱爲主治也。

病理

凡肝經之病理雖繁。不越肝虛。肝實。鬱結三種。細分述之。則不下數十餘種。千言万語。不能盡述。約而言之。肝氣橫逆。則發瘋狂。然肝木橫實。則胆之熱也。肝氣上升。則肝火遂盛。肝氣虛弱。則發爲怯懼。由于久病而正傷。而又時發怒火。則肝氣虛火上升。怒火之所由來。因過遇不平之事。則肝火上升。而是病發矣。或因于怒氣久蘊于肝經。不遂胸中所思之事。久鬱于肝。悶氣干心。久而久之。則恐成木旺假土之弊疾。內經云。肝藏魂。魂睡則魂離于外。血虛氣弱者。夜寐時易驚醒。但亦或有于濁血之鬱結。雖其爲心臟之病。然亦不脫肝系之理也。肝經之病源不一。或由于他病而釀成肝病。亦有之。如時起畏懼。症屬胆虛。亦可概肝責之病也。因其製造胆汁薄弱而不能抵制外界之驚恐。惟此症多現于小兒爲多數。但肝。病多發于女子。因其藏血多而女子又以血爲主故也。肝臟血而通百脈。經絡之病。均可曰納于肝。血虛之症。可言其肝虛。肝虛之人則言血虛。肝亦有陰湯。所謂肝陰者。爲肝經血液之汁也。肝陽者。即肝經血液之作用也。肝在志爲怒。悲哀動中則傳魂而發爲妄狂不精。怒則肝火上遂。悲者肝氣鬱結也。此均可歸于氣逆也。因肺氣被血瘀之阻肺。而不得暢行。經云。行血必先利氣。氣行則血自行矣。故凡悲怒氣鬱均能傷肝。但或由于風邪挾肝木上騰或下達亦均能變成是病。夫悲能傷肺。於五行屬金。稟西方肅殺之氣。肺氣盛則金焦木。肝木被剋。則血無以行走。血之行于全身者。全賴乎氣之鼓動。今肺金剋肝木。則尤如反阻其行走之力則肝血凝肺內阻下焦。而成便難遺溺等下焦普通病症。夫怒氣鬱結者。肝之本症也。凡肝病之發。十九起源于怒。夫肝藏血。血爲陰也。潛伏之物。無氣之鼓動。不能行走四散。今被怒氣之衝動。則血被冲而亂竄。肝火上逆咽喉。而成目糊昏花。頭暈耳聾。而成上焦普通之病症也。經云肝實則怒。肝虛則恐。肝音和而長。怒則發出之音如呼狀。言爲心音。肝魂不甯。因其肝藏魂之故耳。臨症之時宜細心察其原因。而後施診斷治之。則無不應手而愈。病症雖繁。必不越本經。云治病必求其本。切忌見虛症而羣驅補虛之品。雜亂無章焉能取效哉

病症及其治療

內經云。肝爲先天之本說。但肝經之病症不一。凡婦科之病。均歸于肝經爲多數。肝經之病症。千言萬語。未能盡述。今將其普通大

槪之病症分述于後。

一、經事前後無定。此良由肝氣抑鬱不舒。而腎亦同時被鬱。此卽乙癸同源之故也。症見行經時或先或後。而無一定之時期。診脈弦或沉滑。治宜定經湯加減。

二、經事超前。此由于水火交旺。內有熱也。血鮮而多。或煅煉爲紫黑色。內熱口渴。脈洪滑或弦數。治宜先期湯加減。

三、經事落後。由于內有空也。血稀而淡。或見沉黑。腹痛且痕。脈形弦細。或遲緩而沉。治宜過期飲。

四、痛經由于衝任受寒。或行經時食生冷水果之物。屬于瘀血。肝火不宣。氣滯內阻。症見未行經時腹痛。或行時腹疼痛。色紫黑。治宜烏藥湯加減之。

五、血崩由于鬱怒傷肝。肝火急則血突然被其衝動而成崩下也。症見口渴、舌乾、嘔吐酸水。脈形弦大。或弦數。治宜平肝開鬱止血湯加減。

六、不孕因居心妒忌。氣結于肝。肝下剋于上。任帶兩傷。而成不孕。脈形沉鬱。治宜開鬱種玉湯加減。

七、赤白帶爲肝虛生內熱。脾虛生濕。淫熱入于帶脈。症見陰戶時流白物。綿綿不絕。腰腿痠痛。頭暈目花。脉濡數。治宜完帶湯加減。

八、子懸因于肝氣久鬱。症寒者症見兩脇疼痛。腰膈痕滯。脈形弦細。治宜逍遙散加減。

九、小產因于肝火之怒發而傷肝。血被衝動而肝木橫逆。則傷胎。法宜引氣歸血湯出入。

十、肝氣由于氣機上升橫逆。腹痛自痕。胸悶納少。頭昏不爽。泛噁。治宜越鞠丸增減。

十一、肝寒由于寒邪滯阻于肝經。症見吐酸黃水。脉形弦滯。治以吳茱萸湯加減。

十二、由於肝火鬱結。情志不舒。症見腹痛便祕。嘔逆不止。經脈牽痛。兩目赤糊。脈弦大。治宜當歸龍薈丸加減。

十三、肝虛恐怒。或肝鬱肺被剋而虛勞成。症見眼目赤澁。腹痛。指甲痛。筋牽煩悶。痠疼。治宜四物湯補脾湯加減。

十四、肝咳由于肝火上升。木假刑金。症見咳嗽。胸脇牽痛。面青筋牽。脉形弦數。治宜瀉青丸加減。

十五、失寐起于肝火上犯。惱怒傷肝。氣鬱或盡力謀慮。以致肝血上亢于心。則夜不寐矣。脉形弦數。治宜龍胆瀉肝湯加減。

十六、痰飲症起于肝經氣火上盛下虛。症見脘中窒痛。嘔涎。脉形弦數。治宜蘇子降氣湯加減。

十七、氣鬱挾風。由于肝胆之相火妄動。鬱于下焦。症見氣結。脘痛、胸悶、少納、治宜升陽散火湯加減。

十八、眩暈關于陰虛者。由于焦心勞思。憂愁鬱結。心脾兩傷。而不能生血。或肝傷而血乾枯。或外溢上逆。症見盜汗、失寐。頭面火升。眩暈、跌仆。脉形細濇帶數。心脾兩傷者。歸脾湯酸棗仁湯主之。肝鬱者。紺珠天香正氣散逍遙散加減。

十九、肝痿原因。爲惱怒傷肝。木燥火生。症見汗溢、口苦、兩脇刺痛。筋牽。脈形沉濇。或洪數。治宜梔子清脾易或舒筋丸主之。

二十、肝痺一名厥。由于肝鬱而多火。症見夜寐時驚。腹大如懷物。左脇凝結作痛。多塊數。小便准轉筋四肢滯閉脉沉滯柴胡疏肝湯加減。

二十一、疝氣由于肝中有寒。肝失疏泄。淫濁復侵襲之。其足厥陰之脈循前陰。凡疝氣之症。總不離肝。症見睪丸墜痕。少腹急痛。脉大急。治宜天台烏藥散。挾淫者加味通心湯。

關係肝經之病症頗繁。未能一一盡述。今姑述其大概之病症而分辨之。夫肝經病之起。良由于血靜純陰而被怒之衝動。或由于久思、久鬱、久慮。肝氣鬱結。變爲以上諸症者。歷來無補肝之法。因其病之起。均血熱壅滯爲多數。而投以補劑。則尤如火中添油。養血須先理氣。若欲投以補劑。則必加行氣之品。因不易壅滯助邪也。肝氣上行。則成目糊、頭暈、耳鳴。或夜不安寐。下行則不納。便難遺溺。竄于四肢。則筋牽手足痪瘲等症。欲使身強。則宜保其肝經。善自珍攝。忍耐涵養。倘時怒易嗔。則難免以上之見症。肝病之源。不脫于氣血。血滯以及外感風寒。邪挾肝氣。肝實者其症見頭痛、耳聾、頰腫、目瞑、兩脇下痛引少腹。手足痪瘲。四肢痕滿。肝虛者。症見耳不聰。善怒。輕病則腰痠痛不能抑。丈夫疝氣。女子少腹痛甚者。色脫遺溺。癃閉。氣鬱者。症見面色蒼蒼。胸腹痞悶。少納神疲。時歎息。頭昏目糊等症。經云有所墜墮。惡血內留。有所大怒。氣上不下。據于脇下則傷肝。又云。肝藏血。血舍魂。肝虛則恐。肝實則怒。以上爲治肝病之普通法。在臨症時隨機應變可也。

四方劑

一、定經湯

當歸 白芍 山藥 熟地 茯苓 荊芥 柴胡 兔絲子

二、先期湯

當歸 白芍 生地 川芎 黃柏 知母 黃芩 黃連 香附 阿膠 艾絨

三、過期飲

當歸 白芍 肉桂 熟地 川芎 香附 紅花 桃仁 莪朮 木通 甘草

四、烏藥湯

烏藥 香附 木通 當歸 甘草

五、平肝開鬱止血湯

當歸 白朮 白芍 柴胡 丹皮 生地 三七 荊芥 甘草

六、開鬱種玉湯

當歸 白芍 白朮 丹皮 香附 花粉

七、完帶湯

白芍 白朮 柴頭 荊芥 山藥 人參 車前子 蒼朮 陳皮 甘草

八、逍遙散

當歸 白芍 白朮 茯苓 柴胡 薄荷 甘草 煨姜

九、行氣歸血湯

當歸 白芍 白朮 丹皮 鬱金 香附 麥冬 荊芥 姜炭 甘草

十、越鞠丸

蒼朮　川芎　香附　山梔　知母

十一、呉茱萸湯

呉萸　人參　甘草　生姜

十二、當歸尨薈丸

當歸　尨胆草　黄連　黄芩　大黄　黄柏　梔子　蘆薈　木香　麝香　青黛

十三、四物湯

當歸　白芍　熟地　川芎

十四、補肝湯

當歸　白芍　川芎　地黄　酸棗仁　木瓜

十五、得清丸

龍胆草　山梔　大黄　羌活　防風　川芎　當歸

十六、龍胆瀉肝湯

龍胆草　當歸　黄芩　柴胡　山梔　生地　車前子　澤瀉　木通　甘草

十七、蘇子降氣湯

蘇子　橘紅　半夏　肉桂　前胡　當歸　厚朴　甘草　生姜

十八、升陽散火湯

葛根　升麻　柴胡　羌活　獨活　人參　白芍　防風　生炙甘草　姜　棗

十九、歸脾湯

酸棗仁　遠志　人參　當歸　甘草　茯神　黄耆　白芍　木香　尨眼肉　白朮

二十、酸棗仁湯

酸棗仁　當歸　白芍　地黃　茯神　黃芪　柏子仁　人參　知母　五味子

二十一、紺珠天香正氣散

香附　烏藥　陳皮　蘇叶　乾姜

二十二、梔子清肝湯

山梔　當歸　川芎　白芍　柴胡　丹皮　石膏　牛蒡　黃芩　黃連　甘草

二十三、舒筋丸

當歸　白芍　知母　黃柏　銀花　鈎藤　天冬　生地　威靈仙　何首烏　秦艽　木瓜

二十四、柴胡疏肝湯

柴胡　白芍　香附　枳殼　陳皮　川芎　甘草

二十五、天台烏藥散

烏藥　川楝　木香　茴香　青皮　檳榔　良姜

二十六、加味通心湯

瞿麥　木通　梔子　黃芩　連翹　枳實　川楝子　肉桂　桃仁　山查　歸尾　車前子　甘草　竹葉　燈心

結論

夫血者爲水穀之精。提練而成之物也。動脈之血色鮮紅。靜脈之血帶紫。動脈伏于肌肉之間。靜脈則浮散于皮膚之間。肝者足厥陰之脉也。括一切經絡之總。凡筋弱足痺。時作抽搐。眼目諸恙。耳竅等病。均莫不係乎肝。虛則補之。實則瀉之。至於婦女經行之時。則尤宜注意其症是否屬虛。是否屬實。切勿漫信超前屬熱。落後屬寒之說。而貽女界以無窮之患也。

批　中國醫學之肝病有肝藏肝經之分本篇談肝藏而漫及肝經直乎範圍之廣闊　文芳

痢疾論

彭覺民

痢疾之名稱：痢疾之名。內經曰腸澼。難經曰大瘕泄。金匱與傷寒曰下痢。此外尙有因原因。或證候之不同而命名者。如血痢、氣痢、魚腦痢、虛痢、五色痢、勞痢、水穀痢、冷痢、熱痢、疳痢、蟲痢、噤口痢、休息痢、暴痢、久痢、奇恆痢、刮腸痢、疫毒痢、等是。至於西醫則有所謂阿米巴原蟲赤痢。與桿狀短菌赤痢者。不過西醫以有無細菌爲斷。不是見大便中挾有血液。便是痢疾。譬如患痔之病人。大便中常有鮮血。又各患傷寒之腸出血。便中亦常有汚赤黑色之血塊。以上二種。肉眼還能認定他是血。至於由消化器上部而來的血液。（例如胃潰瘍潛出血。）非用化學方法。殆難證明。所以西醫一般赤痢之定義。皆必由化學之檢查以及顯微鏡之觀察後。才肯證明。國醫則不然。皆以裏急後重爲斷也。

痢疾之原因：痢疾之病。多起於夏秋之間。然其致病之由。每因濕熱蘊積腸胃之內。外受風寒暑濁。復傷生冷瓜菓油膩濃酒等類而成也。西醫則謂因阿米巴原蟲。及桿狀短菌。與飲食等一齊入消化器。佔據腸管。致生此病。西歷一千八百七十五年。列修氏在俄國首都。檢查一患慢性之下痢者。在其大便中。發見無數原始動物的阿米巴蟲。解剖之結果。在空腸之下部分。及大腸之上部分。發現許多糜爛之處。但列修氏不以此阿米巴蟲。卽爲痢疾之病原體。至一千八百八十三年。郭霍氏在埃及。發見了這些阿米巴蟲。能深入人之組織裏面。後四年。加路列斯氏。又在痢疾後。續發肝臟膿瘍中。發見了許多阿米巴蟲。在一千八百九十七年。日本志賀氏。始在東京。發見一種桿狀短菌。名之曰痢疫菌。根據上述的事實。阿米巴蟲及桿狀短菌。定是痢疾之病原體無疑矣。其傳染之媒介。以飲料水用水及蔬菜等。爲最要之原因。因我國肥田園之原料。恆用人之糞溺。潛伏糞溺中的永久型之阿米巴蟲。及桿狀短菌。因此便附着蔬菜。或流入河中井內。所以飲料水用水及蔬菜等類。如不經一次煮沸。將蟲及菌殺死。則未免伏着傳染之危險。又有由康健之人。爲攜帶痢疾菌者。其自身雖不發病。而其大便中常混有此種痢疾菌。與之日常接近之人。甚易傳染。亦有由蠅搬染。以及坑廁之不良。汚穢流入河中井內。其他因爲患者用之灌腸器。以及檢溫器。同一切用器等類。消毒不良。不能把伏着之阿米巴蟲。以及桿狀短菌殺死。而致傳染他人。或者有與患者同便器。不易傳染。以上等了不過病因大概耳。

痢疾之症狀：痢疾之症。發病之一二日。腸部不快。食慾不振。每有寒熱。全身疲憊。同時感覺頭痛。嘔吐水瀉。以及體溫上升至攝氏三十八度。或三十九度。此時病人並覺寒冷。脈搏亦隨體溫增加。或竟無何種前驅症者亦不少。發時急起腸部疼痛。及下痢等症。病時多在夜間。裏急後重。日夜十餘次。或八九十次。夜間尤多。如見煩渴引飲。喜冷惡熱。滿畏食。腹痛拒按。脈強而有力者。屬熱屬實。若口不渴。或渴而喜熱飲。腹痛喜按。脈沉遲無力。小溲清白。或脫肛。久痢者。屬虛屬寒。其重者。大腸經過部及臍部均覺壓痛。肛門亦灼熱疼痛。甚致脫肛。又有並發高熱。甚致嘔吐噦逆。全身倦怠。煩渴引飲。腹痛雷鳴。肛門括約筋弛緩而失禁。至是毒素已蔓全身。不久即死。實在是最厭惡之疾病。當發病之初。大便是水樣粘液便。便形尚存。至翌日。即變粘液便。或粘液血便。在雞蛋白一般粘液之中。點狀的或線狀的混合着血液。或在粘液裏面瀰漫的混合着血液。血液的分量極不一定。至病勢漸減。則大便亦漸堅硬。呈汚穢的灰白色。裏面尚含少許點狀的粘液和血液。如便中的血液和糞便混合均等。便呈棕色。以上症狀經過一二星期。由下痢漸變普通大便。血液粘液漸次減少。裏急後重症狀漸消失。下痢次數不如前之頻繁。則回全愈期矣。倘若醫治失當。或者不能遵守攝生。即變爲慢性痢疾。且在慢性之期中。又復變爲急性。一進一退。時至數十年不能全愈。因此病人的營養甚爲不良。皮膚蒼白。腹部陷沒。足部浮腫。大便雖未必如急性時那樣頻數。然日必三四次。有時且帶少許粘液或血者。在這種狀態者。就不易治愈了。不幸死者亦復不少也。

痢疾之治療：治痢之法。若驟止其邪。則生命攸關。其補正反助邪爲要。欲清氣。則下行不暢。夫觀古人治痢之法。痢者利也。俱以導帶清熱爲法。務須除去腸內之刺激物。使其疎通。則可免糞便之停留。及症勢之亢進。治療之法。若腹部搗痛。而裏急後重。其所下或紅或白。或紅白相雜。皆膠粘如凍。氣下墜。屬熱之陽症。可用白頭翁湯（白頭翁　黃連　黃柏　秦皮）及香連丸（木香　黃連）爲主。若上熱下寒。噤噤不能食。虛滑久痢。可用烏梅丸（烏梅　細辛　乾姜　當歸　蜀椒　桂枝　黃連附于　人參。　黃柏爲主。若久痢腸脫。屬寒之陰症。可用桃花湯（赤石脂　干姜　梗米）爲主。若上痢膿血相雜。腹痛裏急後重。可用芍藥湯（芍藥　甘草　大黃　當歸　肉桂　黃芩　木香　梹榔）或芍藥加芒硝湯（即芍藥湯中加芒硝）爲主。若下血痢腹痛。可用犀角（犀角湯　黃連　阿膠　艾葉　當歸　伏龍肝）或輕車湯（黃連　當歸　阿膠　乾姜）及地榆蒼朮湯（地榆蒼朮）爲主。若痢疾之初起。不問寒熱赤白。可用黃連湯（黃連　石榴皮　甘草　黃柏　阿膠　干姜　當歸）或四味香連丸（黃連　大黃　木香　梹榔）及治痢散（葛根　小麥　陳松羅茶　苦參　赤芍　陳皮　麥芽）爲主若下痢膿血繞臍疼痛可用阿膠散（阿膠　當歸　黃連　芍藥赤石脂　干姜）爲主。若下痢赤白連年不止可用溫脾湯（大黃　人參　干姜　附子）爲主。若噤口不能食可用開水噤湯（人參　麥冬　天冬　石羔　梔子　黃連　黃芩　黃柏　生地　石芍　當歸　射干　杏仁　梹榔　枳壳　甘草　花粉）及救胃煎（生地　白芍　黃連　黃芩　玉竹　花粉　棗仁　桔梗　石羔　麥冬　枳壳　厚朴　甘草）爲主。若痢疾脹閉有宿食發嘔。可用辟靂散（生大黃　黃連　黃芩　吳萸）爲主。若外感有寒。兼下痢者可用人參敗毒散（人參　獨活　羌活　川芎　柴胡　芎藥　枳壳　桔梗　茯苓　甘草　薄荷）爲主若下痢日久虛寒脫肛可用眞人養臟湯（人參　木香　白朮　罌粟壳　炙甘草　煨肉豆蔻　當歸　柯子　白芍　肉桂）爲主。若下痢有瘀血可用沒乳湯（乳香　桃花　沒藥　滑石）爲主若下痢心胸腹脅滯氣痞滿可用木香梹榔丸（青皮　枳壳　黑醬　炒吳萸　陳皮　黃柏　香附　黃連　木香　大黃　芒硝　三稜　梹榔　蓬莪朮）爲主若下痢脾胃皆困於濕熱。不得運化。胸悶腹痛。可用枳壳導滯丸（枳壳　黃芩　神粬　大黃　連黃　白朮　茯苓　澤瀉）爲主又有治夏季痢。用木香梹榔丸。秋季痢。用枳壳導滯丸。西醫治本症。多令患者安靜。及飲食攝生外。初起用下劑爲主。如甘汞及篦麻子油等類。日久則用正濇收斂。如石榴皮及鴉片等類爲主。總之本症多端。治亦萬變。在臨床時。應當細辨之。

痢疾之糞便：痢疾之便可分八種。1.粘液便。（便中以粘液爲主）2.膜樣便（即混膜狀便內者）3.肉樣汁便。（便中血液混和於粘液其狀如肉汁者）4.血便（便中爲純粹之血液或血液占大部分）5.粘液血便。（便內粘液中混有血液者）6.膿便（便中混膿汁者）7.膿性粘液血便（便中混有膿汁粘液血液者）8.壞疽性便（便中混有腐敗之臭氣混有陷於壞疽之大腸的組織者重症痢疾常見之）

痢疾之預防：痢疾之預防法應絕對避與患本症之病人接近。以防傳染。平時須講究衛生。保重身體康健。使人體抵抗力強。以抗病菌發作。居屋要清潔。污積宜常掃除。勿使發生細菌。窗宜多開。使空氣新鮮。利用太陽光之熱力消散濕氣。飲食要清潔。譬如飲料水用水及蔬菜等類。必須經過煮沸。然後以作飲食。生冷瓜菓油膩濃酒等類。不宜多食。以免傳染。廁所要清潔。當須勤除糞便汚穢及洗滌。勿使其停留。致發生細菌也。衣被宜多洗。常晒暴日之中。刋用太陽光殺菌。以下種種預防之法。若能導照實行。本症決不能深入。再無疾疑之餘地矣。

痢疾之看護：痢疾看護法。應使患者身體及精神絕對安靜。不能起床。大小便須用器取之。一成面安慰病人。病人糞溺宜用石灰乳消毒。衣被及用器。宜常洗浣。亦要十分消毒。身體須清潔。患者下痢次數既多。如更加嘔吐者。身體尤易不潔。宜常用消水抹之。若自行洗澡。普通應待大便沒有血液和粘液之後才可。大便之後。肛門周圍須抹清潔。以防肛門糜爛。飲食禁忌堅硬不易消化之品。因能害腸管破裂。宜用流動性食物。如湯粥等類。冷凍之飲食亦有害。宜選用溫暖之飲食。茶水則以粘滑性者。或檸檬汁之類爲佳。患者熱甚致發生頭痛者。頭部宜放置冷囊。腸出血腹部亦宜放置冷囊。禁投瀉藥。絕食兩日。以上是大概看護法。實際則須經醫指導才可。

批　簡約得要　文芳

痞塊病

曹鳴

總說——原因——病理——症狀——經過——診斷——預後——預防——療法——結論

總說 痞塊之爲病。吾江蘇北方流行至廣矣。政府地方雖羣策羣力。企圖遏止。但情勢險惡。不易建功。尙有渡江而南之聲勢。中央衞生署。聘請德國醫生。設專門機關於淸江浦。實地研究。江蘇省政府。全國經濟委員會。及江蘇省立醫政學院。會同特派專員。從事攷察。費用鉅萬。國幣消耗。而收效至微。可憐江北民衆。束手待斃。於本症者。日有數十。地方壯丁。因受本病之累。十之八九。均變爲病鬼。生產減少。民生困難。個中情況。令人浩嘆。作者有志研究本病已多時矣。若無實地經驗。僅將書本所得。及最近報紙之記載。彙集是篇。願海內識者。予以糾正。

原因 考國醫書曰。痞塊症爲疳病之類也。夫疳病之原因。據巢氏病源疳𧏾候有云。脾胃潤則氣緩。氣緩則虫動。蟲動則侵食成疳𧏾也。但蟲因甘而動。名之爲疳也。故寒熱失節。致臟腑之氣虛弱。而食飮難消。結聚成塊。是狀可驗也。如不速治。勢積日增。人必削瘦。腹乃轉大。然此症蔓延遲緩。其傳佈每年僅四十餘里。但指昔日交通閉滯之情形而言也。現代交通發達。則傳佈之速率當快。傳佈之範圍當大矣。每一區域。本病發現後。約歷時五載。始克消滅。

病理 痞塊卽癖塊也。考體內廢物過賸。結爲有形之癖塊者。有癥瘕痃癖。以及息賁伏梁肥氣奔豚之各種類別。卽五臟之積是也。因癖塊之窠囊盤鋸左脅。左脅爲脾臟外廓。國醫所謂脾統血。卽外醫可指製造白血球之功能也。依我國古書上之記載。癖塊成因。爲瘧菌侵襲脾臟。將人生體內之廢物。如死血濕痰等。儘量充分吸收至脾臟脂膜間。而成一絕大之窠囊。如小兒疳積生蟲。婦人產後鬱血。均足以結癖成塊也。故痞塊之病理。全爲過賸之廢物。牢結於左脅脾臟脂膜之間也。

症狀 最初之症狀。爲不整型昇降之熱。每日昇降之度數無定。其昇高之時。竟有達華氏一百零三或一百零四度以上。降低時亦有降到常度以下。昇降之時間與次數無定。多有一日昇降兩次者。有時熱型成鋸齒式。（外醫卽所謂間歇熱者。卽是此型）延長達數月之久。且外絕無顯著高熱。人每誤爲瘧疾。蓋因瘧疾亦爲間歇熱也。待至成熟期。脾臟卽先發腫。繼乃肝腫。肝爲最大腺體。心房血液之循環。均取諸肝。肝居右脅。（中醫右書謂肝居左。脾居右者實誤也。）脾居左脅。肝藏血。脾統血。今脾既腫大。勢必引起肝管之血鬱。則肝之動脈亦同受障礙。由此因肝管之血鬱。卽致心臟貧血。夫氣血以流通爲貴。流通則新生活之養料增加。而陳歸衰謝者不留。惟有血鬱。能使新生活之養料減少。陳舊之廢物增多。所謂舊血不去。新血不生。此卽謂新陳代謝之演進也。所以鬱血延久之結果。常成爲貧血之一大原因。病人卽消耗瘦削。四肢萎枯。皮膚枯黃。其貧血現象日益顯著。皮膚色素沈着。漸見焦黑。小腹水腫。呼吸因難。至此卽成本症特異之症象。病人顯長而細。骨瘦如柴。而容憔悴。皮膚色著黑暗。（外醫名爲黑熱病者卽此）胸部下陷。肋骨暴露。腹部高凸。狀如覆甕。靜脈怒脹。似蚓狀。此後全身發現溢血進行。如鼻衄。牙齦出血。本症至此。已達危局。夫此時之血。由於鬱血之使然者也。至此鼻衄頻出。肝管既經血鬱。循至肝脉硬化。惟是往往假道於督脈。故此血從脊椎而上顛至鼻。如由背部來者。必覺背部冷熱不勻。或烘熱。或凜寒。時作時止。若至牙齦出血。甚至走馬牙疳者。卽不獨脾臟異常腫大。而肝脉亦甚硬化也。毒菌此時已竄潰胃腸。全身血輪。全受毒害。口氣臭惡。牙朽如灰。亦頻見矣。如血由牙齦直射而出。致有穿腮脫牙之患。尚有局部壞疽。併發痢疾。支氣管炎。及噥毒病。可謂危險之證。患者均死於此。

【經過】經過緩慢。數月或達數年。常併發肺炎。肺勞。膿瘍。脾臟栓塞。潰瘍。膿毒病等。而取死亡轉歸。但經過中亦有異常者。

【診斷】全身倦勞。發熱無定時。四肢消瘦。胸脅脹悶。腹部獨大。按之有塊。觸手。面色黃蒼。大便或祕結。或泄瀉。小便多混濁。如米湯汁。藥後大便粘穢。小便發清。腹腫漸消。乃轉佳之象也。本症之舌色嫩紅無苔。或淡紅無神。待病轉至毒菌竄遍之時。則舌色又隨證而異。脉搏多弦細緊數。此則因血鬱而使然也。倘搏指而洪大者。則毒菌已全部潰崩矣。試將血液檢查。有一簡便之法。先備一小試驗玻璃管。入蒸溜水二西西。再刺患者耳垂。或指尖。擠出鮮血三點。入試驗管中。震盪之。向明亮處照視。則見呈渾濁之乳狀沉澱物。此爲本證之特證。但亦不能定爲可靠者。無論大小男女。均有患之。依據統計。以幼年者較多。一歲至十歲者佔百分之三十一。十一歲至二十歲者佔白分之四十二。二十一歲至三十歲者佔百分之十八。三十一歲至四十歲者佔百分之八。四十歲以上患者。則絕無僅有矣。

【預後】預後不良。間有獲自然之佳良轉歸者。考之臨床經驗。求治愈早。成績愈佳。倘治療適當。死之率亦達百分之八十以上。若不早求治愈。或治療不適者。死之率竟達百分之九十以上。遇有合併症時。則每爲本症取死之轉歸之一大原因矣。

【預防】因本症爲傳染病之一。故預防頗爲重要。尤以地方衛生行政機關之責任。更爲龐大。一面設立研究機關。專門研研治療之法及整個撲滅之計劃。一面開辦治療機關。掌理已患者之救治。已死者之處置。至於地方行政長官。亦宜負相當責任。以今日江北之狀況而言。本症自江北各縣流行後。患者已達十餘萬人。每一村莊。即見數十。地方民衆。聞之生畏。有談虎變色之概。長此以往。豈可限其區域而不渡長江侵入江南各地耶。尤以交通發達之今日。故地方長官。應任以專門人員於交通處。加以檢查。阻其旅行。以免蔓延。我國醫界同志。素抱慈懷之心。對此惡疫。焉能袖手旁觀。至於藥中有無特效之方劑。斯當爲另一最有研究價値之問題。葉古紅先生曰。醫者之目的在愈病。而達此目的之方法則果多。法不同而收效則一、求之國醫。除去一部份五行生尅之說。每有暗合科學者。李棻曰。然審吾國古醫處方。有每發奇效者。良哉斯言。故對本症之救治。國醫界同志。應毋擯棄與遲疑。舉整個之力量以赴之。則不必求發揚而自發揚矣。不待求光大而自光大矣。今上海各國醫團體。以此爲患日久。深慮疫地居民。死之靡已。乃崛起倡導以救濟之。上海市國醫公會在未派員實地調查之前。曾函中央國醫館及當地醫團。徵詢詳情之決議案。神州國醫學會。特選派調查員。上海市國醫學會。亦曾發表論文。並詢當地醫團及組織討論委員會等。諸如此類。可見我國醫界對本症之預防及研究。已不後人矣。但實地之預防工作。猶待政府地方之努力。且須注意個人生活之改善。患者之隔離。起居之攝生。飲食之清潔。病原之撲滅。屍體之深埋。及一切衛生上之注意等項。則庶不至蔓延也。

【療法】因本症經過頗慢。故治療時應注意食餌及看護。室內空氣務須流動。光線宜充足。同時要少勞動。多休息。睡眠時間適宜。勿受外界寒冷。飲食攝取流動性。或半流動性食物。固體食物。不易消化。以不用爲佳。營養力求充足。倘常期臥牀。則應注意多變動體位。被褥常換。更注意清潔。以防褥瘡發生。至於藥物方面。攷之古籍所論。及近代報紙雜誌所載。不外消炎殺蟲。芳香健胃。袪除瘀血。活潑神經。消腫解疑。調整血行。強心興奮等。但效驗如何。尚屬疑問。考之外醫。亦無特效之藥物救治。願同道賜我以經驗上之所得。則更幸矣。茲將古書報章及雜誌等所得之藥方。分誌於后。以供研究。

（一）集聖九方

乾蟾蜍炙焦一兩二錢　蘆薈八錢　五靈脂八錢　夜明砂淘去灰土八錢　焙乾砂仁八錢　陳皮八錢　青皮八錢　莪朮八錢　木香八錢　黃連八錢　使君子肉八錢　川芎一兩二錢　歸身六錢

右藥爲細末。以雄豬胆汁四枚。和粟米粉爲丸。如龍眼核大。每服二丸。米飲日服三次。

按集聖丸藥味。主藥蟾蜍。其表皮腺分泌液。合有瑪菌成分。等於外藥之毛地黃 Digitalise 效能。而無 Digitalis 之蓄積作用。能強心興奮。應用於血行障礙。心臟衰弱。脉搏不正。鬱血炎腫有特效。蘆薈與起腸蠕動機能。以促進胆汁分泌。及起瀉下作用。使君子黃連用以消炎殺虫。砂仁廣陳皮木香等。芳香健胃。五靈脂夜朋砂莪朮祛除瘀血。活潑局部神經。以奏消腫解凝之效能。當歸川芎通經調礬血行。豬胆汁爲苦味解凝藥。

（二）大黃䗪虫湯方

酒製大黃　單桃仁　酒炒當歸　甜桂心　小靑皮　金鈴子　酒炒䗪蟲　煨乾姜　酒炒六甲　枳壳　山查肉　延胡索

治痞塊病之皮膚。黧眼眶靑陷。環唇黑黯。頸長而細。頸脈跳動。四肢細弱。惟腹獨大。大如覆甕。腹部靑黑。繃急光亮。筋露如綱。舌光淡如鏡。脈弦細鬱結等

按大黃䗪蟲湯。以大黃爲主。使腸胃動脉增加機能。桃仁。乾漆。延胡素。多是排除廢物。而又以䗪蟲山甲。搜逐在絡之淤。爲導。枳實靑皮山查以消癖脾積。加一桂心者。所以強壯心胃。蓋極盡搜逐發揮之能事也。

（三）民間驗方

鱉甲一味醋炙酥研末。配以極微量之砒只拌勻每服一錢至二錢陳酒送服一日二次

按本民間單方。以鱉甲爲主藥。因鱉甲能制止滲漏。增強活潑白血球與凝固素。砒石有變質殺菌作用。如患者嫌砒石毒性劇烈。可用鱉甲一兩。醋炙酥。雄黃二錢。共爲細末。陳酒送服。因雄黃爲三硫化砒。亦砒石之類也。

（四）徐聲士莧鱉膏方

活鱉五斤　莧菜十斤　蔴油五斤　穿山甲四兩

按徐聲士莧鱉膏方係外用之藥。塗敷於痞塊處。其製法先以活鱉莧菜置入壜中。待其自然化臭。混入蔴油穿山甲。用高火使熬枯。再濾清復熬至滴水成珠。乃研至細末即成。

（五）病機沙篆消痞丸方

鱉甲一斤　茯苓三兩　神麯二兩　莩薺去皮成末八兩　人參五錢　厚朴五錢　肉桂三錢　附子一錢　甘草一兩

白芍三兩　半夏一兩　白芥子一兩　蘿蔔子五錢　當歸二兩

按病機沙篆消痞丸方以煉蜜爲丸。每臨臥時服五錢。與鹽湯共服。本方與徐聲士莧鱉膏方。均以鱉甲爲主藥。蓋鱉甲鹹平。肝經藥也。截久瘧。消瘧母。破癥瘕。行瘀血。退煩熱。補新血。養陰滌熱。理肝諸症。

（六）參蟾歐蟲化疳湯

潞黨參　粉甘草　綠升麻　當歸　使君子　芍藥　雄黃　乾蟾蜍　胡黃連　炙鱉甲　蕪荑　雞金　雲苓　辰砂

（七）黑熱病秦艽湯

酒炒秦艽　粉葛根　歸身）　小麥皮　六甲　水炙柴胡　羌獨活　赤芍　蜀漆　桃仁

按第六七方藥。如宋愛人先生新訂。痞塊病既受原虫毒害。非殺除其害虫不可。故第六方專以殺虫爲主。第七方治痞塊鬱血發熱。秦艽可透發血中鬱熱。同時又可殺除原虫也。

總之。本症之治療。其特效與否。尚待諸挾同仁之實地試用。上列諸方。僅擇數種以作代表耳。考其效驗。未見報告。余於醫歷境將余平日研究所得。作爲實地應用。彙集其所收之效。當另作專文討論。以供吾國醫界諸同志作一研究之資料可也。

【結論】自江北痞塊病流行以來。政府乃以經濟力量。雇用外醫。意圖撲滅。但事濟數年。費達鉅萬。該病不見減少。反有渡江南下之勢。余爲十數萬之病者惜。更代江北數百萬民衆憂也。同時懷疑政府當局。何以置我國醫於不顧。詈每有意外奇效之國醫藥而不用。今雖各地國醫藥團體。狂聲吶喊。然仍未喚起政府之注意。深望各地國醫藥團體。本過去三一七自求生存之精神。對本症加以研究。並願江北各地諸國醫界同志。將平日臨床經驗。隨時報告。內外策應。未有不收效者。余於醫藥。愧無深切研究。但搖旗吶喊。隨隨諸同仁之後者。未稍怠也。

批　本病病原在西醫界既未常發現在中醫界則太覺模糊本篇注意有効療法可謂崇實之文　文　芳

血證概論

王公遠

經云。治病不求其本。欲論血證。當先明血之本原。夫血者。水穀之精氣。人身之至寶也。水穀入口。經齒牙之咀嚼。由口中之津液以勻和之。然後遞至胃中。胃之上口爲賁門。胃之週圍有小孔。食物由賁門入胃中時。週圍小孔。卽出津液以消化之。其易於消化者。皆化爲精微。滲出胃旁微細管。上輸於脾。由脾輸水於肺。通調三焦。輸蛋白質於肝。淫氣於筋。輸糖原質於胰。散精於肌。其餘尙有澱粉質脂肪質等。非胃中所能消化者。盡出胃之下口。隨幽門括約筋入弛緩。下輸小腸。小腸之勞。左有膵。右有膽。膵液稠而鹹。膽液綠而苦。其澱粉質脂肪質等。由胃中入小腸時。膵液膽液。皆分泌於小腸。將小腸中之食物。榨出其精液。化爲白色之乳糜。滲出小腸勞之微細管。運至會頸管。其餘糟粕。則傳送至大腸。再用大腸吸收其脂肪之精微。然後將其渣滓。次第排出肛門之外。其白色之乳糜。由會頸管上輸於心。入心房後。遂變爲赤色之血矣。此卽內經所謂中焦受氣。取汁變化而赤。是爲血也。血中有二物。一爲明汁。一爲粒子。粒子者。其形圓扁如輪。中空而赤。內貯紅液。浮游於明汁之中。名曰血輪。精壯之人血輪多。血色濃而赤。虛弱之人血輪少。血色淡而稀。血發源於心左下旁。流入總脈管。總脈管有無數分枝之小脈管。血液自流入總脈管後。則愈分愈多。愈多愈微。故名之曰微細血管。偏行週身。四通八達。無微不至。故目得之而能視。耳得之而能聽。指得之而能攝。掌得之而能握。足得之而能步。是以肌肉之豐富。筋骨之柔和。七竅之靈敏。四肢之動作。津液之宣通。二陰之調暢。以至滋臟腑。潤顏色。充營衞。安魂魄。無非血之功用也。其通行週身後。卽由微細管尾。通於迴血管。其色頓變爲紫。其性有毒。中有炭氣故也。炭氣者。乃身體中無用之老廢物。雜化爲氣。此氣能殺人。血由迴血總管抵心右上房。轉落右下房。上入於肺。呼出炭氣。吸入養氣。則紫色之血。復變爲赤色矣。故肺經一吸。所以納養氣也。一呼。所以出炭氣也。血得養氣則色赤。能長肉骨而養生命。血有炭氣則色紫。必須入肺吐出以更換之。故肺經之呼吸。關係人身非輕也。其吐出炭氣後。復迴入心左上房。再落左下房。再起第二次之循環。週而復始。晝夜不息。若稍有偏勝。則血受障礙。其妄行於上者。則見於七竅。流注於下者。則出於二陰。或壅瘀於經絡。或鬱結於臟腑。而現種種之症狀、茲將其證治。分列於后。

〔二〕吐血　平人之血。其所以暢行經脈。流通無滯。能循其經常之道者。全賴氣之功也。故經云。氣爲血之帥。氣行則血行。氣滯則血滯。氣虛則血脫。氣迫則血走。血之與氣。實有連帶之關係也。若一旦血不循其常。溢出腸胃之間。胃熱上騰。隨氣上逆。於是吐出，故西醫謂吐血爲胃出血。方其未吐之先。血失其經常之道。或由背脊走入膈間。由膈溢入胃中。病重者。其血之來。辟辟彈指。漉漉有聲。病之輕者。則無聲音。此種吐血。胸背必痛。是血由背脊而來。氣迫之行。不得其和。故見背病之證也。治之以肺爲主。蓋肺爲華蓋。在背與胸膈之間。血之來路。旣由其界分溢出。自當治肺爲是。或由兩脅肋走油膜。入小腸。重則潮鳴有聲。逆入於胃。以致吐出．多現腰脅疼痛之證。治當以治肝爲主。以肝爲統血之臟。位在脅下。血從其地而來。自以治肝爲是。治肺宜人參瀉肺湯。治肝宜佛手散及逍遙散。但肝肺雖係血之來路。而其吐出。實胃主之也。况血之歸宿。在於血海。衝爲血海。其脈隸於陽明。陽明之氣下行爲順。今不下行。而反逆吐。急宜調其胃。使氣順吐止。則血不致奔脫矣。故吐血初起。以止血降氣爲第一要法。如仲景瀉心湯。葛可久十灰散及四物歸脾地黃等。止血之後。其離經之血。不能復還者。上則着於背脊胸膈之間。下則留於脅肋少腹之際。必見疼痛之際。流注四肢。則爲腫痛。蘊滯肌腠。則生寒熱。其瘀者。莫不壅塞氣道。沮滯生機。久則變爲骨蒸乾血癆瘵。故於止血之後。必宜用消瘀之劑。如花蕊石散。醋黃散。血府逐瘀湯等。消瘀之後。又當甯血補血。甯血者。甯定其血。恐復潮動而吐出。補血者補其虛脫之血。凡吐血之症。始則固屬氣實。繼吐之後。血未有不虛者也。故於止血消瘀甯血之後。必宜進血補之劑。但補法不一。有補中兼攻者。有攻中兼補者。在爲醫者善治之耳。

〔三〕咯血　咯血與吐血不同。咯血者。痰帶血絲。咯之而出。吐血者。滿口吐出也。昔人謂咯血出於心。謂心主血脈。咯出絲血。象血脈之形故也。又謂咯血出於腎。蓋腎主五液。其氣不行。則水出膀胱。今腎經之氣不化於膀胱。而反載膀胱之水上行爲痰。膀胱者。胞之室。膀胱之水。隨火上沸。引動胞血隨之而上。是以咯血。痰與血齊出也。若直言血出於腎者。恐非也。治宜仲景猪苓湯。化膀胱之水。兼滋其血。最爲合法。再加丹皮蒲黃以清血分。凡痰之原。血之本。此方兼到。或用地黃湯。加旋覆花五味天冬麥冬蒲黃。火甚者。大補陰丸。加牛膝雲苓丹皮。凡此數方。皆主腎經咯血之說。其屬於心者。則用導赤散。加黃連丹皮血餘蒲黃天冬貝母茯苓等治之。此外尚有一種喉間微細血管破裂。亦挾痰而咯出血絲。此症與以下咯血不同。不治可愈也。

〔三〕唾血　唾血之原由於脾。脾主消磨水穀。化生津液。津液騰溢。水陰四布。則口中和而無病。若津液凝聚爲唾。乃脾不能攝故耳。脾爲統血之臟。其氣上輸心肺。下達脾腎。外灌四旁。充溢肌肉，所以居中央。暢達四方。血亦隨之。運行不息。故脾能統血。則血自循經而不妄動。一旦失其統血之常。則血走洩胃中。爲唾而出。是以唾血爲脾之陰分受病。但病因各有不同。治法亦異。如因七情鬱結。思慮傷脾。睡臥不甯。怔忡勞倦。飲食不健、宜用歸脾湯加阿膠柴胡炒梔棕炭血餘。補心脾以解鬱火。如脾經陰虛。脈細數。津液枯。血不甯者。麥冬養榮湯加阿膠蒲黃。甲己化土湯加花粉生地人參麥冬藕節側柏萊菔汁枳殼。如脾經火盛。唇口乾燥。大便閉結。宜用瀉心湯加當歸生地蒲黃白芍等治之。

〔四〕咳血　肺主氣。其質嬌。不耐邪侵。侵之則氣不降而爲咳。氣既不順，血亦隨之。故咳血之症。屬於肺。肺之氣。外合皮毛。而開竅於鼻。外感風寒。則皮毛固閉。頭痛鼻塞。肺氣上壅。載血而嗆出喉間。仲景云。咳而喘息有音。甚則吐血者。用麻黃湯。但外感吐血。用麻黃固爲刼病之劑。然麻黃乃屬氣分之藥。既失血。未有不犯血分者。故用麻黃湯。必宜加入丹皮赤芍生地等入血分之品。若肝火胃熱上冲。火盛乘金。肺金清肅失令。引動胸背脈絡之血。隨咳而出。因於胃火者。用犀角地黃湯。加麥冬五味杏仁枳壳藕節等。因於肝火者。用柴胡梅連散。加青皮牡蠣。蒲黃丹皮生地等。肺爲嬌臟。無論外感內傷，一傷其津液。則陰虛火動。肺金被刑。失其清肅下降之令。其氣上逆。嗽痰咳血。每多變爲肺痿之重症。吐白沫。咽痛聲啞。皮毛洒淅。惡寒憎熱。此皆金損之症也。不易治之。其有脾經憂鬱。心經虛火。腎經陰虛。亦能造成咳血之症。故治法種種不同。爲醫者不可固執也。

〔五〕嘔血　嘔血者。其病在脾。血出有聲。不若吐血之撞口而出。血出會聲。嘔之重者。其聲如蛙。輕者呃逆。氣不暢遂。是因少陽轉樞不利。清氣遏而不升。濁氣逆而不降。故傷寒論。少陽爲病。有乾嘔嘔吐不止之症。治宜降肝逆利少陽之氣。用大柴胡湯加蒲黃桃仁當歸。嘔血既止。再服小柴胡湯。以調和榮衞。轉樞表裏。如因怒傷肝。肝氣橫逆。而發爲嘔血之症。尤宜攘除肝火。當歸蘆薈丸。加丹皮蒲黃治之。其餘治法。與吐血無異。參考可得之。

〔六〕便血　便血者。由大腸而出也。先血而後便者。無近血。以血之來。距肛門不遠耳。其證治有兩種。一爲腸風下血。二爲臟毒下血。臟毒下血者。肛門腫硬。疼痛流血。仲景用赤豆當歸散主之。若大腫大痛。大便不通者。宜解毒湯。腫痛不甚者。用四物湯。加地榆荆芥槐角丹皮黃芩土茯苓地膚子苡仁檳榔治之。腸風下血者。肛門不腫痛。臟毒下血多濁。腸風下血多清。治宜槐角丸主之。若肝經風熱內熇。必見脅腹脹滿。口苦多怒。或兼寒熱。宜瀉靑丸。或逍遙散。小柴胡湯主之。先便後血者。爲遠血。以血在胃中。去肛門遠。故便後始下。即古之所謂陰結下血也。治宜黃土湯主之。歸脾湯補中益氣湯亦可酌用。

〔一七〕尿血　前陰有二竅。一爲水竅。一爲血室之竅。血室之竅在女子則爲胎孕之門。在男子則爲施精之路。膀胱與血室。并域而居。熱入血室則蓄血。熱結膀胱則尿血。尿血有內外二因。外因者。乃太陽陽明傳經之熱。結於下焦。內因者。乃心經遺熱於小腸。肝經遺熱於血室。屬外因者。身現寒熱。小便不利。口渴腹滿。溺血疼痛。宜仲景桃仁承氣湯治之。小柴胡湯桃仁丹皮牛膝亦治之。屬內因者。虛煩不眠。或怔忡懊憹。或昏睡不醒。或舌咽作痛。此乃心經遺熱。治宜導赤散。加炒梔連翹丹皮牛膝。若少腹作滿。脅肋刺痛。口苦骨蒸。或寒熱往來。此乃肝經遺熱。宜龍胆瀉肝湯。加桃仁丹皮牛膝。若治心肝二經而不愈者。當兼治其肺，以肺爲水之上源。肺清則水清。水甯則血甯。故尿血之症。與肺經亦有關係也。

〔一八〕衄血　衄血種類不一。有鼻衄。有腦衄。有齒衄。有舌衄。有目衄。有耳衄。鼻衂者。鼻出血也。金匱謂陽絡傷則衄血。陽絡者。太陽陽明之脉絡也。傷太陽之絡者、由背上循經脈。至鼻爲衄。治宜清瀉肺火。疎異肺氣。肺氣清。則太陽之氣自清。如風寒外襲。皮毛洒淅無汗者。麻黃人參芍藥湯主之。如肺火壅盛。頭昏痛氣喘。脉滑大數實者。人參瀉肺湯。加荊芥蒲黃茅根生地童便。久衄血虛。用丹溪止衄散。加茅花黃芩荊芥杏仁。傷陽明之絡。由胸而上。治宜清陽明之燥氣。燥氣清則衄自止。瀉心湯加生地花粉枳壳白芍甘草主之。或犀角地黃湯加黃芩。腦衄乃鼻衄之甚者。非血眞從腦髓而出也。其血之來。口鼻皆有。治法。與鼻衄相同。齒衄乃胃火上炎。血隨火動。血從齒縫而出。口渴齦腫。發熱便閉。脈洪數者。通脾瀉胃湯。加蒲黃藕節治之。大便不閉者。但用清涼之劑解之。犀角地黃湯加貫仲枳壳萊菔汁。胃中虛火。用玉女煎。引胃火下行。兼滋其陰。舌衄者。心火亢盛。血爲熱逼之而出也。治宜導赤散。加連翹蒲黃牛膝元參。目衄者。肝胃之熱上冲。目者陽明所屬。肝開竅於目也。治宜白虎湯。甘露飲。龍胆瀉肝湯之屬。耳衄者。乃肝胆之熱。耳雖爲腎竅。其腎脈不能直達於耳。腎與心交。假心府小腸之脈。上貫於耳。足少湯胆脈繞耳前後。手少三陽焦之脈入耳。相火旺。挾肝氣上逆。及小腸相火內動。挾血妄行。肆走空竅。衄出於耳。是爲耳衄。治宜龍胆瀉肝湯主之。小柴胡湯。導赤散。柴胡梅連散。等亦可隨症而用之。

結論

綜上所述。不過大概而已。至於經產崩漏。則當求之於婦科。瘡疽傷損。則當求之於外科。倘有血汗血箭瘀血蓄血血臌等症。以及失血兼見各症。未及加入。其間掛一漏萬。遺誤必多。倘豪博雅君子。加以指正。則幸甚矣。

批 分別門類尙見清晰

文 芳

嘔吐噦

沈耀先

總論

嘔吐噦三症。病因各有所異。見症亦各不同。所謂嘔者。有聲有物。嘔泛酸水。兼作喔喔之聲。吐者。有物無聲。食物由胃上衝而出。咽口張大。傾吐直瀉。絕不振顫聲帶。故無聲也。噦者。有聲無物。逆氣上衝。顫動聲帶。呃呃作響。此三症雖不相同。然其上出則一也。故金匱以嘔吐噦列爲一門。因其不相同而相類也。實三症在同時混合發見者有之。

嘔吐噦三症。可合可分。大而別之。則有嘔呃吐逆二種。嘔者。嘔痰水也。故痰飲爲嘔吐之大源。雖有他因。終不離是。惟乾嘔則否耳。痰飲之源因於渴。渴則飲水。水飲停聚則嘔。故曰『先渴後嘔爲水停心下。治屬飲家。』若嘔後而渴。是水去津傷。少少以水潤之則已。所謂『嘔吐後思水解者急與之』是也。若嘔後不渴。是心下飲邪當未清徹。仍當去飲爲主。小半夏湯。小半夏加茯苓湯。嘔後不渴仍作嘔者之治也。豬苓散未嘔先渴。渴欲飲水。防其作嘔之治也。茯苓津散湯。嘔而渴欲飲水。防其復嘔之治也。『胸中似喘不喘。似嘔不嘔。似噦不噦。心中憒憒。無可奈何者。主以半夏生姜湯。』即小半夏湯將生姜加重耳。仍爲治痰飲之法。其重生姜者。一取其辛開散水邪。一取其去穢惡通神明也。各方雖有不同。其去飲邪則一。此即疾飲爲嘔吐之大源也。若乾嘔吐涎沫則又不同。其症有二。乾胃氣嘔逆也。吐涎沫者。口多涎，胃有寒也。胃寒嘔逆吐涎沫者。治以半夏干姜散。乾姜溫胃去寒。半夏和胃降逆也。如頭痛者。肝病也。厥陰之經上額嶺。厥陰受寒則頭痛。嘔吐涎沫。本屬胃寒。更加頭痛。則兼肝寒。治以茱萸湯。棗姜溫胃散寒。重用吳萸溫肝以驅陰邪也。是乾嘔吐涎沫者有二治。不頭痛者。單用溫胃半夏干姜散。有頭痛者兼用溫肝吳萸湯。二方雖有不同。其溫寒則一也。再論嘔吐一症。既云以痰飲爲太源。然亦有寒熱之辨。熱者宜助苦寒以降火。寒者宜佐辛溫以煖中。金匱以四逆湯治脉弱肢厥之嘔。寒之極也。以大黃甘草湯治食入則出之吐。熱之甚也。其重者如此。輕者可想而知。更有上寒下熱。下寒上熱。寒熱夾雜者。尤爲難治。『如嘔而腸鳴心下痞者。主以半夏瀉心湯。』濕熱結以心下。故痞而嘔。腸鳴者。脾胃虛寒也。方用半夏黃芩黃蓮苦辛開瀉。清熱降逆。以治上。人參乾姜甘草。補虛。溫脾以治下。則膈熱胃寒之治也。『嘔即下利者。黃芩加半夏生姜湯主之。』利爲熱利。故治以黃芩湯。芩芍苦寒堅陰瀉熱也。原本熱利。而兼見胃寒之嘔噦。則知上寒下熱。故加生姜以散寒。半夏以降逆。此卽胃寒腸熱之治也。方書之論病也。每重本門。單詳一症之證治。及乎病至。則夾雜兼見者。十居七八。求之成法。漫無標準。平時極淸晰。臨反及覺茫然。皆不熟於夾雜兼見之故也。呃逆者。卽俗種打呃忒也。爲逆氣上冲之候。有虛實輕重之分。虛者。衝氣上逆。起于病重。其聲低而間斷。久病見此。十九不治。藥宜攝納。實者。其聲重而連續。由肺胃之氣不降而來。輕者。取嚏以通肺氣。其呃立止。重者。必須藥治。當分寒熱二種。寒者。苔白不渴。泛吐淸水。陰凝濁逆。宜溫胃散寒。覆赭湯。二陳湯。丁骨豆蔻茱萸生姜之類。熱者。苔黃舌絳。口渴引飲。脈實便堅，胃火上衝。宜白虎湯。竹葉石羔湯。三黃石羔湯之類。以泄失通火。夾閉火者。口苦脅毒嘔痠。佐以越桃散。左金丸。以濟肝。夾食滯者。脘絕噯腐。佐以保和丸。平胃散。以消積。寒熱夾雜者。丁香柿蒂生姜半夏黃連黃芩之類。以苦瀉辛開。辨症旣明。施治亦易。金匱治呃逆只出二方。一橘皮湯。橘皮和胃降逆。生姜散寒辛開。胃寒呃逆之治也。一橘皮竹茹湯。卽以橘皮生姜辛開散寒。和胃降逆之方、復入竹茹之寒。以渚熱。人參甘棗之甘溫以和中。補虛。胃虛寒熱夾雜之治也、雖非全璧。倘症見有合。亦多奇效。此程門雪先生以金匱作簡明之解也。玆以愚見所及。爰將嘔吐呃逆之大要述于後。

嘔吐

『諸嘔吐酸皆屬于熱。』又曰『諸逆衝上。皆屬于火。』執斯兩端言嘔吐。似嘔吐大都由火熱矣。然讀書者貴有會心。烏可膠柱鼓瑟。刻艇求劍哉。試觀下文諸病。『水液澄澈淸令皆屬于寒。』數句。雖未必指嘔吐而言。然嘔吐之屬于寒者。亦可斷定矣。惟愚意不若以寒熱二字定作嘔吐之大綱。較爲妥善。乾嘔者。卽噦之微。嘔卽乾嘔之甚。嘔聲低小而短。噦聲重大而長。嘔輕。噦重。蚘之成因。其根本爲脾胃虛弱。虛能生濕。得風木之氣而生虫。濕熱錯雜。而虫內動。甚或上泛吐出。故嘔吐可別爲寒熱。乾嘔吐蚘四大綱要。爰記其大概分述于後。

一 寒嘔吐

嘔吐之屬于寒者。皆係虛寒。當分別屬于脾胃與屬于肝經之二種。若失治而久吐不止。胃愈虛而吐愈劇。漸至乾噦無涎唾。疲甚不能納穀。成胃虛吐。屬脾胃者。口鼻吐淸。氣多稀涎。寒飲口不渴。舌白脈沉細。因脾胃虛寒。淸陽不佈。濁氣不降。乃上逆而爲嘔宜用溫運脾陽。芳香化濁法。輕者藿香正氣。重者兼用附子理中。胃虛當用香砂六君子湯。屬于肝經者。為厥陰嘔吐。頭生眩痛。多涎沫。脉沉細。因肝經虛寒。厥氣犯胃。胃氣上衝而作吐也。宜用吳茱萸湯治之。如嘔吐愈後。切忌飲冷。倘誤犯。必復發。若至呃逆多難治。

二　熱嘔吐

嘔吐之屬于熱者。亦當分別胃與肝胆兩種。凡食入即吐。不能頃刻停留。發熱口渴。苔黃脉滑數。此胃臟有熱。火勢炎上。胃氣不能下降。故作嘔也。宜治大黃甘草湯。瀉火緩中。或云。嘔本氣逆。忌下。唯食不能入。食入即吐。非苦寒下降之品。不能制止火勢。此取義熱病寒醫之正治法也。否則胃熱氣升而不愈。煩躁不眠。口臭氣粗。漸至昏厥則殆矣。如藥後嘔止。宜養胃陰。當用川石斛花粉麥冬沙沙蘆根之類善其後。至若呑酸嘔噁。口苦咽乾。頭昏目眩。脉弦數。因肝胆有火。風陽上亢。肺氣不降所致。宜用白芍金鈴延胡青黛烏梅竹茹香附及左金丸等。制肝熄風。下氣消食。平肝緩胃。如肝陽上亢者。宜潛陽鎮风。用石决玳瑁白芍桑葉菊花之類。

三　乾嘔

乾嘔即噦之輕微者。其症與嘔吐不同。嘔吐多有痰涎及食物隨聲而出。乾嘔則有聲無物。其聲甚厲。有時亦甚低微。緣其內無寒邪熱積。祗由清濁之氣。升降失常。阻拒于胸膈之間。清曠失司。故現此症。治療不可作消痰化積峻劑。以其內無實蘊。徒耗傷中氣無益也。宜用藥如藿香佩蘭陳皮蘇梗雲苓等類。總之以不攻破為佳。病愈後勿食過冷過熱之物。節其寒溫。更宜遠避穢濁之氣。勿使近鼻。則清濁升降自調。而氣自無阻拒矣。當此症初起時。即宜治之。否則乾嘔不止。內實無物。必至中州脾胃之正氣隨嘔逆而俱傷。不飢不納。漸至羸瘦難愈。

四　吐蚘

蚘之所生。良由傷飢過飽。喜啖生冷腥膾糵麴肥甘等類。脾胃欠運。濕熱之氣。得肝經風木之化。逢人藏府之虛。則侵蝕于中。凡患蟲者。其心常嘈雜。面色痿黃。唇口時紅時白。腹中痛。脉不沉細而反洪大。是卽有蟲。蓋蟲由熱生。故脉洪大。吐蚘屬厥陰病。此經盡盡陽生。多寒熱錯雜之邪。病勢甚為劇烈。蚘之長者有尺許。每嘔吐至不止。衝氣亦隨而上逆。久久不愈。必眩暈而厥。尤其小兒吐蚘。勢甚危險。有時二蚘並出。絞塞咽喉。氣爲所閉。故治蚘勿令多吐。宜烏梅丸。安蚘丸。或加燕荑雷丸梹榔等酸苦殺蟲。令其下出可矣。而切忌甘草蜜類。顧苦寒之味。亦不宜多進。蓋蚘生雖因濕熱。畢竟屬于脾虛欠運。苦寒尅代之品。理宜審愼。所以顧及脾土。治蚘用温燥運脾之藥爲最妙。蓋使脾氣健運。濕熱無自而來。蟲亦無由產生矣。

呃逆

呃者聲貌。逆者氣不順也。呃之所以成聲。因逆氣驟然上衝。喉間聲門未及開啓。聲帶爲氣所顫動。呃呃作響也。其致病之源不一。治療之法亦異。大抵寒熱虛實四證。最宜辨別詳明。寒者胃陽衰微。下焦陰歘之氣。乘虛上衝。所致。熱者肺絡爲痰熱痺阻。肺氣壅遏于胸膈之間。頻頻上迫。呃呃成聲。虛者臂氣不納。衝氣上逆。所致。實者有因肝氣挾痰飲阻塞中焦。胃不和肺不降而作。有因陽明內實之不同。爰攷古今書籍。並參臨診經驗。分述于後。

一 寒證

受寒飲冷。胃腸衰微。下焦濁陰之氣。乘虛上衝爲呃。其症必兼形寒肢冷。或嘔吐泄瀉。或胸悶腹痛。舌苔白潤。脈象微細。間或面赤脈洪者。此內經所謂逆氣象陽也。愼勿誤用寒藥。但審其呃逆之聲低怯而緩。飲熱暫止者。必屬寒證。可無疑慮。寒者溫之。逆者降之。理之常也。治宜附子理中合吳茱萸湯加半夏茯苓白蔻仁公丁香之類。若兼腹滿而小便不利者。加桂枝澤瀉。腹滿而大便不利者。加半硫丸。使三焦得通。則濁氣得降。呃逆自止矣。

二 熱證

溫邪痰熱。痺阻肺絡。肺氣欲降不能降。欲出不易出。壅遏于胸膈之間。頻頻上迫、顫動聲帶而成呃呃之聲。其症必兼發熱口渴。氣阻胸悶。舌苔黃膩。脈象滑數。間或有四肢厥冷者。此屬上焦淸陽膹鬱。氣不達于四肢也。但審其呃逆之聲高而有力。連續不已者。必屬熱證。是可斷定。治宜輕開肺邪。而化痰熱。用炒香豉炒牛蒡冬桑葉杏仁象貝竹茹枳壳鬱金枇杷葉柿蒂之類。若大渴引飲。煩躁有汗者。去香豉牛蒡。加花粉石膏川連。清涼祛熱生津。如小便不利者。宜加遠志滑石。蓋肺氣下載膀胱。膀胱得通。津液得下。則上焦之壅可熱開矣。又宜紙撚刺鼻取嚏。使助藥力而開肺氣。其功益彰。

三 虛證

虛者本體之虛弱也。如大病之後。或虛損誤攻。或虛羸之極。以致腎不納氣。反挾衝氣上逆。其氣自臍下直衝於上。其聲甚高。而不連續。此爲最危之候。難治之症。急宜大劑。培補元氣而攝納腎氣。或可挽囘於萬一。若兼泄瀉。是爲下竭上脫。不可治也。余昔隨虞師實習。曾見有崔君之患呃逆者。察症狀。狀合虛。且面赤足冷。六脈浮大。重按無力。用附子人參龍香牡蠣熟地白芍胡桃肉補骨脂五味子甘杞子眞坎炁柿蒂一服病輕。二服病愈。眞神乎哉。

四 實證

呃逆實證有二。一因暴怒傷脾。肝氣挾痰飲。交阻于中。中焦氣滯。胃氣不能和。肺氣不能降。遂致頻頻上逆，呃呃成聲。治宜平肝降氣而化痰飲。用旋覆代赭石蘇子雲苓仙半夏陳皮木香丁香柿蒂姜竹茹左金丸之類。一因陽明內實。痞滿燥實。地道不通。胃氣不降。不降則升。升而爲呃逆。其聲甚高。其脈洪數。間或有四肢厥冷者。此及熱深厥深之候。愼勿誤用熱藥。急宜承氣湯下之。或加川連竹茹蘆根柿蒂之屬。隨證治之。但使地道通暢。道氣得降。則呃逆自止矣。

批　胃腑器官病大備於斯　文　芳

汗解法之研究

俞南山

經云。夫上古聖人之教下也。皆謂之虛邪賊風。避之有時。恬淡虛無。眞氣從之。精神內守。病安從來。而上古之人能盡終其天年。度百歲乃去者。係順法於天起居有常。不妄作勞。形與神俱。故邪無進犯之地也。今之人不然者。以其不取法於古人。不但不壽。而疾病之染感。猶如家常便飯。情慾之不節。已足致內傷。況乎外邪之不時至。形神不足之體。安能避之乎。疾病既患在身。須藉醫術以驅之。而醫者施治下藥於既病之後。其初必須有確實之診斷。而後進取治法。隨法而擇諸藥。但病所有表裏上下淺深之別。而法則無定一。於此先輩已舉有汗吐下和四大法。則以隨病之上下表裏淺深而處之。爲治病者作一規例。然四法之中。各具大概。其運用變化由於智。所謂大匠使人規矩。不能使人巧。此巧全賴醫術之高下而決。如汗解一門之中。變法多端。而在外感症中。應用極廣。故將取爲一述。

我輩在未述應用汗解法之前。必須先要明瞭人身爲何出汗之故。在內經（素問）第七篇陰陽別論中有云。陽加於陰爲之汗。又於評熱病論亦云。陰虛者陽必湊之。故少氣時熱而汗出也。從這二句語意中。就可悟到出汗的理由。因爲汗是屬五液之一。是爲津的變態。津泄則爲汗。夫津屬水爲陰類。凡言陰者。皆主靜主守。若無熱氣在內蒸迫。必無外泄爲汗之理也。而內經所云陽加於陰爲之汗之陽字。以及評熱病論中陰虛者陽必湊之的陽字。皆指灼熱之氣而言之也。由上所述概知病理的汗出的原理。進一步去研究治病爲何還要用汗解的方法。而對於何種病應該用汗解法。汗解法在病理上有何種功效及原理。攷之內經云。邪在皮毛者汗而發之。又云體若燔炭。汗出而散。其邪初在皮毛。未經傳裏。汗之則愈。猶盜之在門。未曾闖入內室。驅之尚易也。所以凡邪在膚表者。必須應用汗解法以助生理上自然療能驅病之能力。使邪從汗腺外達而解。則病自愈矣。內經所指二語。即此意也。否則如不用汗解法。設或生理上自然療能驅病之能力爲病毒所屈伏。則必使表病漸漸傳裏。而諸症叢起矣。

凡人在氣交之中。除七情六慾所傷之外。其他大多爲風寒暑濕燥火六淫之襲人爲最習見。而六淫之中人。尤以風寒最易使人感受。所謂風爲百病之長也。善行而數變。其人若感受之者。始必現頭痛項強。發熱惡寒脈浮等等。其顏色蒼白。肌膚起粟。汗腺緊閉故無汗。所以現此等症象者。全屬外邪侵襲表層。使體溫失其外圍之職。故凜凜惡寒。三叉神經受刺激。故頭痛。體功自起救濟作用。雲集多量體溫。以上衝血液。亦犇集表層。故發熱。以冀其驅邪從皮毛外達之作用。當此之時。藉用汗解之方法。以遂其體功作用之勢以助之。則汗出而病毒隨之而解。此則所以爲用汗解法之功效與理由也。

夫汗解法爲治療上必不可缺少的一種方法。但用此法者。又當分先後緩急。及有辛溫發汗。辛涼發汗等方法之不同。仲景所製之麻黃湯桂枝湯。張氏九味羌活湯。俞氏荆防達表湯等等。皆爲辛溫發汗之方法。凡是冷風嚴寒。外束皮毛。症現頭身疼痛。發熱惡寒。脉或浮或緊。放溫機能衰減。非藉辛溫之發汗藥以促進之。決不能使汗出而解也。至於辛涼辛寒發汗之方法。是對於內伏外發之溫病。或神經易於興奮之人。一受外邪。裏熱勃發。其放溫機能雖趨衰減。而造溫機能實有相當之亢盛。所以輕則用葛根黃芩黃連湯。或桑菊飲銀翹散等之辛涼發汗的方法。重則當用辛寒發汗的方法。如大青龍湯越婢湯麻杏石甘湯等等是也。此外關於汗解法尚多。如生津以發汗。益氣以發汗。養血以發汗。助陽以發汗等諸汗解法。於傷寒賦云。動氣理中去白朮。是即理中湯去白朮而加發汗藥。是保元氣以除病也。又傷寒論中太陽病脉沉細。少陰症反發熱者。有麻黃附子細辛湯。溫中解表法也。又於少陽中風用柴胡湯加桂枝者。是以和解中兼表法也。又有陽虛者。東垣用補中湯加表藥。因於陰虛者。有丹溪用芎歸湯加表藥。其他如兼傷食者。則宜消導以發表也。餘外尚有因感之深淺。體之虛實。雖然二者同處發汗一法。而用藥實有輕重之不同。總之症多法繁。實不勝枚舉。善乎醫者。博攷羣書。在臨床治病之際。隨機應變方爲巧耳。

汗之原質是爲人身上津液的變態。是水谷精氣之所化。在評熱病論有云。人所以汗出者。皆生於穀。穀生於精也。其大概於前文已經載明。在此不贅。而汗液在人身上的重要。亦從中可以想見。然而汗解之方法。雖能減除疾病的痛苦。去病利人之功誠多。但對於病症在未下確實診斷之前。而濫施用之。則禍患必接踵而至矣。在內經對於禁汗之症。已有云及。茲特引此作爲治病之者參攷。經云。動氣在右。不可發汗。汗則衄而渴心煩飲水即吐。動氣在左。不可發汗。汗則頭眩汗不止筋惕肉瞤。動氣在上。不可發汗。汗則氣上衝正在心中。動氣在下。不可發汗。汗則無汗心大煩骨節疼目運食入則吐舌不得前。是以症雖屬外感。治在應汗之例。但其人於臍之左右上下而有動氣。則不可以施用汗解法。故列有此禁也。於仲景傷寒論。及金匱書中。因誤用汗解法而起變端者。亦有數條。引述於下。以明用汗解法。應該謹慎從事也。傷寒論曰。太陽病發汗過多。遂漏不止。……曰發汗後水藥不得入口爲逆。……曰太陽病發汗後。大汗出胃中乾煩燥不得眠。……大青龍湯條曰……若脈微弱者。不可服之。服之則厥逆筋惕肉瞤。此爲逆也。太陽中篇曰。發汗過多。其人叉手自冒心。心下悸。……曰太陽病發汗。汗出不解。其人仍發熱。心下悸。頭眩身震動。振振欲僻地者。……曰發汗後其人臍下悸者。欲作奔豚。……金匱要略曰。發汗太多。因致痙等等。皆明誤汗過汗之害也。所以我可說用汗解之方法。以治病。若不診斷確實。而妄施用之。輕則衞氣疎撤。藩籬不固。而惡寒反加劇。重則陽亡陰脫而死。此指傷寒的表症而言。若傷寒之邪已經到化熱入裏的時候。或外受內發之温病。而誤用汗解之方法。輕則亡津液而胃中乾燥。熱結愈甚。重則汗出不止。眞陰告竭。而瘛瘲痙厥諸變之危症險狀立至矣。總而言之。汗解法如施用不當。能使陰陽均可告竭也。夫仲景論誤汗過汗之害處。雖已詳明。但其對於汗解法不能施用之症。亦甚闡發精詳。此所以稱爲醫中之聖也。其義舉脈者有五條曰……不可發汗。當自汗出乃解。所以然者。尺中脈微。……曰……假令尺中遲者。不可發汗。……按切脈之法。尺中主裏主陰。遲爲寒。微屬虛。云遲云微。則宿有陳寒營血襄少。不能任汗可知焉。曰少陰病脈微沉細。……曰少陰病脈微不可發汗。……按少陰者。裏病寒病也。審脈之沉細微。則爲正氣之虛乏。其不能任汗。亦可知之焉。曰少陰病脈細沉數。病爲在裏。不可發汗。按是條之脈數而獨另行提出之。以知沉細中見數爲寒甚。是藏陰受邪。與表陽不相干。治當固裏其不可發汗。尤可知矣。而其舉症者有六條。曰咽喉乾燥者。不可發汗。是明上焦無津液也。曰淋家不可發汗。發汗必便血。夫淋病之人。其下焦必蓄有邪熱。腎水必乏。其不能任汗之竭津可知。曰瘡家雖身疼痛。不可發汗。汗出則痙。曰衄家不可發汗。汗出必額上陷。……曰亡血家不可發汗。發汗則寒慄而振。其曰瘡家衄家亡血家者。已明其血乏血燥。若發其汗。再亡津液。則其變症現在頃刻之間。是可毋容待言矣。所謂奪血者不可汗之。皆指此謂也。又曰汗家重發汗。必恍惚心亂。小便已陰疼。……因既經汗出。則體內津液之少。不能再汗其可想知也。醫者能得診餘之暇。細細揣摩其文。實爲醫家用汗解法開一途徑也。

總之疾病多變端。處地有剛柔。身體有強弱。而施用汗解之方法甚多。具汗解功能之藥劑亦至衆。事難盡述。況余學力膚淺。而對於此篇。未能愜意甚多。其中錯亂者更多。當祈明者多與指正實幸甚也。

批　汗居七法之首本文對於汗法之研究既極詳明則對於傷寒之治法亦得其要矣　文芳

治痧宜涼治痘宜溫之商榷

沈邦榮

緒言

夫痧痘之症。多由於先天之熱毒。感於時邪之厲氣而成。故醫書謂。毒秉於有生之先。發於旣生之後。卽指此也。考史載相傳。上古無痧痘之症。經書亦無論及。謂自伏波定交趾歸。中原始有此患。乃沒有錢陳朱魏誌賢之論。及各家之專著。朱鳳稗之時痘論鄭璋之麻瘄必讀。董西園之治瘄全書。謝曆平之痘疹要眞。皆謂痧痘由於先天之伏毒。時行疫癘之氣。相併臨蘊發所致。蓋上古之世。民風純靜。體質強壯。雖有邪風賊害。亦不足爲患。以是疫無所發。而痧痘竟稀也。及後風移俗易。人民浮薄。南爭北役。氣候不常。疫是以起。而痧痘之證。於斯盛矣。考痧痘之證。同源而異流。秉其身而種其因。出於表而異其形。論其因則一。察其證則二。索其理則有陰陽氣血淺深輕重之別也。醫典云。毒之輕淺者。發於脾出於肺。而爲痧。毒之深重者。發於腎透於表而爲痘。脾爲中土。血之所統。腎爲寒水。氣之所生。痧屬陽。陽從張氏。故外出內沒而無液。痘屬陰。陰從陽化。故外出結靨而有漿。二者相去天淵。治當各異。先賢云。治痧宜涼。治痘宜溫。蓋涼者涼其血。清熱而消其毒。溫者溫其氣。托毒而外達。此爲治是病之大綱。千古不易之明訓也。然竊以觀之。似未必盡然者。凡病皆有寒熱虛實。異同偏勝。元參其機。其質轉易無軌。亦可概論乎。故鄙以爲此徒作治痧痘之圭臬。不可爲治痧痘之通法。由本立論。非達標而言。不過分判其界限而已。臨證之際。活法在乎心乎。不可泥於成法。而拘於繩墨也。余不才。研究醫術。已歷數載。深覺痧痘之證。大有關于人生壽夭。爲嬰孺始基第一要隘。一交春夏之際。發痧者比之。發痘者。雖爲牛苗引出。而陋鄉僻壤。引以復發者。亦往往有之。故不自揣量。用作是篇。條析分類。以究其治。願閱者諸君。加以指敎。是所厚望焉。

分論

痧之原委——夫痧子之名。各地不同。皆以土音習俗之訛傳。不得統一之名。然其名雖有異。而其實皆一也。考其證象。最易傳染。論其病因。則西醫治爲傳染性之病原體。存於患者之血液淚液。以及口鼻咽腔。分泌物中所致。而中醫者。賅稱之曰毒。謂兒居母腹。以母之氣血爲氣血。夫人孰無飲食之所傷。六淫之所侵。毒之潛伏於母體者。胎兒莫不因之以感也。故胎兒各組織中。悉含有毒素。比其天時不正。寒暖失勻。如春行夏令。夏行秋令。二氣蒸鬱。醞釀而爲疫癘。其毒隨空氣以揮散四方。小兒呼吸氣管。觸受其氣。則與本有之毒素。相合併。遂一發而不可復遏矣。於是由內達外。由血分而達於氣分。出於肌肉。而透於膚表。痧疹之發。必有誘因。職是故也。然是病多患於小兒者。蓋因正氣薄弱。毒未發洩。不能與之抵抗。一經宣洩。內部組織完密。即可與之抵禦。故西醫謂一度傳染。常得後天性免疫者。即是意也。

痧之證狀——痧子將發。其初並無顯著之現狀。即偶有發熱。亦不過似尋常之感冒而已。繼則身熱亢進。口渴而燥。或間有惡寒者。欬嗆時作。涕淚俱有。或兩目汪汪。不時噴嚏。此乃痧子將出之兆也。如是者。多或七八日。少或二三日。氣急煩悶。眼赤腮紅。隨即見點矣。以燭照之。隱隱於皮膚之內。磊磊乎肌肉之間。以手摸之。歷歷如細砂。則爲痧子正候。并其點初見不多。依次遞增。每間數時。身熱較甚。呼吸迫急。顆粒亦益增全透。毒發一盡。則自漸退矣。然其退也。貴以漸。不宜以速。如旋出旋沒。則爲內陷。大約三日後。顆粒稍平。顏色稍淡。至五六日後。而隱不復見者。此爲正回也。苟痧點透齊後。有三日不沒者。或沒而遲遲者。則爲內有蘊熱。不易回也。又有痧子顆粒多少不一。巨細稍異。欲明其孰吉孰凶。綜總以鮮明紅潤者。爲佳。顆細粒突者爲佳。粒少而巨。或赤紫乾燥晦暗者。爲凶。皆爲火盛毒熾之危候也。

痧之治療——凡痧疹當發熱之時。投以輕清解表之劑。自無或誤。蓋諸病發熱初起。使非虛熱內傷之屬。皆從表解也。然熱有輕重。表有溫涼。大抵熱盛而渴而燥者。宜乎辛涼。熱不甚而煩而悶者。宜乎辛散。及甚熱之後。欬嗆並作。噴嚏連綿。煩躁渴飲。胸悶氣喘者。速投清熱透表之劑。庶使邪毒易洩。而痧易佈也。迨至痧子發現之後。迭經透達。點已出齊。仍宜辛散之劑。以達餘邪。清涼之劑。以保肺金。然清涼之劑。不可驟下者。辛散之劑。不可恆用者。須視其點之稀密。色之紅白而定。如點稀色白。宜養血助氣。點密色紫暗而成片。宜清血解毒。或痧疹雖布。壯熱煩渴欲飲。甚則譫語妄言。咽喉腫痛腐爛。脈洪數。舌紅絳者。涼營清氣以主之。至痧回之後。宜視其體之虛實。虛弱者。補益脾胃。以助其氣。壯實者。清涼疎解。蕩滌餘邪。此爲痧子始終之治療。大略如是。

痘之原委——痘疹之症。即俗名天花。是一種最惡性之傳染病也。考其原因。西醫尚未指實。謂是某種細菌原蟲爲病。而中醫則統謂胎毒。東洋古醫家。吉益東洞主（萬病歸一毒。）余意考之。諸種原因不明之傳染病。均可以一毒字賅之。則痘證發係胎毒。

亦未嘗不可。故我國痘科云。當咸胎之時。父母慾火之遺毒。蘊藏於胎兒骨髓深處。值於歲氣併臨。觸于流行之疫毒。則感染而外發。是以孕母謹守胎敎者。即有痘發。多屬易治。假在孕期縱慾無度者。每逢小兒出痘。多係夭亡。後世發明種痘之法。其旨要在遏先天之痘毒外出。毋使其不與時行之毒併合觸發。所以減輕其病也。自種痘之法發明以來。病者全活較大。夭亡者較少。然牛痘既爲人身宣洩邪毒之路。則其發也。由內達外。與痧疹相同。其不同者。殆痧疹之伏毒較淺。痘症之伏毒較深。蘊于骨髓而動於腎也。既發動於腎。故恆牽涉于腎間之元陽。元陽虧者。其痘不獲烘托之力。常致痘出不快。陷爲逆症。此所以有病喜清涼。痘喜溫暖之說也。

痘之證狀——大凡痘瘡之症。約分五期。發熱。報點。起脹。灌漿。結靨是也。當在發熱之際。不易即斷爲出痘。須審其所觸。觀其形勢。察其耳冷。尻冷。足冷。中指稍冷。耳後紅絲赤縷蘊現。呵欠噴嚏。六脈洪數。身微潮漸顫動。乃可指爲痘候者也。他若兩顴之間。現出花紋。目困有水狀。或睛黃。或胞赤。睡則常驚惕。小便赤。大便閉。此亦出痘恆有之見證也。既知其痘候。乃後論其形。考痘症之形。有四大要點。如痘之中透。而起頂者。曰痘窠。痘之外圈紅處。曰痘根。痘之紅暈所及處。曰痘脚。痘旁空隙處。曰痘地。窠欲起。根欲活。脚欲固。地欲寶。四者俱順。雖密無慮。若根脚闊散。不成紅暈。後必難於收斂。蓋痘症須辨血氣之盛衰。形色之輕重。大抵形屬氣。色屬血。形乃氣之充。色乃血之華。氣旺則頂尖圓。血旺則根盤緊。形貴尖圓起發。症皮堅厚。若見平塌。皮薄。爲凶。色貴光明潤澤。根窠紅活。若見慘淡昏黑爲危。且根者。血之暈。膿者。血之腐。若無根窠。必不灌漿。若無膿色。必難收靨。此必然之勢也。至痘症初起。約三四日。或五六日而根點。又三四日而起脹。起脹者。顆粒次第湧高。根脚與皮膚之界。發爲腫狀。爲灌漿之預備也。灌漿後三日。明亮光澤。磊落如珠。毒乃盡化。即結痂如螺靨而脫者。斯爲痘之末期。欲愈也。

痘之治療——夫痘由內達外。遂期變化。則用藥亦宜因期而變通。當在發熱之時。宜托裏解毒。使其使出。或有氣弱。而不能出者。當微補其氣。氣和則出快。四五六日起發之時。宜清熱解毒。使痘易脹。清熱則無血熱患枯燥之。解毒則無壅滯黑陷之虞。七八九日灌漿之時。宜溫補氣血。氣血流行。而成漿自易也。十日至十一二日。收靨之時。宜調和氣血。補脾利水。自然結靨矣。此爲治痘之常也。蓋常者可必。而變幻無期。當隨候參詳。如見紅點之時。痘顆輕少。不可過表。在後恐成斑爛。乾紅紫色。急宜疎利。不然。必成黑陷。并有痘出先期而速。後期而遲者。先期則痘出甚速。無須藉乎托表。後期起脹灌漿遲遲。正有賴於透托。四五六日之內。痘未盡出。於解毒方中宜兼發散。若專于清涼。毒反凝滯。而不起發也。七八日之間。毒未盡解。於溫補之中。宜兼解毒。若偏於溫補。則毒反蘊蓄。而不能化漿也。大抵初起則須微表。點粒即速漸達以。朗分佈。繼則漸次起脹。只須略用清化。內毒易解。起脹必足。迨灌漿充盈。正無須溫補。設或面白不紅。大便溏薄。宜商酌于溫補發散之間。顏赤身熱。大便不通。神明狂亂。宜商酌於攻下清血之間。治痘之概况大都如斯。

結論

按以上痧痘各條觀之。大有雲泥之判。則宜涼宜溫之法。是其當也。然其原因病理。雖爲不易。而症狀變遷無定。則宜涼宜溫之說。不免有不適處矣。耳夫醫之用藥。猶將之用兵。兵堅則戰勝。藥合則病愈。兵弱則戰敗。藥反則病劇。醫與將名雖不同。地位各異。而其用者一也。推其所以勝。所以愈。所以敗。所以劇之故。其理非一。其義深矣。非達權之士。所能知也。蓋將貴遠謀知變。醫貴識時參證。雖恃兵強而不遠謀。則恐不必勝。雖恃藥合而依成法。則恐亦不必愈也。須視其形勢陣列。究其病質症狀。隨機運變。見證施治。而後可以殺敵却病也。故如淮陰背水陣。諸將疑其不合兵法。而不知正在兵法之中也。是演於法。而變其用。取其變而收其效。用兵使然。而用藥亦何莫不然。且醫之治病。倚於用藥。論理不過以明其因。方藥實爲驅病之使命。生死之關。易如反掌。諺云學醫三年。萬病可治。行醫十年。一病難醫。此非言之苛刻。是深知其症有變化。病有異同。用藥之難憑也。夫病莫不有異。症莫不有變。在於變化異同之中。方藥亦不可不爲之易也。苟不如變。則夭亡可待。況痧痘之證。傳變甚速。西醫列入急性傳染病之中。嚴重多變。間不容髮。烏可呆守舊章而爲之治乎。考先賢之論。治痧宜涼。治痘宜溫。及後世治痧痘之名家。均以爲成法。蓋治痧宜涼。治痘宜溫。固是。若謂痧無虛寒。痘無實熱。病不可溫。痘不可涼。則不可。例如脾胃虛損之兒。遇發痧子。雖有微熱鼻涕。咳嗽嘔吐之見證。而其精神倦怠。食慾不振。痧子必旋出而旋回。隱隱於皮膚之間。而不礙手。症屬千鈞一髮之危。醫者若不權變治之。泥于錢氏論痧要清涼之法。遽投以辛涼之藥。則痧毒終不能透發。數日之後。必毒氣內攻。喘悶而斃。須效謝氏健運中氣。略加清宣之方。如香砂六君子湯。去半夏。少有白朮。木香砂仁等。加連翹牛蒡。酒炒黃芩。荊防葛根之屬。服此則中氣能固。肺氣兼清。痧必盡透而建功矣。且如痧子初出。亦須溫暖疏托。禁忌陰涼之地。並忌見風。若又不透。宜察時令寒暄。以藥發之。如時當大寒。則用桂枝葛根之類。無汗必易透者。麻黃在所必用也。余曾實習於徐小圃先生處。觀其治小兒痧子未透。證現鼻煽身熱咳嗽神萎等等。而用附子半夏細辛杏仁。葛根龍骨牡蠣之屬。往往人棄之不治而獲愈者頗多。余初怪之。後問其解曰。凡痧子以外達爲佳。其外達者。全賴體溫之放發。故用是藥。以增進放溫機能之作用。使一透出。諸證自可愈矣。言之成理。誠足破拘泥之匹矣。至若痘瘄者。亦有發熱時。體溫特亢。隨即根點如丹。甚至乾熱紫黑。神經錯亂。唇裂口臭者。須大劑白虎湯清之。石羔非數兩不足以應之。或㾠瘄紅紫乾滯。黑陷焦枯者。宜涼血解毒。用紫艸紅花。連翹牛蒡木通芩連之屬。或徒唇口上下紫黑。燥裂疼痛者。宜急投犀角消毒飲。加石羔元參。或時咬牙竄視者。宜導赤散。加黃連赤芍。或忽然倒靨。血熱毒盛。不能起脹伏陷。喘悶便祕者。宜攻毒湯。若瞼赤發熱。疼痛作渴。能食便祕。此形氣病氣俱實也。雖在嚴寒。必用四順散清涼飲。以救其陰。苟無亢熱而補益太過。漿足之後。重用參耆。必有腹脹喘急之患。過用丁桂辛熱之劑。則有咽喉發炎之虞。且近今自種痘盛行之後。偶有已種而仍發天花者。此係伏毒洩而未盡。或感染時行之疫毒。與未種痘而發之天花者不同。並其痘邪出路。仍遵向日之徑。則其發洩較易。無須仗乎烘托。故治法亦宜少偏清涼。或辛散爲主。溫補之品。在所不宜也。由此觀之。治痧宜涼。治痘宜溫。不可盡以爲然也。設或鹵莽從事。是速之增劇而送之枉死城矣。吾故曰宜涼宜溫之說。不過作爲治痧痘之圭臬。不可作爲治之其而通法。徒分痧界限而已。大抵治痘宜涼是宜於常而不宜於變。宜於點透身熱之後。候不於點未佈宜時之。於體宜壯盛毒人。不之於氣弱表實之人。治痘宜溫。是宜於微溫之品。而不宜于大溫之味。宜於根點灌漿之時。不宜於起脹漿足之候。宜於體虛氣弱之人。不宜於氣壯毒盛之人。然則治痧宜涼。治痘宜溫。殆謂其恆耳。非謂其變也。總之。病有寒熱。證有順逆。毒有淺深。藥有輕重。治有緩急。時有寒暑。人有貴賤。稟有強弱。安可槪論。達權之士。務在見機於始萌之際。變通於未發之先。如毒因表邪而發者。疎解之。由裏邪而發者。宣暢之。熱劇者。涼潤之。毒閉者。開洩涼。挾驚者。清理之。挾痰者。驅導之。虛者益之。實者損之。寒者溫之。熱者清之。知此數者。乃可謂治痧痘之病矣。今之治痧痘者。倘不辨氣血之虛實。熱毒之淺深。稟賦之強弱。兼證之有無。泥於治痧宜涼。治痘宜溫爲成法。乃遇寒與是。遇熱亦與是。治虛與是。治熱亦與是。不知對症者。果不難救之於水而登衽席。相反者。無異救火抱薪。落井而下其石也。變端種種。莫不由此。此皆識見未達。拘執之謬耳。費子所謂識見不眞。先迷向往之路。胆力不確。同歸廢弛。難地理障未捐。難神變化之用。是必胆與識俱。心隨理運者。而後可以爲治焉。信夫。

批　識見卓絕　　文芳

瘰癧之研究

石壬水

「緒言」

近世紀以來。中西醫學。互相競爭。有一日千里之勢。奔騰澎湃。兩者相遇。一觸卽發。如水火之不相入。冰炭之不相容。而社會一般人士共所贊許者。中醫長於內科。西醫長於外科。愚妄者聞之。頗以爲然。蓋西法器械精良。手術靈敏。外表光彩。灼然可觀耳。夫中醫治內科雖佳。而外科治療。尤具顯著之功能。惜知者祕而不宣。不知者棄而不究。因此日以不振耳。考查中醫外科。聖賢方書。紛歧層出。致令學者。亦無所從。至於臨診。治之無據。不知所以。深可長嘆矣。吾肄業於醫學院。忽忽轉瞬四載。對於癧症稍有心得。今將此症一一述之。但原因雖多。不過內外二因。症候雖多。不過陰陽二則也。癧症有從項前項後側旁而生。有痰溼氣筋各別。總由喜憂忿怒而成。纏綿不已。日久成勞。此症小者爲瘰。大者爲癧。當分經絡。如生項前。屬陽明經。名曰痰癧。項後屬太陽經。名曰濕癧。項之左右兩側。屬少陽經。形軟。遇怒則腫。名曰氣癧。堅硬筋縮者。名曰筋癧。或形長。如蛤蜊。色赤者。堅痛如火。絡腫其勢甚猛。名曰馬刀瘰癧。又名子母癧。大小不一。有重臺瘰癧。上堆疊三五枚。盤疊成攢。有繞項而生者。名蛇盤癧。如黃豆結莢。又名鎖項癧。生左耳根名曰蜂窩癧。生右耳根。名曰惠袋癧。形小多癢。名曰風癧。紫紅腫痛者。名曰燕窩癧。延至胸腋者。名曰瓜藤癧。生乳兩膀軟肉等處。名曰瘨瘍癧。生於偏身。漫腫而軟。囊內含硬核。名曰流注癧。獨生一個者。名曰單窩癧。一包生十數個者。名曰蓮子痘。堅硬如磚者。名曰門門癧。形如荔枝。名曰石癧。若如鼠形者。名曰鼠癧。又曰鼠瘡。以上諸症推之移動。爲無根。屬陽。治宜可用針灸敷貼蝕腐點法。推之不移動者。爲有根且深。屬陰。皆不治之症也。切忌鍼砭及追蝕等藥。如妄用之。則難收斂。用點癧卽愈。瘰癧形各名各異。受病雖不外痰濕風熱風毒結聚而成。然未有不兼恚怒忿鬱幽滯。謀慮不遂而成也。有外受風邪。內停痰濕。搏於經絡。其患身體先寒後熱。瘡勢腫微熱。皮色如常。易消潰易斂。此爲風毒也。如防風羌活湯。海菜丸。揀擇用之。有天時亢熱。暑濕偶中三陽經。兼過食膏粱厚味。釀成此症。其患色紅微熱。結核堅硬。綏腫難消。遲潰遲斂。此爲熱毒也。如升陽調經湯。柴胡連翹湯。隨症輕重而揀擇之。有感冒觸氣而成者。其患耳項胸腋。驟成塊腫。宣發暴重。腫色紅。皮熱。令人寒熱頭眩。項強作痛。此爲氣毒也。如連翹散等皆可因證治之。有肝傷恚忿。空虛不能榮筋。其患核堅筋縮。推之不移者。此筋癧也。初服舒肝潰堅湯。次服香貝養榮湯。治之。有誤食鼠殘及陳水宿食•不淨之物。其患初小後大。累累如貫珠。連接三五枚。不作寒熱。初不覺疼。久方知痛。此爲誤食毒也。如消腫散五香連翹散。治之可癒。其項後兩旁濕癧。經屬膀胱。寒水停滯。外感風邪•與濕凝結。漫腫疼痛。皮色如常。有日久將潰。皮色透紅。微熱痛甚。其內外治法用藥。總不宜寒涼。初腫宜用附子敗毒湯。外敷神功散。將潰已潰。俱按內外法治。用藥首尾得溫煖。即效也。若誤投寒涼。令人背強瘡勢塌陷。毒氣攻心而成危候。男子不宜有太陽青筋暴露。潮熱。咳嗽。自汗盜汗。女子不宜有眼內紅絲。經閉骨蒸煩熱。男女有此。後必變勞。俱爲逆證。難收功也。處方配藥。或內服。或外點外敷。均應細考。今六屆卒業之期。不揣簡陋。敬述其意。請閱者。諸君。望一一指正之。

點癧手術法

凡病必有治病之術。而知其術者。往往祕而不傳也。雖傳則時代遠久。遺失多矣。嗚呼。存射利之心。忍令天下後世之人。抱病而枉死者。悲乎。觀癧症諸名家醫書殊少。觸手則茫然無法。即西醫不免用強硬手段。究有何用。不得其法。倘可活人耶。今將點術法藥品如下。新出窰石灰八錢（將出窰未泡水者佳）石鹼四錢（潔白如雪者佳）硃砂五厘。先使石灰臨風自化。篩去粗粒。各藥稱足。貯瓦缾。將此三味和勻封好。切勿潮濕。隨帶出門。極爲方便。點時取高粱燒酒。開化。極力攪勻。等藥停脚。取小筆竿一枝。蘸起其浮起之清酒。於癧之外核及周圍。點之每一點約均須離三分、切勿塗去。若流下則用棉花拭淨週圍。點完頃刻就乾。照其原處再點。連點五六次。作微痛如蟻蛟•並非大痛。不可並渣點上•如並點上。必致破皮。倘破皮亦無甚妨害。二三日即可自平滿也。不可錯亂濫塗。須次第照原點之痕處。則永久不能再發。首次點後。計首尾足五日。須再依前法點之。使其前次所點之藥力與下次之藥力。可以相接。方能奏效。如未消盡。越五日再點。點至全消爲止。點時無分數量。依核之大小而施用焉。核之大者。其點數即多。核之小者。其點數即少。總以週圍點之爲妙。長者照長式點之。圓者照圓式點之。核之奇正不齊。即隨其奇正之式點之。倘其核過大。則並核內亦不妨點之。且不妨週圍雙行點之。使藥味猛而有力。點至全消爲度。如其核收小。則點藥亦宜漸次移入步位。勿拘其舊日所點之處也。遇有昔時之破痕口。亦不妨隨其破痕破口外週圍點之。使他垢穢不再成膿。易以收口。倘舊痕腫脹不堪。即痕內亦不坊加點之。其垢穢隨結痂處而乾。亦易收口。倘其痕如有欲破之勢。則將藥渣點上。立卽破口。並貼以拔毒生肌膏。其核之大小長短方圓聯珠。無論何式。皆可散去。惟有舊痕之死核。則不可散去。點者須知。倘無石灰之處。卽用蠣蜃灰代之。亦可。亦取其鹹能軟堅之意。其藥力雖無石灰之猛。然加之乾餅藥少許。久點。亦必自消。倘或鄉曲之處。一時未有高梁。卽用酸醋代之。亦可。蓋酒味則其透徹經絡。醋味則取其能收歛脛節。點至五六次。猶不癢不痛者。必其藥味洩而無力。故須換過藥粉。仍用酒或醋調敷。大約此藥味調酒後。未經點者。仍可久藏。乾後。再將酒調開。如已經點者。僅可藏至十五六天。久一月。卽要更換。大約挽至藥粉或團酒不能清。卽無味矣。

辨症治療

瘰一症。初起僅一二核。形同伏杯。揉之不動。此名血癧。日久失治。雖未見增加粒數。亦必漸次加大。更爲失治。必曰加增矣。當用調血化核丸。或用溪黃五錢。和豬瘦肉四兩。水三大碗。煎二點鐘。煲至半碗。停凍。食時再煲。去溪黃。將肉幷湯飯後溫服。或三日或五日。然再煲食。不妨食多。外治照上所列點癧法治之。

五燭散　當歸　芎藥　川芎　芝硝　熟地　黃芩一錢　甘草五分　大黃一錢　虛脫　加姜三片

調空化核丸　當歸二兩　阿膠一兩五錢　眞正冬葵子二兩（如春葵子不可入藥）　杭菊花一兩　杭白芍一兩五錢　柴胡四錢　伏苓一兩五錢　白芥子八錢　海藻一兩　昆布一兩　老熟地二兩　煅牡蠣一兩　煅龍骨一兩　山慈姑去皮毛

右藥上品。研細末。鍊蜜爲丸。如綠豆大。切勿用火焙。早晚飯後。淡鹽湯送下。三錢。臨時加減水劑亦可。

瘰癧一症。初起僅二三核。形同檳榔。以指揉之。環轉如丸。愈起愈多。此名氣癧。當用疏氣消核丸。外治同上。如其人兼有實熱。亦不妨酌加芩連等味。然而必須𤸷症相對。方可投之無害。

五香連翹散　香香　沉乳　甘草　木香　連翹　黃芪　蘇獨　活射　干桑　寄生　木通　大黃　藿香　丁香　射香

疎氣消核丸　夏枯草二兩　桔梗二兩　柴胡五兩　廣陳皮五兩　半夏二錢　元參八兩　煅牡蠣一兩五錢　煅龍骨一兩五錢　白芥子二兩　花粉一兩五錢　生甘草五兩　茯苓一兩五錢　山慈姑二兩（去皮毛）

右藥揀上品研細末鍊蜜丸。如綠豆大。切勿火焙。服法如前。加減作湯劑亦可。

瘰癧一症。頸際突起。大如卵形。堅硬異常。或一邊或兩邊。或帶小核數粒。此乃寒痰凝結而成。名陰火癧。必其人體質羸弱。或後天虧損所致。當以溫補肝腎固脾為主。如加減六味地黃丸之類。再審其脣舌常白。面色痿黃。並其脈沉遲無力。必兼用附桂。方克奏功。外治概如前法。

加減六味地黃丸　茯苓二兩五錢　熟地四兩　澤瀉八錢　炙甘草五錢　枸杞一兩五錢　鹽水炒萸肉一兩五錢　青皮五錢　土水炒半夏八錢　粉丹皮八錢　煅龍骨一兩　杜仲二兩（炒黑）白芥子一兩

右藥揀上品。研細末鍊蜜為丸。如綠豆。切勿火煅。法如前加減作湯劑亦可。

瘰癧一症。驟然紅腫。非色慾所致。即饕餮不謹。此無定名。隨症皆可致。應急用消腫湯。外治同上。如其人素本虛寒。仍當於虛寒症中參酌消息用之。不可拘泥。如腫退後。仍照原症治法治之。

消腫湯　夏枯草三錢　山慈姑二錢　去皮毛煅牡蠣二錢　海藻二錢　昆布二錢　生甘草五錢　桔梗二錢　元參三錢　花粉三錢　白芥子二錢

瘰癧一症。層叠無窮。一名瘰。又名老鼠症。無論已潰未潰。俱隨起隨治。均照上點法。隨核點之。未收口者。並貼以拔毒膏。隨其人虛實寒熱而治之。如熱之挾咳嗽者。即於貝瓜蔞散。或紫菀散內酌加元參煅牡蠣等品。如挾虛寒欬嗽者。則於二陳湯內隨其症之或陰或陽。酌加四君四物加減用之。各湯劑為丸亦可。

貝母瓜蔞散　川貝母二錢　冲服　胆星五錢　黑山梔五錢　黃芩五錢　橘紅五錢

紫菀散　沙參二錢　紫菀二錢　知母五錢　川貝母二錢　冲服　桔梗二錢　茯苓三錢　阿膠三錢　五味子二十粒　炙甘草五錢

四子君湯　黨參　一錢五分　白朮　二錢　茯苓　二錢　炙甘草　五錢

四物湯　全當歸　三錢　川芎　五錢　白芍　一錢　老熟地　四錢

二陳湯　廣陳皮　五錢　半夏　二錢　茯苓　二錢　炎甘草

瘰癧一症。自襁褓而至成童旋起旋消。或凝結火而不化。或時大時小。此多由先天虛損所致。或其母腹內飲食不謹而來。此名童子癧。又名乳癧。其在三歲以內不能施。而以點核之功如審其果。係熱痰。惟用葱頭搗爛。貼之或黃花墨菜。白花墨菜。或燈籠草。或野菊花。或甜菜子取根葉和赤糖少許搗貼。或用蒼朮三黃散。用白酒開塗。內則服黃花墨菜和赤糖少許時時煎咽之。或百合或花粉時豬煲瘦肉食之。均宜臨症消息用之。如審其果。係寒痰。外則用消腫散。或五將軍散調白燒酒敷之。其在三歲以上者。則於各條內參酌用之可也。

消腫散　生南星　五錢　生半夏　五錢　生草烏　五錢　洄從　五錢　生甘草　二錢　細辛　五錢　重樓　一兩　其研末燒酒調敷

此方可治一切紅腫並可治天蛇頭等症

蒼朮黃散　蒼朮　五錢　黃芩　五錢　黃柏　五錢　大黃　五錢　生南星　五錢　豬脂粉少許用豬前蹄骨火煅存性研粉用共研末燒酒調敷　此方兼治一切濕毒已破口者用淨油調

五將軍散　生半夏　一撮連根葉共生搗爛　生蚌（三四一只如無蚌肉　或蜃肉螺之屬均可）丁香　少許　粗土　少許　飲粒少許同搗敷此方能治一切痰核惡毒等症

瘰癧一症。無論因何而起。誤被醫師用丹消核。或誤被西醫以刀割核。以致纏綿不休。時而收口。時而破口。環頸皆是。俗名催命癧。最爲危險。分內外法治之。內治必審其人果屬熱者。則投以清熱化痰之品。若兼欬嗽者。並理欬嗽。兼血症者。並理血症。兼花柳者。則並解毒。若其人近陽虛者。則於化痰消核之內重用四君。若近陰虛者。則於化痰消核之內重四物。虛寒甚者。則並用附桂。因症施治。不可拘成。各湯劑爲丸。亦可外治。則與上同藥粉開酒週圍點之。其舊痂之大者並其核之大者。無論痂內核外俱並點之。即點至其舊痂至爛。亦不妨他惡潛。消即濁穢之水亦可。隨舊痂之口隨點隨。爛隨爛隨乾。自易收口。倘有穢濁墜下。勢欲腫脹。可將其點核之。藥渣點立卽破口。隨腫隨破。以抽乾濁水爲止。此等穢濁核不成核。膿不成膿。水不成水。不成潛消。不能拔毒。不能解化。只得用此隨腫隨破之法抽乾其水。力能奏。否則無效濟。

瘰癧一症。或挾吐血而來者。或因患癧而至吐血者。俱各絕命癧最爲難治。又兼吐血。則經絡臟腑。內外俱傷焉。其因寒症吐血而患癧者。多是五臟虛損。須大補氣血靜養二三年。或有生理內治。則服補元消核丸。切禁黃耆。蓋黃耆提氣故也。其因熱症吐血患癧者。多是飲食不謹。或暴怒所致。內治則加減四生丸。或加減生地黃湯。或加減犀角地黃湯。或加減地黃丸。凡湯劑爲丸。亦可隨症選用。外治同上。如吐血不止。可用生蓮藕搗冲服之。或正安南桂亦可。

補元消核丸　當歸二兩　枸杞二兩　白朮二兩　炒棗仁二兩　山藥一兩　茯神一兩　熟地一兩　煅龍骨一兩　鹿角膏二兩　半夏二兩　杜蠣二兩　炒黑蜜丸服同上

加減四生丸　鮮生地四錢　生荷葉三錢　生艾葉三錢　生側柏葉三錢　眞一金五錢

加減生地黃湯　生地五錢　川牛膝二錢　粉丹皮五錢　麥冬一錢　煅牡蠣五錢　煅龍骨五錢　黑山梔五錢　丹參三錢　元參三錢　白芍三錢　眞一金五錢　三七五錢　荷葉二錢

加減犀角地黃湯　正犀角二錢　磨水冲服　粉丹皮五錢　麥冬二錢　去心生地四錢　白芍五錢　花粉二錢　百合三錢　煅牡蠣二錢　煅龍骨二錢

六味地黃丸　見上陰火癧內

瘰癧一症。初起或在兩耳之下。或環頸皆是。或單在左耳之下。或單在右耳之下。無論核之多少。色帶紅光。卽有欲破之勢。或作痛。或不作痛。或寒熱交作。此多由外感而來。名風火癧。失治則潰瀾異常。須內外分治。外則用燈籠草。或黃花墨菜。白花墨菜。和赤糖少許。取葉搗爛頻敷。隨將其根連枝和赤糖煎服。未潰者。或用蒼朮三黃散。白燒酒開塗。已潰者。用地棉根葉和赤糖生搗敷上。拔去膿穢。貼收口膏。三五日卽愈。內則服活絡肝散。如湯虛潮熱。則服加減五味異功散。陰虛潮熱則服加減蒿皮四物湯。

活絡疏肝散　柴胡五錢　牛旁五錢　淮牛膝五錢　靑皮五錢　花粉三錢　山慈姑二錢　去皮毛生甘草一錢　土茯苓

三錢　防風五錢　葛根五錢　夏枯草二錢　審其人果實熱酌加參連等服
五味異功散　黨參三錢　白朮二錢　茯苓二錢　香甘草五錢　廣陳皮五錢　有潮熱者酌加丹皮地骨皮等味
蒿皮四物湯　生地三錢　北沙參二錢　炙鱉甲二錢　當歸五錢　白芍五錢　蒼朮三黃散見上童子癧條內
瘰癧一症。環頸破爛臭穢不堪。久不收口愈發愈衆。此易根本虛極。氣血兩虧之症。各屬元虛損癧。外治則如上點法。並貼拔毒生
肌膏。或用羊屎丸。並擦羊屎散。內服補天大造丸。或加減十全大補丸。
羊屎丸用山羊屎一斤焙研重丸服法如前絲羊屎則不可用　羊屎散用山羊屎四兩焙研淨菜油調搽
加減補天大造丸　黨參一兩五錢　白朮一兩五錢　炒棗仁八錢　當歸二錢　山藥一兩五錢　茯苓一兩五錢　枸杞一
兩五錢　熟地二兩　鹿角膏五錢　龜膏五錢　煅龍骨一兩　煅牡蠣五錢　安南桂二錢　川焙附五錢　炙甘草三錢
蜜丸切勿火焙服法一如前
加減十全大補丸　熟地二兩　酒白芍二兩　川芎八錢　煅龍骨五錢　白朮二兩　茯苓一兩五錢　當歸二兩　川焙附
五錢　安南桂二錢　炙甘草三錢　西黨參二兩　煅牡蠣二兩　蜜丸切勿火焙服法一如前
瘰癧一症。其在婦人或因姑媳不和。或因夫婦不睦。或因子女不遂。或寡而無隅。憂鬱內傷。初則或經水不調。久則閉而不通。陰火
上炎。皆能生癧。凝結不消。此各傷肝癧。百病叢生。極爲難治。外治同上。內服加減逍遙散。兼服加減。八珍丸。或加減調經飲。或加減
歸脾湯。隨其人消息用之。
加減逍遙散　柴胡五錢　炙某五錢　茯苓三錢　白朮二錢　當歸二錢　白芍三錢　丹皮五錢　黑山梔五錢　煅牡蠣
五錢　薄荷三分　廣陳皮五錢　半夏二錢　白芥子二錢
加減八珍丸　熟地二兩　黨參二兩　白朮二兩　當歸二兩五錢　白芍三兩　茯苓一兩　炙甘草五錢　煅牡蠣二兩
廣陳皮五錢　半夏八錢　山藥一兩五錢　川芎八錢　虛寒者酌加附桂
加減經飲　當歸三錢　川牛膝二錢　山查二錢　香附三錢　青皮五錢　茯苓二錢　白芥子二錢　白果二十粒　半夏

二錢

加減歸脾湯　黨參二錢　白朮二錢　當歸三錢　白芍三錢　炒棗仁二錢　遠志五錢　茯神二錢　龍眼肉二錢　廣陳皮五錢　炙甘草五錢　半夏二錢　煆龍骨二錢　煆牡蠣二錢　倘經閉氣塞用丹參一味約五錢常服奇效或五不留行均妙

或用少腹逐瘀湯　小茴香炒七分　乾姜炒五錢　元胡五錢　沒藥研二錢　當歸三錢　川芎五錢　官桂五錢　赤芍二錢　蒲黃三錢　靈脂五錢

瘰癧一症。挾頭風而來者。名頭風癧。多因肝氣鬱結而成。此症男子少患。女子居多。無論發在何處。外治同上。內服解鬱化痰湯。煎服逍遙散。

解鬱化痰丸　白芷二錢　羌活二錢　秦艽二錢　天麻五錢　茯苓二錢　半夏二錢　葛根二錢　夏枯草三錢　煆牡蠣二錢　杭白菊二錢　白芍三錢　為丸亦可加減逍遙散見上傷肝癧條內

瘰癧一症。因咳嗽日久。而來者。各傷肺癧。其症有一由外感。一由內傷。由外感而成者。或加減黃芩知母湯。或加減甘桔湯。隨症輕重斟酌選用。由內傷而成者。或加減八珍湯。或加減左歸飲。右歸飲。其症之屬險屬陽。選用此症多挾氣膈損傷症。酌用治傷各味。外治同上。

加減黃芩知母湯　黃芩二錢　知母二錢　桑白皮三錢　天花粉三錢　杏仁二錢　去皮山梔二錢　正川貝二錢　另包冲服　桔梗二錢　生甘草五錢　煆牡蠣二錢　元參三錢　鬱金五錢　如挾初感風寒酌加荊芥防風

加減甘桔湯　生甘草五錢　桔梗二錢　正川貝二錢　另包冲服旋覆花二錢　百部二錢　白前五錢　茯苓二錢　元參三錢　鬱金五錢　煆牡蠣二錢　如挾初感風寒酌明荊芥防風

加減左歸飲　熟地三錢　山藥二錢　枸杞三錢　茯苓三錢　廣陳皮三錢　半夏二錢　萸肉三錢　鬱金五錢　三七五錢　炙甘草五錢

加減右歸飲　熟地三錢　山藥三錢　枸杞三錢　川焙附八分　杜仲三錢　萸肉二錢　安桂三分　另包冲服　炙甘草五錢　鬱金五錢　三七五錢　廣陳皮五錢　半夏二錢　白蒺二錢

瘰癧一症。無論在頸之左右。頸之右初起只單一核。圓若彈丸不癢不痛。雖經十年八年仍不腫不痛。亦無加增。此名頑核癧。皆用氣血凝結而成。不必施治。惟謹戒食燥火生痰之物。並少食唯肉。及一切舉動勿動肝火則得之矣。

瘰癧一症。其果自花柳而來。無論如何發起均各花柳癧。內治皆以解毒爲先。當用枯草慈姑化毒丸。間服土茯苓膏。如花柳各症。尚未全愈。須兼服花柳丸。並多服解毒湯。如有別症隨其症之屬陰屬陽分別。酌治外治同上。如破口則貼拔毒生肌膏。破口之外。仍用上外治之法點之。如有欲破。又未破者。則用所點之藥粉連渣點之。點上少許。其口卽破。

枯草慈姑化毒丸　家枯草五兩　正川貝二兩　去心山慈姑二兩　去皮毛蒲公英二兩　廣陳皮二兩　生甘草二兩　全蝎二兩　枳殼二兩　桔梗二兩　山梔子二兩　白芷二兩　沉香二兩　半夏二兩　柴胡二兩　胆星一兩　銀花二兩

共爲末米糊爲丸如綠豆大服哂法一切前

瘰癧一症。桔梗如石。或在耳下。此屬足陽經也。在額或中至頰車堅而不腫。乃足陽明經也。所出血膿流並用散腫潰堅湯。連翹散堅湯。外治同上。

散腫潰堅湯　黃芩八錢　（生半熟）龍胆草四錢　（酒洗炒）人參四錢　桔梗五錢　瓜蔞仁五錢　黃相五錢　酒洗知母二錢　昆布五錢　柴胡五錢　靈草三分　三稜二錢　連翹三錢

連翹散堅湯　柴胡二兩　龍胆五錢　天花粉五錢　黃芩二錢　生地三錢　歸尾二錢　三稜二錢　連翹二錢　芍藥五錢　甘草八分　黃連三分　蒼朮五錢

病證及調養法

癧證有虛實寒熱之分。何謂熱病實病。望其舌胎黃。唇色紅。顏面有火氣。切其脈浮中沉三部。俱堅實有力。且其人雄偉異常。全無虛寒體態。則知其症之是由熱痰而起者。何謂虛寒症。望俱舌苔白。唇色淡。顏面無血色。切其脈浮中沉三部。俱沉遲無力。且其懶弱無比語言。坐臥俱無精神。則知其症。是由寒痰而起者。然古人原分有二十二經絡。或二十四節。或三十六症。等治此皆症家名命名義。不必拘泥其名。要三千種癧症。總不外乎熱痰寒痰實症虛症而已。其部位原無定體。隨其氣之所阻血之所凝而成。（能辨其寒痰熱痰實症虛症則無訛矣。）

癧證其結核最堅最實。因其積染鬱結至深至遠而成故也。所以治之者。動輒累月經年易能奏效。大凡內外各症。其發之易者。治亦易。發之難者。治亦難。願患癧症者。毋以其醫治之時日火遠。郎輕信人言。成任庸醫用丹吊核。或任西醫用刀剖割。不知愈吊愈多。愈剖割愈衆。竟至纏綿層叠。環頸破爛。腥穢不堪。命在須臾。皆是自誤。

癧證其核之生如竹根焉。非他症結核者。之所可比。故其發也。忽左忽右忽東忽西忽上忽下忽前忽後。全無定體。甚至或發連腋下。或發連胸前。或兩手臂等種種怪象。實難盡言。時醫不識。則多用吊丹。西醫不明。則專用剖割。以爲其核爲我取去。豈不善哉。不知此纔取出彼核又生。纏綿不休。多致環頸。皆是坐而待斃而已。慘何可言。祕傳而得醫治癧症。則以潛消爲主。隨起隨去。隨點隨乾。絕其根蒂。使他不得再延蔓而生。論其藥亦平淡無奇。論其價亦最賤不貴。無論貧富。皆易施治。誠古今中外。活人至寶也。

癧證總不外熱痰寒痰兩者。患熱痰者居其六。患寒痰者居其二。其餘如花柳風火。並挾他症而生者。亦有二焉。全在審症分明。其治自易。

癧證原與癆瘵相表裏也。同一陰火也。痰也。其痰其火行之臟腑。初則欬嗽吐血。隨成癆瘵。行之經絡。則爲瘰癧。有由先天而來者。有由後天而來者。先天之損由胎。故其發多在童年。後天之損由人。故其發雖年至十五六十猶不免焉。是故善治者。只理其肝脾。腎三家之陰火而已。

癧證多由肝氣鬱結。或暴怒而成。其發生在兩耳之下頸之左右。凡患癧症者。最宜戒惱怒。並戒燥火生痰之味。藏養肝氣。勿使其動。動則其癧雖功在垂成之際。必致反劇。驟然腫脹異常。不得怨望醫師之藥力無功。患是症者。切宜戒之。即房勞亦所當戒。否則治亦無濟。

癧證最忌夜不早眠。不早眠則必致陰火暴發。其他勞神各事之志。無須言矣。

癧證除。火癧一症外。無論初發久發。多不癢不痛。所以人多爲其所誤。以爲不甚関切。每致忽治。及至叠出無窮。或致潰爛。始恍然悔悟。禍已無及矣。願患是症早爲調治。俾免後患

癧證變幻無窮。有可十天八天告愈者。有可二三十天告愈者。有三五閲月而告愈者。有久至期年而告愈者。總在其人之善爲調養與否。

今將禁忌食物列后。雉肉。鵝肉。煎炒之物。（燥火有毒者）飛禽（多燥性忌食）。魚蝦。（生痰燥火忌之）陳腐（生忌食）酸辣（傷脛忌食）。羊肉。牛肉。猪肝。（燥火忌食之品也）

又將宜食之物品列后

猪肉（滋潤宜瘦爲佳）連鯉穿山甲（破堅除毒）貓肉黑魚團魚（滋潤降火）鴨肉鴨蛋海參鹹蛋百合（清潤降火）鱉皮海帶窩（滋潤除痰）蜃肉鮑魚蠔豉淡菜（滋潤）冬瓜。生菜。羅白。若瓜。綠豆。黑豆。赤小豆。檸檬。芥菜。白豆。紅豆。（皆能祛濕解毒除痰）以上之品。大約多清火化痰之味。其人虛寒。又常因人服食臨時酌定可也。

結論

由此觀之。癧病皆由喜怒氣逆。憂想過度。風熱邪氣。內搏于肝。蓋怒則傷肝。肝主筋。畜而毒腫。其候多生頸腋之間。結聚成核。初如荳粒。若梅核。纍纍相連。大小無定。初覺增寒壯熱。咽項強痛。腫核不消。荏苒日月。不能自消。內核久而必潰。乃成膿矣。若腫高而稍軟。其人面色痿黃。皮膚壯熱。上蒸膿潰而生。經久不瘥。或愈而復發。或別處自穿。膿水透出。流津不止。肌體羸瘦者。火必變成瘻而不可療矣。瘰癧宜和血通經之劑。服之自消也。總以細察病情。詳究症狀。推其原因。切實診治。應於寒涼。則爲熱症。應於溫補。當爲虛弱。所謂正從之法。不可不究。際此歐風澎湃。美雨輕狂之時。雙管齊來。西醫運輸移入我國。日愈日繁。且終日圖消滅國醫。以生理解剖理論。雖可代我國之古有陰陽五行六氣之名義。然而不切實用也。考歐學之基礎。雖在科學。而科學之應用。在乎實驗。解剖之所得。亦僅可知病之死體局部形態。而病之起源。固然不同。所謂舍本求末。空病又安能貫澈乎。試觀癧病置位幾何。而病狀之多。原因之複雜。就以就部份治療。不求本末。豈真能勝任哉。今國醫顛撲不滅。垂邇於五千餘年。用藥精當。審證確切。不爲空虛

理論。注意實用治療。依此推進。可以永保國粹精華。使四萬萬之親愛同胞。齊心信仰。須知洋藥輸華。利權外溢。西醫賣國。家戶滅亡。國人驚醒。努力研究。藉以祕要挽回權利。發展文明。爰將癥症大概之公諸於世。以備我師友之指教。（完）

批　詳盡無遺　文芳

瘧疾論治

鄧衍封

（原因）瘧疾一症。昉見素問瘧論篇。其言曰。「痎瘧皆生於風。」又曰。「夏傷於暑。秋爲痎瘧。先寒後熱者。名寒瘧。先熱後寒者。名溫瘧。但熱而不寒。少氣煩冤。手足熱而欲嘔者。名癉瘧。寒多熱少者。名牡瘧。」內經學說。皆以六淫爲立場。此亦其一端也。夫此病之來。實由暑熱內伏。秋涼外束。陰陽相搏。陰勝則寒。陽勝則熱。陰陽互相勝負。故其病有寒熱往來也。金匱論曰。「瘧脈自弦。弦數者多熱。弦遲者多寒。弦小緊者下之差。弦遲者可溫之。弦緊者可發汗鍼灸也。浮大者可吐之。弦數者風發也。以飲食消息止之。」然此不過示人以治療之大法。於原因無關也。後人無所創獲。曰風曰寒。泛濫不一。要皆不脫內經六淫之說。近於臆測而已。西歷一千八百八十年。法醫拉非蘭氏 Sawran 發現瘧疾胞子虫。名麻拉利亞原虫Plasmodinh Maeariat 此虫入於人體之赤血球中。逐漸發育增大。在每次分裂繁殖時。其人即發生瘧疾。因胞子虫之種類不一。故其成熟分裂之期。亦各有長短。是以有每日發。間歇發。三日發之異也。在一千八百九十七年。有露斯氏Ross者。證明傳染之途經。謂係一種瘧蚊。於吸取患瘧病人之血液時。瘧疾胞子虫即隨血液而入蚊胃。爲有性之發育。待發育既成。該蚊再移刺健康人體時。胞子蟲即隨其口液。而侵入健康者之血液中。遂亦感染瘧疾。此說爲現代西醫所公認。視爲鉄證者也。中西論瘧之原因。既大異其趣。今從西說瘧疾由胞子蟲潛入而發。因屬事實。但其謂瘧蚊傳染而來。竟認爲絕對原因者。則不免發生疑義矣。徵諸實際。瘧疾往往流行於深秋。以及於蚊蟲絕跡已久之隆冬。觀乎此。則知瘧疾未必皆由傳染而來。故不能認爲絕對原因也。明矣。祇能謂其原因之一種耳。要知細菌原蟲之足以致病者。隨時隨地皆有之。即使健康人體內。亦常有病原菌發現。其人之所以不病者。因其正氣未衰。即抗毒力之忘足。使病原菌不能繁殖也。反之。則必其正氣衰弱。抗毒力亦因之衰減也。故病原菌得以繁殖而病發矣。人之所以正氣衰弱者。固外界氣候之異常變化。人身調節機能之失於應付故也。然則國醫以六淫爲 病原者。雖無實驗。而有至理存焉。

（證狀）內經曰。「瘧之發也。先起於毫毛欠伸。乃作寒慄鼓頷。腰脊俱病。寒去則內外皆熱。頭痛如破。渴欲飲冷。」西醫論瘧之證狀。其經過分爲三期。（一）惡寒期。（二）灼熱期。（三）發汗期。所謂惡寒期者。因胞子蟲在體人血液中發育繁殖成熟時。

其唯一工作則爲破壞赤血球。須知人身體溫之所以能保持其恆常者。皆血液之功也。今一旦血液自身受胞子蟲之摧殘而破壞。則必起急切之調節作用。而緊閉毛孔。內部體溫高升。末稍血管收縮。皮膚血液驟減。故並皮色蒼白牙戰身抖。脈緊氣促頭痛體倦。知覺遲鈍。形色憔悴。口唇指甲均無血色。且或嘔吐。人身如困冰雪之中。所謂灼熱期者。因人體赤血球受胞子蟲破壞而形缺乏。則心藏起作用。而加速其搏動。以輸送多量之血。補其缺乏。以及撲滅病菌之毒素。而體溫亦因之飛騰矣。故此時病者。卽覺壯熱異常。皮膚亦呈潮紅。兩目發赤。脈象速而強實。呼吸亦轉快。頭痛口渴。所謂發汗期者。亦名退熱期。既如上述。可知正氣已復。然體溫之欲其低降。則須有出路。出路者何。汗腺是也。末稍血管擴張。先於液下及額角上發汗。汗出病去。故皮膚漸亦滋潤。然病人於此忽寒忽熱之經過後。必形疲倦。故極易熟睡。及睡眠後。則覺暢快多多矣。或謂凡發此病者。其脾藏必腫大。熱時增大。熱退縮小。按之堅而痛。此卽中醫所謂之瘧母也。患急性熱病者。脾藏往往腫大。不必瘧疾。惟瘧疾爲尤甚。病久而脾藏之腫不消。故名曰瘧母。然吾人須知瘧疾之往來寒熱與少陽之往來寒熱各異。蓋瘧疾之往來寒熱有定時。而少陽之往來寒熱無定時。且少陽之寒熱常一日二三度發。而瘧疾斷無一日二發之理也。又少陽以胸脇苦滿爲主證。以寒熱往來爲副症。瘧疾則以寒熱往來發作有時爲主症。以脾藏腫大爲副症。比又不容混淆者也。

（治法）規寧俗名金鷄納霜。爲治瘧疾之特效約。此東西各國所公認者也。因其製法之各異。而有硫酸規寧。鹽酸規甯。鞣酸規寧等之區別。然三種名稱雖異。而其功用則彷彿。蓋皆由規寧那樹皮中裝出一種清質爲主品也。規寧雖爲治瘧之聖品。然服用時。須有一定之程序。及相當之分量。否則非惟無益。而實爲害不淺。凡服用規寧者。當於瘧之未發前或已發後服之。若在正發時遽服此藥。則嘔吐頭痛。發熱更盛。甚至發狂。極爲危險。此服藥程序之不可不知也。至或服用分量過多。及久服不止。則往往成中毒症狀。貽患不淺。故用規寧之不可忽略。於此可想見矣。吾國近年來以規甯服用便利。亦頗爲暢銷。每歲外溢之利。不可勝計。近賢郭受天先生有鑒於此。曾用常山一味。仿西法製成丁幾劑。以代規寧。令患者一日三次分服。不但獲效如神。且無中毒之危險。誠治瘧之無上聖品也。考本經謂常山能治邪氣蠱毒。別錄謂療鬼蠱往來。蠱毒鬼蠱。卽今之細菌傳染病也。惜其成分未明。故所以殺菌之理無從知之耳。近時西醫。除用規甯外。六〇六九一四亦爲一般人所賞識者也。取其砒成分之能殺病菌。且其效較規甯更佳也。然吾國本經早已載及雄黃爲治瘧良藥。漢學神效方亦謂雄黃可以治瘧。蓋雄黃在化學上成分。爲硫化砒。砒能殺病菌。故其功效與六〇六九一四不相軒輊也。然吾國醫於瘧疾之初起。從來皆主小柴胡湯。夫小柴胡非殺菌之劑。而爲中和之方。何以亦能愈瘧疾。此亦有其理在也。蓋治病有二法。一在殺滅病菌。一在中和病菌之毒素。從前說宜用攻劑。從後說宜用中和藥。或強盛細胞之抗毒力。卽扶助正氣也。今用小柴胡湯瘧治者。卽屬之後說中和病菌之毒素也。因瘧疾起初。其毒尙淺。故祇須用中和之劑。以補助正氣。促其自然治愈而已。但用小柴胡湯時。必具有胸脇苦滿口苦咽乾諸症方可。在疾瘧經過三四發後。卽當施以截瘧法。如常山草果雄黃烏梅檳榔桃樹頭等類之殺菌品。因其病久毒深。非中和所能奏效。必須殺滅病菌。用以剷治其根源。此卽屬之前說者也。總之。凡瘧屬之每日發者病淺。間日發者病深。三日發者更深。漸早爲輕。漸晚爲重。初起者多實。宜祛其邪。患久者多虛。宜養其正。寒重宜汗之。熱重宜清之。寒熱相勻宜和之。他如寒瘧則宜辛散解表。溫瘧則宜清涼透邪。癉瘧則宜甘寒生津。牝瘧則宜宣陽透伏。要皆在醫之視病投藥。隨證變通。庶幾得之矣。

批　說理翔實識見有獨到之處　文芳

寒熱霍亂淺說

馬石銘

緒言

霍亂一病。可以分做寒熱二種。寒霍亂就是眞性霍亂。熱霍亂是急性胃炎一類的醫患。二者。寒熱天淵。治法懸殊。是絕對不可混同的。但是當他發病的時候。無論或寒或熱。一樣地上吐下瀉。醫者如沒有豐富的經驗和學識。是很難辨別的。倘使認錯了症。把寒的當熱治。熱的作寒治。那就遭了。甚致焦頭爛額。危急不可收拾。現在把寒熱二種霍亂的症狀和治法。分述於下。如有錯誤的地方。還要請各位指教。

寒霍亂

寒霍亂的原因　寒霍亂就是眞性霍亂。西名虎列拉。又名亞西亞霍亂。據西醫的研究。說是一種微生物。叫做「可買菌」的侵入腸胃而起。(他的形狀是像。)但是假使單單只有「可買菌」。是決不會成病的。必須再加上其他幾種原因。才成霍亂。歐洲醫學家沛登考否氏說。霍亂病須有下列三個原因。同時存在。才得發病。現在把他抄在下面。以作證明。

1. 霍亂菌侵入腸胃。
2. 氣候不適於人而適於病原菌的發育。
3. 人體抵抗力薄弱而不能抗禦疾病。

從上面三條看來可知「可買菌」不過是霍亂三種原因的一種罷了。「可買菌」潛伏體中再受第二種和第三種原因的引誘。於是乘勢猖獗起來。這是他的原因。

寒霍亂的證狀。　初起的時候。往往以下痢的前驅。腹鳴口渴。身體倦怠。飲食無味。這樣地過了一二日後。就發出種種的霍亂症狀來。大吐大瀉。每日吐利約有十次或數十次。腹中雷鳴。但不覺得疼痛。起初大便還帶着黃色。瀉了幾回以後。大便中因爲缺乏了膽汁色素的緣故。於是就變成水樣。或像米泔汁。這時血中水份因爲瀉泄而損失得太多了。於是循環系神經系以及肌肉面貌等也統統起了變化。脉搏微細。四肢厥冷。體溫下降至攝氏三十二度或三十度以下。筋肉起疼痛性痙攣。尤以腓腸筋爲甚。（就是俗所謂抽筋。）尿量減少。面龐削瘦。膚枯指癟。眼球陷沒。聲帶因爲沒有充分的水液來潤澤他。於是聲音嘶啞。如此再過了一二日後。病勢更加沉重。脉微欲絕。全體好像冰雪一般的厥冷。精神昏沈。霍亂到了這個時候。已是無法可救了。

寒霍亂的治療

1. 內服湯藥　以強心止吐利爲主。最有効的方子。就是四逆湯。通脉四逆湯。理中聖濟附子丸等。因爲上面幾個方子裏面。都是用附子乾姜白朮等味作主藥的。附子能夠把衰弱的心臟強盛起來。乾姜能夠把他吐瀉止住。自朮能夠促進腸胃的吸收機能。也有止瀉的功效。聖濟附子丸裏有黃連一味。此藥也能夠健胃止吐利。並且還有烏梅能夠殺滅細菌。所以很有効驗。西醫治霍亂病。用樟腦和鹽水針。樟腦能夠強盛心臟。和我們中醫用附子同一意義。打鹽水針是補足血中水份的辦法。中醫用附子等藥。雖然不能把血中的水份直接增加起來。但是用附片強其心臟。和各臟器細胞的生活力。陰液就會自然的恢復。就是間接的增液方法。不過西醫打鹽水針的功効比中醫用附子來得快。假使碰到水份損失過多。手指螺門已癟。皮膚失却彈力的時候。那就非用鹽水針不可。至於藿香正氣散一類的方子。只可治急性腸胃炎。（熱霍亂）若把他拿來治寒霍亂。是斷斷沒有效驗的。

2. 灸法　施治的方法。是令人仰臥床上。於臍上放麝香少許。再用生姜一片。放在麝香上面。用艾絨燃火灸之。灸到病人覺痛覺熱爲止。此法很靈驗。大約灸一壯。可值得附子三錢的功効。

3. 外用法　治霍亂轉筋的時候。病人非常痛苦。此時用燒酒摩擦之。亦可立見奇効。就是現在的白蘭地酒也可以摩擦。但是比較不經濟一點。

熱霍亂

熱霍亂的原因　在素問氣交變大論說。「不遠熱則熱至。熱至則身熱。吐下霍亂。」再仲景傷寒論又說。「病發熱頭痛身疼惡寒吐利者。此名霍亂。」此言熱霍亂的症狀。雖然兼症和寒霍亂有互相彷彿的地方。可是他的病因與治療。絕對不能和寒霍亂混淆而論的。寒熱霍亂的病因。一因於腸胃感濕熱而成。一因於細菌的侵襲所致。所以清代王孟英。徐靈胎。所創議的「霍亂絕未見有寒症者」的學說。就是單指熱霍亂而言。當夏末初秋的時候。假使感受了時令的暑濕。或恣食瓜果及一切不潔的食物。就有發生熱霍亂的危險。在歷代方書中關于熱霍亂原因的議論。如暑穢食滯感冒涼風。冷食停滯。醇酒膏粱。暑濕直侵脾胃。都能夠直接或間接造成熱霍亂的原因。總括的說。熱霍亂的成病。是氣候變化飲食不潔。於是影響腸胃而起疾病。再換一句說。熱霍亂即是西醫所談的急性。腸胃炎因腸胃的黏膜受齷齪的食物。及不測的氣候。而致發炎。先起輕度的吐利。是和寒霍亂為「可買菌」侵襲的主因。不可同日而語的。

熱霍亂的證狀　據上面的病因看來。是腸胃受不潔食物刺戟。而起反應作用的緣故。現有消化器病和排泄器病的症狀。初起嘔吐下利。但是他的吐痢。未必一定有的是單吐不利。或祇利不吐。或吐利並作。須視病勢的輕重而鑑別。所排泄的糞色稀薄如糜粥狀。或似水樣。呈鮮黃色或綠色不一。且兼雜未曾消化完全的食物糟粕。嘔吐出的東西。也是如此汚濁臭穢不堪。同時因積滯發醇。外邪留戀。體溫因此而增高發為壯熱。且糟粕阻積。健運不強而腹痛如絞。舌苔黃糙且厚。假使不加醫治。吐瀉次數增多。體中水份排泄過量而缺乏。須外界的接濟。於是口渴狂飲。小便短赤。在此時的津液和血液。也因此而虧損枯涸。神經失其營養。起頭痛暈眩。甚致肌肉攣縮。同時容貌改常面挾鼻尖。眼球陷沒。四肢皮膚乾癟。下腿部的腓腸肌尤其消瘦。(古說。所謂脾土已敗。胃氣已失之候。)內臟充血。表層貧血。現內熱外寒。四肢逆冷。到了這種情形的時候。病勢是很危險。差不都生命存亡在旦夕之間的了。即當迅速施以急救。或可得能挽回性命於萬一。今將熱霍亂之治療分述於下。

1.急救法

a.括背法。　以銅錢醮菜油。刮病者的背部。令皮膚現紅紫色為度。

2.針挑法。　患者假使背上有黑色的斑點。即用針一一挑破。使出毒血。

3.溫通臟腑法。　用桂心。丁香。硫黃。當門子。吳茱萸。為細末。納臍中。用老姜一大片。蓋於臍上。再用蘄艾燒灸。病輕的灸一次。重的二三次。然後除去姜片。貼上煖臍膏。使得藥氣不致外泄。

2.內服湯藥法。

1. 白虎湯　治暑火熾盛而霍亂的。

2. 增減瀉心湯　治濕熱內着中宮阻塞而成霍亂。吐瀉不暢。或二便俱閉。此方能清化暑熱。流利氣機。爲本病參酌用之方也。

3. 五苓散　治霍亂吐瀉。口渴欲飲水。頭疼身痛發熱。

4. 萸連解毒散　本方治發熱胸悶。吐瀉併作。用之以清熱化濕有卓効。

5. 黃連香薷飲　治身熱氣粗。口渴胸滿。小便短赤者。本方冷服。

6, 紫雪丹　壯熱熾盛。神志昏迷者。服之立愈。

7. 四苓散　本方治濕熱霍亂。胸悶脹痛。溺澀煩渴。功能健脾化濕。暢通三焦。則濕熱自祛。

8. 竹葉石羔湯　本方治「瀉下惡臭。便溺黃赤者。此症熱熾於內。津液枯少故也。宜地漿水煎服。」

9. 桂枝甘露飲　暑濕內踞。腹痛吐瀉。小便不利者。本方宜之。

結論

綜合下面的敍述。我們可曉得古人所謂的霍亂。大都指夏秋傷暑傷食的尋常吐痢的類霍亂。即西醫所說的急性腸胃炎。近代所謂的霍亂。就是因爲「可買菌」侵襲的眞霍亂。所以這二種霍亂的療法。一是清諒的消炎劑。一是強心殺菌劑。假使治療錯誤。用藥失當。就禍不旋踵。有生命立斃的危險。我們能夠了解這二種霍亂的界限。對于臨床診病。不致于張冠李戴的危險。是很有極大的助益。

批　虎列拉與胃腸炎之區別得此文而益顯　文芳

表裏虛實寒熱爲診斷治療之標準論

王槩

醫者治病貴能識病。病症既明。則投藥應如桴鼓。然病邪之中人。有表裏。人之正氣。有強弱。病狀有寒有熱。病情有虛有實。臨牀之際。不可不詳加區別焉。吾國醫學之立說。與西洋醫學有形態與實質之異。故國醫推究生理病理之機轉。悉從形態上立論。臨牀診斷治療必察人體機能。探討病毒之所在。正氣之強弱。分表裏虛實寒熱爲診斷治療之標準。與以汗吐下溫涼和補之法。以攻病毒。以助正氣。非若西醫之重解剖僅知臟腑實質之病變可比。故西醫中醫以治療結果較。彼西醫不如中醫遠矣。蓋表裏虛實寒熱者。病之情也。卽病毒侵入人體之部位。與夫正邪相爭勝衰之情勢也。然人體本具有自然抵抗力。病毒之侵入。生理機轉遂起而抵抗調節之。治療宗旨在在如輔匡人體固有機能。抵抗病毒。調節官能之所偏。分表裏。察虛實。辨寒熱。務得其病所。知其情勢。使對症施以適當治療。使病毒去。臟氣平。營衛加。反之不分表裏。不察虛實。不辨寒熱。不但病毒難除。則百變叢生難於究詰矣。故表裏虛實寒熱爲醫者診斷治療之重要標準者也。考吾國醫學典籍最古爲素問靈樞。次則傷寒金匱。素靈之論是推究生理病理診斷治療之鼻祖。傷寒金匱爲仲聖闡明三代聖賢之精製。集其大成。分表裏虛實寒熱。主以汗吐下溫涼和補之法。條例綱目。無不周詳賅備。論表裏虛實寒熱治有一定法則。誠千古之聖書。自此而接。歷代醫家皆宗之。無敢駁詰者。茲考按古醫典籍之論表裏虛實寒熱於下　素問之論曰　病之中外何如調氣之方必別陰陽定其中外各守其鄉內者內治外者外治微者調之其次平之盛者奪之汗者下之寒熱溫涼衰之以屬隨攸利

又曰　推而外之內而不外有心腹疾推而內之外而不內身有熱也

此論第一段言治病須辨內外（表裏）寒熱虛實。隨其所屬而與汗下調和溫涼療法以衰之也。二段以脉搏形勢之浮沉辨表裏。輕按之沈而不浮。知病在裏如心腹之疾。患重按浮而不沈。知身必有熱。此生理機轉。抗毒之必然趨勢。浮脉是病毒在表。人體正氣向表抗毒。血行必元盛肌表。血行既元盛於肌表。則皮膚之溫度亦必增高故身熱。病毒在裏。血行之趨勢則及之。故脈沉。

傷寒論曰　太陽之爲病脉浮頭項強痛而惡寒

又曰　太陽與陽明合病喘而胸滿者不可下宜麻黃湯

又曰　太陽病外症未解不可下也下之爲逆欲解外者宜桂枝湯

又曰　太陽先發汗不解而復下之脉浮爲在外而返下之故令不愈今脉浮故知在外當須解外則愈宜桂枝湯

太陽病者表病也。表爲皮膚之稱。裏爲臟腑。良以病毒集中某部而發生某一種症狀也。病毒在皮膚者。表病也。病毒居於臟腑與骨髓者。裏病也。表病之應用爲發汗藥。俾病毒由汗脉排除爲原則。裏病之應用爲以瀉下法俾病毒由消化器官驅除爲規矩。總之不外順勢利導。苟逆其治。則幾爲難治之重症矣。

表裏病各有一定之主症。及相當治療規律。觀上列數例。仲聖示人脉浮頭項強痛惡寒爲表病。當解表。解表以麻黃湯桂枝湯爲主治表病發汗之方。脉浮爲血行充實肌表。抵抗在表之病毒。上已言之。頭項強痛惡寒因感受風寒。皮膚與頭項部三末稍神經受刺激。故有頭項強痛惡寒之之自覺症。此皆病毒在表之徵。表病用汗法爲輔匡正氣抵抗毒之手段耳。蓋發汗劑爲刺激末稍神經。使血管擴張。血液循環加速。使眞皮中周圍血管分泌增加。使在表病毒與汗液同由係球體所出之汗腺排出體外。裏病用瀉下法。由消化器官排洩病毒。其理由作用同出一軌。倘逆其機轉。表病用下法。裏病用發汗法。則表裏入裏。內毒則愈劇。治爲逆矣。臨牀時診斷治療。表裏不可不分也。

虛實症狀治亦有一定之法則。不可含渾者也。再觀其論虛實曰。

金匱曰　病者腹滿按之不痛者爲虛痛者爲實可下之舌黃未下者下之黃自去

傷寒論曰　脉浮法當身疼痛宜以汗解之假令尺中通者不可發汗何以知之以營氣不足血少故也

又曰　咽喉乾燥者不可發汗

又曰淋家不可發汗發汗必便血

又曰瘡家雖身疼痛不可發汗汗出則痓

又曰亡血家不可發汗發汗則寒慄而振

傷寒論曰　少陰病自利清水色純青心下必痛口乾燥者急下之

又曰　下利脉反滑者此當有所去下之乃愈宜大承氣湯

又曰　傷寒六七日目中不了了睛不和無表裏症大便難身微寒此為實也急下之宜大承氣湯

金匱曰　脈滑急者實也此有宿食下之愈宜大承氣湯

又曰下利三部脉皆平按之心下鞕者急下之

觀以上辨虛實例。師以腹診按之痛為實。按之不痛為虛。舌黃為實。尺中通主裏血少。咽喉乾燥之津液虧。淋家素有淋病之人下焦液虛。瘡家之血虧。亡血家之貧血。各種症皆當禁汗法。因汗法為治實症汗吐下三法中之一。發汗則津液更虛。當嚴禁用之。免虛虛之禍也。脉滑心下鞕。下利清水。心下痛。口乾燥。腹滿痛。為消化管有充實毒熱。雖利清水。是熱結旁流。目中不了了。睛不和。大便難。為熱毒侵入神經系之徵。皆為裏實之症。故當急下。

張景岳曰　邪盛則實精氣奪則虛此虛實之大法也

此數語釋虛實盡之矣。按虛者空虛之意。病毒未去而精力已虛乏。抵抗力不足之症也。其脉象為細小弱精神衰憊。腹部軟弱。按之不痛。恰如無彈力之橡皮球。而呈種種之虛象也。汗吐下俱宜大戒。當施以補益之法。以增抵抗力。反手虛則為實。即充實之意。病毒積於體腔及消化管。如食毒。水毒。痰毒。是也。然邪實必是正氣抵抗力。強旺精氣未奪。始可為實。其脈象實大長滑腹部緊滿有力。按之堅鞕而痛。抵抗力強。有充實病毒之徵者。應施汗吐下三法之症也。苟正氣虛。雖有便祕。仍當嚴禁下劑。實症雖日瀉數十行。仍不可不投下劑。此虛實不可不察也。寒熱之病如冰炭之不相合。又不可不嚴區別之。

傷寒論曰　心下痞而復惡寒汗出者附子瀉心湯主之

又曰　脈浮而遲表熱裏寒下利清谷者四逆湯主之

又曰　自利不渴者屬太陰以其臟有寒故也當溫之宜四逆湯

又曰　少陰脈沉者急溫之宜四逆湯

金匱曰　腹滿時減復如故此寒也當以溫藥

又曰　腹滿脈弦而緊則爲衛氣不行卽惡寒緊則不欲食邪正相搏卽爲寒疝繞臍痛若發則白津出手足厥冷其脈沉緊者大烏頭煎主之

以上論爲辨寒症三方法其辨熱曰

傷寒論曰　傷寒若吐若下後七八日不解熱結在裏表裏俱熱時時惡風大渴舌上乾燥而煩欲飲水數升者白虎加人參湯主之

金匱曰　師曰陰氣孤絕陽氣獨發則熱而少氣煩冤手足熱而欲嘔名曰癉瘧（下略）

又曰　太陽中熱者暍是也汗出惡寒身熱而渴白虎加人參湯主之

又曰　服桂枝湯大汗出後大煩渴不解脈洪大者白虎加人參湯主之

仲聖以脈沉。通。緊。惡寒。下利清谷。繞臍痛。手足厥冷。示人當施用熱藥。以大渴口乾燥。煩渴欲飲水數升脈洪大。身熱。當應用寒藥調節之。然寒屬陰性。沉降性。鎭靜性。人體機能弛緩。病勢衰沈之退行性症也脈象沈弱。沈細。沈微。無力有惡寒而白下利厥冷等症。是用附子干姜湯浮性興奮等藥之症。熱者卽機能亢進爲陽浮性。興奮性。不惡寒而惡熱。煩渴面色潮紅。脈象浮數大滑洪大當投以冷性。沈降性之石羔。黃芩。黃連。之陰性藥。寒熱之性相去霄壤。不可稍有差誤。苟不遵此法則應投以黃芩石羔等之熱症。誤投附子干姜。倒行逆施。寒症則如水益深。熱症則如火益烈。未有不立招禍變者也。就中尚有眞寒假熱。眞熱假寒。表熱裏寒。表寒裏熱。疑似症。又當辨別之。

傷寒論曰　病人身大熱反欲近衣者熱在皮膚寒在骨髓也

又曰　身大寒反不欲近衣者痛在皮膚熱在骨髓也

又曰　傷寒脈滑而厥者裏有熱也白虎湯主之表熱裏寒爲虛性興奮。眞陽浮越之象。實假熱。表寒裏熱。是熱聚於裏。體溫不得外達。脈滑而厥亦同此理。滑脈是有內熱之象。外厥不當有滑脈。此等目標易惑。非西醫所能知。西醫以顯微鏡愛克司光聽診器。

驗溫器。驗痰。血。糞。溺。等專以器械診斷疾病完全根據物質上之辨別不知國醫分表裏寒熱虛實之特長遇患者身熱不辨是否熱症一律投以解熱劑外貼冰囊故雖輕微之感冒往誘起重症吾中醫學診斷治療之眞價值妙不可思意之表裏虛實寒熱之法則彼西醫豈能望其項背也哉

批 考據明確立論精微 文芳

古賢治方集義

張逸桐

治方云者。處理方劑之道也。方有七。劑有十。方不七不足以盡方之變。劑不十不足以盡劑之用。然欲成七方十劑之用者。必先本于氣味。寒熱溫涼。無形爲氣。氣爲陽。酸苦辛鹹甘淡。有形爲味。味爲陰。陽氣出上竅。陰味出下竅。氣化則精生。味化則形長。故地產養形。形不足溫之以氣。天產養精。精不足補之以味。辛甘發散爲陽。酸苦涌泄爲陰。鹹味涌泄爲陰。淡味滲泄爲陽。辛散酸收甘緩苦堅鹹耎。各隨五藏之病。而制藥性之品。變而通之。施于方劑。其功用豈有窮哉。今試各序於後。以明治方之體也。

七方者。大小緩急奇偶複是也。其言始于內經。奇方者。單方也。有獨用一物之奇方。病在上而近者宜之。即經所謂近者奇之是也。有藥合陽數一三五七九之奇方。此用于下而不宜汗。蓋下本易行。故取單行則力孤也。

偶方者。二味相配。二方相合之方也。病在下而遠者宜之。經云。遠者偶之。即指此也。又有藥合陰數二四六八十之偶方。用宜汗而不宜下。夫汗或難出。故併行則力齊而大也。

王太僕云。下藥不以奇。則藥毒攻而致過。汗藥不以偶。則氣不足以外發也。

大方之說有二。有君一臣三佐九之大方。病有兼證。而邪不一者宜之。有分量大而頓服之大方。腎肝在下部之病者宜之。

小方之說亦有二。有君一臣二之小方。病無兼證。邪氣專一者宜之。有分量小而頻服之小方。心肺及在上部之病者宜之。

夫大小者。制奇偶之法也。歧伯曰。遠而奇偶。制大其服。近而奇偶。制小其服。假如小承氣湯。謂胃承氣湯。奇之小方也。大承氣湯。抵當湯。奇之大方也。所謂因其攻裏而用之。桂枝湯。麻黃湯。偶之小方也。葛根湯。青龍湯。偶之大方也。所謂因其發表而用之也。故曰汗不以奇。下不以偶。又如肝腎位遠。數多則其氣緩。不能速達于下。必大劑而數少。取其迅急下走也。心肺位近。數少則其氣急下走。不能升發於上。必小劑而數多。取其易散而上行也。經云。大則數少。小則數多。治言此也。

緩急之治。有上下標本之異。治本宜緩。本者主也。治標宜急。標者客也。補上治上制以緩。補下治下主以急。內經之訓也。

緩方有五。有甘以緩之之方。甘艸蜜糖之屬是也。甘能緩中也。有丸以緩之之方。比之湯散。其行遲緩也。有品件衆多之緩方。藥衆則遞相拘制。不得各騁其性也。有無毒治病之緩方。無毒則性鈍功緩也。有氣味俱薄之緩方。氣味薄則長于治上。治上比之治下。藥力較緩矣。

急方有四。有急病急攻之急方。中風關格之病是也。有湯散蕩滌之急方。下咽易散而行速也。有毒藥之急方。毒性能上涌下泄。以奪病勢也。有氣味俱厚之急方。氣味俱厚。直趨于下。而力不衰也。

複方者。重方也。好古曰。奇之不去複以偶。偶之不去複以奇。十補一泄。數泄一補。言方之再用也。又有數方相合之複方。邪證不一者宜之。王太僕以偶為複。今七方有偶又有複。豈非偶乃二方相合。複乃數方相合之謂也。

十劑之論。伸自子才。蓋取藥性之宣通補洩輕重澀滑燥溼各樹一類。以盡其用也。

宣劑　宣可去壅。壅者塞也。鬱而不散。痞滿不通。必宣劑以散之。如外感六淫之邪。欲傳入裏。三陰實而不受。逆於胸中。窒塞不通。三陰者脾也。治宜藿香半夏生姜橘皮破氣之藥。又風癇。中風。胸中諸實痰飲。寒結胸中。熱鬱上而不下。及嗽喘滿脹水腫之病。亦非宣劑莫能愈也。其若氣鬱有餘。香附撫芎之屬以開之。不足則補中益氣以運之。大鬱微則山梔青黛以散之。甚則升陽解肌以發之。溼鬱則蒼朮白芷之屬以燥之。甚則風藥以勝之。痰鬱微則南星橘皮之屬以化之。甚則瓜蒂黎蘆之屬以涌之。血鬱微則桃仁紅花之屬以行之。甚則或破或利以逐之。食鬱微則山查神曲之屬以消之。甚則上涌下利以去之。皆宣劑也。

通劑　通可去滯。滯者留滯也。痺痛鬱滯。經隧不利。前後不得溲便。以及水病痰澼之類。皆宜通而行之。如通艸木通防已滑石芫芲茯苓海金砂甘遂大戟牽牛琥珀大黃之屬是也。時珍曰。溼熱之邪。留于氣分。而為痛痺癃閉者。宜淡味之藥。上助肺氣下降。通其小便。而泄氣中之滯。溼熱之邪。留于血分。而為痺痛腫注。二便不通者。宜苦寒之藥。下行通其前後。而洩血中之滯。經曰。味薄則通。故淡味之藥。皆可稱之曰通劑也。

補劑　經曰。精不足補之以味。形不足溫之以氣。又云。虛則補其母。夫五臟各有補瀉。五味各補在臟。有表虛裏虛上虛下虛陰虛陽虛氣虛血虛之不同。黃芪之固表。地黃之實裏。升葛之升上。巴戟之益下。人參之育陰。附子之助陽。他若茯神之補心氣。生地黃之補心血。人參之補脾氣。白芍藥之補脾血。黃芪之補肺氣。阿膠之補肺血。杜仲之補腎氣。熟地黃之補腎血。芎藭之補肝氣。當歸之補肝血。又如生姜之辛補肝。炒鹽之鹹補心。甘艸之甘補脾。五味子之酸補肺。黃柏之苦補腎。推而用之。豈有窮哉。

洩劑　洩可去閉。李時珍以去閉當作去實。經曰。實則瀉之。實則瀉其子是矣。五臟五味皆有瀉。肝實瀉以芍藥之酸。心實瀉以甘艸之甘。脾實瀉以黃連之苦。肺實瀉以桑白皮之辛。腎實瀉以澤瀉之鹹。其若葶藶牽牛大黃芒硝巴豆之類。以及催生下乳磨積逐水破經泄氣之法。皆泄劑也。

輕劑　輕劑者。升揚之劑也。內經所謂輕而揚之。凡風寒客邪。以及癰瘡疥痤之初起。皆宜輕揚之劑。以解其表。又有飲食寒冷抑遏陽氣在下。發爲胸膈痞滿閉塞之證。亦宜輕劑揚其清而抑其濁。則痞自泰也。其若陽氣陷下。發爲裏急後重。肺氣臌鬱。膀胱下閉。爲小便不利之證。俱宜用以升揚之劑。而二陰自通也。

重劑　子和曰。重者。鎮縋之謂也。若暴怒氣逆。致肝火激烈而病狂者。宜鉄粉石決明之類以平之。有神不守舍而多驚健忘迷惑不甯者。則宜硃砂紫石英之類以鎮之。有恐則氣下。精志失手。而畏如人將捕者。宜慈石沉香之類以安之。其若驚癇痰喘之病。以及吐逆反胃之症。則宜礞石代赭之類。壓浮大而墜痰涎。皆重劑也。

滑劑　滑劑者。潤利之劑也。性能養竅而祛澀。如大便澀者。治與麻紅郁李之類。小便澀者。治用車前榆皮之屬。治精竅之澀者。黃柏葵花。療胞胎之澀者。葵子王不留行。引痰涎自小便去者。半夏茯苓。引瘡毒自小便者。去五葉藤萱艸根。皆滑劑也。餘若菠薐滑石之類。其性亦滑。

澀劑　澀可去脫。脫有氣脫血脫精脫神脫之異。寢汗不已。澀以麻黃根浮小麥。精滑不禁。固以龍骨牡蠣。小便自遺。治宜石榴皮金櫻子。大便不固。滑泄不已。治以枯礬罌粟殼。咳喘上奔。斂以五味烏梅訶子。帶下綿綿。固以海螵蛸椿根皮。崩中暴下。諸大亡血。宜蓮房椶實赤石脂之類以澀之。神脫去死不遠。無藥可治。

燥劑　溼氣淫勝。必燥劑以除之。然溼有外感內傷之異。外感之溼。雨露嵐霧。地氣水溼。襲于皮肉筋骨經絡之間。內傷之溼。水飲酒食。及脾弱腎強之症。皆能致之。外感之溼。防風羌活之類。風藥可以勝之。陳皮木香蒼朮。溫藥佐以運之。內傷之溼。黃柏芩連梔子。苦藥燥而降之。兼佐茯苓滑石之淡以滲之。他若泄小便可以引溼。利大便可以逐溼。吐痰涎可以祛溼。溼而有熱。苦寒之劑以燥之。溼而有寒。辛熱之劑以燥之。故除溼之劑。皆可稱之曰燥劑。

溼劑　溼者。潤溼也。津液爲枯。五臟痿弱。榮衛涸流。必溼劑以潤之。上燥則渴。下燥則結。筋燥則強。皮燥則揭。肉燥則裂。骨燥則枯。肺燥則痿。腎燥則消。皆宜膏潤之劑。若麻仁阿膠之類。養血則地黃當歸之屬。生津則麥冬蔞根之輩。益精則蓯蓉枸杞之儔。經曰。辛以潤之。蓋辛能走氣化液故也。

方劑之體既明。則退而論藥。藥有氣味陰陽。亦爲處方者所應詳。如辛散也。其行之也橫。甘發也。而行之也上。苦泄也。而行之也下。酸收也。其性縮。鹹耎也。其性舒。一味之中。又有四氣。如辛味。則石羔寒。桂附熱。半夏溫。薄荷涼之類是也。又如清之清者發腠理。清之濁者實四肢。濁之清者走五臟。濁之濁者實六腑。氣厚爲陽中之陽。附子氣厚。氣厚則發熱。味厚爲陰中之陰。大黃味厚。味厚則下泄。氣薄爲陽中之陰。麻黃氣薄。氣薄則發泄。味薄爲陰中之陽。茯苓味薄。味薄則通也。昭昭然。此古賢理方之準繩也。夫養生治疾者。必先通乎此。否則能已人之疾者寡矣。

批　勤於稽古約於歸納

瘡瘍證治概要

顧伯明

第一節　瘡瘍之成因

瘡瘍之成因有二。由六氣之外襲。寒暑之不調。侵人經絡。傷人營衛。是爲外因。由鬱怒憂思。氣血壅滯。營衛稽留。或飲食厚味。醇酒炙煿之壅結者。是爲內因。凡寒滯之毒。其成緩。其入深。多犯於筋骨之間。此外因症之重者。鬱怒憂思淫慾丹毒之逆者。出於臟。爲內因病之重者。多成爲陰毒疽症。風熱之邪。其來暴。其入淺。多犯于皮肉之間。此外因病之淺者。炙煿厚味之壅滯而出於腑。爲內因病之次者。多或爲陽毒。爲癤爲癰。西醫皆謂淋巴腺結核。細菌爲患。

癰疽之區別

癰疽之成因不同。其爲患因之有別。癰爲陽氣之毒。其腫高。其色赤。其痛甚。其皮薄而澤。其膿易化。其口易斂。其來速。其愈亦速。疽者陰毒之氣。其腫平塌。其痛不甚。其色沈黑。其來不驟。其愈最難。

第二節　瘡瘍之診斷

脉滑而實大相兼爲熱。已潰爲虛。數脉爲熱。兼爲膿結。已潰難安。數脉身不熱。爲內有癰膿。洪脉爲虛爲熱。洪大而兼緩爲佳象。浮爲虛爲風。潰者宜補。浮大似數。焮腫在外。宜先托裏。恐邪入內也。弦爲痛而欲膿。脉牢爲邪盛欲膿。散脉見則氣不斂。脉沉濇痛處將發瘡疽。濇脉爲氣滯。潰後無妨。短脉則氣短元虛。百病難瘳。脉沉爲邪伏。已潰爲有餘毒。脉緩百病可愈。癰疽未潰之脉。宜強旺不宜衰弱。成膿之時。宜弦滑不宜芤濡。出膿之後。宜靜不宜洪數。收斂之時。宜和緩不宜緊細。反則變化不測。癰脉宜洪大。若逢牢短膿難化。疽脉最宜沉與弱。浮大且散命歸陰。疽見癰脉療治易。癰見疽脉病難醫。

虛實

瘡瘍紅腫高起。堅硬膿稠者實。漫腫下軟。膿稀者虛。諸痛爲實。諸痒爲虛。脉形洪大而數爲實。細微而軟爲虛。

善惡

癰疽症有五善七惡。不可不辨。凡飲食如常。動息自寧。一善也。便利調勻。或微見乾澁。二善也。膿潰腫消。水漿不臭。內外相應。三善也。神彩精明。語聲清亮。肌肉好惡分明。四善也。體氣和平。病藥相應。五善也。七惡者。煩燥時嗽。腹痛渴甚。眼角向鼻。瀉利無度。小便如淋。一惡也。氣息綿綿。脉病相反。膿血既泄。腫焮尤甚。膿色臭敗。痛不可近。二惡也。目視不正。黑睛緊小。白睛靑赤。瞳子上視。睛明內陷。三惡也。喘粗氣短。恍惚嗜臥。面靑唇黑。便汚。未潰肉黑而陷。四惡也。肩背不便。四肢沉重。已潰靑色。筋腐骨黑。五惡也。不能下食。服藥而嘔。食不知味。發呃嘔吐。氣噎痞塞。身冷自汗。耳聾驚悸。語言顚倒。六惡也。聲嘶色敗。唇鼻靑赤。面目四肢浮腫。七惡也。五善者病在腑而輕。七惡者。在臟而危。

第三節　治療

未內治法

腫瘍初起。焮紅腫痛。宜仙方活命飲。川山甲三片　皂刺五分　歸尾一錢五分　草節一錢　白芷一錢　金銀花二錢　赤芍藥五分　防風七分　乳香五分　貝母一錢　沒藥五分　陳皮一錢五分

癰疽初起。欲宣熱散風。行瘀活血。解毒消腫。疎通臟者。腑宜神授衞生湯羌活八分　防風八分　白芷六分　穿山甲六分　花粉一錢　沉香八分　紅花六分　連喬六分　石决明六分　乳香五分　金銀花一錢　皂角刺一錢　歸尾一錢　甘草節一錢　大黃二錢

癰疽發背。將成未成之際。紅腫焮痛。宜淸熱消風散。和解之。皂刺一錢　防風五分　陳皮一錢　連喬一錢　花粉五分　柴胡一錢　川芎五分　白芍五分　甘草五分　黃芪一錢　金銀花五分　蒼朮一錢　紅花一錢

癰疽熱嘔。便祕煩燥。飲冷。噦啘。心煩。舌乾。口苦六脉沉實有力。邪毒在臟宜通引法內疎黃連湯主之。木香一錢　山梔一錢　連喬一錢　薄荷一錢　甘草五分　黃芩一錢　黃連一錢　大黃二錢　桔梗一錢　當歸一錢　白芍一錢　檳榔一錢

癰疽已成膿者。宜透膿散。生黃芪四錢　穿山甲一錢　川芎三錢　當歸二錢　皂角刺五錢半　以上諸方爲癰症未潰時所

需。醫者隨症參合加減用之。

癰疽已成。氣血不足。遲滯不潰。宜托裏消毒散。令其速潰。人參 一錢五 當歸 一錢 白芷 五分 皂角 五分 銀花 一錢 甘草 五分 桔梗 五分 川芎 一錢 生黃芪 一錢 白芍 一錢 白朮 一錢 茯苓 一錢 此方癰疽通用發背腦疽諸發毒。日久不高腫腐潰脈細身涼者。宜神功內托散。全當歸 二錢 人參 一錢五分 附子 一錢 川芎 一錢 黃芪 一錢 白朮（土炒）一錢五分 木香 五分 穿山甲 八分 甘草 五分 陳皮 一錢 白茯苓 一錢 白芍 一錢

癰疽平塌。皮色不變。堅如牛皮。身涼脈細陰疽危症。宜回陽三建湯。人參 一錢 附子 一錢 當歸 一錢 川芎 一錢 甘草 五分 茯苓 一錢 生黃芪 一錢 枸杞 一錢 紅花 五分 紫草 五分 獨活 五分 陳皮 一錢 蒼朮 五分 厚朴 五分 木香 五分 山萸肉 一錢 以上二方爲治陰疽所需隨症加減

未潰外治法（消散）

無名中毒。紅腫發熱。玉露散（芙蓉葉一味研末）金銀花露調敷。或鮮芭蕉根。或野菊花葉打爛敷。或用碘酒（西藥）塗患處甚效。癰症初起。紅腫焮痛。用金黃散。（南星 陳皮 蒼朮 各二斤 黃柏 姜黃 各五斤 甘草 二斤 白芷 五斤 花粉 十斤 川朴 二斤 大黃 五斤 爲末貯磁罐不泄氣）金銀花露蔥汁調敷。或用碘酒塗患處。或用伊克度 Ichthyol 塗紗布上貼患處。

癰疽混合之半陰半陽者。冲和散（紫荊皮 五兩 獨活 三兩 白芷 三兩 赤芍 二兩 石菖蒲 一兩五錢 上藥爲末）蜜糖蔥汁調敷。若根脚散漫者。合金箍散（五倍子 四兩 川草烏 各一兩 天南星 生半夏 川柏 各二兩 白芷 四兩 甘草 二兩 狼毒 二兩 陳小粉（炒黃）一斤 爲末）陰疽則用回陽玉龍膏（乾姜 三兩 肉桂 五錢 赤芍 三兩 南星 一兩 草烏 三兩 白芷 一兩 爲細末）熱酒調敷。或用桂麝散（麻黃 五錢 細辛 五錢 肉桂 一兩 牙皂 三錢 生半夏 八錢 丁香 一兩 南星 八錢 麝香 六分 冰片 四分 研細末摻入陽和膏內貼患處數日。消散效力甚大。

開刀法

開刀之前。醫生之手。須洗淨。瘡刀須放消毒器內消毒。以防細菌傳入。或以酒精消毒之。再定開刀之處。及刀入瘡口之深淺。使膿

出便利。而無膿積之患。瘡瘍小者。或發熱者。施以依打丹 Ethyl Chloride冷麻醉法。使病者減少痛苦。瘡瘍較大則須注射奴佛客因Snocain Hydrochl2cc—6cc局部麻醉。使病者無開刀之痛苦。中醫開刀之瘡口。不須十分大。西醫則較大。一用藥條。一用藥水紗布之故。

潰瘍外治法

瘡瘍開刀去膿之後。瘡瘺則用九一散。（黃升一份石羔九份）蘸棉紙條上塞瘡口內。外貼太乙膏。大瘡瘍則須以九黃（乳沒各二錢　川貝　雄黃各二錢　升丹三錢　辰砂一錢　月石二錢　梅片三分　煅石羔六錢　）照上法施用。西藥用雷佛諾耳2%溶液。用紗布蘸塞瘡口內。外用硼酸水浸紗布棉花。覆瘡口上。以杜細菌入內。

潰瘍內治法

凡潰瘍腐肉不去。新肉不生。膿少膿水清淡者。氣血皆虛。宜大補氣血。忌攻伐。其有膿水過多者。亦血與氣俱虛也。瘡瘍膿血大泄後。當大補氣血爲先。雖有他症。宜末治。凡潰瘍之現發熱惡寒者。皆屬氣血虛甚。宜補養。忌發表。潰瘍宜補不宜攻伐。若元氣實而邪毒盛。亦當清補兼施。例主治數方以資參攷。氣血俱虛八珍湯　人參一錢　白朮一錢五分　茯苓一錢　甘草五分　當歸一錢　白芍一錢　熟地一錢　川芎一錢　加姜棗若元虛作痛十全大補湯上方加黃芪一錢　肉桂五分　若氣虛勞倦口乾發熱頭痛惡寒脈大無力及下陷足腫補中益氣湯黃芪二錢　甘草一錢　人參一錢　當歸一錢　白朮一錢　升麻三分　柴胡三分　陳皮五分或加麥冬一錢　五味子五分　發熱作渴手足並冷陰盛陽虛腸鳴腹痛神應異功散木香五分　官桂五分　當歸一錢　人參一錢　茯苓一錢　陳皮五分　白朮二錢　半夏一錢五分　丁香五分　肉豆蔻五分　附子一錢　厚朴五分　以上諸方隨證參合。

生肌收口內外治法

瘡口不斂者。氣血不足。參潰瘍方內服。外治宜珍珠生肌散。珍硃一錢　血竭五分　兒茶五分　陳年絲吐頭五分　煅甘石一錢　冰片一分二厘　赤石脂一錢　煅石羔一錢　研細末摻瘡口上蓋太乙羔。膿水未盡者。不可妄用。西藥用海的仿調凡士林塗紗布上。貼患處。生肌收口甚效。

夫瘡瘍爲外科之一。效方甚多。國醫秘而不宣。湮沒不知無幾。日少加研究。自西洋醫學傳入中國後。中醫外科一落千丈。爲西醫專利矣。實堪浩歎。研究中國外科者。須努力搜求成法。博採衆長。庶能駕西乎西洋醫學之上。中國外科學之壽命不絕。永留千古。亦中國醫學之幸也。

批　由博返約是爲集成　文芳

胃病概論（Digestut System Diseases of The Stomach）

應祖彭

（一）胃脘痛（即胃氣病）（Gastrodynia）

原因　身體衰弱。喜飲寒冷貪食水菓。胃受寒氣。過食炙𤎩高粱。飲食時胃受過熱。憂鬱恚怒。肝橫尅胃。胃氣失和。

症狀　脘部疼痛。類似心痛。時飽作悶。或攻脹或嘔吐吞酸。飲食不思。按之輕快。屢有卒倒及互見反胃現象。有時亦於脘部氣作左右上下攻築。

療法　注意其原因及攝生法。遇寒者溫之。如桂枝。蘇葉。丁香。厚朴。蒼朮等是。熱者清之。如竹茹。黃芩。黃連。連翹等是。肝病當治肝如香附。鬱金。川楝。烏藥。青皮。佛手以舒肝之氣。烏梅。白芍。木瓜。以斂肝之陰。有因瘀血體壯者。可用桃仁承氣湯或抵擋湯加乾漆灰以下之。弱者可用歸尾。川芎。牡丹皮。蘇木。紅花。玄胡索。桂心。桃仁泥。赤麴。番絳。香通草。大麥芽。之屬。煎成入童便酒韮汁大劑飲之。或四物湯加桃仁。桂心蓬莪朮。降香。或失笑散。若有因身體衰弱。脾胃虛寒。或久服寒藥致痛者宜理中湯。或溫胃湯。若因內傷氣血虧損發熱不食作虛痛者宜補中益氣湯加草豆蔻。熱病加梔子。胃痛而大便燥結者。宜加味逍遙散加生地。血少而燥者宜疏肝益腎湯或左歸飲加柴芍。有屬虛胃痛按之痛止者宜參朮散。有按之痛反甚者。屬實。宜梔黃丸。或大柴胡湯。

病理　宜以檸檬佛手香櫞泡茶及靜養性情切勿鬱怒。

（二）胃脘癰（Abscess of Stomach）

原因　死血留凝胃囊。或憤怒屢犯。或食不潔有毒之物。此病多見於四十至七十歲之人。

症狀　脘部疼痛。按之愈甚。古苔經久不退。色黑垢膩口中作甜。其氣穢濁不能飲食。其脈當沉細。沉細者氣逆也。小便赤澀遇嘔膿水癰已潰矣。

療法　初起擬祛瘀敗毒如大黃。芒硝當歸赤芍甲片桃仁紅花銀花連翹等品。若寒熱如瘧。欬吐膿血者宜射干湯。遇積熱結聚者擬淸胃散芍藥湯取排膿法最要。如忍冬連翹苡仁瓜子丹皮赤芍草節等類。體虛者則加黃蓍黨參甘草瓜蔞和養胃家如有吐膿血腥臭者牡丹散。遇小便赤澀不腹滿食者宜三仁湯。

調理　囑病者須多飲流質枇杷葉露米飲湯代茶頗佳。

（三）反胃 Lo Turn Te Stonach)

考古　病人脈數。數爲熱。當消穀引食而反吐者何也。師曰以發其汗令陽氣微膈氣虛脈乃數。數爲客熱。不能消穀中虛寒故也。胃氣無餘朝食暮吐變爲反胃。寒在於上醫反下之。今脈反弦故名曰虛。

原因　元氣衰弱飲冷過度。或火熱內蘊。

症狀　脾弱胃寒。宿穀不化。故早食暮吐。或一二時而吐。或積至一日一夜。脘中脹滿不可忍而復吐。吐出原物不化兼吐酸水。倦怠無力。面黃色萎。形寒肢冷。冷涎頻吐。脈沉遲或弦數無力。若食入即吐而物已發酵。口渴煩熱脈浮而洪此乃胃熱上衝。多見牙痛齦宣腮頰頤腫等症。脈緊而濇其病難治。若嘔而脈弱。小便復利身有微見厥者亦難治。

療法　反胃病宜附子乾姜肉桂吳萸丁香砂仁等溫陽氣。甘草白蜜半夏茯苓沉香橘皮陳香橼皮等養胃。腎虛者八味丸。脾虛者六君子湯。胃有火者初起宜大黃黃連蘆根茆根竹茹生姜等。久延者加人參歸身白芍生地等滋胃陰。若遇胃反嘔吐者大半夏湯主之。若嘔吐穀不得下者小半夏湯主之。若胃反吐而渴欲飲水者。茯苓澤瀉湯主之。若大吐白沫如雞子清者係肺胃俱虛。矢如羊糞者乃大腸血槁即宜大補氣血。終必不救。治法如下（一）食後冷涎不止立即吐出或心腹疼痛者此宜藿香安胃散或六君子湯加丁香藿香。（二）吐出原物酸臭不化者宜理中湯。如甚則加丁香附子川連當歸芎藥生地。（三）咽喉阻塞胸膈滿悶者即用香砂枳朴以開其結滯。後用異功散加香砂使氣旺自能運化。若氣滯痞塞實痛者宜平胃散加藿香砂仁。胃虛中氣不運者宜四君子湯加黃耆橘紅砂仁。（四）渴欲飲水者宜金匱茯苓瀉湯。千金去白朮生煎加半夏。小便不利者桔苓丸加半夏澤瀉甘草生姜作湯服。虛人反胃多渴者用味白朮散。（五）大便燥結不通似屬血熱者此可清熱潤燥。不可驟攻。宜服開關利膈丸。漸次加之使關膈自透。若因服通利之劑過多。血熱耗竭轉加閉結者宜人參固本丸。（六）反胃上氣食即吐出者屬熱。千金用蘆根茅根等分煎服。不應加竹茹生姜。（七）火衝上食不得入脈洪大有力而數者宜滋陰清膈散加枇杷葉二錢。蘆根二兩。（八）食入一日半日吐出如故者胃氣虛弱。有痰而不能消化也。宜二陳湯加丁香藿香雞內金。虛者加炮薑白朮。（九）痰飲阻滯而脈結澀者宜二陳湯入竹瀝薑汁。若痰涎綠塞飲食入咽卽爲裹住不得下者以來復丹控其痰涎或用自製滌痰丸。（十）積聚停飲痰水生虫而成者治宜芫花丸。（十一）反胃而飲辛熱輒呃者此瘀血在膈滯氣道也用代抵擋丸作芥子大服二錢。去枕仰臥。細細嚥之。或用五靈治淨爲細末黄犬胆和丸如龍眼大。每服一丸好酒半盞溫服三服卽效。（十二）反胃用虎脂酥炙爲末每服二錢獨參湯送下若胃中寒痰不能納食者狗寶爲末每服五至七八分至一錢以陳酒服之如上之方輕者一服。重者三劑。最劇者至七劑足矣。

調理　反胃初愈切勿食粥每日飲獨參湯少加炒陳米。越日後可少食稀粥。俟消化恢復後可如常進食。嚴厲禁絕色慾。否則多致復發而不可救治也。

（四）嘔吐(Vomiting)

考古　諸逆衝上皆屬於火。諸嘔吐酸皆屬於熱風氣客於腸胃厥逆上出故痛而嘔。

診斷　口中有聲並有物謂之嘔。口中出物而無聲謂之吐。有嘔吐「清水」「黄水」「酸水」「苦水」「食物」「血」「膿」「蚘虫」

原因　有胃陽不足。飲冷傷中。痰濕食積肝火犯逆及吸受不正之氣烟酒過度。

症狀　嘔吐清水。其人靜默。不渴不飲。舌白脈遲由于中氣不足。陽虛不能化水或痰濕中阻胃不下降反致上逆。吐酸以酸而苦渴煩燥悶者屬熱。酸而冷舌白不渴飲不欲食者屬寒。肝氣橫逆衝犯胃脘。胆汁上溢所以嘔吐苦水而黄。夏月胃犯穢氣。于是頭重胸悶頻頻嘔噁而並無物是乃乾嘔之象。

治療　諸嘔吐穀不得下者。小半夏湯主之。嘔吐而病在膈上。後思水者解。急與之思水者。豬苓散主之。又清水宜人參白朮桂枝乾姜等溫陽氣生姜丁香枳殼等平胃有痰飲者加半夏茯苓陳皮等化痰。吐酸屬熱者宜重用黄連。輕用吳萸及逍遥散等。屬寒者須吳萸干姜豆蔻藿香砂仁等病久加人參甘草肝氣衝胃用小柴胡湯治之。乾嘔用芳香之品如藿佩蘭佛手枇杷葉橘紅姜汁等。酒醉吐嘔青果煎湯飲。烟醉用鹽湯。若由肝犯胃而胃陽未衰者宜用黃芩黃連川楝子之苦以泄之。若由肝風擾胃嘔吐者宜滋液養胃熄風鎮逆之劑。若傷寒化熱刼灼胃津者宜溫胆湯。若係蚘在胸膈致嘔吐不能服藥者宜用川椒（炒）十粒煎服或於嘔吐藥中加川椒飲之亦可。若凡嘔吐大痛吐出之物如青菜色者危。倘有胃寒嘔吐則宜用二陳湯加丁香十粒或理中湯加枳實五分。若諸藥不效者宜用紅豆丸。亦可遇胃熱嘔吐脈數而洪者治宜二陳湯加黃連炒梔子枇杷葉之屬以瀉之。食積嘔吐者法宜用導用化滯丸餘加枳實厚朴蒼朮神麴麥芽山查砂仁之屬均可。因酒癖停飲吐酸者宜乾薑丸。乾嘔吐逆吐涎沫半夏乾薑散主之。乾嘔吐涎沫頭痛者茱萸湯主之。有吐矢者治宜養胃補腎用熟地山萸五味金櫻芡實之屬鎮其中宮。茯苓巴戟天肉桂牛膝之屬行其逆（氣矢由口中吐也按此證由陰陽錯亂清濁混淆幽門無胃液空虛腎水血之糟粕逆行而出）

（五）呃逆(Saiccough)

診斷　呃逆者喉胸悶呃呃作聲而無物也。

原因　普通者謂有寒熱虛實火痰水氣實際因膈肌之間時時突。縮所致其聲如隔神經至膈而致間發性痙攣於是屬再由迷走神經之喉枝而達聲門。致在速吸氣時聲門突閉。如胃有病或膈肌直接受刺激如飲熱湯熱水或食管之近膈處患病而致或風溫三消日久腎虧虛損。（患此病所兼見之呃逆必至病重時）或由神經病癲癇等是。

症狀　寒呃聲低怯而不能上達於咽喉時作鄭聲者。多見於病後或病重時。熱呃聲重脈數譫語便不通為實熱。舌光紅脈數無苔靡虛煩昏厥者為虛熱。痰閉於上。火動於下。忽然呃逆神昏吐涎此屬痰火。呃而心下悸或由飲水太過而作此由于水氣肥人手足冷惡寒便瀉。飲冷卽呃多屬痰濕。

治療　寒者以丁香肉桂刀豆子為上。正虛者合理中異功等方。實熱以通便為主。如川軍黃連黃柏芒硝等。甘寒瀉津如人參西洋參花粉柿蒂之類。痰火以黃連姜汁山梔。痰濕以茯苓半夏廣皮厚朴木香等藥。水氣當利水。如豬苓茯苓澤瀉等者呃逆心下悸者。此因水氣停滯鬱宜二陳湯加木香竹瀝薑汁。呃逆聲有力而連續者雖有手足厥逆大便必堅此屬火熱下之則愈。呃逆聲低怯而不能上達於咽喉時作鄭聲者。雖無厥逆必屬虛寒。急宜用丁附之屬以補胃中陽氣。若呃數譫語大便不通者宜小承氣湯若飲冷則呃。惡寒手足冷大便溏者。此屬溼痰肥人必多患。故此不論。然胃中停痰阻塞。痰火鬱遏不得疏洩而呃者。宜參用二陳湯。半黃丸。若陰火從少腹上冲呃逆夜間轉甚者。此榮血虧傷宜四物湯加知母黃檗竹茹陳皮茯苓。若呃逆之甚至於短氣者宜疏導之用。紫蘇一錢人參二錢煎服。若汗出脈歇止大便溏者。此勞倦積傷胃中虛冷。陰濁上干宜人參茯苓淡乾薑炒川椒代赭石炒烏梅肉之屬。若痰閉於上火動於下忽然呃逆者宜二陳湯加芩連桔梗薑炒山梔。若飲水太過水結胸呃逆者。宜小陷胸湯。若但飲水多而呃逆無他證者宜五苓。若食冷物寒劑致陽氣鬱遏不得上升而呃逆者宜丁香柿蒂散。若體虛常呃逆二三聲者用云丁香三十七粒。白蓮子（去心）二十七個同煑爛去渣加煨薑三片。糯米五合煑粥食即止。若呃逆日久不愈一連四五十聲者可用生薑汁一合加蜜一匙溫熱服。若遇熱呃逆即用紙燃通鼻取嚏即止。或揚目上視。屋樑行數步即止。凡呃聲頻密相連者爲實可治。若時呃一聲者爲虛難治。呃至八九聲氣不回者亦難治。肺脈散者不治。脈見沉微者死。又有胃氣不和者若胃陽虛而呃逆者宜代赭石人參丁香皮茯苓淡乾姜半夏之淡。若胃氣不順而發呃者。宜木香調氣散。若胃氣虛寒。手足厥冷者。宜理中湯加丁香白朮枳殼。若胃寒手足冷嘔吐脈遲濇者。宜丁香柿蒂湯。久呃不出者宜沉香散也。

（六）吐蚘(Vonil of Ascaris Bumbsicoides)

診斷　食即吐蚘疼痛甚者厥逆

原因　飯食不愼。溼熱阻留而生蛔蟲。有寒熱寒熱錯雜

症狀　脘腹痛陡然而來截然而止。面色忽青白忽紅。脈遲數無定。大抵屬寒者手足厥逆。吐之蚘虫。色淡白蚘屬熱者蚘多赤而且多跳動不止。寒熱交錯者靜而復時煩。

治療　此症大都寒熱交錯故用藥治療多以烏梅丸爲主。因寒而手足厥逆吐出之蚘色淡白者宜理中湯加烏梅黃連蜀椒或用理中湯加川椒五粒檳榔五分香烏梅丸因熱而吐出蚘色赤而烏者可用安蚘丸主之。虛者可加人參黃柏黃連不應則用甘草鉛粉白蜜等誘而殺之。至如使君肉鶴蝨榧子雷丸等其力微矣。

調理　蚘虫病小兒久患之良以飲食生冷油膩不節產生溼熱。胃失消化。功能。虫乃寄生愈後以節飲食爲第一義。懂愼寒熱。嚴

戒五味。

（七）噯氣(Aerophagia 吞氣症 Eructatious)

考古　人之噯者。穀入于胃。胃氣上注於肺。今有故寒氣與新穀氣俱還入於胃。新故相亂。正邪相攻。氣并相逆。復出於胃。故為噯。

診斷　噯者有聲無物。頻頻噫氣。乃氣病也。

原因　感冒惡氣。宿食痰濕。氣虛不運。

症狀　噯聲頻密相連有力者。為實屬熱。症必兼腹滿。或小便不利。或大便不通。若半時噯一聲而無力者。為虛屬寒。汗不出大顴發赤。噯者必死矣。若有噯而腹滿。視其前後知何部不利。利之即愈。

治療　熱症以攻熱為主。如通草竹茹柿蒂蘆根。實症大便不通加大黃芒硝。小便不通可入猪苓滑石。寒症以橘皮竹茹丁香柿蒂同用。夾宿食者加山查麥芽神曲等。惡氣用藿香佩蘭蘇梗等芳香之品。

調理　噯氣愈平後調理與反胃同法。勿食生硬。勿飲冷水。

（八）關格(Cannor Pass Into Stonach or Stenosis of Che Pyl orus)

考古　陰氣太盛。則陽氣不能營也。故曰關。陽氣太盛。則陰氣能營也。故曰格。陰陽俱虛不得相營。故日關格。關格者不得盡期而死也。

診斷　胃如關門格拒。而飲食不得入內。

原因　胃陽不展。胃陰竭絕。或酒。鬱。痰濁所致。

症狀　陽氣虛不運者。不飢不食。食則脘痛反吐。而腹部飢餓異常。身形日疲。陰液虛不潤者。咽道乾澀。食梗不得下。口渴舌紅乾燥。飢膚焦枯。情志不快。持酒解悶輩。往往成之。

治療　先投辛香通竅下降之藥。治其上宜沉香藿香丁香蘇合香蔻仁。蘇子冰片生薑陳皮之屬。次用苦寒利氣下泄之藥。通其下宜大黃黃蘗知母牛膝木通滑石車前子之屬。另亦可用鹽湯探吐以治其氣之桿格。并以牙皂湯浴小腹及陰或以鹽熨臍中。

有痰宜吐者二陳湯探吐之。氣虛不運者先用四君子湯。人參換蘆探吐後用人參散柏子仁湯調之。然本病調治不易。大要以陰陽二字爲歸。陰虛者則用甘寒生津之品。如沙參麥冬熟地杞子白芍洋參生梨甘草花粉等類。陽虛者則用甘溫濡養之品。如人參甘草巴戟天肉桂冬朮等。或互相調用。實症可兼入化痰濁解酒濟毒之品。若脉沉細而手足厥冷者宜旣濟丸。勞役後氣虛不運者補中益氣湯加木香檳榔。若心脾痛後小便不通者。此痰隔於中焦氣滯於下焦宜二陳湯加木通枳殼服後探吐之。若寒在上。熱在下者宜黃連湯。桂枝易肉桂熱在上寒在下者宜生料八味丸加牛膝車前。餘如人參散檳榔益氣湯。大承氣湯。木通二陳湯。資液救焚湯。導氣清利湯加味麻仁丸。皂角散之屬均可加減用之。

（九）胃擴張（胃脹）Dilatation of Ctre Stamaɔq)

原因　暴食或胃肌衰弱弛緩胃癰或因頭及脊受外傷而起或有因施石膏背硤而起

症狀　胃部壓重脹滿食思缺乏或煩渴另尙有嘔吐或大便祕結小溲短少及皮燥等狀查患者身體滋養大受損。力虧。且肌肉

結果成萎縮極甚也

診斷　可用目見病者平臥時腹是否大而凸然立時臍下最凸有時可見有小彎距骨劍而下兩英寸

療法　飲食節制則必奏效

調理　食物必採用回數多而每次用量少之方法禁食堅硬香料庶於食後身體易安靜渴時宜飲少量微溫水多食水分蔬菜亦可

（十）嘔血(Yaemate Nesis 胃出血 Yaemorrh Ase Stomach)

診斷　血忽上冲（嘔出）不借咳嗆而吐出。有先覺頭暈疲倦等狀。其色爲暗或黑或略。凝結成塊惟所嘔之物有時被酒或果汁所染致與血色相似被含鐵鉍及胆汁等物亦能使血變作淡黑色故注意之然對嘔血之後大便作似黑油狀並顯腹內臟病諸徵原因　箇因肝火或損傷或房勞實因局部病或全身之病所致（一）患局部病者。（甲）胃瘂。（乙）潰爛。（丙）血管病如血管生瘤及血管曲張。（丁）急性充血或倒經出血（戊）剖腹術受傷致粘膜糜爛而出血嘔血爲小腸癰。（二）（甲

）肝有病。（乙）脾有病。（三）受重病。（甲）如痲疹痘等病是。（三）燐中毒。（四）外傷（甲）機械傷如打傷刺傷。（乙）誤服濃刺激性藥所致之損。（五）某種體質病。（甲）易出血(Laemopheia)（乙）劇烈之貧血。(丙)胆血(Cholemia)（六）某種神經系病。如全身痲痺癲癇等病是。（七）嬰兒吮乳時蓋由乳房中與乳同時吞下。乳房流出之血若干然後嘔出。

症狀　暴怒肝火冲胃。胃中熱甚。逼血妄行。而赤頭疼。間吐黃水。酒後嘔甚出血。飲食太過。不能消化。煩悶甚強。因悶傷胃。口吐血或跌撲損傷。嘔吐紫黑血。男子精未充而御女而成。虛勞失血。血色每晦淡不鮮。漸至形瘦骨立。倘突然嘔血如湧者。則速致極重之貧血。嘔血之致命者大概因胃潰爛。血管（動脉）瘤裂入胃或裂入食管等所致。若嘔出之血盛於盆內則其外層因受空氣而速變紅。然血若停留胃內愈久則嘔出時其形質之更變愈甚。嘔血之多寡無定有每日吐出三四磅或更多。病者卽速顯貧血症狀或有微發攣後或水腫。若嘔血如泉湧者每有暈厥驚厥偏癱等患是也。

治療　血熱而嘔者。犀角生地丹皮赤芍茜草柏葉。食積用枳實山查扁豆內金等。跌撲以祛瘀爲主如桃仁大黄丹參赤芍延胡索等。房勞血色殷黯者。當用溫補如甘草炮姜淮藥等類溫理中氣。陰傷者烏鷄丸。

調理　嘔血乃各種誘因鼓激胃中之血上湧。症頗危險。患者切戒惱怒及禁色慾。少思慮。免勞役。服藥靜養嘔時安臥少動庶可望愈。

（十一）貪食不飽(Aroria)

此症　卽飽。常覺腹飢。多以貪食症狀。此症每有因身體衰弱及神經病者。

（十二）精神性厭食(Alorexia Nervosa)

此症　卽患之者食慾盡失似永久不能再食者。然由是漸成一種惡食物之心理其症之因首覺吞口因困難似因食管痙攣而致亦有食物在未達胃時卽被逼出者更有乾嘔不體者凡希司忒利性嘔吐其食物之嘔出既不須用力亦無惡心此狀或延數年擾凡朱司忒利所顯奇特之消化受擾卽爲神經性厭食是也

（十三）反嚼(Rummation)

此病頗少卽食物由胃復反出至口繼則再嚼如牛或駱駝之狀

批 注意形質立見論乃親切 （文芳）

中風症治方論

陳芝英

（一）小續命湯（二）侯氏黑散（三）玉屏風散（四）地黃飲子（五）防風黃耆湯（六）清熱化痰湯

中風有眞中類中之分。自靈素而下。論治頗有變遷。蓋世轉風移。而治法亦爲之變也。靈素金匱之論中風。均以祛風爲主。治蓋病名曰風。當然治風也。千金方內。已兼有清熱涼營之品。及至東垣丹溪河間等出。各主一說。東垣主氣。丹溪主痰。河間主火。後賢繼出。各闢新解。然總不能越出三家範圍。立論既多。學者茫然無所適從。茲一言以蔽之。主乎治風者。眞中風之治法也。主火氣痰者。類中風之治法也。眞中風類中風。立名既異。施治亦殊。眞中由于風自外來。治法亦以祛風爲主。如小續命湯、侯氏黑散、玉屏風散等。類中既有火氣痰之分別。治法亦當分途。主火者。清火。如地黃飲子。主氣者。補氣。如防風黃耆湯。主痰者。化痰。如清熱化痰湯。此其最著有也。蓋類中屬內傷。而眞中屬外感。故歷代論治如此。然折衷言之。實因先傷于內。而後感于外。相兼成病者也。但有標本輕重之不同耳。是以古人取論外感風邪者。未必不由于本體虛弱營衛失調之所致。而劉李諸子。所謂火盛。氣虛。濕痰者。未必絕無外風。觀乎中風之人。有暴仆暴瘖。口眼喎斜。手足不遂。舌瘖不用等症。可知亦兼外風。未必專由火盛氣虛濕痰也。由此以觀。可見立論不可水走極端。折衷而論。取其長而捨其短。則在于臨診者之圓通矣。

小續命湯方論

防風　桂枝　麻黃　杏仁　川芎　白芍　人參　炙草　黃芩　防巳　附子　姜棗煎

（加減法）筋急語遲脉弦者。倍人參。加薏仁。當歸。去芍。以免中寒。煩躁不大便。去桂。附。倍芍。加竹瀝。日久不大便。胸中不快。加大黃枳殼。藏寒下痢。去防巳黃芩。倍附子。加白朮。嘔逆加半夏。語言蹇澀。足戰掉。加石菖蒲。竹瀝。身痛發搐。加羌活。口渴加麥冬。花粉。煩渴多驚。加犀角。羚羊角。汗多去麻黃。杏仁。加白朮。舌燥去桂。附。加石膏。

（主治）治中風不省人事。神氣潰亂。半身不遂。筋脉拘急。口眼喎斜。語言蹇澀，風溫腰痛。痰火併多。六經中風。

（方解）六淫之中。以風爲首。風者。百病之長。善行而數變。其克人也。病無常規。治無常方。蓋天地之間。唯風無所不到。人之受風者。輕則爲感冒。重則爲傷風。最重爲中風。然風有和風。烈風。怪厲之風。微柔之風。何謂和風。不疾不徐。人縱感之。不爲害也。何謂烈風。疾風狂。烈飛砂走石。人人感之畏避。受者自少。何謂怪厲之風。忽然日月無光。天地昏黑。其來者暴。甚去也速。本不常有。亦不足爲害。至于微柔之風。則不然。人多忽之。最易中人。微則難防。柔則易入。所謂虛邪賊風是也。人之所以得中風之症。必眞氣先虛。營衛空疎。然後風乘虛入。即經所謂邪之所湊。其體必虛是也。中風有臟。腑。經。絡。之別。風邪中臟。舌即難言。口吐涎沫。神氣潰亂。何者。中藏必歸于心。心爲神明之主也。中府則不識人。何者。中府必歸于胃。胃爲六府之總司。風邪入胃。胃熱心盛。蒸其津液。結爲痰涎。况胃之大絡入心。痰涎壅盛。堵塞心竅。故不識人也。中經則脊重難伸。何者？經絡被風所束。則脊背重着。拘急難伸也。中絡則肌膚不仁。何者。風在于絡。氣血失其流通。則不仁也。故中風半身不遂。筋脉拘急。口眼喎斜。語言蹇澀。腰痛痰壅。爲必有之見症。此方爲中風之通劑。無分經絡。六經通治。用麻黃。杏仁。即麻黃湯也。治太陽傷寒以驅邪。桂枝芍藥。即桂枝湯也。治太陽中風以和營。凡中風有表症者。所必用也。人參甘草。補氣。川芎芍藥。震血。凡中風氣血虛者。所必用也。用防風。以祛風。佐防巳。以化濕。用附子以溫寒。佐黃芩以清熱。病來夾雜。故藥亦兼備也。

侯氏黑散

菊花 防風 白朮 桔更 人參 茯苓 當歸 川芎 乾姜 桂枝 細辛 牡蠣 夕石

研末用溫酒調冷服

主治——治中風四肢煩重。心中不足者。

方解——喻嘉言曰。治風而驅風補虛。誰不然之。至驅補之中。而行堵截之法。則非思議可到。方用夕石以固濇諸柔。使積而不散。以填塞空竅。則舊風盡去。新風不受矣。蓋夕性得冷則止。得熱則行。故囑人以冷食也。中風入臟。再防風邪乘虛進入心中。故以菊花爲君。菊得秋令金水之精。能平之肝息風降火。肝平則風息。火降則熱除也。用防風細辛以祛風。當歸川芎以養血。人參白朮以補氣。黃芩清熱。桔更開膈氣。茯苓滲濕。姜桂助陽分而達四肢。牡蠣白夕酸濇收斂。又能化頑痰。加酒服者。藉行柔勢也。此方佳處。全在平肝息風。益氣養血也。仲景製方。匠心獨創。非若後世遇中風症。悉用腦麝開竅。反引風入心。莫知其害者。觀此可明其治矣。

中国近现代中医药期刊续编·第二辑

玉屏風散

防風　黃芪　白朮　等分爲末酒調服

主治——治風邪久留而不散者。自汗不止者亦宜。

方解——柯琴曰。邪之所湊。其氣必虛。故治風者。不患無以驅之。無患無以禦之。不畏風之不去。而畏風之復來。何則。發散太過。元府不閉故也。昧者不知托裏固表之法。偏試風藥以驅之。去者自去。來者自來。邪氣留戀。終無解期矣。防風偏行週身。稱治風之仙藥。上清頭面七竅。內除骨節疼痛風痺。外解四肢攣急。爲風藥中之潤劑。治風故取此味。伍重功專矣。然衛氣者。所以溫分肉而充皮膚。肥腠理而司開闔。惟黃耆能補氣而實衛。爲元府禦風之關鍵。且無汗能發。有汗能止。功同桂枝。故又能除頭目風熱。大風痛瘓。腸風下血。歸人子臟風。是補劑中之風藥也。所以防風得黃耆。其功眞大。白朮健脾胃。溫分肉。倍土以寧風木也。夫以防風之善驅風。得黃耆以固表。則外有所衛。得白朮以固裏。則內有所據。風邪去而不復來。此欲散風邪者。當依如屏。珍如玉也。其自汗不止者。亦以微邪在表。皮毛肌肉之不固耳。

地黃飲子

熟地　巴戟肉　萸肉　肉蓯蓉　附子　官桂　石斛　茯苓　石菖蒲　遠志　麥冬　五味子等分入薄荷少許姜棗煎服

主治——治中風舌瘖不能言。足廢不能行。此少陰氣厥不至。名曰風痱。急當溫之。

方解——風痱者。半身不遂癱瘓是也。然中風癱瘓。大法益氣祛風。然亦有絕對不用風藥。僅用補腎陰養肝木者。則劉河間地黃飲子是矣。河間之言曰。中風癱瘓。非爲肝木之風。亦非外中于風。良由將息失宜。心火暴甚。腎水虧衰。不能制之。則陰虛陽實而熱氣怫鬱。心神昏冒。筋骨不用。而卒倒無知也。亦有因喜。怒。思。悲。恐。五志過極而卒中者。皆爲熱甚。俗云風者。言末忘其本也。治宜和臟府。通經絡。便是治風。由是觀之。河間之說。主乎火也。繆希雍謂。西北土地高。風氣寒。剛勁。虛人感之。名爲眞中。可用風藥。南方卑濕。質弱。氣虛。雖有中症。而實不同。名爲類中。不可概用風藥。宜補養。爲是此言誠然。而河間地黃飲子。以補腎爲本。溯由來矣。雖然中風症。固有屬于眞陰虛者。然有陰中之水虧。有陰中之火虛。又不可不知也。水虧者。六味地黃丸。火虛者。治間地黃飲子。此方用熟地。巴戟。蓯蓉。補腎陰之燥。官桂。附子。返其眞元之火。石斛。養脾胃之陰。萸肉。溫肝。菖蒲。遠志。茯苓。補心通腎。麥冬。五味。保肺滋水。其意補腎通心。使水火相交。則精氣漸旺。而風火自息矣。或曰。此方及用桂。附。辛熱之品。能不使火盛風動之慮甚耶。要知此是腎虛。眞陰失守。孤陽發越者。非桂。附。何以追復失散之元陽哉。其症痰涎上湧不止者。水不歸元也。面赤煩渴者。火不歸元也。惟桂。附。能引火歸元。水火能歸其元。則水能涵木。火得其養。風自息矣。

防風黃耆湯

防風　黃耆等分水煎服

主治——治中風不能言。脈遲而弱者。

方解——柯琴曰。夫風者。百病之長也。邪風之至。疾如風雨。善治者治皮毛。故用防風以驅逐表邪。邪之所湊。其氣必虛。故用黃耆鼓舞正氣。黃芪得防風。其功益彰。一攻一補。相須相得之義也。唐柳太后中風不語。許蔭宗造防風黃耆湯數十斛。置床下。蒸之身在氣中。居次日便能語。是以外氣通內氣。令氣行而愈也。經曰。五氣入鼻。藏于心肺。上使耳目修明。聲音能彰。製此方者。其知此義矣。夫薰蒸之力。尚能去病。況服之乎。今人治風。惟以發散為足法。而禁用參芪。豈知目盲不能視。口噤不能言。皆元氣不足使然耳。惟知補氣可以禁風。正勝而邪却之理耶。神而明之。存乎其人。信哉。

清熱化痰湯

人參　白朮　茯苓　甘草　橘紅　半夏　麥冬　蒲菖　枳殼　木香　竹茹　黃芩　黃連　南星　水煎加竹瀝姜汁服

主治　治痰熱中風。神氣不清。舌強難言。

方解　此方治痰熱而成類中之症者。參朮苓草以補氣。木香枳殼以理氣。橘紅半夏南星以化痰。黃芩黃連以瀉熱。菖蒲通心竅。麥冬竹茹清心熱。姜汁竹瀝通神明。去胃湯則內生諸病。由自漸愈矣。氣實者減參朮。免助熱也。氣虛者減木香枳殼。恐傷氣也。若痰熱甚盛。大便祕實者。此方攻病力緩。又當與礞石滾痰丸相兼服之。其變通加減板治。總在臨診者。靈機應變。非筆墨所能盡述也。

中風大證僅舉亦方似不足以應其變殊不知以治外風則所以治其中者也以侯氏黑散驅風而澤血壓則亦可預防者也玉屏風散防風黃芪湯清熱化痰湯痰火與氣類中之治亦不越三方範圍地黃玖子則非風之旨也雖祇寥寥六方而提綱挈領頗有斟酌以簡御繁此其是矣

心如評閱

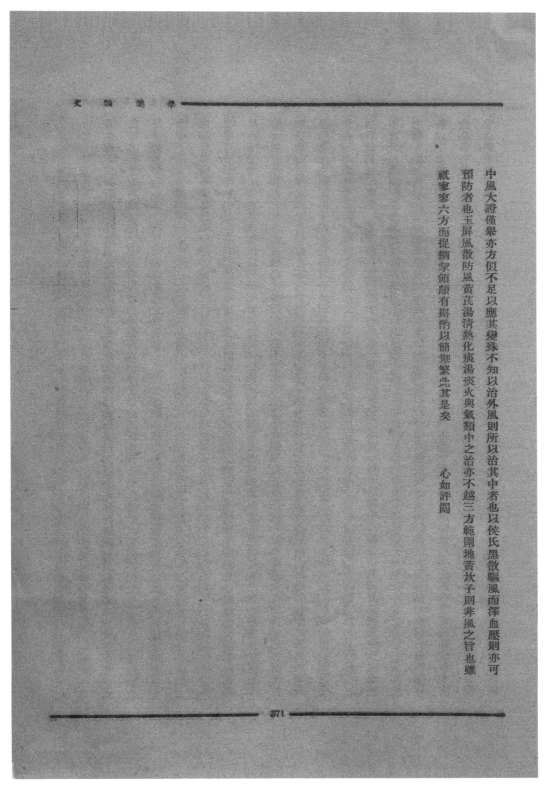

孕婦與嬰兒

陳華年

孤陰則不生。獨陽則不長。故天地配以陰陽。人生偶以夫婦。陰陽和而後雨澤降。夫婦和而後家道成。欲求家庭之繁榮。須先造成良好之嬰兒。欲造成良好之嬰兒。須自胎敎始。蓋婦人懷孕。子母之間感應之力最大。母有妄念。兒卽感之。是以婦人孕期欲得良好子女者。先重胎敎。胎教最要節慾。節慾之法。首當正其觀念。毋使心有妄動。是爲最善。剏當受胎之時。其性情之感應於胎兒尤大。可不愼哉。若孕節期慾。則所生子女必聰慧易育。倘不守胎敎。不戒淫慾。影響所及。一則易於流產。卽能生產。亦非十全十美。二則易於多病。多生瘡癤。而疹痧等症。亦較尋常爲甚。性情暴躁。慾念熾於常人。倘孕婦戒淫慾。產下嬰孩則上無端種種之不良狀。況孕婦不但節慾。他如喜怒哀樂。飲食起居。亦宜謹愼。考婦女受胎以後。常因胎氣之影響。較平時易於動怒。或任情傲物。以爲懷孕乃婦女大事。翁姑丈夫。胥應以另眼相看。因之每每任情使性。起怒者有之。不知怒易傷肝。直接害於已身。間接害於胎兒。須知婦女生產。乃婦人之義務。亦世間之常事。婦女固莫不望其所生之子女。個個良好。故胎敎一層。不可不知。否則得有惡劣遺傳性。將來改變實難矣。總之。七情雖有不能免。然亦要求其中乎節。則子女將來。當能性情溫良。聰慧易育也。起居飲食。二者對於孕婦及胎兒之康健。關係尤大。夫母病則子亦病。母健則子亦健。孕婦患大熱之症。往往因熱而胎元損壞。以致流產。孕婦患虛寒之症往往因寒而胎元不固。以致流產。孕婦飲食。宜以時而進。所食之物。更宜和平。而其中富有滋養者方合。否則炙煿煎炒。腥鮮異味多嘗。皆足使胎兒血分不潔。熱毒蘊結。生後必多疾病。孕婦起居宜注意者。不可常居樓中。要時著地氣爲宜。忌夜露坐。宜煖背腹。不可升高。恐其傾跌。勿舉重物。恐其傷胎。茶忌過飲。酒勿沾唇。一切宰殺兇惡之事不宜看。龜蛇怪異之物不宜見。非禮勿視。非禮勿聽。非禮勿言。非禮勿動。此乃胎教之上策也。至於動定勞逸。須均平。不可過於安逸。宜爲輕便之習勞。常常散步。常常操作。卽可養成子女將來耐勞之天性。於春秋佳日。可旅行山水優秀之地。以開拓其胸襟。而滌除其俗意。則子女將來多可秀外慧中。交友宜擇善。有益書籍宜常看。談正當之事。生高超之思想。則子女將來自惡居下流。而有高尙之志。閨房之中。最好有美術之佈置。堂室之內。更宜懸掛歷代英雄肖像。或美女圖書。使孕婦眼光所觸。無非英雄美人。心中所念。亦無非英雄美人。則子女將來。自可頭角崢嶸。別具英爽之氣。天性純潔。容貌清秀。必有勝人一籌者。可以預知也。懷胎足月。自然瓜熟蒂落而生產。生產原屬平常之事。只要接生得法。自然母子平安。落地之時。調護皆應謹愼。以敏捷之手段出之。免傷及嬰孩。釀成種種之病變。嬰兒初生。其重約爲五斤至七斤之間。父母身材長大者。產兒恆較大而重。父母身材短小者。產兒較小而輕。男孩較女孩稍重。嬰兒初生。其頭圍與胸圍約相等。均爲一尺。或頭圍竟稍大。但胸圍之發育應較速。半年之後。胸圍應大於頭圍。否則非康健之兒矣。嬰女初生。哺乳須遲至十二小時或二十四小時之後。生後三四日。吸取乳量亦不能過多。嬰兒初生。睡眠之時甚多。每日夜約爲十四小時至十六小時。不必屢屢驚之使醒。若覺飢餓。自能醒而索乳。其有終日而沉睡不醒者。則防有遊丹及臍風發熱等證。宜注意審察。以防患於未然。嬰兒衣服不可過煖。過煖則令筋骨柔弱。動輒感冒。由於襁褓時所造成者。不在少數也。嬰兒不可聞啼即抱。一抱便乳。因此最足以養成好啼之惡習。至於乳食方面。亦有漫無限制之弊也。最良之育嬰。除吃乳之外。不必多抱。宜安置有輪床筐內。略爲搖動之。使肢體舒適。氣血宣暢。即在夜間。亦勿同睡一爲佳。嬰兒屎尿布片。宜勤換。勿令屎尿久留身上。換時切忌當風。如用水揩拭。須用溫水。其布片日晒。須要攤涼。火烘須要退熱。如此庶可免除風寒暑濕燥火等症。嬰兒初生三四個月內。祇宜橫抱。至百日之後。方可漸漸豎抱。豎抱之時。宜注意頭項。勿使傾斜倒側。半歲之內。不可令多坐。恐致脊骨受傷。不可令久立。恐致腿骨彎屈。又當睡臥之時。不可令其常側一面。致使頭骨歪斜。損其儀容。嬰兒初生。聽覺殊純。幾等於無聞。然二三日後。發達極速。數星期後。已銳敏異常。故小兒之近傍。不可發高聲。恐傷其聽覺。雷鳴放礮時。宜掩耳之保護之。嬰兒哺乳時間。妥爲規定。則嬰兒健康。茁長疾病無從而生。奈世人對於嬰兒哺乳。恆以爲有乳可食。其他更無問題。以致腹胃之病。層見叠出。疳積等症。亦積漸而成。可不戒懼乎。嬰兒之自乳者。爲母宜戒。憂怒。酒醉。淫慾等事。如有之。切勿驟然與乳。母睡勿與乳。恐食乳過多而傷脾胃。與乳之時。宜略爲擠去宿乳。然後與吮。則無停滯之患。人乳不足。須添用牛乳。人乳牛乳宜分隔時間與之。不可一時并用。恐成停滯之患。嬰兒哺乳時間。於二小時至三小時。稍長則宜隔四小時一次。晚間之次數。愈少愈妙。嬰兒六月之內。祇宜吃乳。不宜兼吃糕餅。粥飯等。七個月後。可略食粥飯。亦不可與肉食葷腥。蓋兒生六個月內。尙無消化米粉質之能力。十個月內。尙無消化肉類等之能力也。通常小兒。一歲以後。漸能行動。并學語言。是爲入於孩童時期。此時小兒知識漸開。導之習善則善。導之習惡則惡。正所謂人之初。性本善。性相近。習相遠也。往往終其身有不能改者。譬如白布一匹。染黑卽黑。染紅卽紅。故孩童之時期。務使其耳沾目染盡爲家庭所可矜式者。切勿予以不良之環境。而誤其畢生之光榮。及遺害於國家也。

以上所述。雖僅限於孕婦與嬰兒。但二者造成國家富強關係頗大。「婦女」不能積極以武力對外。當從消極方面盡其本份。向內注意乎「孕婦與嬰兒」。是唯一份內救國宗旨。引爲我等婦女之全責。故我等女同胞。不可不知醫學。以謀家庭幸福。又得子女康健。女同胞。快醒來。要知「孕婦與嬰孩」。女同胞。謀幸福。「醫學」不可不讀

批　語重心長　文芳

本院現況

民國十六年王一仁秦伯未諸先生創辦本院至十九年歸由國醫公會設立殷受田包識生郭柏良諸先生迭任院長努力進展不幸一二八變作各校停頓本院自難例外且以地處南市損失實甚公會爲貫澈其培植人才之宗旨起見指派執委朱鶴皋主持院務負籌劃經濟之全責並聘薛文元爲院長蔣文芳爲教務主任黃寶忠爲事務主任海上名醫都被延爲實習及講堂教授人才之盛冠絕一時來學者於是日衆民國二十三年起添辦春季始業班實行雙軌制公會鑑於學院有長足之進展乃將含有維持性質之主持處撤消仍委朱鶴皋爲主席院董組織院董會以謀健全本年學級凡六計有學生三百一十六人原有院舍有不能再容之勢業由朱主席院董擇定地點（閘北寶山路西）籌集款項興工建造宏大合度之院舍現已開工期於暑期後遷入應用茲將現狀約略記載於下

本學院院董台銜一覽

姓名	履歷
焦易堂	中央委員兼立法委員中央國醫館館長
陶百川	上海市黨部常委淞滬警備司令部軍法處長
王曉籟	上海公共租界納稅華人會主席
袁履登	寗紹公司總經理
林康侯	全國商聯會主席

本學院現任職員一覽表

姓名	任職	籍貫	履歷
杜月笙	上海地方協會會長		
夏應堂	中華醫學會常務委員		
徐小圃	歷任上海市國醫公會執監委員		
謝利恆	歷任上海市國醫公會監察委員		
丁仲英	中央國醫館上海市分館副館長		
朱子雲	歷任上海市國醫公會執監委員		
顧渭川	神州國醫學會常務委員		
薛文元	歷任上海市國醫公會常務委員		
朱南山	歷任上海市國醫公會執監委員		
沈琢如	中央國醫館前上海市分館副館長		
秦伯未	中央國醫館名譽理事		
郭柏良	歷任上海市國醫公會常務委員		
蔡香蓀	神州國醫學會執委		
祝味菊	神州國醫學會執委		
沈心九	歷任上海市國醫公會執行委員		
朱鶴皋	本學院副院長		

本學院現任教授一覽表

朱南山	名譽院長	江蘇	上海市國醫公會常委上海市國醫分館董事
薛文元	院長	江蘇	上海市國醫公會常委歷任上海市中醫試驗委員前全國醫藥總會常委
朱鶴皋	副院長兼總務主任	江蘇	上海市國醫公會執委前全國醫藥總會執委財政科主任
蔣文芳	教務長兼訓育主任	江蘇	中央國醫館理事上海市國醫公會執委兼總書處主任歷任上海市中醫試驗委員全國醫藥總會常委兼總書主任全國中醫學校教材編輯委員會主事
黃寶忠	事務主任	江蘇	上海市國醫公會執委兼庶務科主任前全國醫藥總會執委兼庶務科主任
章鶴年	訓育員	江蘇	本學院畢業
周秋如	女舍監	江蘇	蘇州惠靈中學畢業曾任安徽公學教員
張廉卿	附屬醫院駐院醫士	浙江	上海中醫專門學校畢業歷任上海中醫學院教授
倪鼎謀	書記	浙江	前任全國醫藥總會文書
劉焯	文牘記	江蘇	江蘇省立第二工業專門學校畢業
蔡越千	齋務員	江蘇	江蘇省立楊州中學高中師範科畢業曾任常熟縣立鄉村師範學校教務主任兼教育心理兩科教員上海市民族職業中學訓導主任兼體育地理科教員
陳鍾靈	書記	江蘇	南通代師畢業曾任江陰教育局文牘
朱漢章	會計	江蘇	麥倫書院畢業
蔣有成	事務員	浙江	
陳冲漢	庶務	江蘇	曾任通泰海菸酒公賣分稽徵所主任
嚴馥堂	配劑員	江蘇	
朱子陵	配劑員	江蘇	

姓名	科目	籍貫	履歷
丁福保	講師	江蘇	前北洋大學教授
謝利恆	講師	江蘇	前中醫大學校長中央國醫館常務理事
祝味菊	講師兼實習教授	四川	前景和醫科大學教授歷任上海國醫學院教授
方公溥	講師兼實習教授	廣東	中央國醫館理事暨上海市國醫分館董事歷任本學院教授
秦伯未	講師兼實習教授	江蘇	中央國醫館名譽理事上海市國醫公會審查科主任歷任本學院教務長上海市中醫試驗委員
包識生	內科學金匱經方教授	福建	中央國醫館理事前本學院院長歷任神州醫科大學校長上海市中醫試驗委員
許半龍	外科雜病醫案喉科教授兼實習教授	江蘇	歷任中醫大學中醫專校上海國醫學院教授
唐亮臣	實習教授	江蘇	上海市國醫公會執行委員
俞岐山	實習教授	浙江	歷任本學院眼科教授
李遇春	實習教授	廣東	上海中醫專門學校畢業
黃寶忠	實習教授	江蘇	本學院事務主任世界紅卍字會寶山分會醫院醫士
包天白	內科學傷寒脈學解剖教授兼實習教授	福建	上海市國醫公會執委佛慈診療所所長歷任本學院及中醫專校教授
盛心如	實習教授	江蘇	上海市國醫公會執行委員歷任本學院教授
魏承經	實習教授	浙江	
丁伯安	實習教授	江蘇	廣益善堂醫務主任
吳伯溪	實習教授	江蘇	
趙寶夫	實習教授	江蘇	聯義善會醫務主任
沈重廉	實習教授	江蘇	上海中醫學院教授
徐小圃	實習教授	江蘇	本學院院董
丁仲英	實習教授	江蘇	本學院院董
郭柏良	實習教授	江蘇	本學院院董

沈夢廬	實習教授	江蘇	
馬濟仁	實習教授	江蘇	仁濟善堂醫務主任
王潤民	病理常識方劑醫史論文教授	江蘇	歷任本學院教授暨上海國醫學院教授
章巨膺	溫病教授	江蘇	歷任上海國醫學院教授
朱壽朋	傳染病傷科診斷教授	浙江	前仙居縣衛生委員會主席仙居縣立時疫診療所所長上海醫界春秋社編輯
沈石頑	病理暨治療教授	浙江	上海中醫專門學校畢業昌明醫藥學社主任
吳克濟	兒科暨生理教授	浙江	歷任上海市中醫試驗委員醫藥新聞報主筆
沈嘯谷	國文論文教授	江蘇	歷任上海育材中學教員南通濟生施診社醫務主任
景芸芳	藥物教授	江蘇	本學院畢業歷任本學院教授上海國醫分館董事
張崇熙	衛生教授	江蘇	南洋醫大畢業上海惠生產科學校教授
喻仲標	黨義教授	江西	上海市審查訓育主任公民教育資格委員會委員 中國公學教授廣東公學訓育主任公民教員
張劍雄	西醫外科教授暨實習教授	浙江	中國紅十字會第三醫院醫師
張廉卿	施診所指導	浙江	本學院附屬醫院駐院醫士
薛文元	實習教授	江蘇	本學院院長
朱南山	實習教授	江蘇	本學院名譽院長
朱小南	實習教授	江蘇	本學院前副院長
蔣文芳	實習教授	江蘇	本學院教務長前副院長
朱鶴皋	實習教授	江蘇	本學院副院長
章鶴年	醫學通論醫學常識教授	江蘇	本學院訓育員兼中國醫藥社編輯

蔡陸仙	方醫學案醫經教授	江蘇	前中醫大學教授
陳清金	日文教授	福建	前中國公學教授現任復旦大學教授
丁朝宗	實習教授	江蘇	
盛伯蕃	實習教授	江蘇	
馬潤生	實習教授	江蘇	
毛志方	實習教授	江蘇	
陳佐賡	實習教授	江蘇	
陳榮章	實習教授		
姚惠安	國文醫論教授	江蘇	前中醫大學教授
趙振業	眼科教授	江蘇	東南醫學院畢業
錢公玄	經穴教授	江蘇	本學院畢業

歷屆畢業生氏姓錄（以姓氏筆劃多少爲次序）

第一屆畢業生 民國十八年七月

姓名	性別	籍貫	通訊處
汪汝椿	男	江蘇青浦	上海小西門學潔里十三號
余鳳智	男	廣東台山	廣州市麻行街新中醫學會
吳國鈞	男	江蘇無錫	上海法界愷自爾路裕福里三號

郃家驪	男	江蘇溧水	揚州沙鍋井
姚錫韓	男	浙江永康	永康城內賽韓醫院
馬師贊	男	廣東順德	廣州南關大巷口九號
徐人龍	男	江蘇嘉定	嘉定西門
陳中權	男	江蘇崑山	崑山南城河岸三號
張友琴	男	江蘇川沙	浦東川沙小灣鎮
張漢傑	男	江蘇南匯	浦東祝家橋張氏瘋科醫室
許莘耕	男	江蘇宜興	宜興徐舍慶豐號
景芸芳	女	江蘇太倉	上海小西門黃家闕路久安里三號
錢公白	男	江蘇奉賢	奉賢南高橋
韓國鏞	男	江蘇海門	海門麒麟鎮洽昌興
顧應龍	男	江蘇川沙	浦東川沙小營房張長順號轉
顧兆奎	男	江蘇崑山	上海八仙橋霞飛路福昌里
黃森鼎	男	江蘇江陰	常陰沙毛竹鎮黃信泰號
謝斐予	女	江蘇武進	上海山東路一九八號

第二屆畢業生 民國二十年六月

姓名	性別	籍貫	通訊處
王孟圓	男	江蘇松江	松江東門外明星橋西首四八號

方逢道	男	福建建甌	福建建甌縣府前二一號
方毓麒	男	浙江蘭谿	龍游城內大南門轉
史學海	男	江蘇溧陽	溧陽東門黃裕大號轉埭
沈逢介	男	江蘇上海	上海浦東三林塘三山堂藥號
辛元凱	男	吉林永吉	吉林西關前新街吉仁堂國藥號
岑冠華	男	浙江餘姚	上海赫德路葆生堂藥號
季鷹朋	男	江蘇阜甯	阜寧西新溝鎮季合興交
姚汝元	男	江蘇無錫	無錫東墅
胡樹百	女	江蘇嘉定	上海南市豆市街厚德里四號
徐梓材	男	江蘇上海	上海戈登路七一三號
唐景熙	男	江蘇上海	上海老北門唐志鈞醫室
高崙	男	吉林永吉	哈爾濱正陽十四道街成德藥店
商復漢	男	浙江淳安	浙江淳安縣縣前街七號
程金麟	男	江蘇溧陽	溧陽東門經史館巷三號
傅永昌	男	江蘇上海	上海光啓路後傅家街四四十號
楊澹然	男	江蘇南匯	上海小北門外崇德坊一號
楊忠信	男	福建台灣	台灣台中州大甲郡梧棲街楊宅
葉炳成	男	江蘇江陰	無錫華市
葉瑞鼎	男	福建南安	廈門泉州山頭城社壇鄉

董學富	男	浙江江陰	上海新閘路大通路斯文里一二三九號
劉壽康	男	江蘇無錫	上海高昌廟半淞園路劉養和藥號
賴逵五	男	浙江寧海	寧海北鄉橋頭胡鎮濟生堂藥號
鄭俊	男	江蘇常熟	常熟大河鎮

第三届畢業生 民國二十一年七月

姓名	性別	籍貫	通訊處
王世開	男	江蘇興化	江蘇興化安豐
王菊芬	女	江蘇上海	上海南市花衣街王利川老宅九八號
史鴻濤	男	吉林德惠	吉林德惠張家灣站永和泰
朱天祚	男	江蘇松江	松江東門外三九號
何通森	男	福建台灣	台灣台中州大屯郡西屯莊上石碑
林鼎宏	男	廣東潮陽	香港九龍城隔坑村道林室
俞維藻	男	江蘇吳江	震澤轉嚴墓
唐成中	男	江蘇丹徒	上海南車站轉運公會後二九號
殷家振	男	江蘇吳縣	蘇州大柳貞巷殷氏傷科醫室
章鶴年	男	江蘇如皋	如皋丁堰
陳穎貞	女	廣東順德	上海虹口北西路桃源坊新門牌一一八號
溫碧泉	男	山西介休	山西介休城內宋家牌樓底東口路北第二家

馮伯賢	男	浙江慈谿	上海新開河南首潤大海味行
楊興祖	男	江蘇松江	松江黑魚衖楊醫寓
劉達志	男	廣東台山	廣州台山城通濟路
顧允士	男	江蘇吳縣	崑山角直下塘朱醫室

第四屆畢業生 民國二十二年六月

姓名	性別	籍貫	通訊處
王宏綬	男	江蘇鎮江	鎮江諫壁鎮龍嘴村
王靜芳	女	江蘇鎮江	鎮江諫壁鎮蔚王九皋轉
王川岳	男	廣東揭陽	廣東汕頭揭陽南門外吳豐源杉行轉
朱正湘	男	四川威遠	四川自流井龍合鎮郵轉
沈濟民	男	江蘇上海	上海浦東洋涇鎮沈壽康藥號
沈煥章	男	浙江餘姚	浙江餘姚梁弄瑞隆號
周健齡	男	廣東潮陽	上海民國路方浜橋永利押
林百樂	男	廣東潮陽	香港九龍城隔坑村道林醫室
倪宣化	男	四川威遠	四川自流井龍金鎮郵轉
徐亦仁	男	浙江寧海	寧波甯海大街五中和藥號
徐文灼	男	江蘇沭陽	清江浦高家溝廣茂堂藥號
徐竹岑	男	浙江常山	上海西門蓬萊路安樂坊二〇號

本院現况

徐維炳	男	江西瑞昌	江西瑞昌荆林街徐玉成號
徐志勉	男	江蘇宜興	宜興屺亭橋諸仁康
陳洪範	男	廣東廣州	上海漢口路二三二號姚佐頤大藥房
陳承謨	男	福建南安	廈門泉州詩山杏塘
陳汝奎	男	福建龍巖	廈門龍巖白土衛生堂
陳伯華	男	廣東揭陽	汕頭同平路松發號
張富仁	男	江蘇青浦	青浦南門文昌宮後
張宗璿	男	浙江杭縣	上海法租界黃河路六合里九號
黃席豐	男	廣東揭陽	汕頭揭陽河婆仁濟堂國藥號
黃鼎謨	男	浙江江山	浙江江山秀峯
陶乃文	男	江蘇江寧	上海法租界南陽橋新樂里
葉學爵	男	江蘇松江	楓涇楊家橋
楊則徐	男	江蘇常熟	常陰沙南興鎮楊德興旅棧
鄭開明	男	廣東潮安	廣東汕頭潮安西平路關帝宮巷吟巘別墅
劉鴻湛	男	廣東中山	上海北四川路東海寧路恆善里元化藥房
劉子開	男	江西吉安	湖南坡子街文玉金號
蔣稚階	男	四川銅梁	四川重慶三教堂巷三號
錢公玄	男	江蘇上海	上海淡水路一號
盧鴻志	男	江蘇泰縣	泰縣北門外一泰烟莊轉西石羊

姓名	性別	籍貫	通訊處
龎鶴鳴	男	江蘇丹徒	鎮江諫壁西街
蕭　熙	男	江西南城	上海施高塔路四達里一三二號

第五屆畢業生 民國二十三年六月

姓名	性別	籍貫	通訊處
王以文	男	浙江麗水	浙江麗水廈河仁和堂
王輝中	男	江蘇上海	浦東洋涇鎮二五八號
方道淵	男	浙江黃巖	浙江黃巖北門頭張復興橘行轉
朱華谷	男	江蘇青浦	江蘇青浦觀音堂鎮鳳溪醫室
朱雲達	男	江蘇江陰	江陰北門外同興里十四號
汪少成	男	浙江鄞縣	上海東熙華德路一〇〇弄廿五號
李冰妍	女	廣東中山	上海北四川路橫浜路四十號
李雨亭	男	廣東台山	廣東台山石龐頭萬和堂
沈宗吳	男	江蘇吳江	平望西塘街
沈鳳翔	男	浙江嘉善	上海牛莊路益豐里
林廷光	男	廣東揭陽	汕頭杉街新編十三號
林學光	男	廣東潮陽	暹羅曼谷越迪前一九〇〇號林兩成號轉
周桂庭	男	湖南長沙	湖南長沙大東茅巷七十七號
金樹榮	男	浙江杭縣	杭州烏龍巷二四號

本院現現

姜冠南	男	山東蓬萊	上海法租界永安街利太昌行
章　冠	男	廣西邕甯	廣西永淳南陽墟益生號
袁鎮洪	男	江蘇沭陽	江蘇沭陽高溝太和春號轉
袁鵬汀	男	江蘇海門	江蘇海門悅來鎮
陳份平	男	福建福清	福建福清東張鎮岣里小學校轉
陳周鑑	男	福建福清	福建福清東張上里
陳耀華	男	福建惠安	廈門南猪行一二號
許鏡澄	男	廣東普寧	暹羅曼谷安南巷一四六九號許科元醫室
黃毓芳	男	廣東台山	廣東台山大亨市源昌
張仲侯	男	廣東潮陽	汕頭潮陽港頭鄉明新學校
張秉煌	男	江蘇如皋	如皋油坊頭送太陽廟立發一校
項廷陞	男	浙江湯溪	浙江湯溪洋埠協成號轉上陽
楊國昶	男	江蘇啓東	江蘇啓東永興鎮
楊滌園	男	江蘇江陰	江蘇常州北門外篁村鎮周新號轉
劉民鑄	男	江蘇靖江	江蘇靖江東門外城河沿
劉受和	男	廣東中山	上海北四川路新祥里二十四號
黎年祉	男	浙江湯溪	浙江湯溪羅埠郵政代辦處轉伍家圩振豐南貨號
潘公侯	男	福建浦城	浙江衢州轉浦城大北門十二號
魏平孫	男	江蘇興化	江蘇興化英武橋

第六屆畢業生 廿四年六月

姓名	性別	籍貫	通訊處
王公遠	男	江蘇丹徒	鎮江諫壁前圩
王君毅	男	浙江杭縣	杭州運司河一六〇號
王 概	男	江蘇灌雲	江蘇灌雲雙港張永生
王樂成	男	浙江象山	寧波象山塗茨
王德香	男	江蘇上海	上海南天潼路成大弄怡如里新四六號
王嘯山	男	江蘇常熟	常熟西門內讀書里
孔保寅	男	浙江杭縣	杭州上后市街振聲里一〇號
石壬水	男	浙江諸暨	浙江諸暨姚公埠信大號轉長瀾
江海峯	男	江蘇武進	上海新閘青閘路三五號
任天石	男	江蘇常熟	常熟梅李北街沈添榮銀樓
汪黼雲	女	浙江江山	浙江江山大陳
沈 俊	男	江蘇如皋	江蘇如皋李堡
沈邦榮	男	江蘇海門	江蘇海門湯家鎮
沈琴初	男	江蘇上海	上海南市大碼頭一三號愼勤號
沈耀先	男	浙江杭縣	江蘇川沙縣政府
杜榮生	男	浙江紹興	紹興陶里鎮

本院現況

周行	女	浙江義烏	上海狄思威路天同路天同中學
周文穆	男	江蘇無錫	上海界路均益里二二號
周娘雲	男	江蘇無錫	上海靜安寺路愚園路愚谷邨一一一號
姚天農	男	浙江紹興	紹興府前直街四三號
胡克仁	男	江蘇無錫	無錫堰橋
胡靜安	男	江蘇崐山	崐山南街一一號
俞南山	男	浙江蕭山	杭州鉄路尖山站轉逕遊廣太號轉
馬石銘	男	江蘇無錫	杭州太平坊二七號
陳奎	男	浙江温州	温州小南門外東城下陳明遠眼科醫院
陳芝英	女	江蘇南通	江灣新市路一一五三號
陳華年	女	廣東南海	上海南天潼路四七號西保光醫院
陳夢白	男	江蘇丹徒	蘇州西中市順康錢莊盧寶之君轉交
翁澄宇	男	廣東潮陽	汕頭潮陽縣義興鄉
曹鳴	女	江蘇江陰	無錫轉月城留春堂藥材
許雲鵬	男	江蘇沭陽	江蘇沭陽大伊山陽家溝壽山永藥號
張逸桐	男	浙江定海	寧波江北岸桃渡路三二號
張劍虹	男	湖南湘潭	湖南湘潭石潭道生藥局轉
張嘉卉	女	江蘇太倉	太倉沙頭張傑律師事務所
章翼方	男	浙江杭縣	杭州石牌樓小火把弄四號

彭覺民	男	廣東大埔	汕頭大浦中山路彭原廬
傅家樂	男	浙江鄞縣	上海舟山路三五弄J.K.一三一號
傅濟羣	男	浙江鎮海	上海北河南路一四七號鵬泰號
董曼仙	男	浙江杭縣	杭州六部橋六四號
虞尙仁	男	浙江杭縣	杭州西湖葛嶺智里寺左祥林傷科醫院
鄧衍封	男	安徽蕪湖	上海愛多亞路恆康里八一號
鄭鐵民	男	廣東潮陽	上海城內九畝地露香園路智安里一六號
魯六華	女	浙江紹興	紹興東雙橋當弄
錢椿壽	男	江蘇江陰	無錫華墅北街
蔣景鴻	男	江蘇江陰	江蘇江陰北門外同興里西前
謝　瑜	女	江蘇南匯	上海浦東陸行鎮南
應礽彭	男	浙江會稽	上海北河南路底廿濟平民診所
顧伯明	男	江蘇南匯	上海浦東周浦張萬利
顧　琇	女	江蘇上海	上海慕爾鳴路九三號安祥廬

本學期各級學生名錄

秋季三年級

施慶麟　阮秦明　章叔賡　陳其珊　許兆璇　劉行方　裴龍玉　趙文貞　沈寶善　胡惠康　卓騰國　王名藩

湯君提 朱榮南 桂士琳 周彩鳳 張克勤 金鍵 劉棣 沈松林 吳枕流 陸劍塵 吳有方 張秀杭
桂士瞿 馮芝洲 吉星耀 王吟竹 馬芝馨 章國華 胡倩霞 蔣鴻英 黃寒柏 王盤纓 周效寅 邵亮東
孫鳳皋 楊澤瑾 楊治平 程連雲 李其光 歐克仁 邱允珍 馬雲翔 宋國楨 楊禮通 薛定華 王東山
張育麟 夏子均 劉國輔 王雩峯 許紹周 郁昌祖 陳鳳翔 王克平 沈珩 沈璉 陳贊禮 竺獨還
沙柱援 鄭汝爲 汪家煊 唐本善 涂畯飛

秋季二年級

狄福珍 何威白 瞿德民 葉培根 何玉成 杭海仙 嚴志清 卞月英 王瑞虹 馬欽伯 吳竺天 劉一平
漆永霖 徐公愚 林君德 楊濟華 曹國鈞 吳本倫 葉暄 宋菊仁 顧小達 歐陽雄揮 張頌蓀 施璧
王輝華 馮瑞龍 余嘉治 李懷芝 李馨芳 王道 程振榮 劉竟堯 羅童松 劉野佛 林仲璋 董斐園
張曉白 關鼎漢 汪曾陶 朱駿逸 水康民 陳章華 周學淵 卓振強 黃仲彬 張自如 朱炎豐 黃兆海
張炳文 何志雄 吳松溪 陳俊澤 高振華 陳去弱

春季二年級

陳長珍 程萬里 方六書 葉采明 徐學文 閻震中 華志偉 黃俊賢 張鵬 張龍 胡家楊 張樹藩
喬壽添 葉毓山 徐德俊 周少梅 金儲之 施作霖 陳達人 董淑六 施洪鈞 朱梁 沈兆鑫 王占先
蔣滋衍 黎玉麟 董熙農 嚴文通 范蔭祖 湯宗堯 丁壽能 王希韓 曹淦泉 郭志皋 江宗權 魏家德

秋季一年級

翁淑如 潘淑貞 蘇樹榮 苗彭澤 王昌年 周全榮 方小溥 林照光 徐竹如 虞佩珍 王綱常 岑建中
蔣炳湘 嚴春林 鄭家榻 蕭若槐 朱龍珍 沈絮男 王一濟 唐 溶 黃綺嵐 李漢琴 林永湘 潘粹琪
蔣御天 周瑾梅 孟祥瑞 邱思聰 湯長丙 劉榮根 黃葳承 陸士元 蔣功淦 杜卓如 陳偉農 陶東望
劉 鼎 朱永康 徐志祥 許寶泰 武德祥 陳世焯 饒國良 奚瑞彬 鄧宗本 陸浚源 白邵塵 樊承楷
李順卿 王蔭昌 曾瑩鋒 陳文銓 劉照文 宗寶賢 金聲夫 林 皋 劉篤鑫 王煥章 宋雨甘 張興邦
陳襟三 何慕軒 潘盛世 鄭邦達 李維新 李竹平 劉漢强

春季一年級

張博榮 凌文雄 黃孫武 黃孫叔 呂善根 邵亮軒 錢 英 賈福華 方宏杜 徐德強 都季英 龔國樑
錢忠馥 葉菊英 鄧志倩 程金城 楊 雋 錢祖煦 葉在定 劉 逸 張桂國 倪武陵 佘光儀 楊靜孫
田體仁 章鉄生 曹徵慶 吳希道 林獻文 楊 杰 余長民 方培倫 翁華堂 陳爲競 李光宗 冒景明
鄭 剛 鄧峻德 汪志銳 唐 政 林杏圃 李 明

中國醫學院第六屆畢業紀念刊

中華民國二十四年七月一日出版

定價大洋壹元

編輯者 中國醫學院教務處

發行者 中國醫學院事務處 上海租界區北河南路老靶子路 電話四一一五四號

印刷者 大方印務局 上海卡德路一五三弄四號 電話三六一二二

代售處 各大書局

上海市國醫公會[illegible]立中國醫學院概況招收男女新生

歷史　民國十六年開辦計第一屆畢業生十八人第二屆畢業生二十四人第三屆畢業生十六人第四屆畢業生三十三人第五屆畢業生三十三人第六屆畢業生四十九人

負責人員　院董會朱鶴皐(主席)[illegible]易堂陶百川王曉籟袁履登林康侯杜月笙謝利恆丁仲英夏應堂等二十一人院長薛文元教務長兼訓育主任蔣文芳總務主任朱鶴皐事務主任黃智忠

現任教授　講席教授丁福保謝利恆秦伯未祝味菊方公溥張贊臣許半龍包識生包天白沈石頑蔡克濟王潤民章巨膺沈嘯谷秦芸芳朱壽彭章鶴年盛心如蔡陸仙喻仲標——以上國醫學——張錫雄張榮熙翁振業——以上西醫學——○住院實習指導張羅瀾院外實習教授李遇春馬濟仁造寶夫唐亮臣俞岐山丁仲英徐小圃方公溥謝利恆等

學級編制　分一二三四年級自民國二十三年起逐漸實行學分制與年級制同樣分級推行以爲分系之準備

現有學生　共有學生三百二十餘人

教育方案

宗旨　本學院遵照中華民國教育宗旨以研究中國歷代醫學技術融化新知養成國醫專門人材充實人民生活扶助社會生存發展國民生計延續民族生命爲宗旨

學程　一年級爲基礎國文生理解剖藥物醫經醫學常識醫史醫論病理傷寒等科　○二年級爲基礎國文藥物醫識傷寒病理方劑診斷溫病外科醫論雜病等科　○三年級上午臨證實習下午金匱方劑衛生外科婦科兒科花柳科喉科眼科溫病雜病等科　○四年級(1)臨診處方(2)教師指導(3)同級研究(4)課外閱讀

教材　整理固有學術之精華而爲顯明之系統適用合於現代之理論與爲完善之學說生理解剖外科急救等兼採用西醫學術○各科講義均由各教授自編

實習　三年級生每日上午至名醫處臨診實習○四年級生於教師指導下在本院施診所臨診處方及醫院臨床實習

二十四年度招生

學額　秋始一年級新生六十名春始一年級插班生二十名春始二年級插班生十五名秋始二年級插班生十名秋始三年級插班生五名男女兼收

資格　高中畢業——有畢業文憑者免考——或有同等學力者須經考試

插班生　除有轉學證書外必須受插班試驗

報名　隨繳四寸半身相片三張報名費洋一元保證金洋五元○通信報名郵件須掛號如手續不齊備者不予報名

試驗　○秋始一年級新生國文秋始二年級插班生加試傷寒病理藥物醫學常識溫病方劑秋始三年級加試雜病診斷(每逢星期日考試)

○春始插班生一年級國文藥物醫學常識春始二年級加試溫病方劑傷寒病理

院章　函索附郵票七分○第四五六屆畢業紀念刊優待實售一元寄費三角(每逢星期日考試)

附啟　本院於去年寒假期內原已擇定江灣路院基一所旋以該處有種種不便之原因乃改擇閘北東方圖書館後寶通路某地建築院舍目下籌備圓滿現已招標動工期於八月底落成下學期遷入新學上課　○院址上海公共租界靶子路